D1532043

Légendes des cartes

—–·–·	Frontière internationale
– – – –	Frontière provinciale
⊖	Poste frontière
–·–·–	Parc national, réserve
– – – –	Route maritime
Ⓜ	Métro
✈	Aéroport
🚌	Gare routière
Ⓟ	Parking
❶	Office de tourisme
✉	bureau de poste
♱	Église, ruines
	Mosquée
	Synagogue
	Château, ruines
∴	Site archéologique
∩	Grotte
★	Site, curiosité

Les sites des itinéraires sont signalés dans les cartes par des puces noires (ex ❶ ou Ⓐ). Un rappel en haut de chaque page de droite ou de gauche indique l'emplacement de la carte correspondant au chapitre.

Les collaborateurs

Cette nouvelle édition a été entièrement révisée et mise à jour par **Donald Bedford**, écrivain diplômé en chinois, et journaliste de presse écrite et radiophonique. Donald a vécu et travaillé à Beijing et à Hong Kong, et a parcouru l'immensité de ce pays en long et en large. Tous les trésors qu'il a découverts, il vous les fait partager dans les nouveaux itinéraires qu'il inclut dans cette édition, notamment la Mongolie-Intérieure et le Ningxia, dans le Nord, et le Guangdong, les îles Hainan et le Fujian, dans le Sud. Il a également enrichi les autres itinéraires de nouvelles provinces et de nouveaux sites, tels que le Guizhou, le Hunan et le Zhejiang, dans les régions centrale et orientale. Pour mieux comprendre la Chine d'aujourd'hui, il a ajouté une thématique sur les montagnes sacrées, et des "Zoom sur..." les temples et les divinités, le barrage des Trois Gorges, et l'écologie en Chine.

La maison d'édition britannique APA a confié la coordination et la nouvelle édition de l'*Insight Guide : China* à **Tom Le Bas**. Ce dernier l'a actualisé de quelque 90 photos inédites, ainsi que plusieurs cartes. Quant aux informations du Carnet pratique, elles ont été entièrement révisées et élaborées par **Ron Glotzer**, chef d'entreprise et éditeur installé à Shangai.

Les collaborations aux éditions précédentes de **Leslie Burgoine, Manfred Morgenstern, Ellen Sheng, Sharon Owyang, Lily Tung, Tim Larimer, Helmut Forster-Latsch, Tom Ots, Marie-Luise Latsch, Elke Wandel, Marie-Luise Beppler- Lie, Karl Grobe-Hagel** et **Eva Klapproth**, restent toujours d'actualité.

◆ La section **Itinéraires**, signalée par un bandeau bleu, présente sous forme de circuits une sélection de sites et de lieux incontournables ou à découvrir. Chaque site est localisé sur une carte à l'aide d'une pastille numérotée.

◆ La section **Carnet pratique**, située en fin d'ouvrage et soulignée par un bandeau orange, fournit toutes les informations nécessaires pour connaître les différents aspects du pays (climat, situation géopolitique, etc.), pour préparer le voyage (formalités, à mettre dans sa valise, comment s'y rendre...), se déplacer dans le pays, se loger et se restaurer, et bien plus encore...

SOMMAIRE

Arts martiaux au monastère de Shaolin, province du Henan.

Zoom sur....

Carnet pratique

◆ **Index détaillé du carnet pratique, p. 353**

Itinéraires

LA CHINE

Après des siècles d'introspection, l'empire du Milieu s'ouvre

au monde. Mais pour le voyageur occidental, un séjour

en Chine reste une expérience d'un dépaysement extrême.

La Chine, le pays le plus peuplé du monde et le troisième par sa superficie après la Russie et le Canada, est aussi celui dont l'histoire consignée remonte le plus loin dans le temps. Le mot "Chine" vient de Qin (prononcez *Tschine*), la dynastie qui pour la première fois, au IIIe siècle av. J.-C., est parvenue à donner forme à l'idée d'une Chine unifiée. Les Qin ont appelé leur pays Da Qin, lui conférant le statut d'empire, puisque *da* signifie "grand par la taille ou par la puissance". Au fil des siècles, cependant, c'est un tout autre nom que les Chinois ont retenu : celui de Zhongguo – le pays (*guo*) du milieu (*zhong*), ou l'empire du Milieu.

Selon la vision du monde des Chinois anciens, en effet, leur territoire se situait exactement sous le centre du firmament. À Beijing (Pékin), près de la Cité interdite, ce centre était symbolisé par un autel de marbre à l'intérieur de Tiantan, le "temple du Ciel" où seul l'empereur était autorisé à pénétrer. S'éloigner de Tiantan et du trône impérial revenait à descendre dans la hiérarchie cosmique. Autant dire que les peuples et les civilisations vivant à la périphérie du monde, notamment dans les sombres contrées du Nord, dans l'Ouest aride, et, pire, en Occident, étaient des barbares !

Pendant longtemps, les Européens, constatant le peu d'intérêt de la Chine pour les affaires du monde, lui ont rendu la monnaie de sa pièce, tout en n'ignorant ni les splendeurs, ni la richesse culturelle de l'empire du Milieu. Plus récemment, au XXe siècle, historiens et analystes ont prophétisé le réveil imminent d'un pays qu'ils ont comparé à un géant en sommeil, ou, de façon plus poétique, à un tigre ou à un dragon endormi.

Le présent leur a donné raison : en ce début de millénaire, la Chine est une puissance moderne avec laquelle le reste du monde doit compter. Les effets de l'enrichissement du pays sont visibles, et l'émergence d'une société de consommation efface peu à peu l'austérité du passé. Depuis la révolution de 1949, l'espérance de vie a doublé et, au cours des dernières années, la qualité de vie des Chinois s'est considérablement améliorée, en particulier dans les villes côtières, de plus en plus prospères.

Mais l'entrée de la Chine dans le concert des nations ne se fait pas sans crises ni sans hésitation. Le pays a beau évoluer à une vitesse impressionnante, la mutation qu'il est en train d'opérer le bouleverse en profondeur. Comment en serait-il autrement alors que, durant la plus grande partie de son histoire, le pays du Milieu est resté replié sur sa vie intérieure, tel un adepte du *taijiquan* (art

---

PAGES PRÉCÉDENTES : femme *sani* à Kunming ; terrasses du dos du dragon à Longshen, Guangxi ; Yonghe Gong, temple des Lamas, à Beijing.
À GAUCHE : petites filles en costume pour la fête de Cheung Chau, à Hong Kong.

martial fondé sur la maîtrise de soi, *voir p. 181*) qui recherche l'équilibre et la stabilité en lui-même ?

Il est vrai que les problèmes intérieurs continuent d'occuper le terrain : la population du pays a doublé depuis la fin de la Seconde Guerre mondiale, pour atteindre 1,29 milliard d'habitants. La Chine doit nourrir un cinquième de la population mondiale, alors que seulement 7 % de ses terres sont cultivables. Les grandes villes (au-dessus d'un million d'habitants) portent les traces de cette explosion démographique : elles sont bétonnées, polluées et envahies par des légions de paysans à la recherche d'un travail. Le chômage et l'exode rural constituent un véritable casse-tête pour les dirigeants chinois. Se pose en outre la délicate question des réformes démocratiques : l'impressionnante modernité de ces vitrines que sont Beijing et Shanghai ne doit pas, en effet, faire oublier que le gouvernement ne tolère ni le pluralisme politique, ni la dissidence. L'appareil d'État responsable de la répression contre les étudiants de Tiananmen en 1989 est toujours en place.

La Chine émerveille par la diversité de ses paysages – des montagnes inaccessibles de l'ouest du Tibet à la riche bande côtière de l'Est, des contrées désertiques du Nord aux terres fertiles et généreuses du Sud. Elle surprend par la multiplicité de ses cultures et de ses dialectes que seule unit une écriture commune. Le voyageur occidental qui se rend en Chine doit impérativement comprendre et accepter l'idée que ce pays ne ressemble en rien à son univers familier. Comme l'a écrit l'essayiste et voyageur Simon Leys : "Du point de vue occidental, la Chine est tout simplement l'autre pôle de l'expérience humaine."

Écrire la langue parlée

La langue écrite officielle en Chine est le mandarin, qui a remplacé le chinois classique après la révolution. Le mode de transcription utilisé dans ce livre est le mandarin pinyin. Ce système, adopté en République populaire de Chine depuis 1958, est également la norme internationale depuis 1979. En pinyin, Pékin est devenu Beijing, Nankin, Nanjing et Mao Tse-Toung, Mao Zedong. Taiwan, en revanche, a conservé l'ancien système Wade Giles. Ainsi, la déesse de la compassion est toujours appelée Kuan Yin à Taiwan, tandis qu'en Chine, on l'adore désormais sous le nom de Guanyin. La plupart des transcriptions en mandarin pinyin se prononcent aisément. La principale difficulté tient au fait que le mandarin – tout comme le cantonais –, est une langue à tons (*voir p. 400*), une subtilité que ne rend pas le pinyin.

En mandarin, des suffixes indiquent souvent la nature des lieux désignés par des noms propres. C'est ainsi que *-jiang* ou *-he* sont le suffixe d'un fleuve, *-si* ou *-ta* d'un temple, *-shan* d'une montagne et *-lu* ou *-dajie* d'une rue. En pinyin, le suffixe est soit accolé au nom propre, soit séparé de lui par un espace. Afin d'identifier les lieux plus facilement, nous avons choisi de les séparer systématiquement : les monts du Tian sont transcrits "Tian Shan". Dans la plupart des cas, nous utilisons la version chinoise comme première référence avec leur traduction française entre parenthèses. ❑

À **droite** : pièces de mah-jong, jeu très populaire dans toute la Chine.

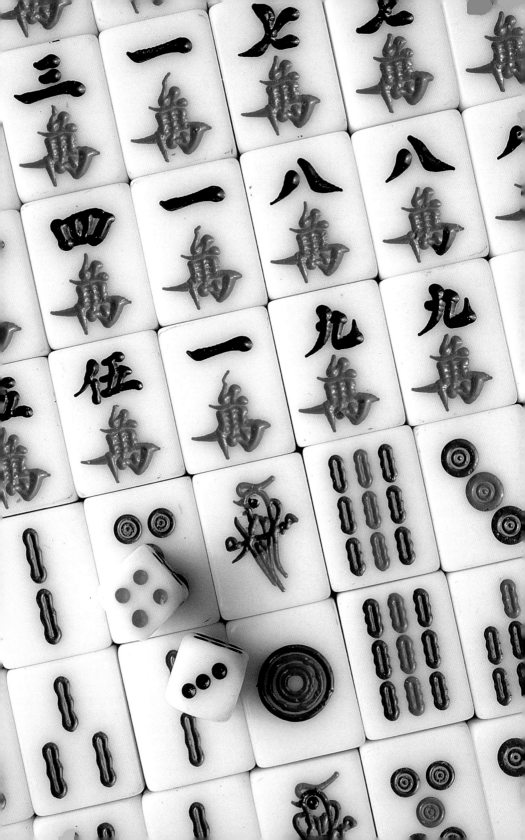

Chronologie

Haute Antiquité

xxie-xvie siècle av. J.-C. Dynastie Xia (existence contestée).
xvie-xie siècle av. J.-C. Dynastie Shang, première dynastie historique.
xie siècle-256 av. J.-C. Dynastie Zhou. Capitale : Chang'an (l'actuelle Xi'an) puis Luoyang.
770-476 av. J.-C. Période des Printemps et Automnes. Consolidation des principautés. Confucius (551-479 av. J.-C.) souligne la responsabilité morale des gouvernants.

403-221 av. J.-C. Période dite des Royaumes combattants.

Dynastie des Qin (221-206 av. J.-C.)

221 av. J.-C. Qin Shi Huangdi unifie la Chine et fonde la première dynastie impériale.

Dynastie des Han (206 av. J.-C.-220 apr. J.-C.)

206 av. J.-C. Fondation de la dynastie des Han, avec Chang'an pour capitale.
180 av. J.-C. Apparition des eunuques.
165 av. J.-C. Instauration du concours de recrutement des fonctionnaires.
25 apr. J.-C. Luoyang devient la capitale.
105 Invention présumée du papier, peut-être déjà utilisé depuis deux siècles. Commerce florissant avec l'Asie et l'Europe.
iie siècle Fondation des premiers établissements bouddhistes en Chine.
220 Abdication du dernier empereur des Han. Les Wei, les Jin et les dynasties du Nord et du Sud se partagent la Chine.

Dynastie des Sui (581-618)

581 Les Sui réunifient la Chine et promulguent un nouveau code législatif.
589-610 Réparations des premières fortifications de la Grande Muraille. Creusement du Grand Canal entre le nord et le sud de la Chine.

Dynastie des Tang (618-907)

618 Chute des Sui et avènement des Tang. Le gouvernement se bureaucratise. Pénétration croissante du bouddhisme en Chine.
690–705 L'impératrice Wu (627-705) est la première femme à gouverner la Chine.
907–960 Chute des Tang. Division de la Chine en 5 dynasties et 10 royaumes.

Dynastie des Song (960-1279)

960 Les Song du Nord réunifient la Chine et choisissent Kaifeng pour capitale.
1040 La Chine invente l'imprimerie à caractères mobiles. Le confucianisme se renouvelle et se transforme aux xie et xiie siècles.
1127 Début de la période des Song du Sud après que des envahisseurs venus du Nord ont contraint les Song à transférer leur capitale à Hangzhou.

Dynastie des Yuan (1280-1368)

1279 Après 500 ans de tentatives infructueuses, les Mongols de Kubilaï Khan, petit-fils de Gengis Khan, renversent les Song. Annexion du Tibet. Le commerce prospère sur la route de la Soie. Dadu, futur Beijing (Pékin), devient la capitale.

Dynastie des Ming (1368-1644)

1368 Avènement des Ming après que les Han ont chassé les Mongols. Nanjing est la capitale.
1405-1433 Sous l'empereur Yongle, l'eunuque musulman Zheng He (1371-1433) mène 7 expéditions maritimes (Asie du Sud-Est, Inde, Perse et Afrique australe). Beijing devient à nouveau la capitale en 1421.
1514 Le premier navire portugais mouille devant Guangzhou (Canton).
1553 Macau devient un comptoir portugais et le premier établissement européen en Chine.

DYNASTIE DES QING (1644-1911)

1644 Les Mandchous fondent la dynastie des Qing et s'emparent de Beijing.

1661-1722 Règne de l'empereur Kangxi.

1736-1796 Règne de l'empereur Qianlong.

1800 Premier édit prohibant l'importation et la production d'opium.

1838 Lin Zexu interdit le commerce de l'opium. L'année suivante, la cour des Qing cesse tout commerce avec la Grande-Bretagne.

1839-1842 Les forces britanniques croisent au large de la Chine. La première guerre de l'opium éclate en 1841.

1842 Traité de Nanjing. Hong Kong est concédée "à perpétuité" aux Britanniques.

1851-1864 Révolte antimandchoue des Taiping. Elle fait 20 millions de victimes.

1855-1875 Rébellions musulmanes.

1856-1860 Seconde guerre de l'opium.

1858 Conflit entre la Chine et les puissances européennes. Le traité de Tianjin ouvre de nouveaux ports aux Européens.

1860 Sac du palais d'Été par les Français et les Britanniques. Kowloon est cédée à la Grande-Bretagne.

1894-1895 Guerre sino-japonaise, qui voit la défaite de la Chine.

1900 Révolte des Boxeurs.

1911 Des représentants de 17 provinces se réunissent pour former un gouvernement républicain provisoire. Sun Yatsen est élu président, mais démissionne rapidement.

1912 Abdication de Puyi, le dernier empereur.

LA CHINE APRÈS L'EMPIRE

1916-1928 Le président de la République, Yuan Shikai, songe à se proclamer empereur. Plusieurs provinces font sécession, et la Chine se disloque à la mort de Yuan Shikai. Les "Seigneurs de la guerre" se battent pour le contrôle du pays.

1919 Le 4 mai, à Beijing, une manifestation marque le début du mouvement nationaliste.

1921 Fondation du Parti communiste à Shanghai.

1925 Mort de Sun Yatsen.

1934-1936 Longue Marche des communistes.

1937 Communistes et nationalistes s'unissent aux Britanniques et aux Américains pour lutter contre les Japonais.

1945 Défaite et reddition du Japon. Une guerre civile générale s'ensuit en Chine.

LA RÉPUBLIQUE POPULAIRE DE CHINE

1949 Mao Zedong proclame la République populaire de Chine à Beijing le 1er octobre. Les nationalistes se réfugient à Taiwan.

1958-1961 Mao lance "le Grand Bond en avant".

1960 Rupture avec l'Union soviétique.

1964 Première bombe atomique chinoise.

1966 Début de la Révolution culturelle.

1976 Mort de Zhou Enlai et de Mao Zedong. Fin de la Révolution culturelle. Dans la province de Hebei, le séisme Tangshan fait plus de 240 000 morts.

1978 Deng Xiaoping lance une politique de réformes économiques et d'ouverture.

1989 Manifestations sur la place Tiananmen à

Beijing. La répression fait des centaines de morts.

1997 Mort de Deng Xiaoping. Rétrocession de Hong Kong à la Chine par la Grande-Bretagne.

1999 Manifestations contre l'OTAN après le bombardement de l'ambassade de Chine à Belgrade. Rétrocession de Macau à la Chine par le Portugal.

2001 La Chine adhère à l'OMC. Beijing est choisie pour les Jeux olympiques de 2008.

2002 Hu Jintao est nommé Secrétaire général.

2003 Hu Jintao devient président de la République. Lutte contre l'épidémie de SRAS. Lancement réussi du satellite Shenzhou-V.

2004 Hausse des taux d'intérêts pour tenter de ralentir la fulgurante croissance économique.

2005 Ouverture du Disneyland, à Hong Kong. ❏

À **GAUCHE** : Kangxi (1661-1722).

À **DROITE** : Mao entouré de gardes rouges.

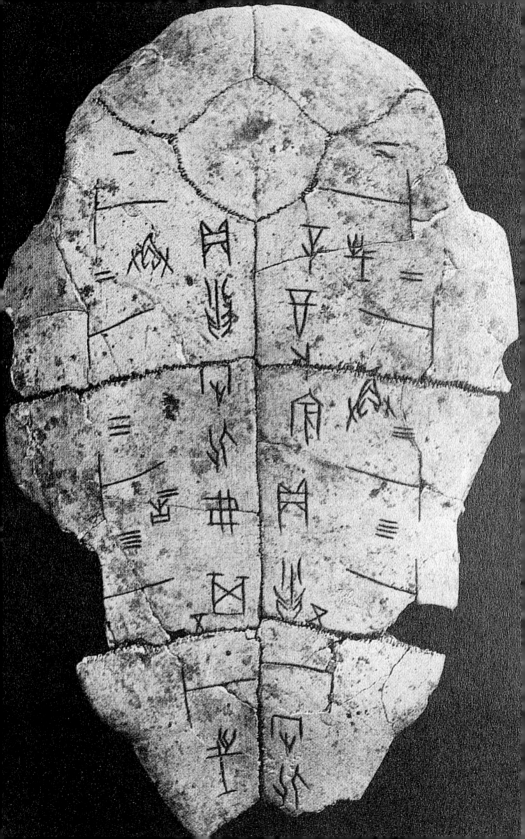

DES XIA AUX MING :
DYNASTIES ANCIENNES

Près de 4 000 ans séparent l'avènement des Xia – première dynastie connue –
de celui des Ming, venus détrôner les Mongols au XIVe siècle.

De tous temps, les dirigeants chinois ont aimé puiser dans leurs mythes les symboles de la continuité et de l'unité des valeurs culturelles chinoises. Et de même que jadis, les empereurs prenaient pour exemple la sagesse des rois légendaires, les responsables de la Chine contemporaine n'ont jamais renoncé à s'inspirer du passé et à mettre en avant l'histoire et les réalisations de la Chine ancestrale afin d'encourager le peuple à plus de nationalisme.

On sait aujourd'hui que la Chine était déjà peuplée il y a un million d'années. Au début du XXe siècle, des archéologues découvrent dans un village au sud-ouest de Beijing une série de grottes, dont l'une est aussi grande qu'un terrain de football. Ils exhument les crânes, les dents et les ossements de plus de 40 *Homo erectus*, ainsi que des dizaines de milliers d'instruments de pierre vieux de quelque 200 000 à 400 000 ans. L'"Homme de Pékin" vivait de la chasse et de la cueillette. Il faisait du feu pour se chauffer et pour cuire la viande d'ours, d'hyène, de tigre à dents de sabre et de buffle d'eau.

Dans diverses régions, les fouilles mettent au jour d'autres fossiles humains et des outils datant de cette période. Tous prouvent le développement parallèle de civilisations chinoises précoces possédant à la fois des particularités locales et des traits communs. Selon les archéologues, les fondements de la pensée chinoise concernant la famille, l'autorité, la religion et l'art étaient posés dès l'Antiquité.

Sous le néolithique (12 000-2 000 av. J.-C.), la Chine voit se multiplier les communautés agricoles. Ses habitants chassent et pêchent pour se nourrir, élèvent des porcs et des chiens, font pousser du chanvre qu'ils tissent. Les groupes d'habitations laissent deviner l'existence de cellules familiales, et les décorations des poteries représentent des symboles claniques ou familiaux, ainsi que des dessins d'animaux et de plantes.

Les Xia (XXIe-XVIIe siècle av. J.-C.) figurent, avec les Shang et les Zhou, parmi les 3 plus anciennes dynasties. Certains scientifiques doutent de l'existence des Xia. Cependant, en 1959, des archéologues ont exhumé à Erlitou (l'actuelle Luoyang, dans la province du Henan) ce qui pourrait bien être les palais d'une capitale Xia.

Les Shang (XVIe-XIe siècle av. J.-C.)

Un jour, en 1899, un lettré chinois remarque des inscriptions en écriture archaïque figurant sur les "os de dragon" qu'il vient d'acheter dans une pharmacie. Dès la fin des années 1920, on a pu rattacher cette écriture à la dernière capitale des Shang, découverte à Anyang, dans la province du Henan.

Les inscriptions relevées sur les os et sur les bronzes, les sites des fouilles eux-mêmes et les textes écrits pendant la dynastie suivante donnent des Shang l'image d'une société remarquablement stratifiée. Les devins rendaient des oracles aux rois en soumettant des omoplates de bovidés et des carapaces de tortues au feu afin d'y créer des craquelures. Les interprétations des craquelures étaient ensuite gravées sur les os et les carapaces. Plus de 100 000 os et carapaces divinatoires ont été retrouvés.

L'élite chassait pour le plaisir et combattait dans des chars à cheval, alors que la paysannerie vivait dans des huttes à demi enfouies dans le sol. Les tombes royales contenaient des objets de valeur, des animaux et des restes de sacrifices humains. La mobilisation des

---

SOIE NÉOLITHIQUE

La délicate production de la soie, à partir de la chenille d'un papillon (le bombyx du mûrier), est l'une des inventions de la Chine néolithique. Le secret reste longtemps gardé. L'exportation clandestine des vers à soie vers l'Occident ne commence qu'au VIe siècle.

À GAUCHE : inscription divinatoire sur une carapace de tortue, datant de la dynastie Shang.

masses pour les travaux publics comme la construction de remparts témoigne du pouvoir de l'aristocratie Shang.

Les Zhou (XIᵉ siècle-256 av. J.-C.)

La structure primaire de l'État chinois naît probablement sous les Zhou. Ce clan a été le vassal des Shang durant de longues années, avant de s'imposer au XIᵉ siècle. Les Zhou établissent leur capitale à Chang'an (actuelle Xi'an) et envoient leurs fils diriger les États vassaux selon un système quasi féodal. La légitimité de ces souverains se fonde sur la croyance nouvelle qu'ils sont investis d'un

mandat céleste : c'est sur sa capacité à maintenir l'harmonie entre le ciel et la terre, entre lui-même et ses fonctionnaires, et entre ses fonctionnaires et le peuple que repose le droit à gouverner d'un "Fils du Ciel".

En 771 av. J.-C, le transfert de la capitale vers l'est, à Luoyang, marque le début de l'époque des Zhou orientaux. Pendant la période dite des Printemps et Automnes (770-476 av. J.-C.), les principautés forment des alliances, puis se combattent ou s'absorbent mutuellement. À l'époque des Royaumes combattants (403-221 av. J.-C.), il ne reste plus que 7 grands États. Malgré tous ces bouleversements, des avancées marquantes ont

lieu : introduction de l'utilisation du fer, développement des armées d'infanterie, diffusion de la monnaie, émergence de la propriété foncière privée, agrandissement des villes et assouplissement des structures sociales.

La violence de cette époque inspire à certains des idéaux d'ordre et de paix destinés à retrouver la sagesse des rois légendaires qui auraient régné sur une Chine paisible et unie. Confucius (551-479 av. J.-C.), ses disciples Mencius (372-289 av. J.-C.) et Xunzi (310-215 av. J.-C.) sont les principaux tenants de cette philosophie. Le confucianisme met l'accent sur le respect de la tradition, la responsabilité morale de chacun et celle du souverain vis-à-vis de son peuple. Si le monarque règne en toute justice, maintient des relations sociales de qualité et cultive ses propres valeurs morales, la paix et l'abondance sont assurées.

Le taoïsme, attribué à Laozi, un contemporain de Confucius selon ses disciples, se situe à l'opposé de cette idéologie réformiste. Les taoïstes cherchent à atteindre le *dao* ("la Voie") en suivant leur instinct et en acceptant, sans lutter, l'expérience de la vie. On disait alors que les fonctionnaires, confucianistes tant qu'ils étaient en service, devenaient taoïstes à la retraite.

Les Qin (221-206 av. J.-C.)

L'État Qin sort vainqueur de la période des Royaumes combattants : en s'appuyant sur une législation astreignante, favorable à l'agriculture et aux institutions de l'État, il finit par avoir la haute main sur ses rivaux en 221 av. J.-C. Le premier empereur de la dynastie, Qin Shi Huangdi, est considéré comme le premier empereur d'une Chine unie.

Qin Shi Huangdi harmonise les poids et les mesures, la monnaie et l'écriture, ordonne la construction de routes et le percement de canaux dans le Sud afin de faciliter le transport fluvial. Les archives des États vaincus sont brûlées et des centaines d'intellectuels hostiles à la domination des Qin sont assassinés. On construit également des fortifications, mais l'attribution à Qin Shi Huangdi de l'intégralité de la Grande Muraille relève de la légende. En effet, les vestiges actuels datent surtout des Ming (XVIᵉ siècle apr. J.-C.).

La cruauté et l'avidité de Qin Shi Huangdi finissent par épuiser la population et les ressources financières de la Chine. À sa mort, en

210 av. J.-C., son empire se disloque rapidement. La découverte, près de Xi'an, de plus de 7 000 soldats en terre cuite grandeur nature, créés pour protéger son tombeau grandiose, révélera au monde la démesure de son pouvoir et de son narcissisme.

Les Han (206 av. J.-C–220 apr. J.-C)

Tout en récusant la dureté du régime des Qin, les souverains Han bâtissent leur État en s'appuyant sur la bureaucratie centralisée mise en place. L'innovation fondamentale de l'administration Han reste le recrutement des fonctionnaires. Dès le Ier siècle, leur connaissance

les liens entre les différentes régions. Les gens les plus instruits et les plus riches s'installent dans les villes, qui deviennent d'importants centres économiques et culturels. Les habitants des régions déshéritées migrent vers des zones plus dynamiques.

En 180 av. J.-C., les eunuques, une nouvelle classe sociale qui conservera une place importante jusqu'en 1911, apparaissent à la cour. Recrutés pour veiller sur les femmes de l'empereur, ils deviennent rapidement des personnages-clés, jouant un rôle de premier plan dans les intrigues et les luttes de pouvoir au palais et deviennent des conseillers précieux.

DYNASTIES

Pendant près de 4 000 ans (certains érudits contestent l'existence des Xia), la Chine fut gouvernée par un Fils du Ciel. Elle connut des périodes de chaos, comme les 4 siècles de troubles séparant les Han et les Tang.

Xia	XXIe-XVIe siècle av. J.-C.
Shang	XVIe-XIe siècle av. J.-C.
Zhou	XIe siècle-221 av. J.-C.
	Printemps et Automnes 770-476 J.-C.
	Royaumes combattants 403-221 av. J.-C.
Qin	221-206 av. J.-C.
Han	206 av. J.-C.-220 apr. J.-C.
Sui	581-618
Tang	618-907
Song	960-1279
Yuan	1279-1368
Ming	1368-1644
Qing	1644-1911

des textes confucéens est estimée indispensable, car elle seule permet de faire coïncider le service de l'empereur et de l'État avec les valeurs confucéennes de rigueur morale et d'intégrité. C'est à cette époque que la politique, la société et la culture chinoises s'imprègnent profondément du confucianisme.

La stabilité des Han permet à la population chinoise de dépasser le seuil des 50 millions d'habitants. Le commerce et l'industrie prospèrent et les infrastructures de communications et de transport s'améliorent, renforçant

La dynastie atteint son apogée sous le règne de Han Wudi (140-87 av. J.-C.). Les Chinois cherchent depuis longtemps à contrôler les tribus nomades du Nord et de l'Ouest, et Wudi parvient à écarter la menace du puissant empire des Huns, dans le Nord. Son territoire s'étend alors à l'ouest jusqu'à l'actuel Xinjiang. Durant le règne des Han, les marchands étrangers favorisent les contacts avec d'autres cultures. En effet, depuis le Ier siècle av. J.-C., des caravanes empruntent la route de la Soie en échangeant or et chevaux contre la précieuse matière qu'elles convoient.

À la fin de cette période, le bouddhisme est introduit en Chine depuis l'Inde alors que le

À GAUCHE : Qin Shi Huangdi, fondateur de l'empire.
À DROITE : soldats de la garde impériale.

confucianisme perd de son emprise. Du nord au sud, les enseignements et l'art bouddhiques imprègnent la culture chinoise, et les dirigeants non chinois du nord de la Chine donnent eux aussi leur aval à l'expansion du bouddhisme – en partie parce que cette doctrine, tout comme eux, n'est pas issue de l'élite chinoise. Le prosélytisme de ses prêtres permet au bouddhisme de gagner des adeptes dans le peuple. Quant aux classes supérieures, elles trouvent en lui des explications à la dégradation de leur société. En outre, le bouddhisme séduit par sa sophistication intellectuelle et artistique.

Division et réunification

Le régionalisme et les disparités sociales s'aggravent après la chute des Han. Vers 220, pendant la période dite des "Trois Royaumes", la Chine se divise en 3 États rivaux : les Wei, les Wu et les Shu. La courte mais énergique dynastie des Sui (581-618) parvient cependant à réunifier la Chine et obtient certains progrès économiques.

Les familles qui fondent les dynasties des Sui et des Tang ont organisé des mariages croisés avec les nomades du Nord qui constituent l'aristocratie du nord-ouest de la Chine. Ces éleveurs nomades apportent le cheval aux Chinois, qui s'en servent pour créer leur cava-

lerie. À son arrivée au pouvoir, en 581, le fondateur des Sui établit un nouveau code législatif. Il organise les gouvernements locaux et poursuit la mise en place de plusieurs institutions instaurées par les royautés précédentes. Malgré l'unification et le renforcement de l'État, les visions grandioses du deuxième empereur détruisent les ressources du pays et mettent la dynastie à genoux.

Les Tang (618-907)

Les fondateurs de la dynastie Tang héritent des réalisations des Sui, comme leur grande capitale, Chang'an, actuelle Xi'an. La bureaucratie chinoise se développe : 7 ministères sont établis – Personnel, Administration, Finances, Rites, Armée, Justice et Travaux publics – ainsi qu'un tribunal des censeurs chargé de surveiller l'administration et la cour.

Sous le règne du deuxième empereur, les Tang agrandissent l'empire à l'ouest (Corée), au sud (nord du Vietnam), et à l'est (Asie centrale). La route de la Soie connaît son âge d'or. Le commerce favorise les contacts avec les peuples et les cultures d'Asie centrale et d'Occident. Chang'an se transforme en une grande métropole internationale : de 600 à 900, aucune ville au monde ne l'égale en taille et en magnificence. Les villes sont peuplées de Japonais, Coréens, Vietnamiens, Perses et autres ressortissants d'Asie occidentale, qui y commercent, y cherchent l'éveil bouddhiste ou l'aventure.

La vitalité des Tang nourrit une grande créativité littéraire et artistique. La poésie Tang devient un modèle d'excellence pour les générations postérieures. L'impératrice Wu Zetian (690-705), seule femme qui ait jamais régné en Chine, instaure un examen obligatoire de poésie pour les épreuves de qualification des fonctionnaires.

La légende de cette souveraine, teintée de l'aversion du confucianisme pour les femmes au pouvoir, regorge d'histoires de fonctionnaires assassinés et autres intrigues. Comme chez bien d'autres empereurs, la manipulation est l'arme favorite de Wu Zetian. Douée d'une grande finesse politique, elle sait placer aux postes clés de son gouvernement des lettrés talentueux ayant réussi les examens impériaux.

À la fin des Tang, l'importance prise par les examens affaiblit les puissantes familles aristocratiques du Nord-Ouest et offre de plus grandes chances aux candidats issus d'autres régions désireux d'entrer au service de l'État. Les fonctionnaires lettrés forment une petite élite au sein de la bureaucratie impériale. L'influence des grandes familles étant liée à la présence de leurs membres aux postes clés, une famille peut rapidement perdre son rang si, en l'espace de 2 ou 3 générations, elle n'obtient aucun poste haut placé.

Les Tang connaissent leur apogée sous l'empereur Xuanzong (713-755). Mais des failles apparaissent : les campagnes militaires deviennent longues

FILS INGRAT

L'une des concubines de l'empereur Tang Xuanzong, n'ayant pas de fils, adopte un général. Mais ce dernier se révolte pendant 10 ans contre Xuanzong, affaiblissant ainsi l'autorité de l'empereur.

dhistes, propriétaires de grands domaines exemptés de taxes et regorgeant de temples superbes et de milliers de résidents. L'imposition de certificats d'ordination pour les moines freine le développement du bouddhisme.

Les Song (960-1279)

L'anarchie règne durant les 50 dernières années des Tang, jusqu'à ce que quelques États provinciaux parviennent à sortir du chaos politique et social pour former les Cinq Dynasties et les Dix Royaumes.

et onéreuses, les généraux se mêlent des affaires de la cour, les fonctionnaires sont pris dans les luttes fratricides, et l'empereur s'appuie de plus en plus sur les eunuques. À la fin de sa vie, Xuanzong perd une partie de son autorité à cause d'une belle concubine (*voir encadré "Fils ingrat", ci-dessus*).

En outre, une révolte militaire, bien que matée, vient affaiblir le trône. Le régime impérial ne retrouvera jamais plus sa toute-puissance. En 845, l'empereur ordonne des persécutions contre les monastères boud-

La dynastie des Song est fondée par le commandant de la garde du palais de la dernière des Cinq Dynasties de la Chine du Nord. Menacée par des groupes étrangers, la capitale est transférée de Kaifeng à Hangzhou après l'invasion du nord du pays en 1126. Sur le plan artistique, la période des Song est l'une des plus créatives de l'histoire chinoise.

La croissance de la population renforce l'urbanisation, principalement dans la capitale. Les industries du charbon et du fer se développent, ainsi que le commerce extérieur. Les exportations chinoises ne retrouveront une intensité comparable qu'à la fin du XIXe siècle. Le papier-monnaie, apparu sous les Tang,

À GAUCHE : vase de bronze trouvé dans une tombe Tang.
CI-DESSUS : dames d'honneur faisant antichambre.

circule de plus en plus. La Chine est également la reine des mers. Poussés par une douzaine de voiles fixées sur 4 à 6 mâts, ses navires peuvent transporter 500 personnes sur 4 ponts.

Le papier est inventé au Iᵉʳ ou au IIᵉ siècle av. J.-C. Les Song sont les premiers à imprimer des livres, ce qui a une importance décisive pour le développement de l'enseignement : le gouvernement tente d'abord de freiner l'imprimerie, puis, au XIᵉ siècle, il encourage l'ouverture d'écoles, leur octroyant des terres et des livres. Le système du mandarinat devient une institution essentielle pour la vie des classes supérieures (il ne sera aboli qu'en 1905). Si la

plupart des fonctionnaires obtiennent leurs postes par népotisme, il n'y aura jamais autant de titulaires de l'examen que sous les Song. En théorie, il suffit d'être un homme pour se présenter, mais seules les familles riches peuvent offrir des tuteurs à leurs fils.

L'élargissement du système d'enseignement donne un nouveau souffle au confucianisme et pousse nombre de lettrés à le réinterpréter sous un nouvel angle : celui de l'épanouissement personnel inspiré du bouddhisme.

Les Yuan (1279-1368)

Les empereurs Yuan descendent de Gengis Khan, le conquérant de la plus grande partie de l'Asie centrale et d'une partie de l'Europe orientale au début du XIIIᵉ siècle. En 1215, la Chine du Nord est partiellement contrôlée par les Mongols et, en 1279, les Song sont vaincus par le petit-fils de Gengis Khan, Kubilaï Khan, qui régnera de 1271 à 1294.

Les Yuan instituent une forme d'administration militaire qui met au pas la bureaucratie chinoise. Les principaux postes de l'empire sont attribués aux Mongols ou à leurs alliés non chinois. Les Mongols tolèrent toutefois les autres religions. C'est durant leur règne que le Tibet entre dans le giron chinois.

Le commerce prospère le long de la route de la Soie. Le grand canal reliant la Chine du Nord et celle du Sud est réparé pour acheminer les céréales du Sud vers Dadu (Beijing, ou Pékin), la nouvelle capitale. Le commerce intérieur prospère, tout comme les échanges maritimes avec l'Asie occidentale et l'Inde.

Les Ming (1368-1644)

Après une longue période d'insurrection, les Mongols sont renversés par des troupes Han sous le commandement de Zhu Yuanzhang, qui devient, en 1368, le premier empereur Ming.

De 1405 à 1433, la flotte Ming, parrainée par l'empereur Yongle (1360-1424) et commandée par l'eunuque musulman Zheng He, réalise 7 expéditions vers l'Asie du Sud-Est, l'Inde, le golfe Persique et la côte est de l'Afrique. Plus diplomatiques que commerciales, ces missions favorisent le système des tributs qui permet à la Chine, par le biais de cadeaux généreux faits aux États, d'obtenir allégeance. Après la mort de Yongle, les expéditions officielles cessent et les flottes, composées d'immenses bateaux – plus grands que ceux des Européens –, sont démantelées.

Sous le règne des Ming, les premiers missionnaires chrétiens arrivent à Guangzhou (Canton), à bord de navires portugais, mais la Chine cherche surtout à se protéger des dangers venant du Nord et d'Asie centrale. La Grande Muraille est renforcée et les guerres contre les Mongols continuent jusqu'au XVIᵉ siècle. À la fin de cette période, les intrigues des eunuques paralysent la cour et la police se charge de réprimer le plus petit signe d'opposition. ❑

À GAUCHE : Kubilaï Khan (1260-1294).
À DROITE : le papier et la poudre explosive, deux des nombreuses inventions chinoises.

Grandes inventions

Très tôt, les Chinois se mettent à observer les astres. Leur empereur n'est-il pas le Fils du Ciel ? Quant aux phénomènes naturels, ne sont-ils pas des manifestations de colère ou de joie venant des puissances célestes ? La cour possède son propre bureau d'astronomie et, au XIIIe siècle, l'observatoire de Beijing compte 17 instruments. La comète de Halley est observée en Chine dès 467 av. J.-C. Au IIIe siècle av. J.-C., on utilise un calendrier de 360 jours que les dynasties successives tentent de perfectionner.

Vers 1100, les quantités de fer et d'acier produites par les fonderies sont telles qu'il faudra attendre le XVIIIe siècle pour atteindre ce niveau en Europe. L'utilisation du palan montre que les Chinois maîtrisent les lois de la mécanique dès le Ve siècle. L'irrigation pousse à d'autres innovations. Au Ier siècle, la "vis d'Archimède" permet de pomper l'eau et l'on se sert de la roue à eau aux IVe et Ve siècles.

La Chine invente le papier vers 200. Il est d'abord fabriqué à partir d'écorce de mûrier, puis avec de l'écorce de bambou 200 ans plus tard. La méthode chinoise de fabrication du papier reste utilisée de nos jours dans le monde entier.

Au XIIIe siècle, la longueur de l'année est fixée à 365,2424 jours, très près des calculs modernes. La tour d'observation astronomique de Su Song (1088) témoigne des compétences extraordinaires de son inventeur. Elle fonctionne à l'aide de chaînes de transmission et d'une roue hydraulique, cette dernière étant assujettie à un mécanisme d'échappement qui permet plus de précision.

Les géographes impériaux découvrent l'écart entre le Nord magnétique et le Nord géographique avant même que les Européens ne sachent que la terre possède un champ magnétique. Les premiers compas chinois sont constitués d'une plaque de métal sur laquelle est fixée une cuiller dont le manche indique le sud. Un sismographe est également mis au point.

La xylographie –technique d'impression à partir de textes gravés en creux sur des planches de bois– est inventée dès le Ve siècle. L'imprimerie à caractères mobiles n'est mise au point qu'au XIe siècle – mais bien avant son développement en Europe –; la xylographie et l'estampage restent en effet longtemps des moyens plus économiques pour la reproduction des milliers d'idéogrammes de l'écriture chinoise.

Au IXe siècle, des moines taoïstes, à la recherche de l'élixir d'immortalité, mélangent du charbon de bois, du salpêtre et du soufre. C'est ainsi qu'involontairement ils inventent la poudre explosive. Celle-ci servira ultérieurement aussi bien aux feux d'artifice qu'aux bombes et aux grenades utilisées par les troupes impériales. ❑

LA CHINE FACE À L'OCCIDENT

Les Qing, dernière dynastie impériale, sont confrontés à bien des défis :
contestation, révoltes, et surtout intrusions occidentales et trafic de l'opium.

L e plus ancien récit connu d'Européens ayant séjourné en Chine est celui de marchands d'Europe du Nord venus rendre visite à Kubilaï Khan en 1261. Marco Polo, qui aurait voyagé en Chine vers 1270-1280, révèle à l'Europe médiévale les splendeurs de la Chine dans son *Devisement du monde*. Certains historiens doutent toutefois de l'authenticité de son récit, car il ne souffle mot, entre autre, de la Grande Muraille.

Les premiers missionnaires catholiques arrivent en Chine à l'époque des Yuan (1279-1368), mais le commerce sino-européen ne se développe qu'à partir du XVIe siècle. Les bateaux portugais jettent l'ancre à Guangzhou en 1514. En 1553, les responsables chinois créent un comptoir portugais à Macau afin de contrôler les équipages restés à terre, dont les frasques offusquent les autorités chinoises. Au début du XVIIe siècle, des navires anglais et hollandais accostent sur la côte sud ; leurs équipages se comportent aussi mal que ceux des navires portugais.

Héritage jésuite

Les premières rencontres entre Chinois et jésuites se déroulent sereinement. Si les jésuites condamnent le bouddhisme, ils acceptent la plupart des préceptes confucéens, notamment le culte des ancêtres, auquel ils accordent un caractère profane.

Les érudits chinois s'intéressent aux connaissances des jésuites en astronomie, cartographie, horlogerie et autres sciences. C'est d'ailleurs l'astronomie qui vaut au jésuite Johann Adam Schall von Bell sa réputation et son poste à la cour. En 1636, on lui demande même de créer une fonderie pour la production de canons, ce qu'il fait de bonne grâce.

L'italien Matteo Ricci demeure probablement le plus important des missionnaires jésuites de Chine. Arrivé à Macau en 1582, il se consacre à l'étude du chinois avant d'entrer

en Chine l'année suivante et d'ouvrir 4 nouvelles missions. En 1598, il est présenté à la cour de Beijing et autorisé quelques années plus tard à y vivre en bénéficiant d'une bourse impériale en tant qu'érudit occidental. Il aide d'autres jésuites à obtenir un poste à la cour et impressionne ses homologues chinois par ses

connaissances en mathématiques, astronomie, géographie et physique et par sa maîtrise du chinois classique et populaire. Il invente un système de transcription et conçoit un dictionnaire. Outre leurs textes chrétiens, les jésuites publieront plus de 100 traités en chinois sur la science et la technologie occidentales.

Au XVIIe siècle, la présence jésuite survit à la transition entre les Ming et les Qing mais leur ordre fait l'objet de critiques en Europe. À leur arrivée en Chine, des groupes rivaux de missionnaires catholiques en appellent au Vatican, considérant que les jésuites s'égarent en reconnaissant le culte confucéen des ancêtres. C'est la fameuse "querelle des rites". En 1704,

---

À GAUCHE : scène de combat durant la révolte des Boxeurs. **À DROITE :** Johann Adam Schall von Bell.

le Vatican condamne officiellement la position des jésuites, compliquant leurs relations avec la cour impériale.

Les Qing (1644-1911)

C'est le chef d'un peuple étranger venu de Mandchourie – l'actuel Dongbei, au nord-est du pays – qui fonde la dynastie des Qing.

En réalité, les Mandchous ont établi depuis longtemps des contacts avec les Chinois et les Mongols, et ils se sont sinisés au fil des siècles. À la différence des Mongols de la dynastie Yuan, ils ont adopté le confucianisme, ses exigences, sa structure et son idéologie pour

multiplication des contacts avec les puissances européennes et leurs intrusions répétées.

La mer comme champ de bataille

Pendant que les Mandchous consolident leurs frontières intérieures, les puissances maritimes occidentales se lancent sur les mers et tissent peu à peu leur toile en direction de l'Asie orientale. À la même époque, les navires chinois explorent, quant à eux, l'Asie du Sud-Est et au-delà, mais la cour Qing ne voit pas l'intérêt de protéger les marins et les expatriés chinois après leur départ, considérant qu'ils ont abandonné le pays.

asseoir leur autorité politique. Ils favorisent le culte des ancêtres, l'étude des auteurs classiques, et acceptent le principe confucéen qui veut qu'un gouvernant s'appuie sur la rigueur morale pour diriger. Ils nomment autant de Chinois han aux postes importants que de Mandchous et réinstaurent les examens officiels de recrutement des fonctionnaires. Tout en essayant de conserver leur propre identité, ils encouragent de nombreuses traditions chinoises. Ce sera une période faste pour les arts et la culture, avec un taux d'alphabétisation assez élevé, même dans les campagnes.

Les dirigeants mandchous sont néanmoins confrontés au défi majeur qu'engendrent la

Les communautés chinoises expatriées vivent alors dans des conditions et selon des contraintes locales très différentes. Certains de leurs membres deviennent entrepreneurs et créent des associations destinées à protéger leurs intérêts dans leurs nouvelles patries.

En Chine, de 1760 à 1842, le commerce légal avec les Occidentaux est soumis à ce qu'on appellera le "système de Canton" : les marchands occidentaux ne peuvent commercer que depuis Guangzhou sous la tutelle de courtiers chinois faisant partie d'une guilde appelée le Cohong. Les Occidentaux sont confinés aux bords de la rivière des Perles, et, en dehors des saisons marchandes, ils doivent se retirer dans l'enclave de Macau. On les décourage d'apprendre le chinois, et ils n'ont aucune communication directe avec les fonctionnaires chinois, devant toujours passer par le Cohong.

Les compagnies anglaises des Indes orientales et hollandaises sont fondées au début du XVIIe siècle à l'initiative de leurs gouvernements pour contrôler les territoires d'outre-mer et monopoliser les échanges commerciaux. En Chine, elles agissent essentiellement comme les interlocuteurs du Cohong. À l'inverse des Britanniques, qui se fournissent de grandes quantités de thé, de soie et de porcelaine, les Chinois n'achètent pas grand-chose d'autre que des lainages aux Britanniques. Le déséquilibre commercial force ces derniers à payer leurs achats en espèces sonnantes et trébuchantes, au lieu de les échanger contre d'autres marchandises.

En 1759, la Compagnie anglaise des Indes orientales, qui souhaite se plaindre des restrictions imposées au commerce et de la corruption à Guangzhou, envoie James Flint, un marchand parlant chinois, présenter des doléances à la cour des Qing. Tout d'abord, l'empereur Qianlong semble réceptif, acceptant même d'envoyer une commission d'enquête sur place. Puis, changeant d'avis, il fait arrêter et emprisonner Flint pendant 3 ans, et il l'inculpe de violation des règles de navigation vers les ports du Nord, de présentation impropre de requêtes et d'apprentissage du chinois.

En 1792, le roi George III envoie lord Macartney à la cour des Qing comme ambassadeur spécial. Il arrive à Guangzhou pendant l'été 1793. On l'autorise à poursuivre sa route jusqu'à Tianjin car il prétend vouloir fêter le 80e anniversaire de l'empereur. Il est accompagné de près de 100 personnes, notamment des artistes et des scientifiques, et de deux navires d'escorte chargés de cadeaux censés représenter la technologie britannique. Les cadeaux sont acceptés par les Chinois comme un "tribut de l'Angleterre", et l'on escorte sans délai Macartney jusqu'à Beijing.

Macartney demande l'abolition du système de Canton, le droit d'établir une résidence

PAROLE DE SAGE

"Rien ne pourrait être plus erroné que de juger la Chine selon des critères européens." Macartney

diplomatique à Beijing, l'ouverture de nouveaux ports au commerce, et des tarifs douaniers fixes. Qianlong rejette fermement toutes ces requêtes. Un nombre croissant de marchands étrangers arrivent à Guangzhou et les Qing durcissent encore les règles.

Les Britanniques s'exaspèrent du déficit de la balance commerciale, qui leur impose des versements astronomiques en argent. Ce déséquilibre pousse la Grande-Bretagne à mettre en place un commerce d'opium depuis l'Inde vers les ports du sud de la Chine. Toute-

fois, la Compagnie anglaise des Indes orientales prend garde à ne pas paraître impliquée directement dans ce commerce peu recommandable : elle vend son opium à des marchands privés habilités par ses soins en Inde, qui l'envoient à des trafiquants sur la côte sud de la Chine.

Les guerres de l'opium

La consommation d'opium augmente rapidement en Chine, ce qui fait pencher la balance commerciale en faveur des Britanniques. L'argent s'échappe du pays, au grand désarroi des responsables Qing.

En 1838, Lin Zexu, un fonctionnaire respecté, recommande la suppression totale du

À GAUCHE : Matteo Ricci, un jésuite influent à la cour.
À DROITE : émissaires européens à la cour des Qing.

commerce de l'opium et la réhabilitation des fumeurs. Envoyé à Guangzhou par l'empereur, il exige des marchands étrangers la restitution de la totalité de l'opium en leur possession. En outre, il demande à tous les marchands de s'engager par écrit à ne plus jamais en importer. Comme ceux-ci ne le prennent pas au sérieux, il interrompt tout commerce, bloque les fabriques d'opium, prend 350 étrangers en otage, notamment le capitaine Charles Elliot, superintendant britannique du commerce.

Gâteau colonial

Plus d'une fois, la Chine semble sur le point d'être dépecée par les puissances coloniales, mais les traités la préservent intacte et "ouverte".

les responsables Qing parviennent à faire revenir les Britanniques à Guangzhou, où les discussions reprennent, mais aboutissent à une impasse. Les premiers combats se déroulent dans les environs de Guangzhou en 1841. Les Britanniques occupent plusieurs villes côtières ainsi que la jonction entre le Grand Canal et le fleuve Yanzi, forçant ainsi les Qing à reprendre les pourparlers.

Le traité de Nanjing est signé en 1842, imposant à la Chine le versement d'une indemnité à la Grande-Bretagne, l'ouverture

Elliot ordonne à tous les marchands britanniques de lui confier leur opium et leur donne des reçus, en prenant la responsabilité au nom de son gouvernement. Puis, il livre l'opium à Lin, qui le détruit publiquement et lève le blocus des fabriques. Il autorise également la reprise du commerce et libère les otages.

Elliot et toute la communauté britannique quittent Guangzhou, et la publication d'un édit met un terme au commerce sino-britannique.

Pour le gouvernement britannique, la guerre reste le seul recours à la reprise des activités commerciales. En 1840, la flotte britannique se rassemble au large de Macau, puis met cap au nord. Grâce à une négociation habile,

de 4 ports supplémentaires avec consuls et résidents étrangers, l'abolition du monopole du Cohong et la cession perpétuelle de Hong Kong à la Grande-Bretagne.

Les tensions entre les communautés étrangères implantées en Chine et le gouvernement Qing ne prennent pas fin : certains incidents se transforment en conflits majeurs, nécessitant l'intervention étrangère. Guangzhou est occupée par les forces anglo-françaises, qui continuent leur progression au nord vers Tianjin. La cour Qing cède et, en 1858, les traités de Tianjin sont signés. Dix nouveaux ports sont ouverts, des indemnités fixées, et des résidences diplomatiques établies à Beijing.

Souhaitant finaliser les traités à Beijing plutôt qu'à Shanghai comme le voulaient les Chinois, les Britanniques partent vers le nord et sont repoussés à Dagu. La France et la Grande-Bretagne envoient davantage de troupes en Chine. Celles-ci occupent Beijing, s'installent au palais d'Été qu'elles mettent à sac, contraignant l'empereur à s'exiler.

Le traité est réaffirmé, les indemnités augmentées et la péninsule de Kowloon cédée à la Grande-Bretagne. La Chine est ligotée par toute une série de traités iniques dont elle ne parviendra à se libérer complètement qu'en 1997, lors de la rétrocession de Hong Kong. Les Anglais rendront une ville très "européenne", telle la clause d'extraterritorialité permettant aux étrangers d'échapper à la loi chinoise.

L'arrogance des missionnaires

Les relations sino-européennes aux XIXᵉ et XXᵉ siècles sont aussi marquées par l'action des missionnaires occidentaux. Les plus instruits apprécient la culture chinoise et sécularisent leur action pour promouvoir les idées occidentales et aider les Chinois à améliorer leur niveau de vie. Certains missionnaires fondent et gèrent des écoles, des bibliothèques ou des hôpitaux. Ils jouent également un rôle important dans l'éducation des femmes.

Mais, dans les premiers temps, beaucoup de missionnaires, certains de leur supériorité raciale et culturelle, font preuve d'arrogance. Profitant du statut privilégié des étrangers, ils font fi des lois et coutumes locales, gênant les communautés en hébergeant des criminels "convertis" qu'ils défendent dans leurs procès contre les autorités. Dans les campagnes, on les considère comme les suppôts de l'ingérence étrangère en Chine.

La Révolte des Boxeurs

L'incurie des Qing et l'intrusion étrangère créent une vague de mécontentement populaire. Dans les plaines du Shandong, d'où le mouvement est originaire, des années d'inondations et de sécheresse ont désespéré les populations. En 1898, la prise de Qingdao par l'Allemagne accroît la xénophobie et le sentiment de révolte.

Les paysans du Shandong se tournent vers

des sociétés secrètes comme celle des Boxeurs – une traduction occidentale approximative de son nom chinois Yihetuan (le point de la concorde et de la justice) –, dont les adeptes pratiquent les arts martiaux et le spiritisme. Les Boxeurs souhaitent renverser les Mandchous, mais la cour soutient le mouvement de façon inattendue, dans l'espoir qu'il l'aidera à débarrasser le pays des Occidentaux. Les Boxeurs marchent sur Beijing, où ils massacrent quelques étrangers et assiègent le quartier des légations, jusqu'à l'arrivée d'un corps expéditionnaire international. La cour quitte Beijing mais elle trouve vite un accord avec les puis-

sances étrangères, qui souhaitent que les Qing restent au pouvoir, ne serait-ce que pour défendre leurs intérêts commerciaux. Plusieurs gradés haut placés sont exécutés et le gouvernement chinois doit encore verser de très lourdes indemnités aux Occidentaux.

Cette nouvelle lutte contre l'intrusion étrangère contribue à la chute des Qing, sans toutefois avoir l'impact de la série de révoltes paysannes qui ébranlent l'intérieur du pays à la même époque, telle la révolte des Taiping (*voir p. 214*). Cet énorme soulèvement dirigé contre les Mandchous (1850-1864) causa la mort de 20 millions de personnes. ❑

À **gauche** : négociations sino-britanniques sur l'ouverture des ports aux importations étrangères.
Ci-dessus : exécution d'un rebelle Boxeur.

DE L'EMPIRE
À LA RÉPUBLIQUE POPULAIRE

*Le dernier empereur de Chine abdique en 1912. Jusqu'en 1949, date de la
proclamation de la République populaire de Chine, la guerre civile fait des ravages.*

Au milieu du XIXᵉ siècle, lors des premières ingérences des Occidentaux, les dirigeants chinois affrontent des étrangers qui refusent de se conformer à leur vision du monde. Dès 1901, les Qing comprennent que les changements sont inévitables et,

en 1906, ils envoient deux missions officielles étudier le droit constitutionnel en Grande-Bretagne, en France, en Allemagne, aux États-Unis et au Japon. Le prince du Japon convainc les délégués que l'empereur doit impérativement conserver l'autorité suprême. On décide alors d'instaurer une constitution, des libertés civiles et des débats publics, réformes qui pourraient renforcer la position de l'empereur à condition que celui-ci garde effectivement le pouvoir suprême.

La révolution républicaine de 1911

Malgré la rapidité des changements institutionnels, l'insatisfaction gagne du terrain,

faisant gronder des menaces de révolution. Une opposition hétérogène s'est formée : s'y côtoient le parti de la Ligue jurée de Sun Yatsen, des sociétés secrètes, des militaires mécontents, des cadres de l'administration provinciale, des hommes d'affaires ou encore des intellectuels hésitant entre monarchie constitutionnelle et révolution.

En novembre 1911, les représentants de 17 provinces se rassemblent à Nanjing afin d'établir un gouvernement républicain provisoire, dirigé par Sun Yatsen et par un commandant local. Pour s'assurer de l'abdication des Mandchous, Sun se retire en faveur de l'homme fort de l'armée, Yuan Shikai.

En 1912, l'empereur Puyi, qui est monté sur le trône après la mort de Cixi en 1908, doit abdiquer. Il continuera à vivre dans la Cité interdite jusqu'en 1924, mais le règne des Fils du Ciel sur le trône du Dragon, commencé 4 000 ans plus tôt, s'achève.

Plusieurs partis politiques se forment pour tenter de créer un système parlementaire efficace. Mais Yuan Shikai, qui supporte mal la critique, prend l'habitude de dissoudre le Parlement, fait réécrire la Constitution et essaye même de se faire couronner empereur en 1915. Il meurt l'année suivante, livrant la Chine au chaos et aux Seigneurs de la guerre, qui batailleront pour la domination du pays de 1916 à 1928.

Le mouvement du 4 mai

Le 4 mai 1919, les étudiants descendent dans les rues de Beijing pour protester contre certaines clauses du traité de Versailles qui met un terme à la Première Guerre mondiale. Les Alliés avaient promis à la Chine qu'après la défaite l'Allemagne lui rendrait les concessions du Shandong. Mais la guerre a permis au Japon de prendre le contrôle de ces territoires (surtout celui de Qingdao) et les Alliés s'avèrent incapables de déloger le nouvel occupant.

Les événements du 4 mai suscitent une prise de conscience politique. Ils montrent à l'opinion que les manifestations publiques sont une expression honorable d'opposition. L'agitation relance aussi les débats d'idées, accroît le désenchantement dû à l'incurie des dirigeants, et stigmatise l'absence de réformes.

De 1917 à 1923, la contestation politique et sociale prend une nouvelle dimension. Tout en dénonçant le confucianisme, de jeunes intellectuels, influencés par la révolution soviétique, organisent des groupes de réflexion sur le socialisme, lancent des journaux politiques, parcourent les campagnes pour éduquer les paysans et créent des syndicats ouvriers dans les grandes villes. Tandis que le parti nationa-

nationalistes menés par Jiang Jieshi. De 1920 à 1940, la Chine est en proie à de violentes luttes internes, d'abord entre les Seigneurs de la guerre, puis entre les communistes et les nationalistes.

L'épopée de la Longue Marche – 10 000 km parcourus entre 1934 et 1936 – fait figure de mythe fondateur de la révolution chinoise : attaquées par les nationalistes, les troupes communistes se replient de leur base au sud du Yangzi vers Yan'an, leur base nord. Sur les 100 000 partants, moins d'un cinquième survit. À l'époque, l'influence soviétique diminue et Mao Zedong émerge en grand leader du PCC.

liste (Guomindang) de Jiang Jieshi (Chiang Kaishek) voit ses partisans se multiplier, le marxisme commence également à se répandre.

La guerre civile

Le Parti communiste chinois (PCC) est fondé à Shanghai en 1921. Les intellectuels s'intéressent au marxisme car il fournit une explication aux malheurs de la Chine et prescrit un type de société qui renforce la nation. Le parti communiste devient le principal rival des

À GAUCHE : Puyi, dernier empereur de Chine.
CI-DESSUS : Mao Zedong arrivant à Yan'an, à la fin de la Longue Marche.

La Seconde Guerre mondiale

Dès 1931, le Japon annexe une région du nord-est de la Chine et y fonde le Manzhoukuo, dirigé par le dernier empereur mandchou, Puyi, qui a abdiqué en 1912. Les Japonais veulent élargir leurs conquêtes en Chine. Face à cette menace, Jiang Jieshi ne peut plus combattre les communistes. À l'intérieur du parti, certains critiquent la guerre civile et réclament l'union avec les communistes contre les Japonais.

En 1937, la guerre sino-japonaise est déclenchée à la suite d'un accrochage sur le pont Marco Polo, à l'extérieur de Beijing. Il s'agit en réalité d'un coup monté du Japon qui cherche un prétexte pour attaquer la Chine.

Capitaines
et timoniers

Sun Yatsen (*Sung Zhongshan* en mandarin) est honoré en tant que père de la République aussi bien en Chine continentale qu'à Taiwan. Il naît en 1866 à Guangdong, dans le Sud. Il complote pour renverser la dynastie des Qing et fonde un parti nationaliste, le Guomindang. La Chine étant alors divisée en deux, il établit à Guangzhou, en 1920, un gouvernement qui rivalise avec les autorités militaires du Nord, puis il réor-

ganise le Guomindang, avec l'aide de l'Union soviétique. Il meurt en 1925.

Jiang Jieshi (*Chiang Kaishek* en mandarin) est le successeur de Sun. Né en 1887, il fait des études militaires, puis rallie le Guomindang, le parti de Sun Yatsen, dont il devient l'ami intime. Après la défaite infligée aux nationalistes en 1949 par les communistes, il s'enfuit à Taiwan, où son gouvernement parvient, avec l'aide des États-Unis, à dynamiser l'économie. Il meurt en 1975 sans avoir pu renverser les communistes et reprendre le pouvoir en Chine continentale.

Le principal adversaire de Jiang Jieshi est **Mao Zedong**, l'architecte de la Chine du XXᵉ siècle. Né en 1893 dans une famille paysanne du Hunan, il est l'un des pères fondateurs du parti commu-

niste. Pendant la Longue Marche, il s'établit comme secrétaire général du parti, position qu'il occupe jusqu'à sa mort en 1976. Il sort son pays du marasme économique d'après-guerre pour le plonger dans le chaos avec le Grand Bond en avant à la fin des années 1950, puis la Révolution culturelle durant la décennie suivante. Un culte de la personnalité s'instaure autour du "Grand Timonier", qui ne craint pas de se comporter en autocrate.

À l'époque de Mao, le deuxième personnage de l'État est **Zhou Enlai**, le plus fidèle allié de Mao depuis 1925. Né en 1898 dans une famille de lettrés, il étudie en Allemagne puis en France, où il adhère au parti communiste. Ses talents de négociateur, sa finesse et son pragmatisme lui permettent de rester au premier plan pendant la Révolution culturelle tout en jouant un rôle modérateur. Son action est remarquable sur le plan diplomatique : en 1971, la Chine sort de son isolement pour devenir membre des Nations unies. La popularité de Zhou Enlai est immense ; le peuple le pleure à sa mort, en 1976, la même année que Mao Zedong.

Deng Xiaoping, né en 1904 dans une famille paysanne du Sichuan, est le bras droit de Zhou Enlai et son ami proche. Il se rend en France, où il milite aux côtés de ce dernier. De retour en Chine, il entre dans l'armée et gravit rapidement les échelons du parti communiste. Il participe à la Longue Marche et accède, dès 1949, à de hautes fonctions étatiques. Nommé vice-Premier ministre par Zhou en 1973, il ouvre l'économie de la Chine sur le monde. Bien qu'il faille porter à son débit un certain nombre d'actions – dont la répression sanglante du mouvement pour la démocratie de la place Tiananmen en 1989 –, il manifeste une grande finesse diplomatique, parvenant à imposer la Chine sur la scène internationale. Le dernier des leaders de la vieille garde meurt en 1997.

Le protégé de Deng, **Jiang Zemin**, est nommé secrétaire général du parti pendant les manifestations étudiantes de 1989. Il devient président de la République populaire de Chine en 1993. Il poursuit les réformes économiques de Deng, assure la rétrocession de Hong Kong et Macau et l'entrée de la Chine dans l'Organisation mondiale du commerce (OMC). Son successeur à la tête du parti et de l'État est Hu Jiantao, qui tient les rênes du pays depuis 2003. ❑

À GAUCHE : Sun Yatsen, fondateur de la République.

Peu après, les troupes japonaises s'emparent de Shanghai. Jiang Jeshi se replie à Chongqing, dans le Sichuan. Les communistes lancent des opérations de guérilla depuis leurs bases du Nord, tandis que les troupes de Jiang résistent dans le Sud.

Les efforts conjugués du Guomindang et des communistes finissent par arrêter l'avance ennemie. En outre, le coût matériel et humain de cette guerre s'avère trop lourd pour le Japon ; à partir de 1942, les Alliés ont la main haute sur le Japon dans le Pacifique.

CRIMES DE GUERRE

L'unité japonaise 731 assassina plus de 4 000 prisonniers chinois et alliés lors d'expériences médicales effroyables (voir p. 162).

La République populaire de Chine

Le peuple réagit avec euphorie aux événements de 1949. L'Armée populaire de libération est disciplinée et respectueuse, à la différence des nationalistes, adeptes du viol et du pillage. Les industries sont nationalisées et l'administration est reprise en main.

La lutte des classes prônée par Mao se met en place dans les campagnes. La distribution des terres, qui avait déjà eu lieu avant 1949 dans beaucoup de campagnes du Nord, se propage dans le Sud. Une fois la classe

Après la reddition du Japon, en 1945, la guerre civile reprend en Chine : Jiang Jeshi, soutenu par les Américains, lutte contre l'Armée rouge de Mao Zedong. Mais le Guomindang a perdu l'appui du peuple et, pendant 4 ans, les Rouges volent de victoire en victoire.

La bataille décisive a lieu sur le Yangzi. Les troupes nationalistes sont si affaiblies qu'elles se retirent sur l'île de Taiwan, avec près de 2 millions de réfugiés et presque tout l'or de la Chine. Le 1er octobre 1949, du haut du balcon de la place Tiananmen, Mao Zedong déclare : "Le peuple chinois s'est levé."

sociale de chacun déterminée, les paysans sont encouragés à exprimer leur "amertume" vis-à-vis de leurs anciens propriétaires. Un million de personnes sont dépossédées de leurs terres et de leurs biens et condamnées à mort.

Une nouvelle législation sur le mariage fait des femmes les égales des hommes et autorise le divorce. La libération des femmes semble être un progrès, mais, en réalité, elles doivent travailler à plein temps tout en continuant d'assurer toutes les tâches au foyer.

Au milieu des années 1950, le Premier ministre Zhou Enlai constate que les pressions politiques ont démoralisé les intellectuels et les scientifiques chinois. "Que cent fleurs

CI-DESSUS : entrée de l'Armée populaire à Beijing, 1949.

s'épanouissent, que cent écoles rivalisent", tel est le mot d'ordre de la campagne des Cent Fleurs lancée en 1957 et au cours de laquelle Mao encourage la critique du gouvernement et de son action. Après avoir hésité, de nombreux Chinois expriment leur désir d'une plus grande liberté de parole, d'indépendance du système judiciaire et de liberté syndicale.

Probablement effrayé par le niveau de mécontentement exprimé, le parti fait marche arrière au bout de quelques mois, et une campagne d'épuration antidroitière s'ensuit. Les limites à la liberté d'expression sont spécifiées : tout débat doit unir le peuple, être bon

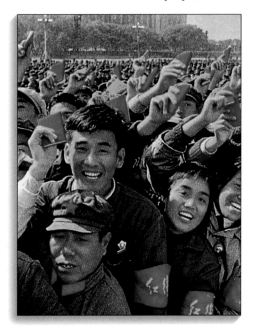

pour le socialisme et renforcer l'État. Des milliers d'intellectuels sont persécutés et emprisonnés, la créativité est bâillonnée. Certains historiens pensent que Mao aurait laissé libre cours à la critique afin de pouvoir identifier ses ennemis, mais les preuves manquent.

Le Grand Bond en avant

Pour Mao, la réorganisation de la production, soutenue par une forte mobilisation idéologique, doit permettre une industrialisation rapide du pays. Le gouvernement encourage les communautés rurales et urbaines à utiliser leur main-d'œuvre et leurs ressources excédentaires pour l'industrie lourde, particulièrement

la production d'acier. Il établit des communes populaires et prohibe toute entreprise privée. Il fait construire de "petits hauts fourneaux" que leurs utilisateurs ne sauront jamais faire fonctionner. La production agricole devant, elle aussi, impérativement augmenter, des chefs d'équipes locaux annoncent des chiffres astronomiques pour garantir leur promotion et éviter d'être étiquetés comme déviationnistes.

Le fiasco de la politique du Grand Bond en avant conjugué à trois années de mauvais temps déclenche une famine qui fait 30 millions de victimes de 1959 à 1961.

La Révolution culturelle

Mao, qui craint plus que tout l'immobilisme bureaucratique et l'étiolement de la révolution chinoise, et qui désire consolider son assise politique, inaugure la Révolution culturelle.

Il souhaite purger la vieille garde et la remplacer par des cadres plus jeunes, dont le zèle révolutionnaire sera aiguillonné par la remise en cause de l'establishment. Il promeut des étudiants aux avant-postes et les incite à se retourner contre leurs professeurs. La phase la plus chaotique de la Révolution culturelle se déroule de mai 1966 à fin 1967. Des étudiants organisés en unités de gardes rouges parcourent le pays, armés du slogan maoïste "Il est juste de se rebeller", afin de liquider les restes de la société ancienne. Brandissant le *Petit Livre rouge*, ils saccagent temples et monuments historiques, pénètrent dans les maisons et détruisent livres, bijoux et objets d'art. Certains leaders du Parti et autres "contre-révolutionnaires" sont dénoncés et soumis à des procès de masse.

Beaucoup de Chinois périssent, victimes des sévices des gardes rouges ou poussés au suicide par les humiliations qui leur sont imposées. Liu Shaoqi, le successeur choisi par Mao Zedong, est l'une des premières victimes de l'épuration. En 1968, des combats entre diverses factions de gardes rouges font régner l'anarchie, et les batailles de rues se généralisent. L'armée est appelée pour rétablir l'ordre public et des millions de gardes rouges sont envoyés dans les campagnes pour être rééduqués par les paysans. ❑

À GAUCHE : gardes rouges pendant la Révolution culturelle. À DROITE : les statues de Mao sont toujours debout, mais il a perdu son statut d'idole.

LA CHINE CONTEMPORAINE

À la mort de Mao Zedong en 1976, la République populaire de Chine entre dans
une ère nouvelle : l'économie est florissante et la nation reprend confiance en elle.

Les 20 dernières années du XXe siècle sont chaotiques. Après les ultimes convulsions dévastatrices de la Révolution culturelle, la Chine s'attelle à sa reconstruction et le développement économique prend le pas sur la lutte politique.

Transition vers une ère nouvelle

Pour les dirigeants chinois, la mort, en 1976, de Zhou Enlai, critiqué par les radicaux depuis 3 ans, ne constitue pas un événement majeur. Mais le peuple, qui le respectait pour sa modestie et son sens du devoir, est très affecté. Outre son rôle modérateur durant la Révolution culturelle, Zhou s'est imposé par sa longévité politique. Il est resté membre du Politburo plus longtemps que Mao et a tenu les rênes du gouvernement depuis la fondation de la République populaire en 1949.

L'attachement populaire envers Zhou se manifeste en ce printemps 1976 sur la place Tiananmen peu après sa mort. Cette année-là, la fête de Qingming, la Toussaint chinoise, tombe le 4 avril. Le monument aux héros du peuple, au centre de la place, est décoré de centaines de couronnes et de poèmes en son honneur. Des messages affichent leur soutien à Deng Xiaoping, promu par Zhou et considéré comme le garant de la modération. Des billets sont déposés pour dénoncer Jiang Qing, la femme de Mao.

Une nuit, toutes les gerbes sont retirées, déclenchant le lendemain la première manifestation spontanée de l'histoire de la République populaire de Chine. La foule se heurte toute la journée à la police, jusqu'à ce que la place soit dégagée en fin de soirée. Deux jours plus tard, Deng Xiaoping est limogé de tous ses postes et Hua Guofeng devient président adjoint du Parti et Premier ministre.

À la mort de Mao, le 9 septembre de cette même année, Hua Guofeng lui succède à tous les postes clés du parti et du gouvernement. Mais on arrête rapidement la "bande des Quatre" – le groupe composé de Jiang Qing et de ses 3 acolytes du Politburo –, dernier carré des partisans de la Révolution culturelle. Inculpés d'une série de crimes, ils servent de boucs émissaires en cette époque de chaos.

Démaoïsation

Jusqu'à sa mort en 1997, Deng Xiaoping est le personnage dominant de la période post-Mao. C'est un survivant : après avoir été victime de deux purges durant la Révolution culturelle, il revient au premier plan et acquiert assez de pouvoir pour imposer sa ligne politique. Il assoit sa légitimité en réhabilitant de nombreux cadres persécutés pendant les années 1950 et 1960 et la Révolution culturelle.

Beaucoup de fonctions importantes sont alors aux mains de bureaucrates dont l'ascension dans la hiérarchie du parti est due non à leurs qualités, mais au zèle dont ils ont fait preuve durant la Révolution culturelle.

À GAUCHE : Shenzhen, ville du XXIe siècle.
À DROITE : Deng Xiaoping lors de sa rencontre avec Mikhail Gorbatchev, en 1989.

Renversant la tendance, Deng valorise la formation et le professionnalisme des fonctionnaires du parti et du gouvernement.

La gestion de l'héritage officiel de Mao est très délicate. Le dénoncer reviendrait à discréditer la révolution dans son ensemble ainsi que le rôle du parti. La solution consiste à diviser l'histoire de Mao en deux parties : l'une positive, celle des débuts, l'autre négative – ce qui permet de sauvegarder la pensée initiale de Mao, censée continuer à guider la Chine.

TAIWAN PASSE À L'AS

En 1979, pour établir des relations diplomatiques avec la Chine, les États-Unis doivent rompre leurs liens officiels avec Taiwan.

de la période maoïste et un appel à des réformes institutionnelles. D'abord toléré par l'appareil du Parti, le mouvement est réprimé au printemps 1979.

Les relations avec les États-Unis se normalisent en 1979 et Deng s'y rend quelques mois plus tard pour rencontrer le président Carter, les membres du Congrès et des chefs d'entreprise. Grâce à la politique d'"ouverture" de Deng, la Chine accepte de recevoir une aide technologique et financière sans pour autant se soumettre à l'influence du système politique

En décembre 1978, Deng inaugure ce qu'il appelle une "seconde révolution". Il reprend les "quatre modernisations" à mener à terme pour développer la Chine – celles de l'agriculture, de l'industrie, de la défense nationale, et des sciences et techniques – qui avaient été proposées par Zhou Enlai quelques années auparavant. Là où Mao voulait obtenir le progrès par la politique, Deng opte, lui, pour l'essor économique.

Parallèlement, durant l'automne 1978, des affiches (*dazibao*) réclamant une cinquième "modernisation", la démocratie, font leur apparition sur le "mur de la démocratie" à Beijing. On y lit des critiques de l'autoritarisme

occidental. Un parallèle s'impose avec la politique des Qing, qui s'employèrent jadis à acquérir la technologie occidentale sans toucher à la culture et à la société chinoise.

Deng démantèle les communes, désastreuses, pour moderniser l'agriculture. Les paysans ont de nouveau le droit de vendre leurs légumes, fruits, poissons ou volailles excédentaires sur les marchés libres et d'en conserver les bénéfices. La production agricole explose, sa croissance dépassant largement celle de la population dans les années 1980. Dans les autres secteurs, Deng fait rattraper le retard technologique et celui des systèmes de gestion en réformant les prix et le système bancaire, en favorisant le commerce extérieur et l'investissement étranger et en encourageant l'entreprise privée. Dans une certaine mesure, il va même jusqu'à autoriser les marchés boursiers. Ces nouvelles perspectives de profit offertes aux entrepreneurs de tout bord permettant à la production d'augmenter de façon durable et significative.

L'industrie lourde, essentielle pour les maoïstes, perd sa priorité au profit des produits d'exportation. La prise de décision, qui appartenait aux comités du Parti, est donnée aux équipes de direction des entreprises. L'ouverture sur l'étranger renforce les villes côtières, surtout au sud du pays. Des zones économiques spéciales (ZES) voient le jour, la première d'entre elles étant Shenzhen, à la frontière avec Hong Kong.

Timides réformes politiques

Les médias ont toujours eu un rôle particulier en République populaire de Chine : ils véhiculent la ligne officielle du parti et ils informent celui-ci des opinions et des conditions de vie du peuple. Théoriquement, cette communication à double sens permet aux gouvernants et aux gouvernés de garder le contact. Dans la pratique, le système a toujours été inefficace et corrompu, laissant à l'opinion peu de relais d'expression.

Deng essaie de restaurer la confiance du peuple, notamment en rénovant le système électoral à l'échelon local. Mais l'impression de blocage politique subsiste : la modernisation se limite à l'économie.

De nombreuses familles résistent à la politique de l'enfant unique mise en place au début des années 1980 et entraînant des avortements et des stérilisations forcées. La tradition valorisant l'héritier mâle, elle provoque aussi des infanticides de filles, surtout dans les campagnes, déséquilibrant sérieusement le ratio des naissances entre garçons et filles.

Contestation et manifestations

En 1987, Hu Yaobang, secrétaire général du parti favorable aux réformes, est destitué. Sa mort, en 1989, met le feu aux poudres. En avril 1989, tous les regards du monde se tournent vers la place Tiananmen, où des étu-

diants, puis des ouvriers, protestent ouvertement contre le gouvernement dans ce qui sera les plus grandes manifestations depuis 1949. La plupart des manifestants protestent contre la corruption généralisée et exigent des réformes démocratiques.

Les manifestations s'amplifient jusqu'au 19 mai, date à laquelle la loi martiale est décrétée. Ayant tenté plusieurs fois de persuader les manifestants de quitter la place, le parti perd patience. Toute la soirée du 3 juin, des escarmouches entre l'armée et les civils se produisent un peu partout dans Beijing. Au petit matin, les chars entrent en scène pour

évacuer la place. Les soldats ont reçu l'ordre de ne pas tirer, mais plusieurs étudiants sont tués alors qu'ils quittent Tiananmen (la plupart sont abattus dans Muxidi, à l'ouest de la place, et dans Liubukou). Les jours suivants, le climat s'apaise dans le reste du pays. Au moins 300 victimes auraient été dénombrées, mais le gouvernement s'est toujours abstenu depuis de donner des chiffres.

Une chasse à l'homme visant les leaders étudiants – Wu'er Kaixi, Wang Dan, Chai Ling et Han Dongfang – s'organise. Des milliers de manifestants sont arrêtés, certains sont exécutés, mais nombre d'entre eux parviennent à quitter le pays. Zhao Ziyang, nouveau

---

À GAUCHE : l'armée dans les années 1970.
À DROITE : affiche pour la planification des naissances.

secrétaire général réformateur du parti, est limogé (il est immédiatement remplacé par Jiang Zemin), comme de nombreux autres dirigeants réformateurs.

Le mouvement dissident est paralysé après les événements du 4 juin 1989. Les opposants se retrouvent en prison, en exil, ou réduits au silence. Le tout jeune parti chinois de la démocratie est rapidement démantelé et ses organisateurs emprisonnés dans le cadre de la politique du président Jiang Zemin visant à étouffer dans l'œuf toute oppo-

> **ANNIVERSAIRES**
>
> En 1989, les troubles violents de la place Tiananmen coïncident avec le 40ᵉ anniversaire de la République populaire et le 70ᵉ anniversaire du mouvement du 4 mai.

La Chine a su gagner sa place dans le monde économique moderne sans beaucoup évoluer sur le plan politique. L'accès à l'information reste verrouillé : Internet est filtré afin d'être expurgé de tout contenu indésirable (les actualités de la BBC en chinois par exemple), laissant les citoyens chinois en marge de l'actualité mondiale.

Questions internationales

Après Tiananmen, la Chine est critiquée pour son non-respect des droits de l'homme, notam-

sition. Le mouvement Falun Gong, d'inspiration bouddhiste, est déclaré illégal en 1999, après que ses membres ont manifesté devant Zhongnanhai, le centre politique de Beijing. Le mouvement continue toutefois à se rassembler régulièrement sur la place Tiananmen, déclenchant une répression féroce de la part des autorités.

En mai 1999, lors de la guerre du Kosovo, des milliers de personnes se regroupent – avec cette fois le soutien du gouvernement – devant les ambassades américaine et britannique à Beijing pour protester contre le bombardement accidentel de l'ambassade de Chine à Belgrade par des missiles de l'OTAN.

ment en ce qui concerne les prisonniers politiques, et sa politique au Tibet. Mais il devient vite évident que Beijing se moque éperdument de l'opinion du monde au sujet de ses affaires internes. Son économie est florissante, et les dirigeants savent bien qu'avec le potentiel que représente leur marché, les étrangers visent des contrats et sont peu regardants sur le reste.

La relation avec le principal partenaire commercial de la Chine – les États-Unis – est moins faite d'hostilité que de méfiance. Même si les Américains critiquent régulièrement les violations chinoises des droits de l'homme, la Chine s'efforce de maintenir de bonnes relations avec les États-Unis afin de se moderniser dans la paix et la sécurité. Pour l'Amérique, la puissance et le prestige grandissants de la Chine menacent son influence en Extrême-Orient. En avril 2001, la collision entre un avion de reconnaissance de l'US Airforce et un chasseur chinois provoque la colère de Beijing, mais ne déclenche pas de représailles à long terme. La question de Taiwan – les États-Unis se sont engagés à la défendre en cas d'agression – reste cependant épineuse.

Les liens américano-chinois se sont considérablement améliorés depuis les attentats du 11 septembre 2001. L'accent mis sur la guerre contre le terrorisme a permis par ailleurs à la Chine de réprimer encore plus les "tendances séparatistes" des Ouïgours musulmans de la région autonome du Xinjiang. Pour tenter de limiter la suprématie américaine, la Chine entretient néanmoins une politique d'alliances stratégiques avec des pays comme la Russie et le Pakistan.

Avec le Japon, les choses restent compliquées : la cruauté de l'occupant durant la Seconde Guerre mondiale a laissé des traces et le Premier ministre japonais refuse de présenter ses excuses. Les gens du peuple (*laobaixing*) ne se privent pas de faire des remarques antijaponaises. Pour autant, le Japon est un investisseur majeur en Chine et Beijing veut conserver cet afflux de capitaux.

L'influence grandissante de la Chine en Extrême-Orient inquiète ses voisins. La Chine a proclamé sa souveraineté sur des îles proches du Vietnam, des Philippines et de l'Indonésie, en invoquant deux arguments. D'abord celui des droits "historiques", datant de l'époque où les navires impériaux sillonnaient la mer de Chine, puis celui des droits territoriaux, qui, en réalité, ne sont applicables qu'à de véritables archipels comme l'Indonésie et les Philippines. Les îles en question – parmi lesquelles les Paracels et les Spratlys – se trouvent sur des réserves importantes de pétrole, nécessaires à la Chine pour financer sa croissance économique.

La crise financière de 1997 passée, c'est la Chine, plus que le Japon, qui est désormais considérée comme le principal élément stabilisateur de l'économie asiatique au XXIᵉ siècle. Quoi que l'avenir réserve à l'Asie, le rôle de la Chine sera essentiel.

À GAUCHE : Jiang Zemin en compagnie de Kofi Anan, secrétaire général de l'ONU. **À DROITE :** manifestation à Hong Kong pour conserver son *statu quo* à l'île.

Taiwan

Depuis 1949, le parti communiste veut réunifier Taiwan à la Chine. Les nationalistes taiwanais le souhaitent aussi, mais évidemment pas sous les mêmes auspices. Depuis la rétrocession de Hong Kong et Macau, la Chine a tourné son attention vers Taiwan, considérée non comme un État indépendant mais comme une province dissidente. En 1996, la République populaire de Chine tente une première fois de peser sur les premières élections présidentielles au suffrage universel en testant des missiles dans deux voies de navigation maritime de Taiwan. Le coût politique est considérable pour Beijing : Taiwan

intensifie ses contacts commerciaux et politiques avec plusieurs gouvernements étrangers.

Beijing se dit néanmoins déterminé à réunifier la Chine et Taiwan de façon pacifique tout en se réservant le droit d'utiliser la force si nécessaire. Son ambition affichée est d'appliquer à Taiwan la structure "Un pays, deux systèmes" actuellement en vigueur à Hong Kong et à Macau. En 2000, l'élection à Taiwan du président indépendantiste Chen Shuibian a provoqué la colère des autorités de Beijing.

Le *statu quo* – Taiwan n'affirmant pas son indépendance et n'allant pas non plus dans le sens de la réunification – a toutes les chances de perdurer encore quelque temps. Si l'histoire s'emballe, l'armée chinoise manquera de moyens de guerre conventionnels pour s'emparer de Taiwan, surtout compte tenu des contrats de fourniture d'armes existant avec les États-Unis. Avant mars 2005, la menace d'utilisation de la force n'était, pour nombre d'observateurs, que du bluff utilisé par Beijing pour peser sur les négociations. Mais depuis l'adoption par l'Assemblée populaire chinoise de la loi antisécession qui légalise l'emploi de moyens "non-pacifiques" afin de prévenir toute forme possible de déclaration d'indépendance de Taiwan, les tensions se sont faites ressentir de part et d'autre du détroit. Le souhait européen de

lever l'embargo sur les armes, imposé par l'UE après 1989, est contesté par l'opinion internationale au vue de la position agressive de la Chine.

Changement d'idéologie

Pendant la phase d'industrialisation des années 1950 et 1960, le parti communiste a été la clé de voûte du régime en servant de ferment idéologique auprès des travailleurs, mais aussi en édictant la politique industrielle. Aujourd'hui, l'économie de marché florissante de la Chine (officiellement une économie socialiste de marché à caractère chinois) s'oppose au conformisme intellectuel et au rigorisme politique. Le secteur des services, en plein essor – banques,

sociétés d'investissement, de négoce, etc. –, échappe à la mainmise du parti. Ses employés, de jeunes citadins, vivent de plus en plus comme leurs homologues occidentaux.

L'idéologie se laisse toutefois infléchir par les développements économiques et, en mars 1999, le congrès du parti communiste intègre la "pensée de Deng Xiaoping" dans la lettre de la Constitution, accordant ainsi à Deng un statut égal à celui de Mao. Le parti publie ses discours et fait connaître ses slogans, parmi lesquels le fameux : "Il est glorieux de s'enrichir." La politique de Deng s'est largement perpétuée avec Jiang Zemin et son successeur, Hu Jintao.

En novembre 2002, le XVIᵉ congrès du parti prend un tournant idéologique significatif en modifiant de nouveau la Constitution et en permettant l'adhésion au parti à chacun et non plus seulement à la classe ouvrière.

Une société sous haute surveillance

Les troubles sociaux sont la hantise du parti, plus que jamais déterminé à ne pas autoriser des débordements semblables à ceux de 1989. Si le dixième anniversaire du massacre de Tiananmen se passe sans incident notoire, d'autres problèmes apparaissent au grand jour. L'attrait massif exercé par le culte du Falun Gong souligne le vide spirituel de la vie en Chine, où le consumérisme de masse a remplacé l'idéologie marxiste. Le parti communiste craint par-dessus tout les mouvements religieux. Garde-t-il en mémoire la révolte désastreuse des Taiping au XIXᵉ siècle ?

Depuis le début des années 1980, la montée des inégalités a fait progresser le taux de criminalité de 10 % par an. Pour y remédier, le gouvernement n'y va pas par quatre chemins. D'avril à juillet 2001, par exemple, plus de 1 000 personnes ont été condamnées à mort pour vol, meurtre ou viol dans le cadre de la campagne "Frapper fort". Les exécutions de responsables pour corruption, un mal endémique en Chine, sont également fréquentes. Les critiques soulignent qu'elles visent souvent des seconds couteaux et permettent d'éviter d'aborder les vrais problèmes.

Les groupes minoritaires préoccupent toujours le gouvernement central, qui tente de museler les bouddhistes de Mongolie intérieure, les musulmans du Xinjiang ou les Tibétains. La position du pouvoir vis-à-vis des minorités et de la question des droits de l'homme reste un bon indicateur de la voie vers laquelle s'engage le pays et de la solidité de son équipe dirigeante.

Le déséquilibre entre les régions déstabilise le pays. En effet, les fruits de la fabuleuse croissance économique de ces 25 dernières années ont été inégalement répartis. Les villes côtières du Sud et de l'Est se sont enrichies alors que l'intérieur reste à la traîne.

La Chine au xxiᵉ siècle

Le pays entre dans le xxiᵉ siècle avec dynamisme. Il a rejoint l'OMC en 2001, année où il a obtenu la tenue des Jeux olympiques de 2008 à Beijing. Les multinationales se bous-

barrage des Trois Gorges ont été fermées et, malgré l'apparition de fissures – déclarées sans danger à l'issue d'une inspection –, l'eau afflue dans le plus grand lac de rétention du monde. En octobre 2003, la Chine devient la troisième nation à mener à bien un vol habité dans l'espace avec le lancement et le retour réussis de Yang Liwei à bord du Shenzhou-V.

La médaille a son revers. Au cours des dernières années, des scandales médicaux révèlent l'incurie des autorités. Ainsi dans les années 1990, le virus du sida se répand dans plusieurs villages du Henan, après la collecte et la vente de plasma sanguin contaminé. Plus récemment,

culent aux portes de la Chine. À la fin de 2002, Jiang Zemin remet les clés du parti à son adjoint, Hu Jintao, qui est nommé président et laisse la direction militaire à son prédécesseur. Hu Jintao et Wen Jiabao – qui a remplacé Zhu Rongji au poste de Premier ministre – semblent vouloir engager la Chine dans la transparence et la voie de la démocratie, mais il est encore trop tôt pour juger des résultats obtenus.

Les progrès technologiques sont au rendez-vous. Le 1ᵉʳ juin 2003, 19 des 22 portes du

en 2003, lors de la crise du SRAS, la Chine ne signale pas les cas et manipule les chiffres, jusqu'à ce que des mesures draconiennes soient prises pour limiter la diffusion du virus, sans parvenir à son éradication définitive.

La dissidence reste sérieusement muselée. Le 1ᵉʳ juillet 2003, 500 000 personnes descendent dans les rues de Hong Kong pour protester contre la future loi antisubversion (article 23 de la Constitution). Cette manifestation monstre permet de faire reporter le vote de la loi et représente un revers considérable pour le chef de l'exécutif, Tung Chee-hwa. L'année suivante, une manifestation identique est organisée, et en mars 2005, Tung démissionne. ❑

À **GAUCHE** : affichage informatif sur le SRAS.
À **DROITE** : Beijing emporte l'organisation des Jeux olympiques de 2008.

PAYSAGES ET CLIMATS

L'immensité chinoise englobe les plaines glacées du Nord, le Sud tropical, les déserts
et les montagnes pelées de l'Ouest ainsi que les étendues fertiles des plaines côtières.

Longtemps, les barrières naturelles de la Chine ont formé une frontière infranchissable, protégeant et isolant les Chinois de l'intrusion des étrangers. À l'est et au sud-est, le pays est bordé de 18 000 km de côte ; à l'ouest, se dressent la chaîne monumentale de l'Himalaya et le plateau tibétain. Seul le Nord est dépourvu d'obstacle naturel, ce qui a incité les empereurs à construire la Grande Muraille, un ensemble de fortifications destinées à tenir les "barbares" de Mongolie à distance – une entreprise qui a duré des siècles.

La Chine est le troisième plus grand pays du monde, après la Russie et le Canada : sa superficie, de 9 560 900 km², en fait l'équivalent de l'Europe. Elle partage 20 000 km de frontières avec la Corée du Nord, la Mongolie (ancienne Mongolie-Extérieure), la Russie, le Kazakhstan, le Kirghizistan, le Tadjikistan, l'Afghanistan, le Pakistan, l'Inde, le Népal, le Bhoutan, le Myanmar (Birmanie), le Laos et le Vietnam. Quelque 4 000 km séparent Mohe, la localité la plus septentrionale du pays, près de la frontière avec la Russie, de l'île de Hainan, en mer de Chine. D'est en ouest, des montagnes du Pamir à l'embouchure des fleuves Heilong Jiang et Wusuli Jiang, la distance maximale est de 5 200 km.

Climat

Un territoire aussi immense présente nécessairement une grande variété de climats. Les doux hivers tropicaux de l'île de Hainan, au sud-ouest, où les habitants se nourrissent de fruits tropicaux, n'ont rien à voir avec les gelées sibériennes et les vents glacés qui paralysent le Nord-Est. Certaines régions du Tibet connaissent des gelées permanentes, tandis que les paysans du Guangdong et du sud du Yunnan récoltent toute l'année.

Les différences d'altitude entraînent également de grandes variations de température, mais c'est la situation du pays – à l'extrémité

PAGES PRÉCÉDENTES : sommets enneigés de l'Himalaya.
À GAUCHE : formations de calcaire près de Guilin, dans le Guangxi. À DROITE : forêt de bambous.

du continent asiatique, au bord de l'océan Pacifique – qui reste le facteur climatique dominant. En hiver, des masses d'air polaire forment des anticyclones au cœur du continent asiatique, qui se déplacent ensuite vers le sud et atteignent la Chine. Ce phénomène crée des hivers secs ; en outre, dans le nord du pays,

l'air se charge d'une poussière tenace, le lœss, transportée par les vents depuis le désert de Gobi. En été, la Chine subit la mousson, lorsque l'air chargé d'humidité en provenance du Pacifique s'engouffre dans les zones de dépression, provoquant des pluies qui durent de mai à septembre.

La Mandchourie et la Mongolie septentrionale connaissent des étés courts mais plutôt chauds, parfois accompagnés de fortes pluies, et des hivers longs et froids. Juste à côté, à l'ouest, dans les régions désertiques de Mongolie-Intérieure et du Xinjiang, les étés sont chauds et parfois très venteux, les hivers secs et extrêmement froids. Le plateau tibétain, où l'altitude moyenne est de 4 000 m, connaît des hivers très rigoureux et des étés courts, assez doux. Dans les régions centrales, les étés sont toujours chauds et arrosés (les inondations dévastatrices sont, du reste, assez fréquentes). La saison des cultures dure 8 ou 9 mois. Les hivers sont froids et parfois pluvieux. Au sud, les hivers sont frais, compte tenu de la latitude (sauf à Hainan et au sud du Yunnan, où la température est élevée) et les étés sont chauds et humides. À la fin de l'été, les typhons frappent les côtes jusqu'à Shanghai.

UN TOIT POUR DEUX

La Chine (Tibet) et le Népal se partagent le "toit du monde" – la gigantesque chaîne himalayenne.

que le Brahmapoutre (Tsangpo Jiang), la Salouen (Nu Jiang) et le Mekong traversent le Sud et le Sud-Est puis parcourent les voisins méridionaux de la Chine. Le deuxième palier est constitué de plateaux dont l'altitude oscille entre 1 000 et 2 000 m, au centre et au nord-ouest de la Chine. Le troisième palier regroupe les plaines et le littoral. Il s'élève rarement au-delà de 500 m et longe la côte du nord au sud. Plus des deux tiers de la population vivent sur le littoral, qui forme le cœur de la Chine agricole et industrielle.

Topographie

On dit parfois que la Chine est un pays montagneux, car les deux tiers du territoire sont hérissés de sommets, de hautes collines ou de plateaux d'altitude. En réalité, la topographie du pays comprend 3 paliers géologiques.

À 4 000 m au-dessus de la mer, le plateau du Tibet inclut la province autonome du Tibet, le Qinghai et la partie occidentale du Sichuan. Bien que cette région représente un quart du territoire chinois, seulement 1 % de la population y vit. Chacun des principaux fleuves de Chine et d'Asie du Sud y prend sa source. Le fleuve Jaune (Huang He Jiang) et le fleuve Bleu (Yangzi Jiang) coulent vers l'est, tandis

Cette structure en paliers résulte des mouvements tectoniques qui ébranlent régulièrement le sous-sol chinois. Des tremblements de terre frappent de nombreuses régions du pays, surtout au nord-ouest, au sud-ouest et au nord-est. En 1976, celui de Tangshan, à 145 km à l'est de Beijing, aurait fait entre 250 000 et 665 000 victimes. En 1996, on a enregistré 26 tremblements de terre d'une magnitude supérieure à 5,0 sur l'échelle de Richter et causant le mort de centaines de personnes.

Au-dessus de ces trois paliers, se dressent les plus hauts sommets du monde. La chaîne de l'Himalaya, qui forme la frontière au sud-ouest du pays, est l'une des plus jeunes de la planète. À la frontière avec le Népal, culmine l'Everest, à 8 850 m (*voir encadré p. 50*). Les Chinois le nomment Shengmufeng, et les Tibétains Qomolongma Feng.

Les monts Kunlun s'élèvent parallèlement à la chaîne de l'Himalaya. En été, la fonte de leurs glaciers alimente les fleuves qui prennent leur source sur le plateau tibétain.

Plus au nord, la chaîne de Tian Shan (les "monts du Ciel") est, elle aussi, orientée est-ouest. Son altitude moyenne se situe autour de 4 000 m. Le Taklamakan, le plus grand désert de Chine, s'étire entre les monts Kunlun et la chaîne de Tian Shan.

En été, ces montagnes arrêtent les lourdes masses d'air humide apportées par la mousson. L'hiver, elles empêchent les vents glacés venus des steppes sibériennes de s'engouffrer en Chine centrale.

Grands fleuves

Le Huang He Jiang (fleuve Jaune) est le plus emblématique des fleuves de Chine. La région située autour de la jonction entre le Huang He et son affluent le Wei est le berceau de la civilisation chinoise. Pourtant, ce fleuve est également surnommé le "chagrin de la Chine", à cause des craintes que suscitent chez les

Au sud du Tibet oriental, les montagnes de l'ouest du Sichuan et du Yunnan forment ce qu'on appelle le Hengduan, la "barrière" : depuis toujours un obstacle infranchissable entre la Chine et ses voisins de l'Ouest.

Au nord-est, le Grand Xingan, qui sépare les plaines de Mandchourie de la steppe mongole, est la plus vaste zone forestière de Chine. Son impact sur le climat est considérable, tout comme celui du massif du Qinling, autre barrière climatique qui s'étend de la frontière entre le Gansu et le Qinghai jusqu'au Henan.

À gauche : les étendues plates du Xinjiang, à l'ouest du pays. **Ci-dessus :** steppe de Mongolie-Intérieure.

paysans ses brusques changements de cours, ses inondations fréquentes et dévastatrices dues aux pluies irrégulières en amont et à ses importants dépôts de lœss.

Prenant sa source dans le Qinghai, le Huang He Jiang vire brusquement vers le nord près de Langzhou, avant de redescendre vers le sud près de Baotou, en Mongolie, formant la fameuse "boucle du Huang He". Ce n'est que lorsqu'il traverse la Chine centrale qu'il se charge de lœss, cette terre jaune qui lui vaut son nom. Son cours inférieur a radicalement changé de tracé plusieurs fois. De 602 av. J.-C. à 1194, il se jetait au nord de son embouchure actuelle, dans la mer Jaune. De 1194 à

1853, son estuaire s'ouvrait sur la mer de Chine orientale, au sud de la péninsule du Shandong. En 1938, les troupes nationalistes détruisirent les digues au Henan afin de détourner le fleuve et de ralentir l'avance des Japonais. Près de 900 000 civils périrent dans les inondations.

La déforestation – qui a été précoce en Chine – reste un facteur important d'érosion. Au cours de son voyage, le Huang He Jiang transporte chaque année plus de un milliard de tonnes de sédiments vers son embouchure, obstruant tellement l'estuaire que le fleuve n'est pas navigable jusqu'au bout. S'élargis-

Avec un cours long de 6 300 km, le fleuve Bleu est le plus long de Chine et le troisième du monde. Il prend sa source dans les monts Tanggula, au Qinghai, et porte différents noms tout au long de son cours (*voir p. 233*). Chang Jiang (fleuve Long), son nom sur le cours moyen, est le plus communément employé en Chine. Yangzi Jiang (fleuve Bleu), son nom entre Yangzhou et l'estuaire, est celui qu'ont retenu missionnaires et colons occidentaux.

Le fleuve Bleu passe par 3 gorges spectaculaires, sur un segment de 200 km. Dans la gorge Qutan, sa largeur se réduit à 100 m, mais sa profondeur peut atteindre 60 m.

sant en coulant dans les plaines, le fleuve dépose plus de 4 millions de tonnes de lœss.

Depuis la nuit des temps, les Chinois ont tout essayé pour le contrôler. Dès l'an 220 av. J.-C., Qin She Huangdi fait construire des digues et creuser le lit du fleuve. Les paysans ont mis au point des systèmes complexes de remblais exigeant un entretien constant : une brèche dans l'une des digues peut provoquer des inondations à des centaines de kilomètres à la ronde. Le lit du fleuve se rehausse chaque année et, à certains endroits, il coule – à l'intérieur de ses digues – à 10 m au-dessus des berges. Ces dernières années, l'estuaire du fleuve a été à sec à plusieurs reprises.

VOCABULAIRE GÉOGRAPHIQUE

En chinois, les suffixes sont souvent attachés au nom. Ici, pour faciliter la reconnaissance de ces noms, la plupart des suffixes sont séparés des noms qu'ils déterminent. Par exemple, nous utilisons Huang He au lieu de Huanghe.

shan	collines, montagnes	**lu**	rue, route
he, jiang	fleuve	**daqiao**	pont
pendi	bassin	**ta**	pagode
hu, chi	lac	**si**	temple
xia	gorge	**ling**	tombe
gongyuan	parc	**gong**	palais
yuan	jardin	**dian**	salle

Dans la gorge Wu, les montagnes s'élèvent de 500 à 1 000 m au-dessus de l'eau.

Au cours des derniers siècles, ses inondations ont provoqué des dégâts considérables. L'une d'elles, en 1931, tua 3 millions de personnes. Le futur barrage des Trois Gorges (*voir p. 245*) a pour ambition de maîtriser le fleuve et, théoriquement, de générer assez d'électricité pour éclairer la moitié de la Chine. Large de 2,25 km et haut de 180 m, il sera le plus grand du monde et son lac de retenue s'étendra sur plus de 640 km de long, pour une superficie proche de celle de Los Angeles. En 2003, 19 vannes sur les 22 prévues ont déjà été fer-

cune –, entre les cours supérieur, moyen et inférieur du Chang Jiang. Enfin, le gouvernement chinois a récemment annoncé la construction du plus haut barrage du monde sur le Mekong, dans le Yunnan. Haut de 292 m, il implique le relogement d'environ 220 000 personnes et induit des conséquences environnementales importantes pour la région du delta du Mekong.

Ressources

La Chine ne manque pas de ressources : elle est très riche en charbon et c'est l'un des plus gros producteurs au monde d'or, d'étain, de mercure, d'aluminium, de tungstène et

mées (les dernières devraient l'être en 2009). Les critiques reprochent le coût élevé du barrage tant sur le plan social – plus 1,2 million de personnes doivent être relogées –, que financier et parlent de bombe écologique à retardement.

Le gouvernement a également donné son feu vert à un plan ambitieux de dérivation des eaux du bassin du Yangzi Jiang vers le nord de la Chine. Son coût devrait dépasser 15 milliards de dollars, car il nécessite la construction de 3 voies navigables – de 1 120 km de long cha-

de barytine. Les sols les plus fertiles se trouvent au sud et à l'est du pays. Nourrir 1,3 milliard d'habitants est l'un des plus grands défis auxquels est confrontée la Chine contemporaine, pourtant le plus important producteur de riz et de blé du monde. Mais seulement 40 % du territoire peuvent servir à l'agriculture ou à la sylviculture, et à peine 12 % de l'ensemble des terres sont cultivables. Le reste, soit 60 %, est stérile. La déforestation et la désertification comptent parmi les problèmes fondamentaux auxquels le pays est exposé. Au cours des 20 dernières années, la Chine a planté plus de 35 milliards d'arbres, faisant passer la zone forestière de 12 à 17 % du territoire. ❑

À **GAUCHE** : chutes d'eaux boueuses du Huang He Jiang.
CI-DESSUS : le glacier de Geladandong.
À **DROITE** : l'automne sur le Tian Shan.

LES CHINOIS

Près d'un cinquième de la population de la planète vit en Chine, soit 1,3 milliard d'habitants qui n'occupent qu'un cinquième des terres de leur immense pays.

Les Chinois se considèrent comme les descendants des Han, l'une des grandes dynasties de leur histoire. La population de la Chine se compose en effet de Han à plus de 90 %, même s'il n'est pas toujours très facile de distinguer ces derniers des 10 % restants, les Han ayant assimilé de nombreuses minorités au fil des siècles. Mais, au-delà des spécificités ethniques, être chinois, et chinois Han, signifie aussi que l'on accepte de partager un bagage culturel et que l'on adhère aux valeurs chinoises.

Les Han ont longtemps peuplé en priorité la partie orientale du pays, laissant les étendues du Nord et de l'Ouest aux minorités ethniques. Mais les temps changent : poussés par la surpopulation à l'est, et par la volonté du gouvernement de faire rentrer les minorités dans le rang, de plus en plus de Han s'installent dans des régions comme le Xinjiang ou le Tibet (*voir p. 63*). Les Tibétains forment le seul groupe indigène resté majoritaire dans son territoire au sein de la Chine.

Casse-tête démographique

Un cinquième du territoire accueille 90 % de la population chinoise. Celle-ci se concentre au sud et à l'est, tandis qu'au nord et à l'ouest des régions entières sont très peu peuplées et souvent à peine habitables.

Le premier recensement se déroule il y a près de 2 000 ans, en l'an 4. En 742, du temps des Tang, le pays compte un peu plus de 50 millions d'habitants. La barre des 100 millions est sans doute franchie à l'époque de l'invasion mongole de Gengis Khan. Ce nombre double au milieu du XVIIIe siècle. Un siècle plus tard, en 1850, la Chine compte 400 millions d'habitants.

Peu après la Seconde Guerre mondiale, la Chine possède 1 demi-milliard d'habitants.

Du milieu des années 1960 au début des années 1980, on enregistre une explosion démographique : plus de 300 millions de naissances, soit davantage que la population des États-Unis ou de l'ancienne URSS. En 2000, on recense 1,29 milliard d'habitants, ce qui représenta près de 20 % de la population mon-

diale. Ces dernières années, la population s'accroît de 15 millions d'habitants par an, avec un taux de natalité de 21 pour 1 000 et un taux de mortalité de 6 pour 1 000.

Comment gouverner et administrer une population aussi nombreuse ? Les chiffres sont impressionnants – surtout quand on sait que la Chine dispose de moins de 10 % des terres agricoles mondiales – et mettent en évidence la marge de manœuvre extrêmement étroite du gouvernement.

Dès 1978, le gouvernement lance la politique de l'enfant unique. Dans les zones urbaines, ce système fonctionne, mais dans les campagnes, où les traditions restent fortes et

---

PAGES PRÉCÉDENTES : jeunes ballerines de Hong Kong.
À GAUCHE : deux amies à Wenzhou, en Chine du Sud.
À DROITE : grand magasin à Shenzhen, l'une des zones économiques spéciales de Chine populaire.

où le travail de la terre exige plus de bras, il n'obtient qu'un succès relatif.

En Chine, un fils reste la meilleure assurance vieillesse des parents. La préférence est donc donnée aux garçons et l'on peut attribuer à cet état de fait la responsabilité des infanticides de filles sévissant, principalement dans les campagnes, depuis la mise en place de la politique de l'enfant unique. De 1953 à 1964, on enregistrait un peu moins de 105 naissances de garçons pour 100 naissances de filles. L'échographie, qui permet de connaître le sexe du fœtus, a été introduite en Chine en 1979. Depuis qu'elle s'est généralisée, surtout auprès des couches moyennes et supérieures de la population, le ratio garçons/filles n'a cessé d'augmenter (108 garçons pour 100 filles en 1982, 111 en 1990, 116, et jusqu'à 135, dans certaines régions en 2002). Officiellement, les médecins n'ont pas le droit de se servir de l'échographie pour révéler le sexe du fœtus, mais on peut facilement les persuader de le faire, surtout les praticiens privés, moins surveillés par les autorités.

Le déséquilibre entre la répartition des sexes commence à poser des problèmes pour la formation des couples. Si rien ne change, le gouvernement prévoit que la Chine se retrouvera

TROP D'HABITANTS, PAS ASSEZ DE PATRONYMES

Un jour, on demanda à Gengis Khan comment il comptait soumettre le nord de la Chine. Selon la légende, il aurait répondu : "Je vais tuer tous ceux qui s'appellent Wang, Li, Zhang et Liu ; le reste ne présentera pas de difficulté."

Il est permis de penser que, contrairement à ces temps anciens, avec plus d'un milliard d'habitants, la Chine contemporaine possède une immense diversité de patronymes. Or il n'en est rien : sur plus de 12 000 noms autrefois dénombrés en Chine, il n'en reste que 3 000.

La raréfaction des noms de famille a commencé il y a des siècles, lorsque des Chinois qui n'étaient pas des Han, cherchant à se fondre dans la culture dominante, ont abandonné leurs patronymes et ont adopté les noms courants des Han. Résultat : environ un tiers de la population se partage 5 noms patronymiques, près de 90 % des Chinois ont les 100 mêmes noms de famille, et 90 millions de Chinois s'appellent Li – qui est, de ce fait, le nom de famille le plus répandu au monde. Des millions de Chinois sont donc de parfaits homonymes, ce qui ne manque pas d'entraîner un grand nombre de méprises et d'erreurs administratives.

Par comparaison, les États-Unis (280 millions d'habitants) ne possèdent "que" 2,4 millions de Smith, le patronyme le plus courant dans les pays anglophones.

bientôt avec quelque 50 à 70 millions de jeunes hommes en mal d'épouses.

Nourrir toute cette population est de plus en plus problématique. La plupart des sinologues s'accordent à penser que la Chine ne peut subvenir confortablement aux besoins alimentaires que de 800 millions de personnes. D'où la nécessité de contrôler les naissances. La politique de l'enfant unique, malgré des objectifs initiaux trop optimistes, a permis d'infléchir le taux d'accroissement de la population. Selon des estimations datant de 1993, elle a évité 200 millions de naissances jusqu'à cette année-là. La moyenne des naissances pour une femme

Depuis quelques années, la politique de l'enfant unique a été assouplie : il est maintenant possible pour un couple d'avoir un second enfant, pour peu que chacun des parents soit lui-même enfant unique.

Valeurs familiales traditionnelles

La généralisation des familles avec un enfant unique pourrait avoir un impact profond sur la société chinoise. Les parents qui ont grandi sous la Révolution culturelle manquent en effet de valeurs sociales claires.

Porteurs de tant d'espoirs, surtout s'ils sont des garçons, les enfants uniques sont en géné-

est passée de 5 ou 6 enfants dans les années 1950 à 2 au début des années 1990.

Les problèmes n'ont pas disparu. Malgré l'utilisation généralisée des préservatifs, 30 % des naissances ne sont pas désirées. Selon la Commission de la planification familiale, l'éducation sexuelle reste un sujet tabou. Dans les villes, les familles acceptent de se limiter à un enfant, à cause de l'exiguïté des logements. À Shanghai ou à Beijing, où la surface moyenne est de 3,5 m² par habitant, on respecte les consignes de contrôle des naissances.

ral trop gâtés par leurs parents et par leurs grands-parents. Les Chinois eux-mêmes trouvent que ces enfants-rois (*xiao huangdi*, "sales gosses") sont grossiers et désagréables.

Toutefois, la famille – et les valeurs confucéennes – reste le noyau de la société. Dans les campagnes, on identifie le clan par le nom de famille commun. La terre, ce symbole de la richesse familiale, était autrefois répartie en parts égales entre les fils de la famille. Avec le temps, le nombre et la taille des terres transmises à chaque enfant diminuent et la richesse moyenne par famille baisse.

Entre le début du XXe siècle et l'avènement du régime communiste en 1949, les conditions

À GAUCHE : les filles, moins désirées que les garçons.
À DROITE : affiche en faveur de l'enfant unique.

de vie des familles rurales sont exécrables : peu de nourriture, des soins de santé réduits au minimum, une guerre civile incessante. Après 1949, les choses s'améliorent, malgré le revers considérable que représente la famine du début des années 1960. À cette époque, l'espérance de vie à la naissance est de 35 ans. En 1982, elle passe à plus de 65 ans. En outre, le taux annuel de mortalité tombe de 23 pour 1 000 à 6 pour 1 000 et le taux d'alphabétisation passe de 20 % à près de 80 %.

À la différence des villes, où les familles deviennent de plus en plus nucléaires et indépendantes, dans les campagnes, il est encore

Les employeurs hésitent à embaucher des femmes car elles manquent, selon eux, d'esprit d'initiative, et, lorsqu'elles sont enceintes, elles ont droit à 9 mois de congé de maternité. En outre, le harcèlement sexuel est fréquent sur le lieu de travail.

Vie sociale

Tôt le matin, les parcs des villes chinoises s'emplissent d'hommes et de femmes qui pratiquent le *taijiquan*, sorte de combat dansé contre un adversaire invisible. Vous les verrez ainsi tourner et virevolter lentement, poussant l'air devant eux ; certains manient des épées,

courant que 3 générations d'une même famille vivent sous un même toit, la responsabilité des membres les plus âgés incombant aux fils. Selon la tradition, en se mariant, les filles intègrent la famille de leur époux.

Mao a beau proclamer que "les femmes sont la moitié du ciel", un faible nombre d'entre elles ont accès à des postes importants sous sa présidence. Depuis quelques décennies, le discours officiel prône l'égalité des sexes, mais des études montrent que le statut réel des femmes en Chine place le pays à la traîne dans ce domaine. La persistance des croyances ancestrales en est largement responsable. Selon Confucius, une femme sans talent est une femme vertueuse.

tandis que d'autres inspirent profondément et font du *gongfu*. Vous apercevrez peut-être aussi des personnes âgées courant si lentement qu'elles semblent faire du surplace. D'autres encore se livrent à des exercices collectifs de "flexions-extensions", sous les instructions d'un moniteur.

Pour les Chinois, les activités physiques pratiquées en groupe commencent dès le plus jeune âge. Avant le début des cours, les écoliers font de la gymnastique au son d'un haut-parleur qui crachote de la musique et des *yi-er-san* ("un-deux-trois"). On leur apprend aussi à se masser les yeux en rythme après leurs longues heures de travail.

Le matin, les rues sont pleines. Des cohortes de cyclistes envahissent les voies cyclables et encombrent les carrefours. Les bus pétaradent, souvent bloqués dans les encombrements. Ils sont toujours bondés : les voyageurs s'y entassent, se poussent sans ménagement pour en sortir ou se ruer vers un siège soudainement libre.

FESTINS FAUTIFS

On estime que se gaspille chaque année en Chine de quoi nourrir 100 millions de personnes, principalement lors des banquets.

La cuisine témoigne de l'amélioration du niveau de vie des Chinois. Les habitants des villes, pour qui le porc fut longtemps un mets de choix, consomment aujourd'hui régulièrement du bœuf, du poisson et des crevettes. Si les repas à la maison restent souvent simples, au restaurant, ils se transforment parfois en de véritables banquets.

C'est le cas des repas d'affaires, lorsqu'ils sont pris en charge par une société ou si votre hôte cherche à vous en imposer – les Chinois partagent rarement l'addition. Un repas digne de ce nom doit comprendre des mets rares comme des champignons exotiques ou, hélas, des animaux en voie de disparition, ce qui est illégal. Quoi qu'il en soit, on vous servira toujours plus de nourriture que vous ne pourrez en avaler, le contraire ferait perdre la face à votre hôte. Le dîner reste un moment important pour de nombreuses personnes qui, après le repas, quittent leurs domiciles exigus pour bavarder avec leurs voisins dans la rue ou lire à la lumière des lampadaires. N'ayant que peu ou pas d'intimité chez eux, les jeunes couples vont parfois roucouler dans les parcs.

La télévision chinoise, qu'elle soit régionale ou nationale, s'avère insipide et dépassée, même si elle se modernise peu à peu. Les séries et films étrangers, plus divertissants et plus réalistes, l'emportent sur les productions locales. Les émissions d'actualité restent très censurées, et elles adoptent rigoureusement la ligne du parti. Les débats évitent soigneusement les sujets qui fâchent. Mais les toits se couvrent de plus en plus d'antennes paraboliques, qui font ainsi entrer MTV, Disney Channel et Star TV dans les foyers chinois (les bons hôtels reçoivent la BBC et CNN).

En dehors de Hong Kong, l'omnipotence des idéologues, même dans le domaine du cinéma, freine énormément la production locale de films. Cela n'a pas empêché le cinéma chinois de se faire connaître internationalement depuis les années 1980. Il est même arrivé que certains films ne reçoivent leur visa d'exploitation en Chine qu'après avoir été plébiscités en Occident.

Le karaoké gagne la Chine au début des années 1990 pour perdre ensuite un peu de sa popularité. Les boîtes de nuit, de plus en plus sophistiquées, envahissent surtout les grandes villes comme Beijing, Shanghai et Guangzhou.

Travail

"Il est glorieux de s'enrichir", déclare Deng Xiaoping en 1978. Malgré les augmentations de salaire dans les villes, les revenus demeurent bas par rapport à ceux de l'Occident. Cependant les chiffres sont trompeurs : les allocations logement sont, par exemple, très généreuses et un loyer représente l'équivalent de quelques euros par mois. Le fossé s'agrandit entre les régions côtières et l'intérieur du pays. Bientôt, la vie coûtera aussi cher à Beijing, Shanghai et à Guanghzou qu'à Hong Kong, à New York ou à Paris.

Il n'y a pas si longtemps encore, travailler à la campagne voulait dire travailler aux champs,

---

À GAUCHE : spectateurs d'une représentation en plein air d'opéra de Pékin. **À DROITE :** jeune femme de Hong Kong.

travailler en ville signifiait travailler à l'usine ou dans un bureau. Les deux tiers des Chinois vivent dans des zones rurales, mais ils sont de plus en plus nombreux à être salariés.

Des industries légères s'implantent à la campagne et sont administrées par les communes ou les villes. Il s'agit le plus souvent de coopératives communautaires rurales mêlant gestion privée et actionnariat public. Pendant une quinzaine d'années, leur taux de croissance annuel a dépassé 20 %, soit le double de la croissance économique du pays. Elles emploient 100 millions de personnes, plus que les entreprises d'État, notoirement peu ren-

Les emplois offerts par ces coopératives à la population rurale n'ont toutefois pas suffi à juguler l'afflux vers les villes des travailleurs migrants, qui reste un cauchemar pour les autorités urbaines. Le problème est particulièrement sérieux dans le Sud. À Guangzhou, ces migrants, appelés "population flottante", représentent un quart de la population. La presse officielle estime leur nombre à 100 millions, près de l'équivalent de la population du Japon, et plus que celle de l'Allemagne.

Ces nomades sont attirés par les salaires des villes – le double de ceux des campagnes. Un tiers des ruraux restent cependant sous-

tables, et offrent une alternative partielle au problème de l'exode rural.

Un grand nombre de ces sociétés émanent d'anciens ateliers créés dans le cadre du système communal établi durant les années 1960. Quand Deng Xiaoping prend les rênes du pouvoir en 1978 et qu'il libéralise l'agriculture et l'industrie, les revenus des paysans et, logiquement, leur pouvoir d'achat augmentent rapidement. Les ateliers qui ont survécu se transforment afin de pouvoir satisfaire une demande croissante. Certains exploitent les ouvriers et des conflits d'intérêts surviennent avec les autorités locales, qui sont à la fois les propriétaires et les autorités de tutelle de ces entreprises.

employés, pour ne pas dire au chômage. Le système du "bol de riz en fer", garantissant emploi et couverture sociale à vie, dévoile ses failles, que ce soit dans l'industrie ou dans la fonction publique, la plus lourde du monde avec près de 40 millions de fonctionnaires.

La plupart des entreprises publiques se sont révélées non rentables et incapables de s'adapter à l'augmentation de la demande en biens et en services. Au début des années 1990, la Chine réagit en licenciant des centaines de milliers d'employés des entreprises publiques et, à la fin de la décennie, en privatisant la plupart d'entre elles. Les ouvriers licenciés s'en prennent aux directeurs et manifestent leur mécontentement au Sichuan, à Liaoning et ailleurs. En pleine croissance, le secteur privé affiche, quant à lui, santé et vitalité.

Minorités nationales

Officiellement, la Chine reconnaît aujourd'hui plus de 50 minorités, parmi lesquelles celles du Tibet et du Xinjiang. La plupart d'entre elles sont implantées le long des frontières, dans des régions stratégiques et souvent peu peuplées. Aussi, quand l'une de ces minorités, comme les Tibétains et les Ouïgour, en découd avec le gouvernement central, celui-ci prend les choses très au sérieux. Les minorités ont souvent gardé des liens étroits avec leurs ressortissants vivant de l'autre côté des frontières. Les autorités centrales ne peuvent les contrôler totalement.

En 2000, le gouvernement lance sa campagne de "promotion de l'Ouest", destinée à ouvrir cette partie de la Chine, notamment aux investissements étrangers, à améliorer les infrastructures et, vraisemblablement, à contenir tout sentiment nationaliste. Les Chinois han sont encouragés à s'y installer. Le chemin de fer Qinghai-Tibet, qui devrait être achevé en 2009, accélérera le processus.

Une minorité se définit par sa langue, son territoire et ses valeurs sociales. Près de 10 % des habitants de la Chine appartiennent à une minorité, la plus grande d'entre elles étant les Zhuang, qui représentent 12 millions de personnes au sud-ouest de la Chine.

La Constitution garantit aux minorités certains droits et privilèges, l'un des principaux étant celui d'utiliser leur langue. Mais permettre à ces groupes de vivre selon leurs croyances et leurs traditions ne suffit pas à leur assurer survie économique et culturelle. Parler et écrire couramment le mandarin restent le seul moyen d'accéder à l'instruction et d'améliorer son statut social. On ne trouve pas partout des écoles adaptées aux cultures minoritaires, et rares sont les universités où l'on enseigne leurs langues. De fait, l'expansion de la nation Han à partir du fleuve Jaune jusqu'aux frontières actuelles de la Chine populaire s'est accompagnée d'une lente assimilation des peuples étrangers, que l'on considère toujours comme inférieurs sur les plans culturel et technique.

À **GAUCHE :** jeunes beautés sur la plage de Hainan.
À **DROITE :** femme kazak, dans le Xinjiang.

Les Ouïgour demeurent la principale minorité ethnique de la région autonome du Xinjiang, même s'ils ne représentent plus aujourd'hui que 45 % de sa population totale. Ce n'est que lorsqu'on les regroupe avec, par exemple, les Kazakhs ou les Kirghiz qu'ils constituent une majorité musulmane turcophone. Dans les années 1950, cette majorité représentait 80 % de la population de la région. Aujourd'hui, toutes les grandes villes du Xinjiang – à l'exception de Kashi – possèdent une majorité de Chinois Han. Ürümqi, une ville de plus d'un million d'habitants, est peuplée de Han à 80 %.

Les Hui, eux aussi musulmans, qui vivent pour la plupart dans des régions plus défavorisées, ne représentent qu'un tiers de la population de leur région autonome du Ningxia. Leur statut minoritaire est précaire, car il ne repose que sur leur particularisme religieux.

En Mongolie-Intérieure, les Han représentent actuellement 80 % de la population. Pourtant, les Mongols sont plus nombreux dans cette région que chez leur voisin du Nord, la république de Mongolie. Les pasteurs mongols constituent la majorité de la population nomade, la plupart des fermiers sédentarisés et des habitants des villes étant des Han dont les familles ont émigré de l'est de la Chine. ❏

FÊTES ET FESTIVALS

Les fêtes et festivals traditionnels ont toujours fourni l'occasion de célébrer et de glorifier le passé. Nombre d'entre eux sont associés au culte des ancêtres.

Les dates officielles de la plupart des fêtes chinoises varient d'une année à l'autre, car elles suivent les mois lunaires, et non les mois solaires du calendrier grégorien. Les mois lunaires débutent au moment où le croissant de lune est le plus mince.

GRANDES FÊTES

La fête du Printemps, ou nouvel an chinois, qui a lieu en janvier ou en février, est de loin la plus grande fête chinoise et la seule qui donne lieu à des jours fériés officiels. Inutile de songer à faire du shopping ou à visiter des musées à ce moment-là : tout est fermé. Mais le spectacle est dans la rue !

La fête des Morts, ou *Qingming*, qui se déroule le 12e jour du 3e mois lunaire (avril), est l'occasion d'honorer les ancêtres. Les familles se rendent sur les tombes, les nettoient, y déposent de la nourriture et y brûlent du papier-monnaie factice.

Le festival des Bateaux-Dragons, le 5e jour du 5e mois lunaire (juillet), commémore le poète et ministre Qu Yuan, qui se suicida en 278 av. J.-C. en se précipitant dans le fleuve Miluo (Hunan) après son bannissement. Cette fête se célèbre surtout dans le sud de la Chine, particulièrement à Hong Kong (*voir ci-contre*). Les participants mangent des *zong zi*, gâteaux à base de riz gluant enveloppés dans des feuilles de lotus.

La fête de la Mi-Automne, ou fête de la Lune, se déroule le 15e jour du 8e mois lunaire (septembre ou octobre). Les familles se promènent dans les parcs et contemplent le fameux astre, tout en dégustant des gâteaux de lune (petits gâteaux à base de pâte de lotus et de jaune d'œuf). Sous les Yuan (1280-1368), alors que la Chine subissait l'occupation mongole, les Han communiquaient entre eux en cachant des messages dans ces gâteaux.

COURSE DE BATEAUX-DRAGONS ▷

La course de bateaux-dragons relève moins du spectacle ou du rite que de la compétition sportive. À Hong Kong, elle réunit des équipes chinoises du monde entier qui s'entraînent pendant des mois avant l'événement. Mais un certain folklore subsiste : les *zong zi* que les participants dégustent entre les courses sont un souvenir des gâteaux que le peuple lança dans le fleuve après le suicide du poète Qu Yuan (*voir ci-contre*), afin d'empêcher les poissons de dévorer son corps.

JOUR DES ENFANTS ▽

Il est célébré le 1er juin. Les enfants sortent plus tôt de classe et vont dans les jardins publics ou dans les parcs d'attraction.

◁ **LION ET DRAGON**

Traditionnellement, les Chinois célèbrent le nouvel an par une danse du dragon ou du lion. Elle est accompagnée d'explosion de pétards afin d'éloigner les mauvais esprits. De nos jours, la plupart des grandes villes interdisent les lancers de pétards pour des raisons de sécurité.

◁ ÉCHASSES À BEIJING
Bien qu'en voie de disparition,
l'art de marcher sur des
échasses réapparaît
dans les grandes parades.

▽ CRÉATURE
BIENVEILLANTE
En Asie, le dragon est une
créature bienveillante qui a
longtemps symbolisé
l'empereur. Il incarne la force
céleste masculine, le *yang*.
Bien que dépourvu d'ailes,
appartient au monde aérien
et figure parmi les forces
naturelles du taoïsme.

NOUVEL AN CHINOIS

La fête du Printemps, ou
nouvel an chinois, s'appelle
chun jie. Selon le calendrier
lunaire, elle se déroule en
janvier ou en février.
　　Aucune autre célébration
ne donne lieu à de telles
agapes et retrouvailles
familiales. Toute activité
professionnelle s'arrête
pendant 4 jours. Les
festivités débutent la veille
du jour de l'an avec un
repas de famille. Selon la
tradition, c'est alors que le
cai shen (dieu de la chance)
quitte les cieux pour
effectuer son rapport sur
les actions de l'année passée.
Il y retourne le 5e jour pour
accorder la fortune aux uns
et aux autres. Ce jour-là,
beaucoup de magasins
rouvrent leurs portes. On
rend visite à la famille et
aux amis ; vœux et cadeaux
sont échangés, ainsi que les
hang pao (enveloppes
rouges contenant de
l'argent), offerts surtout
aux enfants.
　　De nos jours, les danses
du dragon et les parades
se rencontrent plus
fréquemment dans les
campagnes et les quartiers
chinois de la diaspora
mondiale que dans
les grandes villes de Chine.
À Beijing par exemple,
les festivités publiques
se déroulent dans les parcs
sous la forme de grands
rassemblements,
appelés *miao hui*.

CROYANCES ET RELIGIONS

Aussi diverses que les peuples de la Chine, les croyances et les philosophies chinoises reflètent la richesse exceptionnelle de son histoire.

Les "trois enseignements", confucianisme, taoïsme et bouddhisme, ont toujours régné en maîtres sur la vie spirituelle des Chinois. Le confucianisme, l'un des deux systèmes de pensée indigènes, enseigne surtout des normes éthiques et pragmatiques de comportement, alors que le taoïsme possède une dimension religieuse et philosophique. Le bouddhisme, arrivé de l'Inde au Ier siècle, a acquis en Chine une coloration spécifique sous l'influence du taoïsme et du confucianisme. Le syncrétisme issu de ces trois doctrines, qui se sont entremêlées au fil des siècles, domine la vie spirituelle, mais d'autres religions sont présentes dans le pays : l'islam, pratiqué surtout dans le Nord-Ouest, et le christianisme, qui gagne du terrain.

Avec l'arrivée au pouvoir des communistes, la religion devient "contre-révolutionnaire". Sous la Révolution culturelle, quantités de temples, de mosquées et d'églises sont détruits dans toute la Chine. Après la mort de Mao Zedong, le climat se fait moins répressif et, depuis 1982, une loi garantit une relative liberté religieuse.

Diseurs de bonne aventure et géomanciens

Dans un autre registre, la numérologie, la divination et la géomancie – des croyances datant de la nuit des temps – restent vivaces et sont prises très au sérieux.

L'idée de destin date de l'époque féodale, le "dieu" – autrement dit l'empereur – étant censé décider du sort de chacun. Sous la dynastie des Tang (618-907), puis sous celle des Song (960-1279), la société devenant plus complexe et la notion de destin individuel commençant à se développer, les diseurs de bonne aventure prospèrent.

Un diseur vous conseillera peut-être de vous faire raser les cheveux ou de porter une belle ceinture rouge afin de séduire le dieu de la for-

tune. Il vous recommandera d'installer des poissons porte-bonheur dans l'aquarium de votre bureau, de retirer les miroirs de votre chambre, ou de manger plus d'agneau et moins de bœuf lors du nouvel an chinois.

Les diseurs de bonne aventure interprètent les traits du visage ou les lignes de la main, et

effectuent des calculs compliqués à partir du nom de la personne ou de son heure et sa date de naissance. Le système des 12 signes astrologiques chinois – rat, taureau, tigre, lapin, dragon, serpent, cheval, chèvre, singe, coq, chien et cochon – est créé sous les Han (206 av. J.-C.-220) par un philosophe chinois. Il répartit les individus en 12 catégories selon leur année de naissance et permet de prédire l'avenir en combinant philosophie et numérologie. Chaque année, des dizaines de livres sont publiés sur ce sujet.

Le *feng shui* (littéralement "vent et eau"), ou géomancie, est un ensemble de lois spirituelles destiné à garantir la bonne fortune et

---

À **GAUCHE :** offrande d'encens. À **DROITE :** le miroir à *bagua* (trigrammes), qui éloigne les mauvais esprits.

à protéger des coups du sort. Ses adeptes jugent indispensable de consulter un géomancien – un maître de *feng shui* – avant de concevoir et de construire une maison ou un bureau et de prendre des décisions importantes.

L'outil principal du géomancien est une sorte de boussole où figurent les 8 trigrammes anciens (*bagua*), disposés en octogone. Représentant les forces de l'univers et 8 animaux – cheval, chèvre, faisan, dragon, poule, cochon, chien, bœuf –, chacun d'entre eux est constitué de

> **ÉTAGE MAUDIT**
>
> Mieux vaut vivre au 18e étage qu'au 14e. En cantonais, 14 se prononce comme "mort à jamais" alors qu'avec le nombre 18, on entend aussi "riche à jamais".

3 traits (*voir photo, p. 67*) et possède divers attributs (saisons, nombres, couleurs, etc.).

Les théories du *feng shui* sont fondées sur les principes du *qi*, le souffle vital, divisé en *yin* (féminin/passif) et *yang* (mâle/actif), le principe binaire des éléments vitaux.

Le concept du *wuxing* – les 5 agents – occupe également une place importante dans la philosophie, la médecine, l'astrologie et la superstition chinoises. 5 types d'énergie dominent l'univers à des moments différents. L'énergie de l'eau domine en hiver, celle du bois au printemps, celle du feu en été, celle du métal en automne, celle de la terre, à la période de transition entre les saisons.

L'architecture des entreprises chinoises modernes se conforme aux principes du *feng shui*. Au centre de Hong Kong, dans le quartier des affaires, les multiples angles de la Banque de Chine sont censés renvoyer les ondes néfastes aux banques concurrentes. L'immeuble de la Hong Kong and Shanghai Bank, conçu par Norman Foster, est bâti sur une série de piliers géants, afin de permettre aux piétons d'accéder directement au centre de pouvoir de l'île (Government House) à partir du principal point d'entrée (l'embarcadère du *Star Ferry*), selon les principes du *feng shui*.

Magie des nombres

En 1998, un homme d'affaires de Hong Kong a défrayé la chronique en dépensant, pour une plaque d'immatriculation, la somme considérable de 641 000 $HK. En effet, en cantonais, le nombre 8, le numéro de sa plaque, se prononce comme le mot "prospérité".

En général, 2 signifie "facile", 6, "longévité", 8, "prospérité". Certains chiffres sont supposés porter malheur : 4, par exemple, est homophone de "mort". On dit que la cinquième cheminée de l'une des usines de Hong Kong n'existe que pour éviter le nombre fatidique de 4. La combinaison des chiffres est également essentielle. Le nombre 8 222 garantit la fortune. Évidemment, tout cela vaut pour les étages, les numéros des maisons et de téléphone, et pour la loterie.

Culte des ancêtres

Selon le culte des ancêtres, toute personne possède deux âmes. La première se forme au moment de la conception et reste enfermée dans le corps après la mort. Lorsque le corps se décompose, la vitalité de l'âme décroît, puis elle retourne auprès des Sources jaunes de l'au-delà. Toutefois, elle revient hanter les vivants si ceux-ci cessent leurs sacrifices. La seconde âme n'apparaît qu'à la naissance. Durant son voyage céleste, après la mort, elle est menacée par des forces maléfiques et dépend elle aussi des prières et des offrandes des vivants sans lesquelles elles se transforment en esprit mauvais. Les ancêtres accordent protection et bienfaits à leurs descendants s'ils nettoient leurs tombes et les honorent.

Initialement, seul l'empereur pouvait honorer ses ancêtres, et ce n'est que plus tard que les paysans firent de même. On croyait autrefois que, durant le rite, l'âme de l'ancêtre cherchait un humain comme substitut et refuge. C'était en général le petit-fils qui jouait ce rôle. De nos jours, par exemple lors de la fête de Qingming, en avril, les tombes des ancêtres sont nettoyées et de l'argent factice est brûlé en leur honneur.

Taoïsme

Le concept essentiel du taoïsme est celui du *dao* ("la Voie" ou "le Chemin") – un mot qui et le ciel, le *yin* constitue l'élément féminin, faible, sombre, ou instable.

Laozi, qui vécut au VIᵉ siècle av. J.-C., est le fondateur du taoïsme. On ne sait pas grand-chose à son sujet, et son existence même est sujette à caution. Officiellement, il naît dans un village du Henan en 604 av. J.-C., au sein d'une famille de notables. Il travaille comme archiviste à Luoyang, à cette époque la capitale, puis, prévoyant le déclin de l'empire, il cherche à quitter le pays vers l'ouest, chevauchant un bœuf. Il se retire dans la solitude pour mourir dans son village en 517 av. J.-C. Il fut le contemporain de Confucius, que, d'après

désigne aussi la méthode et le principe de fonctionnement du monde. L'autre pilier de cette doctrine est le *wuwei*, qui peut se définir comme le "non-agir". L'art martial chinois du *taijiquan* dérive également de ce concept. La notion du *de* ("la Vertu") est également fondamentale, car elle se manifeste dans la vie quotidienne, quand le *dao* est mis en pratique.

Pour les adeptes du taoïsme, les événements sont gouvernés par les forces du *yang* et du *yin*. Le *yang* est l'élément masculin, la lumière d'anciennes chroniques, il aurait rencontré. Les légendes abondent à son sujet. Ainsi, il aurait été conçu par un rai de lumière, sa gestation aurait duré 72 mois et il serait venu au monde par l'aisselle gauche de sa mère. À sa naissance, ses cheveux auraient été blancs, et ses pratiques magiques lui auraient permis de vivre des centaines d'années.

Les premiers disciples de Laozi – et aussi les plus importants – sont Liezi, auteur d'un recueil d'anecdotes taoïstes portant son nom, et Zhuang Zi (IVᵉ siècle av. J.-C.), qui écrivit le *Zhuangzi*. Ce chef-d'œuvre de la prose poétique chinoise est notamment remarquable pour la finesse de ses métaphores.

À gauche : les Chinois payent des fortunes leurs plaques minéralogiques porte-bonheur. **Ci-dessus :** culte des ancêtres, aux temps de la Chine impériale.

Dès le début de la dynastie des Han (206 av. J.-C.-220), une pratique à la fois religieuse et populaire du taoïsme se développe, malgré les réticences du peuple envers ses concepts abstraits et métaphysiques. Sur le plan politique, les taoïstes s'opposent à la société féodale : ils lui préfèrent une société tribale préféodale, mais ne luttent pas activement pour changer radicalement les structures sociales.

Au fur et à mesure que le bouddhisme s'ancre en Chine et que les différents concepts s'échangent, une certaine fusion s'opère entre les deux philosophies. Pour les taoïstes, comme pour les bouddhistes de la secte de la

vertu), qui, bien qu'attribué à Laozi, a probablement été écrit par plusieurs auteurs.

Confucianisme

Si Laozi vécut au sud de la Chine, Kong Fuzi (551-479 av. J.-C.), que l'on connaît en Occident sous le nom de Confucius, habita dans le nord du pays.

Mencius (Mengzi), l'héritier spirituel de Confucius, décrit ainsi l'époque de la naissance du maître : "Il n'y a pas de rois sages, les seigneurs sont gouvernés par leurs désirs. Dans leurs fermes habitent des animaux dodus, dans leurs écuries royales vivent des

Terre pure, le paradis se situe à l'ouest de la Chine, d'où son nom, le "paradis de l'Ouest". Il est gouverné par la reine mère de l'Occident, Xiwangmu, qui décide de l'immortalité de chacun. Le taoïsme religieux connaîtra différentes formes, les moines se retirant dans les montagnes pour se consacrer à la méditation solitaire ou se regroupant dans des monastères. Dans le monde séculier, les prêtres se chargent des fonctions importantes : soigner les corps, interpréter les oracles, exorciser, assurer les rites funéraires et les offices spéciaux pour les morts ou les offrandes.

Le texte fondamental de la pensée taoïste est le *Daodejing* (*Le Livre de la voie et de sa*

chevaux bien nourris, mais le peuple est affamé, et dans leurs champs, les gens meurent de faim." Confucius est lui-même issu d'une famille noble désargentée du pays de Lu (près du village de Qufu, dans le Shandong). Pendant des années, il propose sans succès ses services à de nombreux seigneurs féodaux et finit par voyager avec ses disciples. On raconte qu'il aurait eu jusqu'à 3 000 disciples, 72 d'entre eux, extraordinairement doués, faisant toujours l'objet de vénération.

Pendant plus de 2 000 ans, les idées de Confucius ont eu un impact profond sur la culture chinoise. Elles ont également infléchi la vision du monde des régions voisines comme la Corée, le Japon et l'Asie du Sud-Est. Confucius ne publia pas ses pensées sous la forme d'un livre, mais celles-ci furent notées et collectées dans le *Lunyu* (*Entretiens*). Les 5 textes canoniques sont le *Shijing* (*Livre des odes*), le *Shujing* (*Livre des documents*), le *Liji* (*Traité des rites*), le *Chunqiu* (*Annales du pays des printemps et automnes*), et le *Yijing* (*Livre des mutations*).

Confucius a longtemps été adoré comme un dieu en Chine, même s'il n'accède au panthéon officiel qu'en 1906 par un édit impérial. Les Chinois lui font de fréquentes offrandes jusque dans les années 1920.

Confucius est un réformateur conservateur. Afin de rétablir un ordre social idéal, il propose de revenir aux rites et aux coutumes du temps des Zhou (XIe siècle-256 av. J.-C.). À cette époque, l'humanité (*ren*) est un concept central, fondé sur l'amour parental et fraternel ; les liens familiaux et sociaux (père-fils ; homme-femme ; frère aîné-frère cadet ; gouvernant-gouverné) sont considérés comme fondamentaux. Confucius accorde une importance capitale aux principes éthiques ; si les dirigeants s'appuient sur eux, ils sont certains de réussir dans leur tâche. Il va même jusqu'à redéfinir le concept de *junzi* (noblesse), qui

PENSÉES DE CONFUCIUS

Recevoir un ami qui vient de loin, n'est-ce pas la plus grande joie ?

L'homme de bien connaît le juste, l'homme de peu ne connaît que le profit.

Mansuétude, n'est-ce pas le maître mot ? Ce que tu ne voudrais pas qu'on te fasse, ne l'inflige pas aux autres.

Pour le Fils du Ciel comme pour l'homme ordinaire, l'essentiel consiste à se perfectionner soi-même. Laisser l'essentiel au désordre en espérant maîtriser l'accessoire, voilà qui est impossible.

Traitez le peuple avec égard et vous serez vénéré ; soyez bon fils pour vos parents, bon prince pour vos sujets et vous serez servi avec loyauté.

Parole légèrement donnée est difficilement tenue.

Comme dans le taoïsme, les notions de *dao* et de *de* sont essentielles dans la pensée confucéenne. On peut se demander s'il s'agit d'une philosophie religieuse *stricto sensu* ou d'un code de moralité sociale. D'une certaine manière, le confucianisme est une profession de foi en faveur de l'ordre : à l'instar de l'univers, du soleil, de la lune et des étoiles, qui sont régis par des lois cosmiques, l'homme doit vivre selon l'ordre du monde – ce qui suppose qu'il peut être éduqué et qu'il est perfectible.

À **GAUCHE :** l'empereur de jade ; statue de Laozi, fondateur du taoïsme. À **DROITE :** portrait réalisé à la plume de Confucius (Kong Fuzi).

devient une valeur morale conférant au gouvernant sa légitimité. Enfin, il établit très précisément les positions et les hiérarchies sociales : la société ne peut fonctionner correctement que si chacun de ses membres assume complètement ses responsabilités.

Par ailleurs, Confucius est considéré comme le père des lettrés chinois car il enseignait surtout la littérature classique, les rites et la musique. Le mot chinois *ru*, qui se traduit par "lettré confucéen", signifie en réalité "personne bienveillante", la bienveillance étant le trait de caractère des personnes cultivées.

Au XIIe siècle, Zhu Xi (1130-1200), au terme d'un immense travail de synthèse,

Dieux, déesses, bouddhas et saints

Comment s'y reconnaître parmi la multitude de statues, de fresques et de symboles que recèlent les temples traditionnels chinois, qu'ils soient bouddhistes, taoïstes ou confucéens ? Les quelques explications qui suivent vous permettront d'y voir plus clair.

La majorité des temples sont des pagodes **bouddhistes**. La plupart sont bâtis sur un axe nord-sud et leur porte principale ouvre au sud. Face à l'en-

trée, se dresse un "mur des esprits", destiné à barrer l'accès aux mauvais esprits. En général, un bodhisattva rondouillard occupe la première salle. Il s'agit de Maitreya (*Milefo*, ou encore "le moine au sac"), le Bouddha du futur, qui prendra la place de l'actuel Bouddha dans le prochain cycle cosmique. Derrière lui, face au nord, se tient Weituo, le protecteur de la foi bouddhiste, souvent vêtu comme un général, une épée reposant en travers de ses bras. Milefo et Weituo sont fréquemment entourés des statues multicolores représentant les 4 rois célestes.

L'autel de la grande salle d'un temple bouddhiste (*Daxiong Baodian*) exhibe en principe 3 grandes statues dorées. Au centre, Sâkyamuni, le Bouddha historique, flanqué de Manjusri (*Wenshu*), le "Prince à

la douce parole", Bhaisajyaguru (*Yaoshifo*), le Bouddha de la médecine ou Samantabhadra (*Puxian*), "l'Universel bienfaiteur". Les murs de cette salle sont couverts de fresques ou ornés des statues des 18 *luohan* (*arhat*), des "saints" qui ont été libérés du cycle des renaissances et que Bouddha a chargés de garder la loi. Mais, à la différence des bodhisattvas, les *luohan* n'ont pas choisi de rester dans le cycle des *samsara* pour aider les autres. Certains temples, comme celui de Xiyuan Si, disposent de salles spéciales pour les *luohan* (ils ne sont pas moins de 500 dans le temple Xiyuan Si). D'autres temples ont gardé leurs pagodes (*ta*), où sont conservés les textes bouddhistes (sutra). Parfois seule la pagode subsiste.

Face au nord, au fond de la grande salle, ou dans une salle qui lui est réservée, se tient la plus célèbre des divinités chinoises, Guanyin, la déesse de la compassion. Elle est représentée de plusieurs façons : sous sa forme *qianshou*, à 1 000 bras, ou *songzi guanyin*, avec un petit enfant, révérée alors par les femmes en mal de maternité. Parfois, elle est juchée sur la tête d'un poisson et entourée de 18 *luohan* en prière.

Les temples **taoïstes** ressemblent beaucoup aux temples bouddhistes ; les Chinois, surtout dans les régions du Sud, n'hésitent pas à faire partager un même temple à leurs divinités bouddhistes et taoïstes. La grande salle d'un temple taoïste abrite en général les statues des Trois Purs (*Sanqing*), Laozi, l'empereur de jade (*Yuhuang Dadi*) et l'empereur jaune (*Huangdi*). Ces trois importants personnages disposent parfois d'une salle qui leur est réservée. Tianhou, la déesse des marins, est souvent vénérée dans les temples taoïstes ; parfois, elle en est même la déesse principale, comme dans le temple de Tianhou, à Tianjin. De nombreux temples comportent également des salles consacrées aux Huit Immortels et à Guandi, le dieu de la guerre, reconnaissable à sa barbe noire. Les symboles yin-yang sont omniprésents, tout comme les 8 trigrammes (*bagua*).

Les temples **confucéens**, moins nombreux, sont décorés plus sobrement. La cour principale abrite des stèles gravées commémorant des personnages lettrés, parfois juchés sur le dos d'énormes tortues (*bixi*). On voit aussi des statues ou des images de *qilin*, animal hybride pourvu d'écailles. Dans le hall ou à l'entrée, une sculpture représente Confucius (*Kong Fuzi*) et ses disciples. ❏

À GAUCHE : statue dorée du Bouddha Sâkyamuni.

parvient à concilier la métaphysique bouddhiste et taoïste avec la morale confucéenne. Ses théories, connues sous le nom de néoconfucianisme, transforment la pensée chinoise et acquièrent une telle importance dans la Chine impériale qu'elles forment la base de tous les examens officiels, qui sont un facteur déterminant de promotion dans l'administration chinoise jusqu'au XIXe siècle.

Bouddhisme

Les bouddhistes de la Chine d'aujourd'hui sont han, mongols, tibétains, mandchous ou dai, ces derniers étant adeptes du bouddhisme Hinayana ou "Petit Véhicule".

Le bouddhisme pénètre en Chine au Ier siècle grâce aux marchands et aux pèlerins empruntant la route de la Soie. Il se diffuse sous sa forme tardive, le Mahayana, ou bouddhisme du Grand Véhicule, qui, par opposition au bouddhisme du Petit Véhicule, promet la rédemption à tous grâce aux bodhisattvas, des êtres ayant atteint le stade de "l'éveil" mais décidés à retarder leur entrée dans le nirvana afin de sauver l'humanité.

Les deux notions les plus séduisantes aux yeux des Chinois sont celles du *karma*, qui donne sens aux malheurs individuels et promet une vie après la mort. Le bouddhisme, si éloigné de la morale confucéenne et du culte des ancêtres, a cependant rencontré maints détracteurs lors de sa propagation en Chine.

C'est sous les Tang (618-907) qu'il connaît son âge d'or. Plusieurs empereurs la soutiennent publiquement, l'impératrice Wu Zetian, en particulier, qui s'entoure de conseillers bouddhistes. Pourtant, vers la fin des Tang, les bouddhistes subissent pendant 3 ans les pires persécutions de leur histoire: 40 000 temples et monastères sont détruits, et le bouddhisme est tenu pour responsable du déclin économique et moral de la dynastie.

Dix écoles différentes émergent progressivement, dont 8 sont essentiellement philosophiques et sans influence sur les pratiques religieuses. Deux écoles éclipsent les autres, le bouddhisme Chan (zen), associé au temple de Shaolin, et la secte de la Terre pure, qui vénère le bouddha Amitabha. La secte Chan, la plus influente des deux, se développe sous les Tang. Selon cette secte, qui rejette tout savoir

livresque et tout dogme, le statut de bouddha et le nirvana sont accessibles à tous. Pour ses adeptes, la seule voie pour atteindre la connaissance reste la méditation.

Le bouddhisme tantrique – ou lamaïsme –, arrive au Tibet au VIIe siècle, en provenance de l'Inde. Sous l'influence du moine Padmasambhava, il remplace le *bön*, la religion indigène, un culte chamanique dont il intègre des éléments. Les monastères tibétains deviennent des centres de pouvoir spirituel et politique, non exempts de querelles. Seul le réformateur Tsongkhapa (1355-1417) parvient à redresser une situation devenue chaotique. Il fonde la

secte des Bonnets jaunes, du nom de leur couvre-chef, instituant des règles monastiques strictes et exigeant des moines le vœu de célibat.

Ses adeptes, les Gelugpa (les Vertueux), sont dirigés par le dalaï-lama et le panchen-lama. Le dalaï-lama est l'incarnation d'Avalokiteshvara, le bodhisattva de la compassion, l'assistant du Bouddha Amitabha, qui est aussi le saint patron du Tibet. Le panchen-lama, plus haut dans la hiérarchie divine, incarne le Bouddha Amitabha. Le dalaï-lama actuel (le 14e) est intronisé en 1940. Après le soulèvement de 1959, il se réfugie en Inde, où il vit encore aujourd'hui. En 2003, on parlait de son retour possible au pays. Quant au successeur du

À DROITE : moines tibétains en plein débat théologique.

10e panchen-lama, mort en 1989, il n'est toujours pas nommé. Le garçon désigné par le dalaï-lama a été enlevé par les autorités chinoises, qui le détiennent toujours à Beijing. Le candidat du gouvernement chinois, installé au monastère de Tashilunpo depuis 1995, n'est pas reconnu comme la nouvelle incarnation d'Amitabha par une majorité de Tibétains.

Le panthéon lamaïste est complexe. Les divinités bouddhistes cohabitent avec des dieux du monde brahmanique et hindou, et ceux de l'ancienne religion *bön*. Les rites magiques et sacrificiels, les prières répétitives, les mouvements, les mantras (phrases sacrées

dotées d'un pouvoir spirituel) permettent d'obtenir la rédemption.

Islam

Les Hui, Ouzbeks, Ouïgours, Kazakhs, Kirghiz, Tatars, Tadjiks chiites, Dongxiang, Salar et Bao'an, soit 14 millions de musulmans, forment 10 des 56 minorités reconnues en Chine. Seuls les Hui jouissent du statut spécial de minorité, fondé uniquement sur le critère religieux. Les Hui, surtout des Chinois han, sont moins soumis aux préceptes du Coran que les autres musulmans.

L'islam a suivi deux chemins pour gagner la Chine : la fameuse route de la Soie et la mer,

au sud-est de la Chine. C'est sous les Yuan (1279-1368) que l'islam s'y enracine.

Les Qing sont largement hostiles aux musulmans. Au XVIIIe siècle, on proscrit l'égorgement des bêtes selon le rite musulman, les pèlerinages à La Mecque et la construction de nouvelles mosquées. Les mariages entre Chinois et musulmans sont déclarés illégaux et les relations entre les deux groupes sont entravées.

Sous la Révolution culturelle, les musulmans sont persécutés, mais, à la fin du XXe siècle, l'islam bénéficie de la nouvelle tolérance religieuse. Ces dernières années, surtout depuis les attentats de septembre 2001 et la guerre en Afghanistan, la Chine s'en prend aux Ouïgours rebelles du Xinjiang, qui manifestent des velléités d'indépendance.

Christianisme

Le christianisme est introduit en Chine en 635 par les nestoriens, qui auraient diffusé leur enseignement grâce à leur premier missionnaire, un Perse nommé Alopen.

Malgré les persécutions, la religion se dissémine dans l'empire et survit dans certaines régions jusqu'à la fin des Yuan. Parallèlement, des contacts s'établissent entre la Chine et l'Église catholique romaine. La première église catholique de Chine serait l'œuvre d'un moine franciscain italien, arrivé à Beijing en 1295. Sous la dynastie des Ming, les missionnaires catholiques sont actifs. Le jésuite Matteo Ricci est l'un des grands personnages de l'époque. À sa mort, la Chine compte 3 000 chrétiens.

Les jésuites utilisent leurs connaissances scientifiques pour forger des liens avec les lettrés chinois, mais le dogmatisme des missionnaires des autres ordres crée des tensions. Les empereurs chinois, lassés de ces querelles, finissent par les persécuter tous. Au début du XIXe siècle, les premiers missionnaires protestants arrivent en Chine.

Après la Seconde guerre mondiale, Le Vatican adopte une position anticommuniste. Les autorités, ne souhaitant plus que les catholiques chinois soient liés au Vatican, nomment leurs propres évêques. Aujourd'hui, Rome ne reconnaît que le gouvernement de Taiwan et ses relations avec Beijing sont très difficiles. ❏

À **GAUCHE** : l'islam se pratique dans la plupart des régions chinoises.
À **DROITE** : autel du temple Man Mo à Hong Kong.

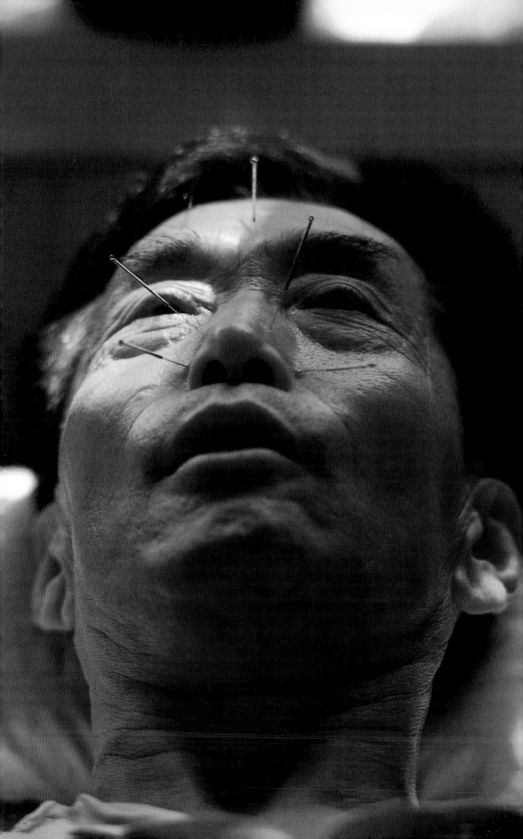

MÉDECINE CHINOISE

La médecine traditionnelle chinoise soigne depuis des millénaires. Influencée par les idéaux confucianiste et taoïste, elle fait largement appel aux substances naturelles.

A ux yeux des néophytes, la médecine chinoise évoque aiguilles magiques, herbes aromatiques et animaux étranges. Au-delà de ces stéréotypes, les scientifiques et le public occidentaux sont de plus en plus nombreux à la connaître et à la respecter.

Durant la première moitié du XXᵉ siècle, sous l'influence de la médecine occidentale, son efficacité est contestée en Chine. Certains intellectuels et groupes politiques comme les nationalistes et les marxistes se montrent très critiques envers le monde médical traditionnel. La République populaire, pour des raisons pratiques et idéologiques, met un terme à la concurrence sévissant entre les approches occidentale et chinoise, en tentant d'intégrer les deux pratiques.

Elles continuent à coexister de nos jours, même si la médecine occidentale (ou *xiyi*) tend à dominer. Il existe 336 000 praticiens traditionnels, pour 350 000 adeptes de médecine occidentale. Les grands hôpitaux publics (*renmin yiyuan*) proposent l'une comme l'autre. Les hôpitaux spécialisés en médecine traditionnelle sont souvent plus petits, moins bien équipés et plus difficiles à trouver.

En général, les Chinois consultent un médecin soignant à l'occidentale pour les problèmes graves et urgents. Dans le cas de pathologies plus bénignes, ils optent pour un médecin traditionnel, qui traite le corps en lui restituant son harmonie.

Histoire de la médecine

La médecine traditionnelle, telle qu'elle est pratiquée depuis des siècles, est fondée sur une série de théories et de méthodes issues de Chine ou importées. Un grand nombre d'entre elles sont élaborées à l'époque des Zhou (XIᵉ siècle-221 av. J.-C.), une longue période marquée par des conflits armés et une grande misère. À la recherche de solutions aux inces-

sants bouleversements de leur temps, penseurs, philosophes et réformateurs sociaux élaborent de nouveaux concepts et modes de pensée, formant un ensemble de théories auxquelles on se réfère souvent sous le nom de "cent écoles". C'est de cette période que datent les philosophies et les religions qui

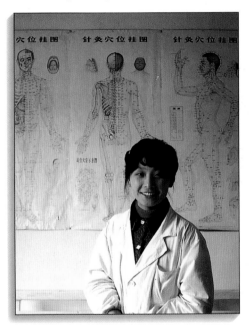

influenceront tous les aspects de la vie chinoise, notamment la médecine, pour les 2 000 ans à venir.

Les deux principales écoles de pensée – le confucianisme et le taoïsme – partagent un idéal de paix et d'harmonie, mais divergent sur le moyen d'y parvenir. Elles ont profondément marqué la médecine traditionnelle. Selon d'autres théories, qui ont eu aussi un fort impact sur la médecine, ce sont les démons qui causent les maladies et c'est auprès des ancêtres qu'il faut chercher la guérison.

Certains historiens font remonter les origines de la médecine chinoise à l'époque de celui que l'on surnomma le "laboureur divin",

À **GAUCHE :** séance d'acupuncture.
À **DROITE :** médecin pratiquant l'acupuncture devant les relevés des méridiens.

Shennong, le découvreur des herbes médicinales il y a 5 000 ans. Dans une affirmation qui reste sujette à caution, l'historien Liu Shi raconte que "Shennong testa personnellement des centaines d'herbes […]. Certains jours, il essaya jusqu'à 70 espèces toxiques".

Parmi les textes fondamentaux de la médecine chinoise, on peut citer le *Shennong Bencaojing* (*Traité des plantes médicales de Shennong*), le premier herbier connu qui décrit les effets médicinaux de quelque 365 herbes, et le *Huangdi Neijing* (*Simples questions de Huangdi sur les lois de l'organisme*). On ne connaît pas son auteur avec certitude, mais sa

Un système de classification, basé sur le dualisme *yin-yang* et sur la théorie des 5 éléments (*wuxing*), permet d'expliquer les relations entre les parties du corps et l'environnement. Le *yin* et le *yang* représentent les contraires inséparables de la nature, comme le froid et le chaud, la lumière et l'obscurité. Chacun des organes est *yin* ou *yang*, l'équilibre entre les deux étant vital. Les 5 éléments – terre, feu, eau, métal et bois – sont des catégories d'attributs où tous les phénomènes connus peuvent être rangés. Par exemple, à l'instar de l'eau qui soumet le feu en l'éteignant, tout ce qui a le caractère "eau" domine la catégorie du feu.

version actuelle aurait été compilée entre le IIe siècle av. J.-C. et le VIIIe siècle, puis modifiée sous les Song (960-1279). Des volumes entiers d'exégèse ont été écrits sur ce texte, qui est à la base des principes élémentaires de la médecine chinoise et dont l'influence perdure aujourd'hui.

Plusieurs concepts sont essentiels à la compréhension de la médecine chinoise. Selon le holisme, les parties du corps humain forment un tout connecté et indivisible. À la différence de la médecine occidentale, qui traite les symptômes de façon directe, la médecine chinoise appréhende les maladies dans le cadre global de l'être.

Pharmacopée

La médecine chinoise s'appuie sur les vertus curatives de nombreuses plantes, substances minérales et animales.

Toutes les pharmacies chinoises traditionnelles exhalent la même odeur, composée de milliers de senteurs s'échappant de tiroirs et de bocaux remplis de plantes séchées, de graines, de minéraux, de cornes de rhinocéros et de mille-pattes. Vous y remarquerez, en particulier, des racines de ginseng conservées dans l'alcool et ressemblant curieusement à des fœtus. Coïncidence ? Le mot chinois pour ginseng contient le caractère *ren* (personne humaine). Vous y verrez aussi certainement, des aiguilles d'acupuncture ainsi que des ventouses de verre ou de bambou.

Tongrentang, l'une des pharmacies traditionnelles chinoises les plus réputées, est située dans un vieux quartier de Beijing, au sud de la place Tiananmen. Dispensaire royal sous les Qing, elle est ouverte depuis plus de 300 ans. On y fabrique toujours les médicaments et les décoctions secrètes autrefois utilisés par les membres de la famille impériale. La taille de cette pharmacie, tout comme la gamme des remèdes qu'elle propose,

5 767 RÉFÉRENCES

L'encyclopédie de la pharmacopée traditionnelle chinoise, qui date de 1977, possède 2 700 pages et contient 5 767 références.

puncture (*zhenjiu*). Sa pratique se fonde sur la théorie des méridiens, ces lignes qui véhiculent un flux d'énergie, ou *qi* ("souffle de vie"), à travers le corps et les organes internes. Ce flux est vital pour maintenir la santé. Les symptômes pathologiques seraient la manifestation de la mauvaise circulation du *qi*. Le *Huangdi Neijing* décrit les 365 points sensibles utilisés en acupuncture et les 12 principaux méridiens du corps humain.

L'acupuncture connaît un regain d'intérêt à travers le monde depuis plusieurs décennies.

sont impressionnantes : œufs de toutes dimensions, serpents séchés entortillés, singes momifiés, crapauds, tortues, scolopendres, andouillers, sauterelles, pattes d'ours, testicules et pénis d'animaux – dont des espèces en voie de disparition – et des milliers d'herbes, de fleurs, de racines, de baies, de champignons et de fruits, séchés ou conservés dans de l'alcool...

Acupuncture

Bien des Occidentaux ne connaissent de la médecine chinoise traditionnelle que l'acu-

À GAUCHE : acupuncteur de village sur une estampe Song. CI-DESSUS : pharmacie traditionnelle.

Même si de nombreux pays rechignent à l'adopter officiellement, les médecins occidentaux sont de plus en plus nombreux à l'utiliser à titre individuel car ils reconnaissent son efficacité contre la douleur et y voient une alternative "douce" à la prise d'antalgiques. En Chine, pour ne pas souffrir, on va traditionnellement chez l'acupuncteur au lieu d'absorber des médicaments. L'acupuncture est souvent efficace pour soulager, par exemple, les maux de dos. Elle l'est aussi, dans une moindre mesure, en cas de pathologies et de douleurs chroniques.

L'auriculothérapie est une autre forme d'acupuncture, qui se pratique généralement sans aiguilles. De petites graines rondes sont appliquées sur certains points de l'oreille, qui sont ensuite massés à des intervalles prescrits par le médecin. Non seulement cette thérapie calme la douleur, mais elle soulage aussi certaines allergies comme le rhume des foins.

Les cliniques d'acupuncture exhalent les mêmes odeurs que les pharmacies. On y hume notamment l'armoise, particulièrement efficace dans le traitement des maladies considérées comme "froides" selon la terminologie médicale chinoise, telles les affections de l'estomac et du tube digestif sans fièvre, certains rhumatismes, les douleurs chroniques du dos,

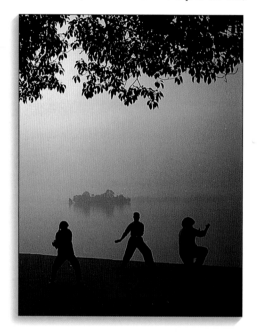

les torticolis. Des petits cônes d'armoise sont posés sur du gingembre frais, où ils poussent lentement. Des bâtonnets d'armoise incandescents sont ensuite placés sur un point d'acupuncture – un procédé nommé "moxibustion".

Gymnastique

Chaque matin en Chine, des millions de personnes, âgées pour la plupart, se retrouvent dans les parcs pour pratiquer divers types de gymnastique traditionnelle, considérés tantôt comme de simples exercices physiques, tantôt comme une thérapie.

Le plus courant d'entre eux est le *taijiquan* (la "boxe des ombres"), à l'origine un art martial.

Le *qigong* ("thérapie du souffle"), moins connu en Occident, joue un rôle important dans la pratique du *taijiquan*. Certains exercices, impliquant ou non des respirations conscientes, apprennent au patient à réguler la circulation de son *qi* – l'énergie vitale – et peuvent avoir un impact sur une maladie. Les personnes qui parviennent à maîtriser le *qigong* peuvent, dit-on, sortir en plein hiver très peu vêtues sans ressentir le froid.

Certaines formes de *qigong* ne requièrent aucun mouvement ; la respiration et la concentration s'avèrent essentielles. D'autres en revanche, comme le "*quigong* de l'oie sauvage", exigent une grande mobilité. La forme la plus extrême, le "*qigong* de la grue", provoque de violentes décharges émotionnelles pouvant déclencher des phénomènes cathartiques.

Sous la Révolution culturelle, le *qigong* – comme les autres arts martiaux – fut considéré comme une pratique "superstitieuse", puis interdit. Mais, à partir de 1980, des groupes de *qigong* réapparurent dans tout le pays. On estime aujourd'hui que près de 70 millions de Chinois le pratiquent. En Occident, les adeptes deviennent de plus en plus nombreux.

Gastronomie curative

Les herboristes chinois attribuent des vertus curatives à divers aliments et prescrivent des régimes alimentaires au titre de traitements médicaux.

Prenons par exemple ces 3 mets de choix : les ailerons de requin, l'ormeau et les nids d'hirondelles. Les Chinois les apprécient non seulement pour leurs saveurs délicates, mais aussi parce qu'ils sont censés être excellents pour la santé. L'aileron de requin est réputé bon pour le foie et pour les reins. L'ormeau calme l'inflammation des organes internes, régule le foie, diminue les vertiges et l'hypertension. Quant aux nids d'hirondelles, souvent consommés en potage, ils ont pour vertus de purifier le sang et de donner une jolie peau.

Même si la communauté médicale occidentale reste, dans l'ensemble, sceptique quant à la valeur de la médecine chinoise, plus de 1 milliard d'individus la pratiquent dans le monde, y compris en Occident, et constatent son efficacité. ❑

À GAUCHE : séance matinale de *taijiquan* à Hangzhou.

La souffrance des animaux

L'utilisation des parties de corps d'animaux à des fins thérapeutiques n'a rien de nouveau : les Chinois y recourent depuis plus de 1 000 ans. Cette pratique s'est étendue à la Corée et au Japon ainsi qu'aux pays d'autres continents où résident de fortes minorités de populations en provenance d'Asie.

Pour certaines pathologies, la médecine chinoise s'avère plus efficace que la médecine occidentale, et permet de mieux ménager le corps que cette dernière. Elle connaît de ce fait un important regain d'intérêt à travers le monde. Mais la médaille a son revers, puisque ce succès croissant met en danger plusieurs espèces animales des pays asiatiques. Au cours de ces 10 dernières années, celles-ci ont déjà subi les conséquences de l'industrialisation et de la croissance économique ; elles sont désormais menacées d'extinction du fait de l'augmentation de la demande portant sur certains de leurs organes. Le phénomène se propage aux animaux des continents américain et africain.

Le tigre est particulièrement visé : 3 sous-espèces sur 5 sont en danger, menaçant à long terme la survie de la totalité de l'espèce. La médecine chinoise utilise diverses parties de son corps : ses yeux sont utilisés pour soigner l'épilepsie, sa queue les dermatoses, sa bile les convulsions enfantines, ses moustaches les maux de dents et son cerveau... la paresse et les boutons. Mais ce sont ses os qui sont les plus prisés : on s'en sert pour le traitement des rhumatismes ou de la paralysie.

Depuis 1998, des études montrent qu'il ne reste en liberté que 20 à 30 tigres de Chine du Sud, 150 à 200 tigres de Sibérie et 600 à 650 tigres de Sumatra. De plus, de nombreux tigres ont disparu de leur habitat naturel. À l'état sauvage, ils ne seraient plus que 5 000 dans le monde et il se pourrait même qu'il n'en existe plus aucun d'ici 10 ans.

Les populations de rhinocéros, d'ours et de requins diminuent rapidement. La corne de rhinocéros possède, dit-on, des vertus aphrodisiaques.

À DROITE : le tigre est notamment chassé pour ses yeux (remède à l'épilepsie), ses moustaches (maux de dents) et ses os (rhumatismes).

Il ne reste plus que 12 500 rhinocéros à l'état sauvage et 1 000 en captivité. Près de la moitié d'entre eux sont des rhinocéros blancs. Ils pourraient disparaître d'ici 10 à 20 ans. Quant aux ours, leurs perspectives d'avenir ne sont guère plus réjouissantes. On les chasse pour leurs pattes, qui auraient des qualités thérapeutiques.

Les ailerons de requin stimulent, paraît-il, les organes internes. Mais ils ne sont pas seulement utilisés pour la médecine : cuisinés en potage, ils constituent un mets raffiné. Les pêcheurs attrapent les requins, les amputent de leur aileron, puis rejettent les animaux vivants à l'eau, où ils périssent.

Au regain d'intérêt pour la médecine traditionnelle, s'ajoute l'accroissement du niveau de vie en Asie de l'Est, y compris en Chine. L'usage de certaines médecines est souvent perçu comme un signe de statut social élevé et comme un retour aux sources salutaire dans un monde en mutation constante. La demande ne cesse donc d'augmenter.

Si l'efficacité des pattes d'ours, moustaches de tigres et autres cornes de rhinocéros reste sujette à caution, la recherche contemporaine reconnaît les bienfaits de nombreux agents actifs entrant dans la composition de médicaments chinois. Il devient donc urgent de trouver des alternatives afin de mettre un terme à l'utilisation des animaux dans leur fabrication. ❏

BEAUX-ARTS ET ARTS DÉCORATIFS

*L'histoire millénaire de la Chine ainsi que sa tradition d'ethnocentrisme
sont à l'origine d'une richesse et d'un raffinement artistiques considérables.*

Les prouesses techniques et la créativité des artistes et des artisans chinois suscitent l'admiration depuis la nuit des temps. Dès les années 1950, la Chine tente de faire renaître son art traditionnel tout en y apportant des améliorations techniques. Des centres d'études sont alors mis en place et l'on va chercher de jeunes talents dans tout le pays pour les former dans des écoles spécialisées.

Peinture

Peinture et calligraphie sont très proches l'une de l'autre. En effet, les premiers idéogrammes étaient des pictogrammes, et les deux arts, tout en évoluant dans des directions différentes, ont gardé des liens inaltérables. D'ailleurs, en chinois, le verbe "peindre" n'existe pas, on "écrit" une peinture. Les peintres chinois classiques reçoivent une formation poussée en calligraphie et les calligraphes ont une expérience de peintre. On utilise les mêmes pinceaux pour les deux arts.

C'est sa similitude avec la calligraphie qui a donné à la peinture son statut d'art. La noblesse des origines et la tradition ancestrale de l'une comme de l'autre en font des activités pour érudits, même si la calligraphie jouit d'un prestige encore plus grand auprès des amateurs. Ainsi, les peintres lettrés jugeaient de la qualité des œuvres par la combinaison de peinture, de poésie et de calligraphie, qui seule faisait mériter l'étiquette artistique. Les peintures et autres formes d'art sans calligraphie étaient considérées comme de l'artisanat, quelle que soit leur qualité technique.

Pour les Chinois, la difficulté d'apprentissage de la langue écrite garantissait un haut statut social à la classe des lettrés. Celui qui était capable de maîtriser la calligraphie gagnait l'admiration de tous. En outre, l'incroyable variété des dialectes chinois n'a pas empêché l'utilisation d'une écriture unique (sauf à Hong Kong), donnant ainsi la primauté à la calligraphie, grâce à son caractère fédérateur.

Le pinceau, l'encre, la pierre à encre et le papier, essentiels pour les poètes, les lettrés et les peintres, sont les 4 trésors de l'intellectuel. L'utilisation des pinceaux et de l'encre est

attestée dès le Ier siècle av. J.-C. Un pinceau est constitué d'une tige de bambou à l'extrémité de laquelle sont insérés des poils d'animaux, par exemple de lapin, de martre, ou encore de chèvre. Il en existe de toutes les tailles. Dès la dynastie Han, l'encre est d'utilisation courante. Elle est faite de suie fine obtenue par la combustion du bois de certains conifères et mélangée à de la colle. L'encre de bonne qualité est souvent parfumée, autrefois au musc, de nos jours au clou de girofle. Elle se présente sous l'aspect de bâtonnets plats, rectangulaires ou polygonaux, mais elle existe aussi sous forme liquide. Les calligraphes et les peintres chinois préfèrent

---

PAGES PRÉCÉDENTES : détail d'une fresque murale du monastère de Gyantse, au Tibet.
À GAUCHE : céladon Song fabriqué à Xi'an.
À DROITE : un calligraphe à l'œuvre.

l'encre solide, car sa dilution procède du rituel premier de l'acte créateur : on verse quelques gouttes d'eau sur la pierre, puis on frotte le bâtonnet d'un geste lent et circulaire, jusqu'à l'obtention d'un liquide dont le ton peut aller, selon les besoins de l'artiste, du noir intense au gris clair.

Le support habituel des peintures est le papier. Il fut un temps où les peintres professionnels ainsi que ceux de la cour utilisaient la soie, qui permettait un meilleur contrôle des nuances de lavis. Les peintres lettrés, eux, préféraient l'effet d'immédiateté que procure la peinture sur papier.

connaisseurs en ont ajouté 3 autres : les sujets religieux, les barbares et tribus étrangères, les légumes et les fruits.

Depuis les Tang (618-907), la peinture de paysage est l'une des catégories préférées des amateurs. En chinois, paysage se dit "montagne et eau", un élément *yang* et un autre *yin* (masculin/féminin, stabilité/mouvement), symbolisant l'univers dans toute sa complétude. Les montagnes et l'eau figurent au premier plan, soulignées par des nuages, des brumes et des arbres. Par contraste, les personnages sont de petites taches dans le paysage ne méritant pas le même luxe de détails que la végétation,

Le papier, une invention chinoise très ancienne attribuée à Cai Lun, est utilisé depuis le IIᵉ siècle. Il en existe maintenant différentes qualités qui, par leur degré d'absorption et leur texture, offrent au peintre tout un éventail de possibilités.

On apprend à peindre comme on apprend à écrire, en copiant les maîtres anciens et les manuels. Une fois mis au point, un nouveau genre pictural est rarement abandonné ou oublié. Il devient une catégorie à part entière.

On classe les peintures chinoises en 6 grandes catégories : paysages, portraits, fleurs et oiseaux, bambous et rochers, animaux, palais et autres édifices. Par la suite, les

l'eau ou la montagne. Cette hiérarchie est le reflet de la vision chinoise de la relation entre l'homme et le monde qui l'entoure. À la différence de la peinture occidentale où l'humain est en général le sujet central et l'environnement la toile de fond, dans la peinture chinoise l'homme est dominé par la nature.

Cet art ne vise pas le réalisme, mais cherche plutôt à capter l'esprit ou l'essence de son sujet. C'est la fluidité, l'absence de toute trace de pinceau, qui fait du peintre un maître. La rapidité d'exécution est primordiale. D'ailleurs, la nature même des matériaux utilisés (pinceaux, papier) ne permet ni dessin préparatoire, ni repentir.

Cette importance accordée à la perfection incite les peintres à se spécialiser dans un seul thème. Xu Beihong (1895-1953) est connu pour ses chevaux, et Qi Baishi (1862-1957) pour ses crustacés.

En général, les peintures chinoises traditionnelles sont disposées sous la forme de rouleaux horizontaux ou verticaux. Après leur exécution sur de la soie ou un papier très fin, elles sont marouflées sur un papier plus épais avant d'être collées sur un long rouleau de soie ou de brocart. On fixe une baguette au bord inférieur ou de gauche pour les rouleaux horizontaux. D'ordinaire, ces rouleaux sont conservés à l'abri de la lumière. On ne les sort que pour des occasions spéciales. Les panneaux horizontaux se déroulent lentement, ne découvrant que progressivement la scène, attirant ainsi le regard de façon subtile à l'intérieur de l'œuvre. De présentation horizontale ou verticale, les œuvres sont rarement exposées longtemps.

Broderie sur soie

Chaque lettré doit maîtriser la calligraphie, la peinture et la poésie, arts nobles pour les Chinois. Par contraste, les arts appliqués comme la broderie sur soie ou la sculpture ne jouissent que de l'honorable statut d'artisanat. Pour autant, ils fascinent les amateurs occidentaux.

L'élevage du bombyx, ou ver à soie, remonterait au IIIe siècle av. J.-C. Fuxi, une figure légendaire de la préhistoire chinoise, serait à l'origine de la culture du mûrier. Pendant des siècles, la soie tient lieu de monnaie d'échange : les fonctionnaires, les officiers de l'armée et les émissaires étrangers sont payés ou récompensés par des balles de soie. Les caravanes transportent le précieux tissu au Moyen-Orient et dans l'Empire romain en empruntant la route de la Soie.

Les Chinois conservent le monopole de la sériciculture jusqu'au IIe siècle av. J.-C., mais le secret est ensuite percé par les Coréens et les Japonais. En Occident – en l'occurrence dans l'Empire byzantin –, ce n'est qu'au VIe siècle apr. J.-C que l'on apprend à produire de la soie à partir du bombyx.

À GAUCHE : *Cailles parmi les chrysanthèmes*, œuvre Song. **À DROITE :** pinceaux, éventails et sceaux.

> **MOURIR POUR DE LA SOIE**
>
> Jusqu'à ce que le procédé gagne le Japon et la Corée, quiconque divulguait le secret de fabrication de la soie encourait la peine de mort.

Longtemps, les Chinois ont interdit l'exportation des larves de bombyx, jusqu'à ce qu'un moine parvienne à en faire sortir clandestinement du pays, risquant la peine de mort. Aujourd'hui, la production se concentre dans le Sud, autour de Hangzhou, Suzhou et Wuxi ou dans le Bas-Yangzi, régions où vous pourrez acheter des soieries à des prix intéressants. Si Hangzhou détient la palme de la production, ce sont les artisans de Suzhou qui ont fait de la broderie un art à part entière.

Céramique

Les Chinois inventent la porcelaine au VIIe siècle, mais l'histoire de la céramique chinoise remonte au néolithique. On a retrouvé sur les rives du Huang He Jiang et du Yangzi Jiang des poteries rouges et parfois noires, décorées de stries ou de motifs de corde. Les cultures de Yangshao et de Longshan (Ve siècle-IIe siècle av. J.-C.) nous ont laissé de nouveaux types de récipients rouges, noirs et marron, de formes diverses : masques quasi humains, poissons stylisés et poteries à fine paroi, vernissée de kaolin ou de feldspath. Sous les Han (206 av. J.-C.-220), on fabrique des poteries en grès enduites de glaçures vertes, les *yue*, du nom de la ville de Yuezhou, leur lieu de production. À l'époque des Tang, les porcelaines sont réputées jusqu'en Europe et au Moyen-Orient.

Les porcelaines anciennes les plus courantes sont les céladons. Les divers tons de vert des grès varient en fonction du mode de cuisson et de la couverte choisie. On doit aux Tang les *sancai* (3 couleurs, vert intense, jaune et brun), célèbres dans le monde entier. Il s'agit, entre autres, de figurines représentant des chevaux, des chameaux, des gardiens – que ce soient des humains ou des animaux –, des femmes de la cour et des personnages officiels. Elles ont été

retrouvées dans les tombes, où elles étaient chargées d'accompagner le défunt dans son voyage vers l'au-delà. Les céladons de la période des Song, dont la couleur varie du vert très pâle au bleu très clair en passant par du gris clair et du brun, sont aussi remarquables sur le plan technique.

Dès les Yuan, on innove de façon radicale en appliquant du bleu de cobalt venu de Perse avant de poser la couverte. La couleur se révèle au feu. Cela donne les fameux "bleu et blanc" (*qingqua*), connus sous le nom de porcelaine Ming, et souvent décorés de personnages, de paysages et de scènes historiques. Les Qing seront les maîtres absolus du "bleu et blanc".

La céramique devient une véritable industrie. Depuis le XIVe siècle, son foyer principal est la manufacture impériale de Jingdezhen, toujours en activité. On trouve maintenant de la porcelaine bon marché un peu partout en Chine. Toutefois, le gouvernement chinois interdit la vente d'objets antérieurs aux guerres de l'opium.

Ivoires

Dès les Shang (XVIe-XIe siècle av. J.-C.), on sait sculpter l'ivoire. À l'époque, les éléphants prospèrent dans le sud de la Chine. Lorsque les artisans se mettent à vouloir sculpter des bijoux et des boîtes dans des défenses d'éléphants, les troupeaux sont décimés et il faut importer de l'ivoire. Les artisans de la dynastie Ming sont d'une grande habileté, mais, sous les Qing, les techniques se perfectionnent encore. Ce n'est pourtant qu'au XIXe siècle qu'apparaissent ces miracles de finesse que sont les sphères concentriques et autres paysages microscopiques. Beijing, Guangzhou et Shanghai sont les foyers de cet artisanat. Tout l'ivoire provient de Thaïlande et d'Afrique. Mais il vaut mieux éviter d'en acheter afin de ne pas encourager le massacre des éléphants, et sachez en outre que de nombreux pays en interdisent l'importation.

Jades

Le jade est la pierre la plus précieuse aux yeux des Chinois, et c'est un des arts qui s'est développé le plus tôt. Le mythe chinois de la création raconte qu'à la mort du dieu Pan Gu le souffle de celui-ci devint le vent et les nuages, ses muscles le sol et sa moelle épinière se transforma en jade et en perles. Pour les Chinois, la pierre de jade n'est pas seulement belle, elle possède également des pouvoirs magiques. Dans l'Antiquité, on s'en servait à des fins rituelles et religieuses, puis on l'utilisa pour des objectifs esthétiques.

Les jades les plus anciens sont les objets rituels de la culture Hemadu, datant du néolithique, il y a quelque 7 000 ans. On a retrouvé de nombreuses plaques circulaires, des *bi*, données aux morts pour qu'ils les emportent dans l'au-delà. Ces disques représentent l'harmonie entre le ciel et la terre. Aujourd'hui encore, beaucoup de Chinois portent ce type d'objet.

Les Chinois attribuent au jade la vertu de prolonger la vie et l'utilisent pour fabriquer des linceuls. C'est sous les Han qu'on assiste à une première apogée du jade sculpté. À cette époque, des personnages haut placés se font enterrer dans des linceuls faits de plus de 1 000 fines plaquettes reliées par des fils d'or. Le musée d'Histoire de Beijing expose le linceul de jade du prince Liu Xiu, mort en 55 av. J.-C. Le jade a la réputation de luire si celui qui le porte est en bonne santé et de se ternir si celui-ci tombe malade. Les ornements de jade sont censés apporter santé, chance et protection à leur propriétaire.

Le jade n'est pas une entité minéralogique précise ; il est composé de deux minéraux, la jadéite et la néphrite. Celle-ci est semblable à la jadéite, tout en étant moins dure ; la jadéite est plus précieuse parce que translucide et très dure. La couleur du jade va du blanc au vert, mais il peut aussi être noir, brun ou rouge. Les Chinois le préfèrent d'un vert émeraude très pâle et translucide. Sa dureté en fait une pierre très difficile à travailler.

Dans les ateliers de sculpture, on trouve maintenant jusqu'à 30 sortes différentes de jade. Les ateliers les plus connus sont ceux de Hetian (aussi appelé Khotan ou Xinjiang), Shoushan (Fujian) et de Luoyang (Hunan).

Vous pouvez acheter en toute confiance du jade dans un magasin d'État. En revanche, méfiez-vous du marché libre et des boutiques privées. Le véritable jade est froid et ne peut être rayé au couteau. Sa qualité se juge donc au toucher, ainsi qu'à la transparence et à la forme de l'objet. En cas de doute sur l'authenticité d'un jade, demandez une expertise.

Laques

Les plus anciens laques datent de la période des Royaumes combattants (403-221 av. J.-C.). Le laque était utilisé pour les objets courants : vaisselle, boîtes, vases étaient fabriqués dans divers matériaux (bois, bambou, rotin, cuir, métal, terre cuite, textile, papier) puis couverts d'une couche protectrice de laque. L'empereur Qianlong (1735-1796) aimait particulièrement cette matière : il se fit enterrer dans un cercueil conservé grâce à cette technique.

La surface brillante des laques n'est pas seulement jolie mais solide et légère. L'écorce de l'arbre à laque qui pousse en Chine méridionale

et centrale, laisse suinter, quand on l'entaille, une sève laiteuse qui se solidifie à l'air chaud et humide et qui brunit en séchant. Résistant à l'eau, à l'acide et aux éraflures, c'est une protection idéale pour les objets en bois ou en bambou. Pour réaliser un laque, la technique consiste à appliquer une couche de base, qu'on recouvre ensuite de couches extrêmement fines de la meilleure laque possible. Celle-ci, une fois séchée en milieu humide à l'abri de la poussière, est lissée et poncée. La laque peut se colorer en noir, avec de la suie ou du sulfate de fer trempé dans du vinaigre, ou en rouge, avec du cinabre. ❑

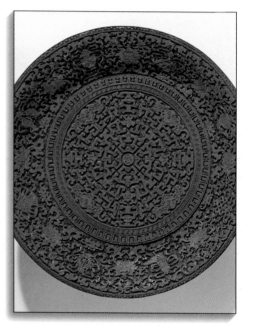

À **GAUCHE** : vase en porcelaine de l'époque Qing.
À **DROITE** : plateau gravé en laque du XVIIIe siècle.

LA CALLIGRAPHIE

*La calligraphie, souvent considérée comme l'une
des formes de la peinture chinoise, est un art
supérieur, apprécié en Chine en tant que tel.*

La calligraphie est un élément fondamental
de la civilisation chinoise : non seulement, comme
toute écriture, elle permet de conserver et
de diffuser la culture, mais elle signe également
l'intelligence et le statut social d'un individu.
À l'époque impériale, la maîtrise de cet art,
étroitement liée à l'acquisition du savoir, figure
parmi les épreuves des examens pour entrer dans
la fonction publique. Elle est une condition
préalable à l'obtention d'un poste haut placé.
   Les calligraphes se servent de pinceaux depuis
les Shang (XVIᵉ-XIᵉ siècle av. J.-C.). Dès l'époque
des Han (206 av. J.-C.-220 apr. J.-C.), de grands
maîtres révèlent leur personnalité artistique grâce
à leurs coups de pinceaux et à la forme de leurs
idéogrammes. Sous la dynastie Yuan (1279-1368),
la calligraphie prend une telle importance que l'on
insère des inscriptions calligraphiées – souvent
sous la forme de poèmes – dans les peintures.

STYLES

Il existe quatre styles de calligraphie. Le premier
et le plus ancien, le *xiaozhuan* (petite sigillaire),
date de l'époque des Qin (221-206 av. J.-C.).
Il est resté en usage jusqu'à nos jours pour
la gravure des sceaux. Le *lishu* ("écriture
des scribes"), avec ses caractères bien carrés et
pointus, était employé à l'époque des Han pour
les écrits officiels. Les textes classiques inscrits sur
des stèles l'utilisent très souvent. Le style *caoshu*
(littéralement "écriture de paille"), dont les traits
se rejoignent en un flux continu, a fourni
une alternative rapide et simple
aux écritures plus formelles ;
par son exubérance, le *caoshu* est
le style qui favorise le plus l'expression
personnelle. Enfin, le quatrième style,
le *kaishu* (écriture régulière), est à
la base de la calligraphie moderne.
Il mêle le *lishu*, plus formel, au *caoshu*,
plus expressif.
   La calligraphie reste de nos jours très
appréciée. Elle est pratiquée par toutes
les classes sociales, des mères de
famille aux responsables politiques.
Les maîtres les plus qualifiés affirment
qu'ils ne cessent de se perfectionner
dans cet art difficile et raffiné.

CALLIGRAPHE PUBLIC ▷
Certains calligraphes,
comme celui-ci à Xi'an,
gagnent leur vie en
rédigeant lettres, requêtes,
faire-part de mariage
ou de décès, etc.

◁ **FUSION**
Quand image
et écriture se
combinent : sur
ce bloc de pierre,
le dieu de la
littérature,
Kui Xing, est
montré terrassant
le monstre marin
Ao. Kui Xing est
représenté par le
symbole de sa
constellation,
tandis qu'Ao est
figuré à l'aide de
l'idéogramme
du mot "poisson".

◁ **PERFORMANCE**
Un maître calligraphe
dévoilant ses talents
à des admirateurs,
un soir d'été : sous ses
doigts, le signe prend vie.

▽ **DANSE DU PINCEAU**
En ajustant l'angle du pinceau
ou la pression qu'il exerce
sur celui-ci, le calligraphe
fait varier l'épaisseur des
traits. Une concentration
totale est indispensable :
la danse du pinceau
n'autorise aucun repentir.

LES QUATRE TRÉSORS DU LETTRÉ

Comme pour le peintre, le
nécessaire du calligraphe
comporte 4 instruments
connus sous le nom des
"quatre trésors du lettré" :
le pinceau, l'encre, la pierre
à encre et le papier.
   Le pinceau est doté
d'un manche de bois ou
de bambou. Les poils,
de chèvre, de martre ou
d'autres animaux, sont
réunis en un fuseau effilé.
L'encre noire est faite à base
d'huile ou de sève de pin et
de colle, puis séchée pour
former des bâtonnets.
La consistance de la peinture
joue un rôle important pour
l'équilibre et l'harmonie
de l'œuvre : il est donc
essentiel de mélanger
l'encre dans une pierre non
poreuse avec la quantité
d'eau nécessaire.
   Les artistes chinois
calligraphient et peignent
sur la soie dès 400 av. J.-C.,
mais ils ne commencent
à utiliser le papier qu'aux
environs de 300 apr. J.-C.
   La beauté de la ligne
définit d'abord l'excellence
de la calligraphie. Les traits
doivent être tracés avec brio,
finesse, assurance
et rapidité. L'œuvre est
également jugée selon des
critères comme l'équilibre,
la force et la structure.
De beaux idéogrammes
calligraphiés doivent
dégager une impression
de vitalité. Et, bien entendu,
il n'y a pas d'œuvre d'art –
calligraphie comprise –
sans le sceau de l'artiste.

△ **PAPIER**
Appelé "papier de riz",
le papier de *xuan* se fait à
partir d'écorce et de paille
de riz. Très absorbant, il ne
permet ni erreur, ni rature,
et traduit l'immédiateté
du geste du calligraphe.

◁ **EXEMPLE DE *CAOSHU***
Les écrits du moine Huai Su,
célèbre pour la fluidité
de son *caoshu* (VIIIe siècle).

LITTÉRATURE ET OPÉRA

Dès l'Antiquité, la Chine a produit une littérature artistique et philosophique très riche, qui ne cesse d'inspirer et de fasciner l'Occident.

E n Chine, l'écrit a toujours primé sur l'oral. Comment s'en étonner ? L'idéogramme, un concept unique et dont la prononciation reste très imprécise, demeure le seul véhicule commun aux nombreux dialectes parlés dans ce vaste pays.

Les premières traces d'écriture chinoise, vieilles de 4 000 ans (*voir "Les Shang", p. 19*), figurent sur les os divinatoires – carapaces de tortues et omoplates de bovidés. On y lit des inscriptions sur la météorologie, les récoltes et des pronostics sur l'issue des batailles à venir.

L'ouvrage le plus ancien date de l'époque des Zhou, mais la littérature vernaculaire n'acquiert sa dimension artistique que sous la dynastie des Yuan. Le *Lunyu* – les *Entretiens de Confucius* (551-479 av. J.-C.) rassemblés par ses disciples – reste probablement le plus célèbre des ouvrages de l'Antiquité chinoise.

Outre les textes classiques du confucianisme et du taoïsme, le *Shijing* (*Livre des odes*), un "monument à la langue contrainte", est parvenu jusqu'à nous ; il réunit plus de 3 000 chants, dont 300 choisis et classés personnellement par Confucius, qui a supprimé les chants les plus grivois. Abordant toutes sortes de sujets, ces odes restituent chansons d'amour et ballades folkloriques. Elles rendent hommage à des personnages hors du commun et glorifient des qualités humaines.

Les poèmes lyriques et épiques occupent une place de choix dans la littérature chinoise. Autrefois, la maîtrise de l'écriture et de la lecture de poèmes faisait partie de l'éducation élémentaire de la noblesse. Étudiants et fonctionnaires devaient pouvoir rédiger des vers en toute occasion. Les dames capables de réciter un poème avec grâce provoquaient l'admiration du sexe opposé. Le *Chuci*, un autre recueil attribué au poète Qu Yuan (332-295 av. J.-C.), est originaire de Chine méridionale.

La dynastie Tang marque l'âge d'or de la poésie chinoise. Nulle autre période de l'histoire de la Chine n'a vu fleurir autant de poètes ni d'œuvres d'une telle qualité. *Quan Tangshi*, l'anthologie de tous les poèmes Tang, réunit plus de 50 000 d'entre eux, attribués à quelque 2 200 poètes.

L'un des auteurs les plus célèbres de cette époque est Li Bai (699-762) ou Li Po, dont les

poèmes les plus connus ont été écrits sous l'emprise de l'alcool. Malgré leurs différences de style, il est l'ami du non moins célèbre Du Fu (712-770). Ce dernier occupe brièvement un emploi à la cour mais la quitte pour fuir les troubles politiques. Après avoir erré par monts et par vaux, il finit par s'établir à Chengdu – où l'on peut visiter Du Fu Caotang, une chaumière reconstruite à l'endroit où il vécut.

Aujourd'hui, il est difficile de dire qui, des deux poètes, est le plus talentueux ou laquelle des deux œuvres a le mieux survécu à l'épreuve du temps. Li Bai, proche des taoïstes, a beaucoup écrit sur la nature dans un style libre, ouvert et assez drôle. Du Fu, très

À GAUCHE : le roi des singes, Sun Wukong.
À DROITE : Qu Yuan, un poète du IVe siècle.

préoccupé de la situation politique et sociale, avait une écriture plus travaillée. Ses réflexions ne se sont jamais éloignées du confucianisme.

Romans classiques

Chaque enfant chinois connaît *La Pérégrination vers l'Ouest*, de Wu Cheng'en. Ce récit fantastique et humoristique, écrit pendant la période Ming, s'inspire des voyages du moine pèlerin Xuanzang. Au VIIe siècle, celui-ci part pour l'Inde à la recherche des textes sacrés bouddhiques. Il en

rebelles qui le menacent. Si, durant la Révolution culturelle son personnage incarne le symbole de la capitulation, le récit de ses aventures n'en passe pas moins pour avoir été le livre préféré de Mao.

Romans de mœurs

Le sommet du genre, *Jinpingmei*, ou *Fleur en fiole d'or*, date de la dynastie Ming (1618). Son auteur – inconnu – relate avec réalisme les nombreuses aventures amoureuses de son héros, Ximen, en décrivant avec force de détails la société chinoise du

revient au bout de 17 ans et raconte son périple dans la *Relation des pays de l'Ouest*. Dans le livre de Wu Cheng'en, Xuanzang est accompagné de Sun Wukong le roi des singes, de Zhu Bajie le cochon, et du moine Sha.

L'origine du roman *Shuihuzhuan* (*Au bord de l'eau*) reste mystérieuse. Cette histoire de brigands au temps des Ming se fonde sur les aventures de personnages réels, le voleur Song Jiang et ses compagnons, une bande qui sévit au temps des Song du Nord (960-1127), dans l'actuel Shandong. Robin des Bois de la Chine impériale, Song Jiang lutte pour la justice selon son propre code d'honneur, finit par se soumettre au pouvoir impérial et par combattre les

xvie siècle. Ce roman est une critique au vitriol de la classe aisée. En 1687, il est censuré par l'empereur Kangxi, ce qui ne l'empêche pas de continuer d'être lu, et même, en 1708, d'être traduit en mandchou. L'empereur Qianlong l'interdit de nouveau en 1789. La mesure est réitérée en 1949. *Hongloumeng* (*Le Rêve dans le pavillon rouge*), de Cao Xueqin (1715-1763), est souvent cité comme le plus grand roman de mœurs de la littérature chinoise. Parmi les 48 personnages principaux, Jia Baoyu, le héros, est le fils de cœur d'un fonctionnaire haut placé. Le roman raconte avec réalisme l'ascension et le déclin du clan des Jia, une famille de notables mandchous.

Après le mouvement étudiant du 4 mai 1919 *(voir p. 32),* où s'est notamment exprimé le désir de voir réformer le langage, la littérature en prose devient de plus en plus le véhicule d'un désir de changement social. Lu Xun, poète, essayiste et romancier, est l'un des plus grands représentants de ce nouveau courant littéraire. Pour lui, la révolution doit être l'instrument de la modernisation de la Chine. L'un de ses romans, *La Véritable Histoire d'Ah Q,* usant de l'arme de l'ironie, se gausse de l'attitude autodestructrice et de l'arrogance du petit peuple empêtré dans les traditions et les superstitions.

de Mao Zedong à Yan'an, en 1942, sur l'art et la littérature, confère au réalisme social la seule légitimité artistique. Certains écrivains consacrent leur œuvre à la glorification des travailleurs, des paysans et des soldats, ainsi qu'aux luttes contre leurs maîtres féodaux. En 1956, durant la "campagne des Cent Fleurs", quelques écrivains expriment leur opposition aux orientations prises. On les taxe de déviationnisme de droite et leurs œuvres sont étiquetées comme "herbes vénéneuses."

La Révolution culturelle bloque virtuellement toute production littéraire entre 1966 et 1976. À la fin de cette période, la littérature

---

LIBATIONS

Li Bai, réputé pour son amour de la bouteille, a été l'un des poètes favoris de la dynastie Tang.

"Ami, croyez-moi, n'écartez pas cette coupe !

Le vent printanier arrive tout souriant. Pêchers et pruniers, telles de vieilles connaissances, inclinent leurs fleurs, et vers nous les entrouvrent. Les gais loriots chantent dans les arbres verts.

La lune brillante éclaire nos coupes d'or. Nous étions hier des jeunes gens au teint rose ; voici qu'aujourd'hui les cheveux blancs nous vieillissent. La ronce envahit le palais du roi de Tchao.

Les cerfs vont paissant la terrasse de Kou-Sou. Dans ces vieux palais des empereurs et des princes,

Les portes à étages n'enferment plus que poussière !

Pourquoi refuser de boire cette liqueur ?

Où sont maintenant les hommes du temps passé ?"

Traduction de Royère.
Anthologie de la poésie chinoise, Poésie/Gallimard.

Dans le *Journal de mademoiselle Sophie,* Ding Ling décrit avec distance le mode de vie de ses compatriotes. Ba Jin s'adonne, quant à lui, à la critique sociale : dans la veine de *Hongloumeng (voir p. 94),* son roman le plus célèbre, *Famille,* relate le déclin de la famille d'un fonctionnaire au début du XXᵉ siècle.

Beaucoup d'écrivains de cette époque sont des sympathisants communistes. Le nombre des partisans augmente, le parti définit le rôle et le contenu de la littérature. Le discours

renaît de ses cendres. Lu Xinhua, dans *Cicatrices,* parle de "littérature de cicatrices" pour décrire les séquelles de la Révolution culturelle. On regroupe sous le nom de "nouveau réalisme" cette nouvelle génération d'œuvres qui stigmatisent les imperfections de la société.

Dans les années 1980, le bouillonnement littéraire donne naissance à de nouvelles techniques d'écriture. Près de 2 000 romans sont publiés de 1979 au début des années 1990, alors qu'il n'y en avait eu que 320 de 1949 à 1966 et quelques-uns, pour ne pas dire aucun, pendant la Révolution culturelle. Les auteurs continuent aujourd'hui à éviter les sujets qui fâchent, et la créativité reste très encadrée, si

---

À GAUCHE : Du Fu et son ami Li Bai, un amoureux de la boisson. **À DROITE :** illustration de *La Pérégrination vers l'ouest.*

Ombres électriques

Événement cinématographique des années 1980, *Le Sorgho rouge*, le film de Zhang Yimou, suscite un intérêt mondial tout neuf pour le cinéma chinois. Jusqu'alors, ce dernier n'avait retenu l'attention que des fans d'arts martiaux, avec des productions venues de Hong Kong. Cette fois, le grand public est invité à voir une belle histoire d'amour, qui se déroule dans la Chine des années 1930.

Les "ombres chinoises électriques" (expression désignant le mot "film" en chinois) sont pourtant l'expression individuelles. *Terre jaune* (1984), le premier film de Chen Kaige, raconte les déboires de personnages qui rejettent le passé – métaphore de l'échec du communisme.

La destruction des individus, victimes de la cruauté du pouvoir ou du poids des traditions, est l'un des thèmes récurrents des films à succès de cette génération (*Épouses et concubines*, *Adieu ma concubine*, *Judou...*). La "sixième génération" n'obtient pas le même succès international et boude les grandes fresques historiques. Ses films s'attachent à d'autres sujets, comme celui de la morosité urbaine (dans *Beijing Bicycle* de Wang Xiaoshuai) avec un réalisme poignant.

diffusées depuis le début du xxe siècle en Chine. Au temps du cinéma muet, Shanghai est le grand centre de production du pays et produit films historiques, films policiers, films d'amour... et les premiers films de "kung fu". Mais, après l'instauration du communisme, seuls les films de propagande sont autorisés.

La Révolution culturelle gèle toute création, à l'exception de quelques opéras socialistes, sortis au début des années 1970. En 1978, l'Académie du cinéma de Pékin, après 15 ans d'interruption, recommence à admettre des étudiants. De jeunes réalisateurs (la "cinquième génération"), marqués par l'expérience de la rééducation à la campagne et de la terreur politique, retrouvent le chemin de la création et de

Mais le cinéma chinois continue de fasciner. Hollywood s'est récemment associé au cinéaste de Hong Kong John Woo (*Volte-Face*) ainsi qu'au Taïwanais Ang Lee (*Raisons et sentiments*, *Hulk*), signe du poids grandissant du cinéma chinois sur la scène mondiale. En 2000, le film de Ang Lee, *Tigres et dragons*, a remporté un succès planétaire. *Balzac et la petite tailleuse chinoise*, de Dai Sijie, est quant à lui une production franco-chinoise. Le cinéma de Hong Kong et de Taïwan met en scène des superstars mondiales comme Chow Yun Fat, Jackie Chan et Maggie Cheung dans des films d'action et d'arts martiaux, mais il sait aussi faire place à une jeune création indépendante comme le montre *Chungking Express*, le film tendre et violent de Wong Karwai. ❏

ce n'est censurée. Gao Xinjiang, écrivain en exil, auteur de *La Montagne de l'âme* et lauréat du prix Nobel de littérature en 2000, fait l'objet d'un parfait mépris de la part des autorités chinoises. Les autres écrivains prennent bien moins de risques que lui en se contentant de parler d'amour ou d'arts martiaux.

L'opéra de Pékin

Replacé dans l'immense histoire du théâtre chinois, l'opéra de Pékin (*Jingju*), âgé seulement de 200 ans, paraît bien jeune. Si les descriptions des danses à l'époque des Tang (618-907) révèlent des similarités frappantes avec l'art de l'actuel opéra de Pékin, son ancêtre le plus direct reste le *kunqu*, théâtre musical élaboré au temps des Ming (1368-1644). De nombreux éléments de l'opéra de Pékin (chants, danses et musique) en sont les héritiers.

L'opéra de Pékin mêle chants, dialogues et mimes aux acrobaties et aux scènes de combat. Selon les spectacles, les performances physiques occupent toute la scène ; le public est parfois captivé par les dialogues ou tombe sous le charme de la musique.

Presque tous les opéras mettent en scène des légendes populaires, des contes, des histoires fantastiques, ou des classiques comme *Les Trois Royaumes*, *Le Rêve du pavillon rouge* et *La Pérégrination vers l'ouest*. Les *wenxi* (pièces de théâtre) et les *wuxi* (épopées guerrières) sont les 2 catégories principales : les *wenxi* ressemblent à nos pièces de théâtre et décrivent la vie domestique et les *wuxi* relatent les guerres et les batailles de l'histoire chinoise à grand renfort d'acrobaties. Il existe également des comédies et des satires.

L'opéra chinois utilise 4 grands types de personnages : les *sheng*, les premiers rôles masculins, les *dan*, les premiers rôles féminins, les *jing*, les personnages au visage peint, et les *chou*, les bouffons, hommes ou femmes. Les personnages secondaires incarnent des soldats, des gardes ou des dames d'honneur.

L'héroïne a souvent le rôle le plus important car la plupart des pièces sont tirées d'histoires où la femme est au centre de l'action. Depuis les Yuan (1279-1368), la femme est toujours le personnage principal des pièces de théâtre.

Les *dan* sont interprétées traditionnellement par des hommes au visage poudré de blanc, rehaussé de divers tons de carmin, surtout autour des yeux. Ces héroïnes évoluent avec grâce, à l'aide de petits pas glissants, et psalmodient leur texte d'une voix de fausset. Depuis longtemps, les hommes n'ont plus le droit de se former à ces rôles. Officiellement, cette pratique est considérée comme génératrice de "perversion sexuelle".

Les costumes, plus symboliques que réalistes, évoquent la cour des Han, des Tang, des Song et surtout des Ming, ainsi que l'époque des Mandchous. Les maquilleurs peuvent créer plus de

300 visages différents, chacun correspondant à l'époque mise en scène et à un personnage.

Les décors sont dépouillés. Une rame dans la main d'un batelier signifie que la scène se déroule dans un bateau. Une chaise est parfois une chaise, mais elle peut aussi symboliser une colline ou une montagne. Une bougie non allumée annonce l'imminence du soir. Chaque soldat portant une bannière représente tout un régiment. L'acteur prend ses distances vis-à-vis de son personnage.

En Chine, on ne va pas voir un opéra, on va surtout l'entendre. Les fanatiques passent parfois toute la soirée les yeux clos et l'esprit emporté dans un rêve. ❏

À GAUCHE : l'actrice Gong Li dans le film *Épouses et concubines*. **À DROITE :** un personnage de l'opéra de Pékin. Le maquillage a une valeur très symbolique.

L'OPÉRA CHINOIS

L'opéra chinois fait la part belle à la morale et à l'éthique confucéennes. Les histoires se terminent toujours par la victoire du Bien sur le Mal.

Le théâtre existe en Chine depuis les Tang (618-907) sous la forme de satires, de vaudevilles, de spectacles de marionnettes et d'ombres chinoises. Le théâtre formel – ou opéra –, qui mêle dialogues et musique, date des Yuan (1279-1368). À l'époque, les lettrés chassés de leurs postes par les Mongols se mettent à écrire des pièces où des chants alternent avec les dialogues. Depuis, l'opéra est resté l'un des spectacles les plus prisés en Chine.

De nos jours, l'opéra chinois compte plus de 300 genres différents. Rarement joué, le *kunqu* traditionnel (XVIe siècle) était considéré par la noblesse lettrée – qui constituait son public principal – comme trop raffiné et trop ésotérique pour les gens du peuple. Il existe aussi des opéras régionaux, comme le *chaozhou* (au sud du pays), les opéras de marionnettes du Fujian, et le *bangzi xi*, extrêmement populaire au Shaanxi et au nord de la Chine. Son instrument d'accompagnement principal est un ensemble formé par deux cylindres de bois de dattier que l'on tape l'un contre l'autre.

L'opéra le plus apprécié en Chine et le plus connu dans le monde est l'opéra de Pékin (Beijing), le *jingxi*, qui date du début du XVIIIe siècle. Très codifié, il mêle plusieurs formes artistiques – la littérature, le chant, la danse, le mime et les arts martiaux – créant ensemble un spectacle total. Le temps est marqué par des *ban*, des cylindres de bois qui produisent un son aigu très caractéristique quand on les frappe l'un contre l'autre. Le chant est en général accompagné par le *huqin*, une sorte de cousin chinois du violon occidental. Les cymbales rythment parfois les scènes d'action.

Les opéras varient de façon infinie, mais tous possèdent une intrigue fondée soit sur des événements historiques soit sur des légendes et des contes folkloriques bien connus du grand public.

COULEURS DE PEAU △
Pour un personnage masculin, le rouge symbolise le courage et la loyauté tandis que le blanc dénote le puissant malfaisant. Les bouffons ont un maquillage spécial : un disque blanc sur le nez représente l'intelligence ou la drôlerie.

TEXTE COURANT ▷
Les mots utilisés dans les monologues, les vers déclamés, les chants ou les dialogues, appartiennent presque toujours au langage courant. L'opéra s'adresse à tout le monde, et les spectateurs sont souvent bruyants et bon public.

OPÉRAS POPULAIRES △
Hormis l'opéra de Pékin, beaucoup d'opéras régionaux sont joués partout, notamment le *kunqu* (Suzhou) et le *pingju* (Hebei).

◁ **À L'AIDE**
Il arrive que les musiciens et les assistants restent sur scène pendant tout le spectacle pour changer les décors ou les accessoires.

DES ANNÉES D'APPRENTISSAGE

L'opéra chinois est considéré comme l'un des théâtres les plus codifiés au monde, et il faut des années de formation pour en maîtriser les règles.

Les acteurs sont choisis enfants et passent par sept années d'apprentissage. On leur assigne ensuite un rôle de héros, d'héroïne (joué par des hommes jusque dans les années 1930), de guerrier ou de bouffon.

La maîtrise du chant est indispensable pour les rôles d'homme et de femme, alors que les bouffons apprennent l'acrobatie. Chaque acteur doit maîtriser les mouvements du corps exigés par le type d'opéra qu'il pratique, et être capable de réaliser lui-même le maquillage très élaboré qui définit son personnage.

CODES ET SYMBOLES ▷
Les jeux de scène et l'accessoires servent à indiquer les changements de lieu, d'action et de temps. Marcher en rond symbolise le voyage, tourner autour de la scène avec un fouet indique qu'on monte à cheval.

EFFETS DE MANCHE ▽
Plus de 100 mouvements peuvent être accomplis grâce aux manches des costumes.

ARCHITECTURE

La cosmologie chinoise – qui définit les relations entre l'homme, le ciel et la terre –
a profondément marqué l'architecture et l'urbanisme traditionnels.

L'agencement des maisons traditionnelles, comme celui des temples, des palais et même celui des villes, obéit à des plans très précis et rigoureux, qui reflètent les valeurs d'ordre et d'autorité fondant la pensée chinoise ancestrale.

Les bâtiments sont construits de préférence le long d'un axe sud-nord, les structures principales s'ouvrant au sud. La maison chinoise traditionnelle est centrée autour d'une ou de plusieurs cours, dont le nombre augmente selon le rang du propriétaire. Un personnage haut placé vit dans une grande demeure, entouré de sa famille et de ses serviteurs. La maison du chef de famille se trouve au nord du complexe et s'ouvre elle aussi au sud. Les bâtiments annexes donnant sur la cour centrale sont habités par les éventuels frères et sœurs. Les membres les moins proches de la famille vivent autour d'une cour située plus au sud. Ce type d'agencement prévaut pour les maisons plus modestes, les parents habitant dans les bâtiments au nord ouvrant au sud, et les enfants dans les parties donnant sur la cour.

Un mur enclôt la résidence. Les murs constituent un élément important du paysage chinois, qu'ils entourent une maison, un palais, un temple, un village ou une ville. Non seulement ils protègent les biens et la vie privée, mais ils traduisent l'esprit communautaire, un aspect essentiel dans la société chinoise. La Grande Muraille, le plus long mur du monde – qui forma autrefois la frontière septentrionale du pays – en est d'ailleurs une parfaite illustration.

La Cité interdite et la ville de Beijing offrent les exemples les plus accomplis d'architecture et d'urbanisme traditionnels. Élaborée sous les Ming, leur configuration reflète le pouvoir central de l'empereur, installé au cœur de la capitale, elle-même centre politique et culturel du pays. Les groupes d'édifices témoignent de l'organisation et de la complexité du système politique. Bâtie autour du palais impérial – la Cité interdite –, la cité impériale rayonne dans un ordre parfait. Elle était autrefois enclose dans des murailles flanquées de portes et de tours. Ces murailles ont aujourd'hui disparu, mais les boulevards et les avenues qui entourent le cœur de la vieille ville suivent leur ancien tracé.

Le plan et la construction du complexe impérial sont typiques de l'architecture classique chinoise, qui affiche ici une démesure et une opulence rares. Les éléments communs – tuiles des toits, sols pavés et ouvertures encadrées de piliers de bois – permettent d'uniformiser le style des 3 types de bâtiments : les salles, les tours et les pavillons.

On entre par le sud. Les édifices majeurs comme les 3 grandes salles de l'Harmonie, à l'avant du complexe, sont construits sur une terrasse. Le plus important des trois, *Taihe Dian* (salle de l'Harmonie suprême) possède, comme il se doit, la terrasse la plus vaste et la plus magnifique de la Cité interdite. Étagée sur 3 niveaux, elle est ceinte d'une balustrade de marbre.

Conçus dans le respect de la symétrie et de l'équilibre, les nombreux bâtiments sont agencés selon leur fonction et leur importance, leur plan symbolisant l'harmonie de l'univers, préservée par l'empereur, le Fils du Ciel.

Architecture et superstition

Les sculptures qui ornent les extrémités des faîtages attirent immédiatement le regard : elles représentent des animaux mythologiques – lions, dragons, phénix, chevaux ailés et licornes – qui ont pour mission de protéger les bâtiments des mauvais esprits. Certaines sont des figures humaines, tel cet homme

---

TERRE ET CIEL

L'architecture de la Cité interdite reflète maintes croyances inscrites dans les textes anciens. Par exemple, les grandes salles en haut des terrasses de marbre illustrent ce paradigme cosmologique : "Le ciel couvre et la terre porte." Les terrasses représentent la terre et le toit le ciel.

À GAUCHE : pagode de Longhua, à Shanghai.

chevauchant une poule, censé assurer la protection du bâtiment et de ses occupants contre le malheur. Selon la légende, il représente un prince tyrannique de l'État de Qi (IIIᵉ siècle av. J.-C.). Après sa mort, les habitants de Qi installèrent son effigie sur leurs toits afin d'éloigner les catastrophes et d'empêcher son esprit malfaisant d'entrer dans les maisons : en effet, le tyran reste bloqué sur le toit, car son poids empêche la poule de s'envoler.

Bien d'autres superstitions et croyances imprègnent l'architecture chinoise. À l'entrée de la plupart des appartements et des palais, un mur-écran en briques (*jingbi*) empêche le passage des mauvais esprits ; ceux-ci ne sachant avancer qu'en ligne droite, ils sont incapables de contourner le mur pour pénétrer à l'intérieur des lieux. Dans les grands palais, c'est le Jiulongbi, ou mur aux Neufs Dragons, qui remplit cette fonction.

Pagodes

Majestueuses et très décorées, les pagodes – des temples bouddhistes – dressent leur silhouette élancée dans le ciel chinois et leur image est universellement associée à celle de la Chine. Importées pourtant d'une autre culture, elles incarnent et symbolisent en effet le style et les méthodes de construction de l'architecture chinoise traditionnelle.

En Inde, leur pays d'origine, les stupas (nom indien des pagodes), construits en brique, servaient de reliquaires ; les restes et souvenirs du Bouddha y étaient conservés. Au cours des premiers siècles de notre ère, les missionnaires bouddhistes diffusèrent les enseignements du Bouddha jusqu'en Chine, et de nombreux moines chinois se rendirent en Inde. C'est ainsi que les rites funéraires, l'art religieux et l'architecture des temples et des monastères bouddhistes se sont répandus dans l'empire du Milieu. Le mot *ta*, qui signifie pagode en chinois, provient de *tappna*, l'équivalent chinois du mot indien *stupa*.

Toutefois, les pagodes chinoises ont perdu progressivement une grande part de leur caractère religieux pour devenir de simples monuments. Cette sécularisation de la société et de l'architecture chinoises se manifeste également dans la conception des temples des diverses sectes religieuses. Par exemple,

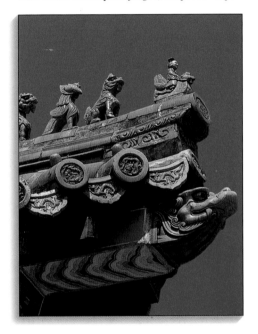

Jardins impériaux et jardins de lettrés

Les jardins traditionnels chinois cherchent toujours à exprimer l'équilibre délicat entre les éléments naturels et artificiels, reflétant des principes taoïstes relatifs à l'harmonie entre l'homme et la nature et des concepts philosophiques comme celui du *yin* et du *yang*. On y trouve également certains thèmes littéraires et picturaux.

L'art des jardins connaît son âge d'or sous les dynasties des Ming et des Qing. Les empereurs et les puissants consacrent des sommes colossales à leurs jardins et à leurs lieux de retraite privée.

Il existe deux types de jardins traditionnels : le jardin impérial et le jardin de lettré. Les plus connus des jardins impériaux sont celui du palais d'Été, le Yuanming Yuan de l'ancien palais d'Été, et celui de Chengde (Jehol), l'immense parc impérial construit par l'empereur Qianlong au nord-est de Beijing. Ce parc possède des éléments d'architecture inspirés du bouddhisme tibétain, dont la présence servait à témoigner de l'immensité et de la diversité de l'empire.

Plus au sud, dans une région autrefois prospère, les villes de Suzhou et de Hangzhou offrent de nombreux exemples de retraites de lettrés ; la vocation de ces jardins est de susciter des émotions semblables à celles que procure le monde naturel, reproduit ici en microcosme.

les plans des temples bouddhistes, taoïstes et confucéens sont semblables. Leurs architectes dessinaient également des édifices laïques, maisons et palais.

De la même façon qu'ils ont adapté le bouddhisme en conjuguant les enseignements du Bouddha avec leurs superstitions et les rites du culte des ancêtres, les Chinois se sont approprié le concept original des stupas bouddhistes en y adaptant leurs propres styles et leurs méthodes de construction.

Aucune des premières pagodes chinoises construites en bois au IIIe siècle et au Ve siècle ne subsiste. Édifiée en 523, la pagode Songyue,

funéraires élevés à la mémoire des moines. Les pagodes, hautes de quelques mètres seulement, reposent sur un socle carré auquel sont fixées des tablettes funéraires et des niches à offrandes. La fonction et le symbolisme de ces pagodes rappellent explicitement les stupas indiens. Seul le style architectural diffère.

La ville de Beijing, surtout réputée à travers le monde pour sa cité impériale, possède également de nombreux temples d'inspiration bouddhiste dignes d'intérêt. À l'est du Palais impérial et au-dessus de la vieille cité impériale, dans le parc Beihai, se dresse majestueusement Bai Ta, le Dagoba blanc. Cette pagode

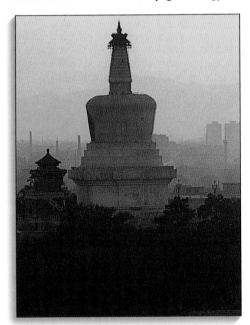

la plus ancienne encore debout, se trouve dans le district de Dengfeng, près de la cité impériale de Luoyang et du célèbre monastère de Shaolin. Cette structure dodécagonale de 40 m de haut a survécu depuis quelque 1 400 ans aux outrages du temps, aux catastrophes naturelles, au passage des Mongols et à la Révolution culturelle.

Le monastère de Shaolin abrite une autre curiosité : Talin, la "forêt des pagodes", un cimetière contenant plus de 200 monuments

À **GAUCHE :** animaux mythiques protecteurs sur un toit. **CI-DESSUS :** Bai Ta, le Dagoba blanc, à Beijing.
À **DROITE :** grande pagode de l'Oie sauvage, à Xian.

a été bâtie en 1651 par l'empereur Shun Zhi pour commémorer la première visite du dalaïlama à Beijing. La structure blanche massive, en forme de cloche, est construite sur une base carrée comme les *chorten* tibétains.

Les deux pagodes de l'Oie sauvage, à Xi'an, sont les structures anciennes les plus connues. Dayan Ta, la grande pagode de l'Oie sauvage, est l'œuvre du moine Xuanzang. Au VIIe siècle, celui-ci se lance dans un voyage périlleux vers le nord de l'Inde, périple qu'il immortalise dans *Relation des pays de l'Ouest* (voir p. 94). À son retour en Chine, il fait construire une pagode afin de conserver les manuscrits qu'il a rapportés.

Cette pagode au nom étrange évoque une légende que Xuanzang entendit en Inde du Nord : un jour, une grande oie sauvage tombe du ciel pour exaucer les prières de moines mourant de faim. Mais, au lieu de manger l'oie, les moines l'enterrent en action de grâces. La pagode de Xi'an porterait ainsi le nom d'une pagode construite jadis en Inde en l'honneur de l'oie généreuse.

Xiaoyan Ta, la petite pagode de l'Oie sauvage, fut baptisée ainsi à cause de sa ressemblance avec la grande pagode de l'Oie sauvage. Elle date de la même époque, mais sa finesse et la délicate incurvation

de ses toits la rendent bien plus gracieuse que son monumental modèle.

Techniques de construction

Les Chinois ont toujours préféré le bois à d'autres matériaux de construction pour sa facilité de transport et d'utilisation. Malheureusement, les constructions en bois ne sont pas faites pour résister au temps et peu d'édifices anciens subsistent.

En général, seuls les bâtiments importants – les tombeaux impériaux, les édifices destinés aux cérémonies et, occasionnellement, les ponts – ont droit à des matériaux plus résistants comme la brique et la pierre.

Les techniques de construction en bois mises au point par les artisans sont extraordinaires. Les bâtiments chinois traditionnels sont édifiés sur un sol de terre battue, de brique ou de pierre. Les piliers et les poutres soutiennent la structure d'ensemble et sont fixés par des tenons et des mortaises. De robustes colonnes reposant sur des bases de pierre supportent le toit et sont ornées de délicats motifs décoratifs.

Les toits sont construits selon des techniques différentes de celles en usage en Occident. La charpente chinoise repose sur un empilement de poutres, dont la longueur décroît pour équilibrer les poids. Ce type de construction permet d'incurver le toit et répond également à des objectifs esthétiques. Le toit est ensuite couvert de tuiles semi-circulaires.

La couleur et le matériau de construction varient selon l'importance de l'édifice et le statut social de son propriétaire. Les tuiles jaunes, par exemple, sont réservées aux bâtiments impériaux. L'océan de toits dorés qui coiffent la cité impériale en offre un bel exemple. La forme du toit est aussi d'une grande importance. Les bâtiments principaux possèdent un faîtage complexe, les plus simples se contentent d'un seul pignon.

Les toits chinois donnent une impression de grande légèreté. Les avancées surplombantes projettent leur ombre sur les murs et semblent flotter dans l'air. Elles remplissent aussi une fonction purement pratique : elles protègent de la pluie et permettent de réguler la lumière, préservant le bâtiment du soleil estival tout en laissant passer la lumière en hiver.

La construction chinoise traditionnelle se caractérise par sa flexibilité. Les murs ne portent pas le toit, mais séparent les différents espaces de vie. Les partitions intérieures, faites de matériaux légers, se déplacent aisément. L'été, les écrans modulables entre les colonnes porteuses des maisons se retirent facilement. Il est possible d'ajouter ou de retirer des portes et des fenêtres à la structure principale.

Les Tang ont inventé le préfabriqué avant la lettre : des consoles de diverses tailles étaient préparées puis utilisées par les artisans qui, selon les plans, décidaient combien étaient nécessaires et où ils devaient les placer. ❏

À **gauche** : Tian Tan, le temple du Soleil, à Beijing.
À **droite** : plafond du palais d'Été à Beijing.

GASTRONOMIE

La gastronomie occupe une place primordiale dans la vie quotidienne des Chinois.
Riche d'une tradition millénaire, c'est l'une des plus raffinées au monde.

Peu de peuples ont une relation aussi passionnelle avec la nourriture que les Chinois. D'une part, les multiples périodes de pénurie ou de famine qu'ils ont traversées au cours de leur longue histoire les ont poussés à des trésors de créativité afin de tirer le maximum de leurs maigres ressources.

D'autre part, l'élite a toujours utilisé la nourriture pour exhiber sa richesse et son statut social, jaugés au nombre de cuisiniers ou à la complexité des plats présentés à ses hôtes. Par ailleurs, la cuisine chinoise a pu bénéficier, pour s'épanouir, de la grande diversité géographique du pays et de son immense variété de produits.

La philosophie et la littérature reflètent l'obsession des Chinois pour la gastronomie : de nombreux écrits historiques, littéraires et philosophiques laissent transparaître la gourmandise des lettrés. Pour Laozi, fondateur présumé du taoïsme, "gouverner une grande nation, c'est comme cuire un petit poisson". Dans un poème, un autre sage taoïste, Zhuang Zi, conseille à un empereur de surveiller son cuisinier : "Un bon boucher use un couteau par an parce qu'il ne découpe que la chair. Un boucher ordinaire use un couteau par mois parce qu'il le brise sur les os." Cette grande considération pour la nourriture – un trait partagé par tous les Chinois – a produit l'une des meilleures cuisines du monde.

Techniques

Les 4 trésors des cuisiniers chinois sont la planche à découper, le tranchoir, le wok (poêle à fond bombé) et l'écumoire à manche de bambou. Le pays ayant connu plusieurs pénuries de combustible, limiter le temps de cuisson est vite devenu une nécessité. Débiter les aliments en petits morceaux est donc la première tâche à accomplir. Un découpage régulier et rapide distingue le bon cuisinier du mauvais. Selon ses disciples, Confucius refusait de manger de la viande mal préparée – un découpage inégal entraînant une cuisson irrégulière – ou servie dans une sauce inappropriée.

La méthode de cuisson la plus courante consiste à faire revenir les aliments au wok sur un feu très vif. Ce procédé économise non seulement le gaz, mais permet aux aliments de garder leur croquant et leurs vitamines. Ils peuvent aussi être frits ou cuits à la vapeur. La cuisson au four se fait plus rare, seuls les restaurants la pratiquent.

Ingrédients

La gastronomie chinoise vise à mélanger avec harmonie, dans chaque repas, les textures, les saveurs et les couleurs. La plupart des plats nécessitent un grand nombre d'ingrédients. L'équilibre des assaisonnements est essentiel : les plus courants sont la sauce de soja, le gingembre, l'ail, le vinaigre, l'huile de sésame, le tofu et les oignons nouveaux.

Le riz est l'aliment principal. Les habitants du nord du pays mangent surtout une nourriture à base de blé, comme des nouilles, et divers types de chaussons et de raviolis frits, ou encore cuits au gril ou à la vapeur. La pâte de soja, fraîche ou séchée, en feuilles ou en tresses, garantit l'apport de protéines nécessaire dans une région où l'on affecte la majorité des terres agricoles à la culture et non à l'élevage.

Les vaches et les moutons, exigeants en pâturages, sont moins nombreux que la volaille et les porcs, omniprésents. De toutes les viandes, les Chinois préfèrent celle de porc. Les poissons, qu'ils soient de mer ou d'eau douce, sont également appréciés et très bien cuisinés.

Les légumes, essentiels, sont rarement consommés crus, en partie pour une question d'hygiène, l'engrais traditionnel étant d'origine humaine. Leur variété est immense,

poudre miracle, *wei jing* en chinois, est introduite par les Japonais dans les années 1940. Les cuisiniers chinois l'adoptent aussitôt, car elle rehausse la saveur des aliments, qui semblent ainsi avoir mijoté longtemps.

Différences régionales

La diversité des climats et des sols est à l'origine de la multiplicité des cuisines régionales. Si le débat reste ouvert sur leur nombre exact, on retient en général 4 grandes traditions culinaires. La cuisine cantonaise vient de la région du Guangdong et de Hong Kong, au sud du pays. La cuisine très relevée du

particulièrement dans le Sud, une région plus clémente. Des légumes connus en Occident y poussent, mais aussi des merveilles locales : légumes verts à feuilles, pousses de bambous, châtaignes d'eau, taro et autres racines de lotus. Certains légumes communs comme le chou et le radis blancs – salés ou séchés – servent d'assaisonnement, surtout pendant les périodes de grand froid.

Le glutamate de sodium (*msg*) a une très grande incidence sur la cuisine chinoise. Cette

Sichuan est originaire du centre-ouest de la Chine, particulièrement des villes de Chengdu et Chongqing. La gastronomie huaiyang est issue de Shanghai, du Jiangsu et du Zhejiang, en Chine orientale. Enfin, la cuisine du Nord est concentrée à Beijing, mais elle est largement inspirée de celle du Shandong, dont les chefs ont fait les beaux jours des restaurants de Beijing au XIXe siècle.

Cuisine cantonaise

L'émigration massive des Cantonais a fait connaître cette cuisine dans le monde entier et beaucoup d'amateurs la considèrent comme la meilleure. Le sud du pays tire largement profit

PAGES PRÉCÉDENTES : *dim sum*, un festin pour l'œil. À GAUCHE : le repas le plus simple est joliment présenté. CI-DESSUS : petits pains cuits à la vapeur.

de la douceur du climat et de la grande variété de produits qu'il est possible d'y trouver et d'y faire pousser.

La cuisine cantonaise se singularise par ses assaisonnements délicats et par la fraîcheur et la variété de ses ingrédients. Les chefs sont reconnus pour leur créativité et leur tendance à incorporer volontiers des aliments étrangers dans leurs plats. Ils utilisent beaucoup de légumes, de fruits et des fruits de mer comme l'ormeau, les crevettes, les poulpes et les crabes.

Selon les méthodes locales, on laque les aliments avec une sauce sucrée, on les fait revenir au wok ou cuire à la vapeur avant de les passer

dans la salle. En général, les Chinois ne prennent pas de dessert, mais ils accompagnent parfois leurs *dim sum* de tartes au flan et de cubes de gelée à l'amande.

Cuisine du Sichuan

Après la cuisine cantonaise, celle du Sichuan est probablement la plus connue en dehors de la Chine. C'est aussi la plus relevée. Le piment s'y décline sous toutes ses formes : séché ou frit en petits morceaux, moulu et transformé en pâte grâce à l'ajout d'huile, ou tout simplement en poudre. Les autres ingrédients essentiels sont le poivre du Sichuan

au four. Le poulet rôti et le porc à la cantonaise méritent amplement leur réputation, de même que les fruits de mer, préalablement assaisonnés, frits dans l'huile ou cuits à la vapeur.

Les fameux *dim sum* (en mandarin *dian xin*), des bouchées conçues à l'origine pour être dégustées lors des spectacles, sont souvent servis au petit déjeuner ou en en-cas : raviolis au porc ou aux crevettes enveloppés dans une feuille de pâte de riz transparente, champignons ou poivrons farcis, boulettes d'igname, minuscules rouleaux de printemps, etc. Leur variété est infinie. Dans les restaurants et les maisons de thé, ils sont proposés sur de petites tables roulantes, qui circulent

LE B.A BA DES BONNES MANIÈRES

Attention : on ne se tient pas à table en Chine comme on le fait en Occident. Il est de bon ton d'aspirer bruyamment sa soupe – afin de la refroidir avant de l'avaler –, et de mettre les coudes sur la table. Porter son bol à hauteur de bouche n'a rien d'inconvenant. Si vous mangez du riz, il vous suffit de le pousser avec vos baguettes jusqu'à votre bouche. Quant à la soupe, vous la boirez à même le bol ou à l'aide d'une cuiller de porcelaine. Mais, surtout, ne plantez pas vos baguettes dans le riz : ce geste porte malheur car il évoque les bâtons d'encens que l'on utilise pour les enterrements ou dans les temples. Il est donc très impoli.

(baie séchée du clavalier ou *fagara*), l'ail, le gingembre et la pâte de soja fermentée. La nourriture pimentée convient, dit-on, aux habitants de cette région à cause de ses étés étouffants et de ses hivers froids et humides.

On y déguste des mets excellents, notamment le canard fumé au bois de camphrier et aux feuilles de thé et l'émincé de porc au tofu épicé. L'un des plats chinois le plus connu, le *tofu mapo* (ou *doufu*) est originaire du Sichuan. Son nom signifie "le tofu de la femme au visage grêlé". Il fut inventé par

Cuisine huaiyang

La cuisine du cours inférieur du Yangzi, surtout autour de Huai'an et de Yangzhou, est à l'origine du terme *huaiyang* utilisé pour désigner les plats de la côte est.

On considère en général les spécialités de Shanghai, du Jiangzu et du Zhejiang comme des plats huaiyang. Cette cuisine fait la part belle aux poissons, aux coquillages et aux crustacés, notamment aux crabes, particulièrement appréciés. Tous ces produits sont cuits de manière simple, souvent à

une certaine Mme Chen… celle-là même qui avait un visage grêlé.

L'une des spécialités chinoises est la fondue, ou *huo guo*. Les convives sont assis autour d'une marmite posée sur un réchaud (autrefois au charbon de bois) contenant un bouillon assaisonné. Chacun y plonge ce qu'il veut, légumes, poisson, viande ou tofu. Tout cuit très rapidement et peut être récupéré dans la marmite à l'aide de baguettes ou d'une petite écumoire, puis trempé dans de l'huile de sésame, de la sauce à la cacahuète ou de l'œuf battu.

la vapeur, ce qui permet de faire ressortir leur saveur. Parmi les spécialités huaiyang, le porc cuit à la vapeur dans des feuilles de lotus, le canard aux huit ingrédients et les boulettes à la tête de lion figurent tous au menu des restaurants de la région de Shanghai. Quant aux soupes, elles accompagnent chaque repas. En outre, cette cuisine joue de la cuisson à l'étouffée dans de la sauce de soja agrémentée d'épices comme l'anis étoilé, et fait grand usage de l'huile d'arachide et de la graisse animale.

Cuisine du Nord

La cuisine du Nord – rustique et familiale – utilise beaucoup d'oignons et d'ail : on n'y

À GAUCHE : cuisson saisie à feu très vif.
CI-DESSUS : soupe de queue de bœuf.

retrouve pas la diversité des légumes utilisés dans les régions plus fertiles de Chine.

La plupart des cuisines du Nord sont issues du Shandong et ont intégré quelques influences de Mongolie et du Hebei. La viande et la volaille, ainsi que les plats courants, sont braisés dans une sauce brune qui sert de base de cuisson.

Dans le Nord, à la différence du reste de la Chine et de l'Asie en général, le blé est l'aliment fondamental. On y déguste toute une variété de nouilles, de raviolis cuits à la vapeur ou frits, des petits pains (également cuits à la vapeur ou frits) et des beignets, excellents avec du lait de soja sucré ou salé.

Ne quittez pas Beijing sans avoir dégusté un canard laqué. Sa préparation est en soi tout un art : le cuisinier, après avoir plumé et vidé l'animal, insuffle de l'air sous sa peau, qu'il badigeonne ensuite d'un mélange de miel, d'eau et de vinaigre ; puis il le sèche et le fait rôtir dans un four spécial. La peau, devenue craquante à souhait, est alors découpée en lamelles et servie à l'intérieur de fines crêpes de farine de blé, nappées de sauce brune sucrée et agrémentées d'oignons nouveaux. Les convives peuvent ensuite manger la chair de l'animal découpée en petits morceaux et finir le repas par une soupe de... canard.

La nourriture indigène de Beijing est assez simple, mais, à partir du XVᵉ siècle, la ville a profité de son statut de capitale impériale pour attirer des talents de toute la Chine.

Les empereurs employaient les chefs les plus brillants, et les meilleurs d'entre eux étaient assurés de monter très haut dans la hiérarchie sociale. C'est de cette époque que date l'invention de plats sophistiqués et raffinés comme le canard laqué, le poisson mandarin, le phénix au nid et l'équivalent chinois du mille-feuille. Tout le monde – Chinois et étrangers – peut goûter ces merveilles culinaires dans des restaurants spécialisés, hélas souvent onéreux.

Rituels

En Chine, la nourriture n'a pas seulement une fonction utilitaire, elle revêt également un caractère symbolique. Ainsi, elle accompagne tous les grands moments de la vie, à l'occasion desquels sont consommés des plats spécifiques.

Le nouvel an chinois – la fête la plus importante de l'année – occupe une place de choix dans la vie culinaire des Chinois. Au menu, les oranges et les mandarines garantissent la douceur de la vie pour l'année à venir, le canard symbolise la fidélité et la joie, le poisson la prospérité et la régénération.

Lors des anniversaires, on cuisine souvent des plats de nouilles, les filaments représentant la longueur de la vie. On peut aussi, à cette occasion, offrir des petits pains cuits à la vapeur et colorés, ressemblant à des pêches, symboles de longévité. Au cours de la célébration de la mi-automne – grande fête traditionnelle –, on mange des gâteaux de lune, tout ronds, lourdement fourrés de pâte de haricot sucré, avec parfois un jaune d'œuf au centre.

Pendant le festival des Bateaux-Dragons, les gens dégustent des *zong zi*, du riz gluant enveloppé dans des feuilles de bambou. Cette coutume commémore la mort du poète et homme d'État Qu Yuan, auteur du *Chuci*. Quand celui-ci se jeta dans un fleuve pour s'y noyer, les habitants lancèrent dans l'eau des *zong zi* pour qu'il ne soit pas dévoré par les poissons.

Nourriture et santé

Depuis toujours, la nourriture est perçue comme un moyen de se sentir bien, de se soigner et d'éviter les maladies. D'ailleurs, en chinois, *fang* signifie à la fois "recette" et "ordonnance".

Le cuisinier qui prépare son menu prend en compte l'état physique des convives et les conditions extérieures, comme le temps qu'il fait. La règle de base concerne les aliments *yin* ("froids") ou *yang* ("chauds"), l'idéal étant d'établir un équilibre entre les deux.

La chaleur intérieure du corps vient de l'ingestion d'aliments "chauds" comme le café, la viande et la nourriture épicée. Mais trop de chaleur peut provoquer des brûlures d'estomac, des allergies, des boutons de fièvre ou une mauvaise haleine. Évidemment, tout le monde préfère déguster des aliments "chauds" quand il fait froid. Par exemple, la viande de serpent, très populaire en hiver dans certaines régions, est censée être fortifiante. En revanche, les nourritures "froides" permettent de lutter contre l'excès de chaleur interne. Il s'agit d'aliments hypocaloriques comme le cresson, la momordique, le radis blanc et la plupart des fruits.

Bien se tenir à table

Les repas quotidiens sont servis simplement. Le petit déjeuner se compose souvent d'un bol de *zhou* (porridge) avec des légumes au vinaigre et un peu de viande. Le déjeuner, varié et assez copieux, est constitué d'une soupe de nouilles

ou d'un plat de riz agrémenté de viande et de légumes. Pour le dîner, en revanche, 3 ou 4 plats chauds sont accompagnés de riz ou de nouilles. La soupe clôt le repas, sauf dans le Guangdong, où elle est servie tout au long du dîner. Le choix des desserts est limité.

Si vous avez la chance d'être invité chez des particuliers ou à un banquet, n'oubliez pas d'apporter un petit cadeau à l'intention de vos hôtes, une bouteille d'alcool, des cigarettes ou un souvenir de votre pays.

Dans un dîner officiel, le nombre de plats dépend des circonstances et du nombre d'invités. Attention : au début du repas, ne vous jetez

pas sur les hors-d'œuvre froids : 6 ou 7 autres plats risquent de suivre, notamment des fruits de mer, de la viande, de la volaille, des légumes et de la soupe. Ne refusez aucun des mets que l'on vous propose : un invité ne doit jamais quitter la table en ayant faim !

La place d'honneur est située en face de la porte d'entrée. Les plats sont disposés les uns après les autres au centre de la table. Les convives se servent avec la cuiller de service ou avec leurs baguettes. Placer les meilleurs morceaux sur l'assiette de votre voisin est un geste de courtoisie ; mais la règle primordiale est de ne jamais aller chercher un morceau de l'autre côté du plat. ❑

À GAUCHE : repas ordinaire dans un *hutong*. **À DROITE :** gâteaux de lune, le régal de la fête de la mi-automne.

ITINÉRAIRES

Ces pages vous proposent une visite détaillée du pays. Sur les cartes, des repères représentés par des chiffres ou des lettres vous permettent de localiser facilement les sites principaux.

Nous devons aux Grecs de l'Antiquité les premiers écrits européens révélant l'existence d'un peuple vivant aux confins de l'Orient, bien au-delà des territoires des Scythes. Leurs récits racontent des histoires incroyables se déroulant dans des contrées étranges, où l'on produit de la soie selon une technique si jalousement gardée que toute personne la divulguant risque la peine de mort. Ce précieux textile aurait d'ailleurs été la première marchandise échangée entre l'Orient et l'Occident. Pendant plus de 1 000 ans, la route de la Soie reste le seul lien entre l'Europe et la Chine. C'est elle qu'emprunteront l'islam et le bouddhisme pour pénétrer dans l'empire du Milieu.

Au début du XVIᵉ siècle, les Portugais atteignent par la mer les côtes du sud de la Chine. La base qu'ils établissent à Macau ouvre de nouvelles voies commerciales. Les missionnaires dressent ensuite les premières cartes du pays. Elles montrent toute la méconnaissance que l'on a alors de la Chine : seule l'échelle des zones côtières s'avère exacte. Plus on s'enfonce vers l'intérieur, plus la cartographie se révèle disproportionnée, voire absente.

Des zones d'ombre subsistent de nos jours. Comme autrefois, les paysages et les traditions semblent de plus en plus exotiques à mesure que l'on s'éloigne des côtes. Mais les voyageurs perçoivent immédiatement l'immense diversité des cultures chinoises. Malgré l'influence omniprésente des Han, les coutumes turques du Xinjiang, les couleurs vives des arts traditionnels du Yunnan et les mantras tibétains participent, eux aussi, au patrimoine national.

La partie nord du pays s'étend du Dongbei, au nord-est – la Mandchourie pour les Occidentaux –, aux rives poussiéreuses du Huang He (fleuve Jaune) – le berceau de la civilisation chinoise – en passant par la Mongolie-Intérieure et le désert de Gobi. Les paysages ne sont pas tous d'une grande beauté, notamment en hiver, où tout devient aride et glacé, mais la région abrite toutes les capitales impériales, dont Xi'an, Luoyang et Beijing.

La bande centrale entoure le Chang Jiang (ou Yangzi pour les étrangers), fleuve qui divise la Chine entre nord et sud et entaille le paysage aux Sanxia – les Trois Gorges –, dont les eaux ne cessent de monter depuis la construction du barrage. Le Yangzi se jette dans la mer de Chine près de Shanghai, mégalopole du XXIᵉ siècle.

Le long des côtes sud, Guangzhou et Hong Kong bouillonnent d'activité, tandis que l'intérieur des terres révèle de merveilleux paysages et des peuples aux traditions vivaces. Rares et bienheureux sont les voyageurs qui peuvent s'aventurer au Xinjiang, traversé par la route de la Soie, ou au Tibet, deux régions à part. ❏

PAGES PRÉCÉDENTES : Huang Shan (Anhui), dans un bain de nuages ; la Grande Muraille ; une famille kazakhe près de sa yourte au Xinjiang.
À GAUCHE : détail d'un mur de temple.

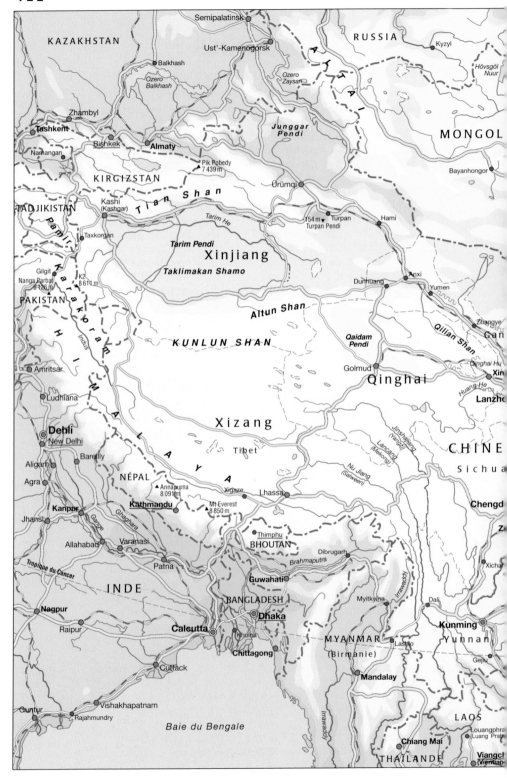

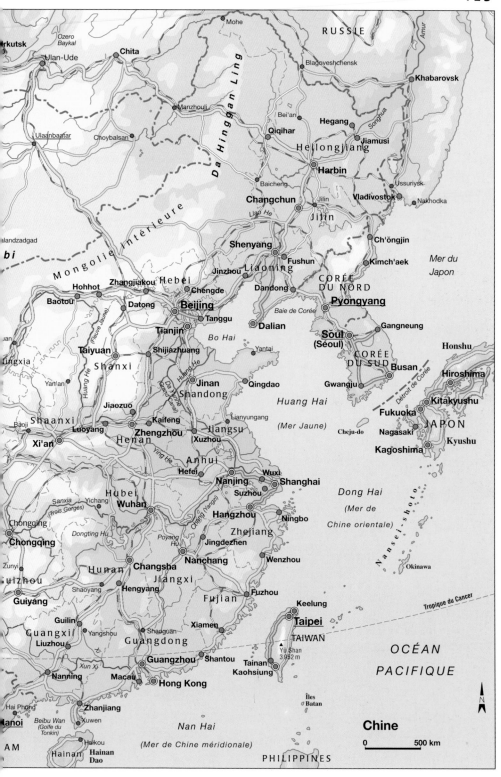

Chine

0   500 km

LE NORD

Le Nord n'est pas une direction favorable si l'on en croit la géomancie chinoise, mais cela n'a pas empêché l'empire du Milieu de s'y ancrer, et sa civilisation de s'y épanouir.

L'immense pan de territoire regroupé sous l'étiquette du Nord englobe des régions très différentes. Il s'étend des vastes terres désertiques du Nord-Est et de la Mongolie-Intérieure aux rives poussiéreuses du Huang He (fleuve Jaune), considérées comme le berceau de la Chine ancienne et site des grandioses capitales impériales de Xi'an et de Beijing.

Beijing – capitale du Nord en chinois – n'est pas la ville la plus importante de Chine, mais elle abrite la Cité interdite, l'une des merveilles architecturales du monde, et elle est le siège du gouvernement moderne. La ville, qui doit accueillir les Jeux olympiques de 2008, est en pleine transformation : de nouvelles avenues sont tracées et des quartiers entiers métamorphosés. Non loin de là, la Grande Muraille – l'ancienne ligne de démarcation entre le monde civilisé et celui des barbares – serpente entre les collines et les montagnes de l'Ouest. Bien qu'elle ait perdu son rôle de défense contre les nomades venus de l'obscure périphérie du monde, elle semble toujours appartenir à un autre temps, surtout dans les zones les plus éloignées de la capitale et oubliées des touristes.

Au nord-est de Beijing, le Dongbei – "est-nord" en chinois, ou Mandchourie pour les Occidentaux – est le foyer ancestral des Mandchous, l'élite de la dynastie Qing qui régna pendant plus de 250 ans. Le XXᵉ siècle n'épargna guère la région, qui passa successivement sous le contrôle des Japonais, des Russes puis des Chinois. L'architecture de certaines villes, comme Harbin, possède indéniablement un caractère russe.

Les étendues herbeuses de la Mongolie-Intérieure, jusqu'au Gansu et à la route de la Soie, hébergent toujours des peuples nomades, adeptes du bouddhisme tibétain. Leur fière nostalgie évoque les jours lointains où l'empire appartenait à Gengis Khan.

Au sud-ouest de Beijing, se trouvent les anciennes capitales impériales, Xi'an, Luoyang, Anyang et Kaifeng. Le Huang He, chargé de limon, ondule à travers les steppes mongoles avant d'obliquer au sud. Il coule près de Xi'an, où régna le premier empereur d'une Chine unifiée, Qin Shi Huangdi, et près du mont Hua Shan, lieu de pèlerinage taoïste. En fin de course, le fleuve traverse le Shanxi – qui abrite les grottes bouddhistes du Yungang ainsi qu'un autre mont taoïste sacré, le Heng Shan –, avant d'atteindre le Henan, où l'on peut admirer les fabuleuses grottes de Longmen, près de Luoyang, et le célèbre temple de Shaolin. Avant de se déverser dans la mer, le fleuve traverse encore le Shandong, pays natal de Confucius, croise l'extraordinaire montagne de Tai Shan, et franchit Qingdao, l'enclave éventée que s'étaient arrogée les Allemands sur les bords de la mer Jaune. ❑

À **GAUCHE :** nouvel an chinois célébré dans le Nord.

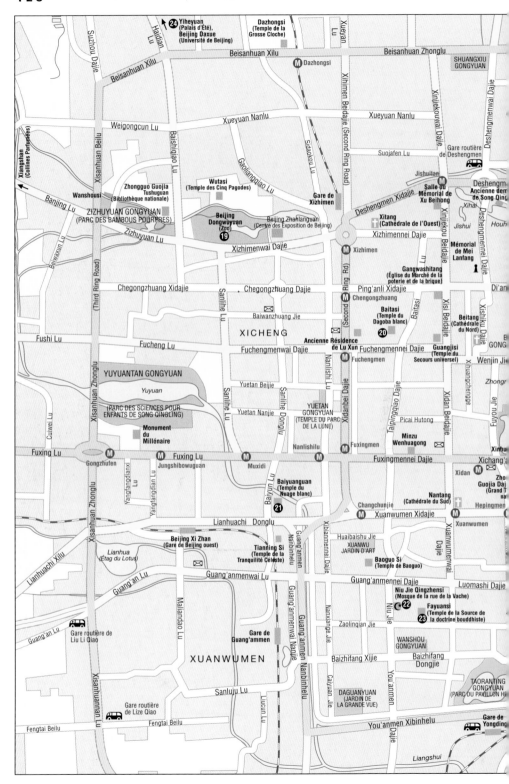

24 Yiheyuan (Palais d'Été), Beijing Daxue (Université de Beijing)

Dazhongsi (Temple de la Grosse Cloche)

Xueyan Lu

Beisanhuan Xilu

Beisanhuan Zhonglu

SHUANGXIU GONGYUAN

M Dazhongsi

Deshengmenwai Dajie

Suzhou Dajie

Haidian Lu

Beisanhuan Xilu

Xihuamen Beidajie

Xueyuan Nanlu

Xinjiekouwai Dajie

Xueyuan Nanlu

Gare routière de Deshengmen

Xiangshan (Collines Parfumées)

Weigongcun Lu

Xueyuan Nanlu

Suojiafen Lu

Jishuitan

M

Salle du Mémorial de Xu Beihong

Deshengmen Ancienne dem de Song Qing

Xisanhuan Beilu

Baishiqiao Lu

Gaoliangqiao Lu

Sidaokou Lu

Deshengmen Xidajie

Xihai

Xihou

Wanshousi

Zhongguo Guojia Tushuguan (Bibliothèque nationale)

Wutasi (Temple des Cinq Pagodes)

Gare de Xizhimen

Xitang (Cathédrale de l'Ouest)

Xinjiekou Beidajie

Jishui

Deshengmennei Dajie

Banjing Lu

Beiwaxun Lu

ZIZHUYUAN GONGYUAN (PARC DES BAMBOUS POURPRES)

Beijing Dongwuyuan (Zoo) **19**

Beijing Zhanlanguan (Centre des Exposition de Beijing)

Xizhimennei Dajie

Mémorial de Mei Lanfang

(Third Ring Road)

Zizhuyuan Lu

Xizhimenwai Dajie

M Xizhimen

(Second Ring Rd)

Gangwashitang (Église du Marché de la poterie et de la brique)

Di'an

Chegongzhuang Xidajie

Chegongzhuang Dajie

M Ping'anli Xidajie

Xishiku Dajie

Fushi Lu

Sanlihe Lu

M Chengongzhuang

Baitasi (Temple du Dagoba blanc) **20**

Baitasi

Xisi Beidajie

GONG

Fucheng Lu

Baiwanzhuang Jie

XICHENG

Ancienne Résidence de Lu Xun

Fuchengmennei Dajie

Beitang (Cathédrale du Nord)

Fuchengmenwai Dajie

Guangjisi (Temple du Secours universel)

Wenjin Jie

YUYUANTAN GONGYUAN

Nanlishi Lu

M Fuchengmen

Zhongr

Yuyuan

Yuetan Beijie

Sanlihe Lu

Xuangchengge

Xidan Beidajie

Fuyou Jie

(PARC DES SCIENCES POUR ENFANTS DE SONG QINGLING)

Yuetan Nanjie

Sanlihe Donglu

YUETAN GONGYUAN (TEMPLE DU PARC DE LA LUNE)

Taipingqiao Dajie

Picai Hutong

Monument du Millénaire

Nanlishilu

Minzu Wenhuagong

Xinhu

Cuiwei Lu

Fuxing Lu

M Fuxing Lu

Jungshibowuguan

M Muxidi

M Fuxingmen

Fuxingmennei Dajie

Xichang'

Xisanhuan Zhonglu

Gongzhufen

Yangfangdianxi Lu

Yangtangdian Lu

Baiyun Lu

Baiyuanguan (Temple du Nuage blanc) **21**

Xidan

Zho Guojia Da (Grand T na

M

Xichang'

Nantang (Cathédrale du Sud)

Hepingmen

Changchunjie

M Xuanwumen Xidajie

Xuanwumenwai

M Xuanwumen

Lianhuachi Donglu

Beijing Xi Zhan (Gare de Beijing ouest)

Tianning Si (Temple de la Tranquilité Céleste)

Xihuaimennei Dajie

Guang'anmen Nanbinhelu

Huaibaishu Jie

XUANWU JARDIN D'ART

Baoguo Si (Temple de Baoguo)

Dajie

Lianhua (Étag du Lotus)

Xisanhuannan Lu

Guang'an Lu

Guang'anmenwai Lu

Guang'anmennei Dajie

Niu Jie Qingzhensi (Mosquée de la rue de la Vache) **22**

Luomashi Dajie

Gare routière de Liu Li Qiao

Guang'an Lu

Mailiandao Lu

Gare de Guang'ammen

Guang'anmen Nanjie

Nanxiange Jie

Niu Jie

Fayuansi (Temple de la Source de la doctrine bouddhiste) **23**

Zaolingian Jie

WANSHOU GONGYUAN

XUANWUMEN

Baizhifang Xijie

Baizhifang Dongjie

Cayuan Jie

You'anmen

TAORANTING GONGYUAN (PARC DU PAVILLON HE

Sanluju Lu

Lucun Lu

DAGUANYUAN (JARDIN DE LA GRANDE VUE)

Gare routière de Lize Qiao

Gare de Yongding

Fengtai Beilu

Fengtai Beilu

You'anmen Xibinhelu

You'anmen Dajie

Liangshui

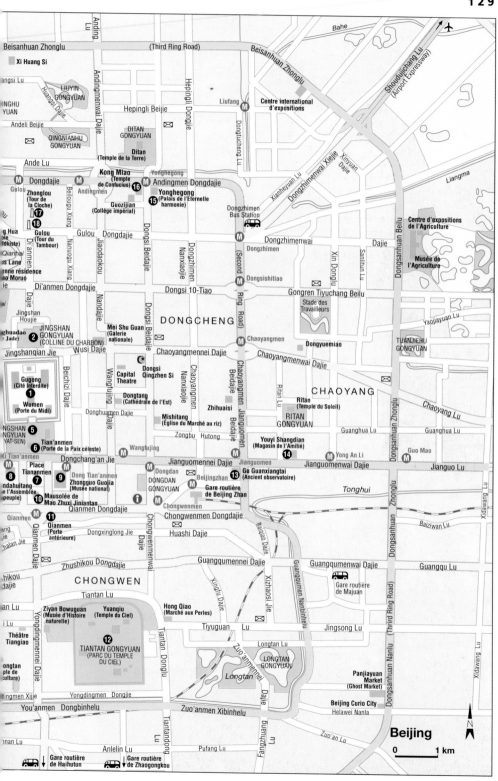

Beisanhuan Zhonglu (Third Ring Road)

Beisanhuan Zhonglu

Shoudujichang Lu (Airport Expressway)

Bahe

Xi Huang Si

LIUYIN GONGYUAN

Huangsi Dajie

angsi Lu

NGHU YUAN

QINGNIANHU GONGYUAN

Andeli Beijie

Hepingli Beijie

Liufang

Centre international d'expositions

Anding Lu

Andingmenwai Dajie

Hepingli Dongjie

Dongguicheng Lu

Liangma

Ande Lu

DITAN GONGYUAN

Ditan (Temple de la Terre)

Kong Miao (Temple de Confucius) 16

Yonghegong

Andingmen Dongdajie

Xianheyuan Lu

Dongzhimenwai Xiejie

Xinyuan Dajie

Centre d'expositions de l'Agriculture

Dongdajie M

Dongjie

Gulou M

Zhonglou (Tour de la Cloche) 17

18

Andingmen

Guozijian (Collège impérial)

Yonghegong (Palais de l'Éternelle harmonie) 15

Dongzhimen Bus Station

Dongzhimenwai

Xin Donglu

Dajie

Sanlitun Lu

Musée de l'Agriculture

g Hua le (dhiste)

Gulou (Tour du Tambour)

Beiluogu Xiang

Gulou Dongdajie

Nanluogu Xiang

Jiaodaokou

Dongsi Beidajie

Dongzhimen Nanxiaojie

Dongzhimen

Dongsishitiao

M

Dongsanhuan Beilu

Qianhai us Lane enne résidence ao Moruo ie

Di'anmen Dongdajie

Nandajie

Dongsi 10-Tiao

Dongsi Beidajie

Gongren Tiyuchang Beilu

Dajie

Jingshan Houjie

JINGSHAN GONGYUAN (COLLINE DU CHARBON) 2

e Jade)

ghuadao

Mei Shu Guan (Galerie nationale)

DONGCHENG

Stade des Travailleurs

Dongyuemiao

TUANJIEHU GONGYUAN

Jingshanqian Jie

Wusi Dajie

Chaoyangmennei Dajie

Chaoyangmen M

Chaoyangmenwai Dajie

Ritan Lu

CHAOYANG

Chaoyang Lu

Gugong (Cité interdite) 1

Beichizi Dajie

Wangfujing

Capital Theatre

Dongsi Qingzhen Si

Chaoyangmen Nanxiaojie

Chaoyangmen Beidajie

Jianguomen Beidajie

Ritan (Temple du Soleil)

RITAN GONGYUAN

Chaoyang Lu

Wumen (Porte du Midi)

Dongtang (Cathédrale de l'Est)

Zhihuaisi

Guanghua Lu

Guanghua Lu

NGSHAN NGYUAN (YAT-SEN) 5

6

Donghuamen Dajie

Mishitang (Église du Marché au riz)

Youyi Shangdian (Magasin de l'Amitié) 14

Guo Mao

Tian'anmen (Porte de la Paix céleste)

Wangfujing

Zongbu Hutong

Yong An Li M

Xi Tian'anmen

Dongchang'an Jie

Jianguomennei Dajie

Jianguomen

Jianguomenwai Dajie

Jianguo Lu

Xidawang Lu

Place Tiananmen 8

Tiananmen 7

9

Dong Tian'anmen Zhongguo Guojia (Musée national)

Dongdan M

DONGDAN GONGYUAN

Beijingzhan

Gu Guanxiangtai (Ancient observatoire) 13

Tonghui

ndahuitang e l'Assemblée peuple) 10

Mausolée de Mao Zhuxi Jiniantang

M

Qianmen Dongdajie

Gare routière de Beijing Zhan

Baiziwan Lu

Qianmen M 11

Qianmen (Porte antérieure)

Dongxinglong Jie

Chongwenmen M

Chongwenmen Dongdajie

Baidao Dajie

Dongsanhuan Zhonglu

ang ie halan Jie

Zhushikou Dongdajie

Huashi Dajie

Guangqumennei Dajie

Guangqumenwai Dajie

Guangqu Lu

hikou dajie

CHONGWEN

Tiantan Lu

Xingfu Dajie

Xizhaosi Jie

Gare routière de Majuan

Dongsanhuan Nanlu (Third Ring Road)

an Lu

Ziyan Bowuguan (Musée d'Histoire naturelle)

Yuanqiu (Temple du Ciel)

Hong Qiao (Marché aux Perles)

Guangqumen Nanbinhelu

i Lu

Théâtre Tiangiao

Tiyuquan Lu

Jingsong Lu

ongtan ple de culture)

12

TIANTAN GONGYUAN (PARC DU TEMPLE DU CIEL)

Tiantan Donglu

Longtan Lu

LONGTAN GONGYUAN

Panjiayuan Market (Ghost Market)

Yongdingmennei Dajie

Zuo'anmennei

Dajie

Xidawang Lu

ndingmen Xijie

Yongdingmen Dongjie

Longtan

Beijing Curio City

Helawei Nanlu

You'anmen Dongbinhelu

Zuo'anmen Xibinhelu

Zuo'an Lu

Beijing

N

nan Lu

Anlelin Lu

Pufang Lu

Tiantandong Lu

Fangzhuang Lu

0   1 km

Gare routière de Haihutun

Gare routière de Zhaogongkou

BEIJING

*Au cœur de la capitale du Nord, siège du pouvoir politique
de la Chine moderne, trône, immuable, la splendide Cité interdite,
le centre du monde au temps de l'empire.*

Cartes
p. 128
& 129

L a région de Beijing possède une histoire très ancienne : elle était déjà peuplée d'hominiens il y a 500 000 ans, comme l'a révélé la découverte d'un crâne de *Sinanthropus pekinensis*, l'"Homme de Pékin", au début du XXᵉ siècle (*voir p. 19*). Mais nos connaissances ne remontent pas au-delà de 5 millénaires avant notre ère, époque où il existait déjà en Chine des communautés agricoles néolithiques.

Durant le dernier millénaire, 3 grandes dynasties font de Beijing leur résidence principale. Au XIIIᵉ siècle, l'empereur des Yuan, Kubilaï Khan, l'appelle Khanbaliq ("la ville du Khan") et s'y installe tous les hivers. Après avoir délogé les Mongols, les Ming y font construire le palais impérial (la Cité interdite) et donnent à la ville sa configuration actuelle, avec son plan quadrillé conforme aux principes du *feng shui*. Quant aux empereurs Qing, ils règnent sur leur empire depuis la Cité interdite jusqu'à leur destitution en 1911.

Pour les philosophes de la Chine ancienne, le monde a la forme d'un carré. La cité, surtout s'il s'agit de la capitale, doit refléter cet ordre cosmique et géométrique qui ne sera jamais aussi bien respecté qu'à Beijing : les voies de circulation et les édifices sont orientés selon les axes nord-sud et est-ouest.

Beijing réunit aujourd'hui un magma de tours, d'échangeurs routiers gigantesques, de rues encombrées et de chantiers. Si l'on continue d'entendre partout le timbre aigrelet des vélos, ils doivent désormais partager la chaussée avec des hordes de taxis, de cars et de bus. Heureusement, rien de tout cela n'a fait disparaître les glorieux vestiges du passé : l'incontournable Cité interdite et certains des plus beaux temples et palais chinois, nichés dans des jardins merveilleux. Pour avoir une vision plus intime de la ville, explorez à pied les *hutong*, ces ruelles qui bordent les maisons traditionnelles, du moins celles qui n'ont pas encore été démolies. Ensuite, promenez-vous sur l'immense place Tiananmen, encadrée d'édifices gigantesques, et dans l'avenue Chang'an Jie, des lieux qui incarnent le pouvoir centralisé. Le contraste avec les ruelles environnantes est saisissant.

PAGES PRÉCÉDENTES :
touriste au temple
du Ciel.
À GAUCHE : lion
gardant la Cité
interdite.
CI-DESSOUS :
enceinte de
la Cité interdite
(XIXᵉ siècle).

Travaux olympiques

La tenue des Jeux olympiques de 2008 à Beijing offre l'occasion aux autorités d'imposer à la ville une cure de rajeunissement ambitieuse. Sont en construction pas moins de 11 nouvelles lignes de métro, des routes et des espaces verts. Mais certains se demandent quel en sera le prix et combien de *hutong* il faudra sacrifier à l'élargissement des rues.

Tout n'est pas rose dans la capitale : le rude climat continental de Beijing lui vaut des étés étouffants et longs et des hivers froids et secs. Durant les tempêtes de printemps, le sable s'immisce à l'intérieur des maisons par d'innombrables fissures. Les gaz d'échappement, la poussière des chantiers et celle du charbon ainsi que les rejets industriels créent une atmosphère polluée. Les autorités semblent s'en préoccuper et s'efforcent du moins de teinter de verdure la grisaille générale de la ville en plantant, notamment, de l'herbe au bord des routes.

Beijing, l'une des 6 anciennes capitales chinoises, couvre une superficie de 16 800 km². Elle est divisée en 13 districts et 8 cantons.

Sous le souffle du yang

Yongle, le troisième empereur Ming, aurait supervisé la construction de la capitale. En 1421, il transfère son gouvernement de Nanjing à Beiping (paix du Nord), qu'il renomme Beijing (capitale du Nord). Mal prononcé par les Occidentaux, le nom de la ville se transforme en Peking, Pékin en français, que l'on continue à employer dans certains cas, notamment pour l'Opéra de Pékin. Les plans de Yongle obéissent aux principes de la géomancie, la doctrine traditionnelle du *feng shui* ("vent et eau"), qui recherche l'harmonie entre la vie humaine et la nature. Beijing est construit sur une plaine ouverte au sud, une orientation favorable car soumise à la générosité et à la chaleur du *yang*. Un demi-cercle de collines couronnées par la Grande Muraille lui sert de gardien du côté nord. Tous les bâtiments importants de la vieille ville sont orientés vers le sud et protégés des influences *yin* néfastes venues du nord, comme les vents sibériens et les ennemis de la steppe. Ouvrant vers le sud, Quianmen est la plus belle porte de la ville, la plus sacrée et la plus large. La colline artificielle de Jing Shan, au nord du palais impérial, ainsi que ses pavillons obéissent aussi probablement aux principes de la géomancie.

CI-DESSOUS :

ancienne citerne contre les incendies de la Cité interdite.

La ville est divisée selon un axe nord-sud centré sur la Cité interdite, des bâtiments symétriques s'étendant de chaque côté. Par exemple, le Ritan (autel

du Soleil) a pour pendant le Yuetan (autel de la Lune). Les quartiers des affaires est et ouest se font également face de façon symétrique, tout comme les quartiers commerçants de Xidan et Dongdan, dont les noms dérivent des *pailou*, des arches décoratives qui, auparavant, se trouvaient sur les lieux. Plusieurs sites importants du vieux Beijing s'égrènent le long de cet axe nord-sud. En partant du nord, on découvre Zhonglou et Gulou (tours de la Cloche et du Tambour), Jing Shan (colline de Charbon), Gugong (Cité interdite), Tiananmen (porte de la Paix céleste) et Qianmen. Au milieu de cette chaîne se trouve le cœur de la Chine ancienne, le trône du Dragon, où règne l'empereur, médiateur rituel entre le ciel et la terre. Tout cet ensemble était autrefois considéré comme le centre du monde physique et perçu comme une ville inscrite dans un gigantesque damier.

Chaque élément de la ville, comme du monde, occupe une place clairement définie, en fonction de sa distance par rapport au centre. Le trône impérial reste enchâssé dans la Cité interdite, un palais majestueux, lui aussi de forme carrée et enclos de hauts murs rouges. À l'extérieur des murs, s'étend la cité impériale. Inscrite, comme il se doit, dans un carré, elle abrite les demeures des gens riches et des fonctionnaires influents dont les toits, recourbés comme la crête des vagues, ne doivent pas s'élever plus haut que ceux du palais impérial. La vieille cité – comme on appelle cette partie de Beijing qui englobe la Cité interdite et la cité impériale – était autrefois entourée de puissantes fortifications ; au-delà, s'étendait la ville extérieure, un océan de maisons de plain-pied. Aujourd'hui, il ne subsiste plus que quelques-unes des 20 portes de l'enceinte, telles Qianmen au sud et Deshengmen (la porte de la Victoire) au nord, mais la vieille cité demeure une ville dans la ville.

Sous la dynastie des Qing (1644-1911), la cité impériale reste le domaine des Mandchous, et la ville extérieure, celui des Han. Dans la partie han, les portes des maisons sont plus basses, les *hutong* plus étroits… et les bols de riz moins copieux. Les habitants ne boivent pas de thé, mais de l'eau ; ils ne sont pas chaussés de satin, mais de coton. Il arrive que des fonctionnaires mandchous désœuvrés, de riches marchands ou, à l'occasion, un prince habilement déguisé quittent leur résidence confortable pour aller s'encanailler dans les établissements de bains, les bordels, les maisons de thé, les restaurants et les bazars de la ville extérieure. De nos jours, le quartier situé au sud de Qianmen garde un côté très vivant.

La cité impériale des Ming et des Qing fut aussi un terrain de lutte pour les grandes religions de Chine, qui s'y affrontaient sur le plan spirituel et architectural. Malheureusement, après 1949, des centaines de sanctuaires taoïstes, bouddhistes et lamaïstes, des mosquées et des églises ont été transformés en usines et en écoles, puis endommagés ou détruits durant la Révolution culturelle. Au cours des 20 dernières années, certains ont été restaurés et ont rouvert au public.

Bienvenue dans la Cité interdite

En 1421, 17 ans après le premier coup de pioche, l'empereur Ming, Yongle, emménage dans son nouveau palais. Durant 500 ans, et jusqu'à la fondation de

Cartes
p.128
& 129

Les dragons sont des créatures bienveillantes, protectrices et liées à l'est, l'endroit où le soleil se lève et d'où vient la pluie. Ils symbolisent l'empereur depuis les Qing.

CI-DESSOUS : trône du Dragon.

Pour visiter la Cité
interdite, optez pour le
tao piao (pass-forfait).
Il vous ouvrira toutes
les portes de Gugong.
N'hésitez pas à faire
de même pour
le Beihai Gongyuan,
Tiantan et le Palais
d'été, à moins que
préfériez flâner dans
les jardins plutôt
que de visiter
les bâtiments.

la République chinoise, en 1911, celui-ci demeure la résidence impériale et
le centre de l'empire du Milieu. De 8 000 à 10 000 personnes – dont
3 000 eunuques, des servantes et des concubines – vivent dans les 8 706 pièces
du palais, qui couvre 70 hectares.

Derrière des murs de plus de 10 m de haut, cernés de douves de 50 m de large,
un rituel complexe dicte la vie au palais impérial. Les gens ordinaires sont *per-*
sona non grata. Seuls y sont admis nobles et dignitaires. Imaginez cette scène,
il y a 500 ans : au petit matin, à l'heure où résonnent les coups de tambours de
Gulou (la tour du Tambour) pour la quatrième veille de la nuit, les mandarins
de la cité impériale écartent leurs courtines en soie, font leur toilette, s'habillent
et montent dans leur palanquin pour se rendre à l'audience du matin à **Gugong**,
la **Cité interdite**, ou encore au **palais impérial ❶** (ouv. l'été de 8h30 à 17h30,
l'hiver de 8h30 à 16h30 ; entrée payante, le guichet ferme une heure avant la fermeture). Un eunuque les guide vers leur place en fonction de leur rang, et ils
écoutent leur monarque dans un silence respectueux. Aujourd'hui, les choses
ont bien changé : les visiteurs de toutes classes sociales se pressent pour admirer le plus fascinant exemple d'architecture chinoise classique.

La monumentale **porte Wumen Ⓐ** (porte du Midi, 35 m de haut) donne
accès aux 3 palais et aux cours avant par le sud. Passé la porte, on découvre
le plus impressionnant et le plus grand d'entre eux, **Taihe Dian Ⓑ** (salle de
l'Harmonie suprême), qui ouvre sur une esplanade assez vaste pour contenir
90 000 personnes. Au centre même de l'édifice, l'empereur régnait sur son
trône du Dragon, admirablement sculpté. C'est ici que les cérémonies les
plus solennelles se déroulaient, comme les rites du nouvel an et les couron-
nements. Derrière Taihe Dian, **Zhonghe Dian** (salle de l'Harmonie du milieu)
et **Baohe Dian Ⓒ** (salle de l'Harmonie
préservée) complètent cette trinité : le
chiffre 3, hautement symbolique, a une
valeur sacrée dans la pensée traditionnelle chinoise, bouddhiste et taoïste.

À l'est de Baohe Dian se dresse le
splendide **Jiulongbi Ⓓ** (mur-écran aux
Neuf Dragons). **Qianqing Gong Ⓔ**
(palais de la Pureté céleste) était réservé
à la famille impériale. Au nord de la
cour, et séparé de cette dernière par
Qianqingmen (porte de la Pureté
céleste), s'étend un dédale de pavillons,
de jardins et de palais. Ils étaient essentiellement peuplés de femmes, les seuls
hommes autorisés à y pénétrer étant
l'empereur et ses eunuques. Les **Sanhou**
Gong, les 3 palais arrière, occupent le
centre de cette partie très privée. Leurs
couloirs et leurs antichambres servaient
de cadre aux luttes de pouvoir que se
livraient eunuques et concubines
influentes. Moult intrigues s'y sont
nouées et dénouées ; bien des arrêts de
mort y furent signés.

Le puits situé derrière **Ningshou**
Gong Ⓕ (palais de la Paix et de la Longévité), au nord-est, a été le site d'un de

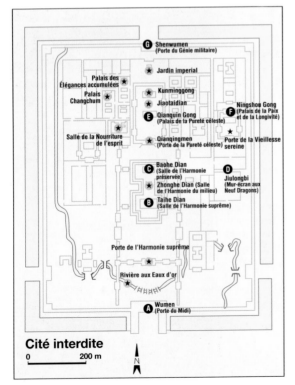

Ⓖ Shenwumen
(Porte du Génie militaire)

★ Jardin imperial

Palais des
Élégances accumulées ★
Palais
Changchum ★

★ Kunminggong

★ Jiaotaidian

Qianquin Gong
(Palais de la Pureté céleste) Ⓔ

Ningshou Gong Ⓕ
(Palais de la Paix
et de la Longivité)

Salle de la Nourriture
de l'esprit ★

Qianqingmen
(Porte de la Pureté céleste)

★ Porte de la Vieillesse
sereine

Ⓒ Baohe Dian
(Salle de l'Harmonie
préservée)
★ Zhonghe Dian (Salle
de l'Harmonie du milieu)

Ⓓ
Jiulongbi
(Mur-écran aux
Neuf Dragons)

Ⓑ Taihe Dian
(Salle de l'Harmonie suprême)

Porte de l'Harmonie suprême
★

★
Rivière aux Eaux d'or
★

Ⓐ Wumen
(Porte du Midi)

Cité interdite

0   200 m

N

ces épisodes macabres. En 1900, une concubine de l'empereur Guangxu ose braver l'autorité de la puissante impératrice douairière Cixi. Le châtiment est terrible : la concubine est roulée dans un tapis et précipitée au fond du puits par des eunuques. Dans des bâtiments plus modestes, à l'est et à l'ouest des grandes salles, se trouvent les différentes sections du musée du Palais. Ne manquez surtout pas celle de l'Horloge, ses clepsydres et ses superbes horloges mécaniques, européennes et chinoises.

En sortant du palais, de l'autre côté de la rue, et en passant **Shenwumen** ❻ (porte du Génie militaire), l'accès nord de la Cité interdite, **Jing Shan** ❷ (colline de Charbon ; ouv. tlj. en été de 6h à 21h, en hiver de 6h à 18h, les bâtiments ouvrent à 8h ; entrée payante) offre le meilleur point de vue sur le palais impérial. Cette butte artificielle couronnée de pavillons fut construite au début du XVᵉ siècle avec la terre de remblai des douves. En 1644, le dernier empereur Ming, Chongzhen, après avoir tué sa famille et fui un palais assiégé par des paysans rebelles, s'y suicide en se pendant à l'un des arbres… qui, quant à lui, est toujours debout.

À l'ouest de Jing Shan, **Beihai Gongyuan** ❸ (parc de la Mer du Nord ; ouv. tlj. de 6h à 21h ; entrée payante) était la résidence d'hiver de Kubilaï Khan. Il ne reste rien de son palais sur Qiongdao (île de Jade), où se dresse aujourd'hui **Bai Ta** (le Dagoba blanc). Ce sanctuaire bouddhique datant de 1651, haut de 35 m et construit en style tibétain, commémore la première visite du dalaï-lama. Les autres temples, notamment l'impressionnant Xitian Fanjing, situé près du **mur vernissé aux Neuf Dragons**, se regroupent sur la rive nord du lac. Tuancheng (la Cité ronde), le centre administratif des Mongols sous les Yuan, se tient dans la partie sud du parc.

Cartes
p. 128
& 134

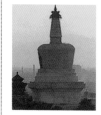

Bai Ta, le Dagoba blanc du parc Beihai.

CI-DESSOUS :
l'esplanade
de la Cité interdite.

Zhongnanhai ❹ (mer du Centre et du Sud) accueille le siège du Politburo – où Mao Zedong et Zhou Enlai ont vécu et travaillé – et des bureaux du Conseil d'État. Ces lieux représentent la nouvelle Cité interdite pour beaucoup de Chinois : ils sont strictement fermés au public. L'entrée, assez élégante, est protégée par un mur-écran destiné à chasser les mauvais esprits.

Tiananmen et Qianmen

À l'ouest de la porte Tiananmen, **Zhongshan Gongyuan** ❺ (parc Sun Yatsen ; ouv. tlj. en été de 6h à 20h, en hiver de 6h30 à 17h ; entrée payante) est un parc joliment dessiné, situé sur le site d'un temple jadis dédié aux dieux de la terre et de la fertilité, près des douves du palais. On l'a rebaptisé du nom de Sun Yatsen (1866-1925), le père de la République chinoise (*voir p. 34*). Près de l'entrée sud, s'élève une arche triomphale, érigée en l'honneur d'un ministre des Affaires étrangères allemand assassiné durant la révolte des Boxeurs.

À l'est de la porte Tiananmen, **Tai Miao**, l'ancien sanctuaire des ancêtres impériaux, s'appelle aujourd'hui **Laodong Renmin Wanghua Gong** (palais de la Culture des travailleurs ; ouv. tlj. en été de 6h à 20h, en hiver de 6h30 à 17h ; entrée payante). Les 3 temples datent de la période Ming. Ils abritent les tablettes des ancêtres impériaux, que l'empereur se devait d'honorer.

Le 1ᵉʳ octobre 1949, Mao Zedong, président du parti communiste, proclame la fondation de la République populaire de Chine du haut de **Tiananmen** ❻ (porte de la Paix céleste ; ouv. tlj. de 8h30 à 16h30 ; accès à l'étage payant, traversée gratuite). La structure actuelle, précédée autrefois d'une porte de bois construite au début du XVᵉ siècle, date de 1651. Lorsque les empereurs quittaient la Cité interdite pour célébrer le nouvel an au temple du Ciel, ils

déposaient ici leurs premières offrandes. 5 ponts de marbre conduisent à 5 passages dans la porte, celui du centre étant réservé à l'empereur. Depuis 1949, cette porte est à la fois le symbole de Beijing et celui de la République populaire. Aujourd'hui, c'est le seul édifice public affichant le portrait de Mao.

Cette image géante domine l'avenue Chang'an Jie menant à la **place Tiananmen** ❼. Cette place célèbre a été le site de nombreux épisodes tragiques de l'histoire chinoise, comme les rassemblements de gardes rouges et les manifestations d'étudiants de 1989 réprimées par l'Armée rouge. Dans les années 1960, sa superficie a été quadruplée afin de pouvoir contenir un million de visiteurs. À l'ouest de la place, le **Renmin Dahuitang** ❽ (palais de l'Assemblée du peuple ; ouv. tlj. de 8h30 à 15h, sauf lorsqu'en session ; entrée payante) accueille les rassemblements du Congrès du peuple, ainsi que des conférences et des réunions diplomatiques importantes. Les 32 régions et provinces de Chine y possèdent leur propre salle.

Les façades massives du **Zhongguo Lishi Bowuguan** (musée d'Histoire de la Chine) et du **Zhongguo Geming Bowuguan** ❾ (musée de la Révolution chinoise ; les deux ouv. tlj. de sept. à oct. et de mars à juin de 8h30 à 16h30, de nov. à fév. de 9h à 16h, de juil. à août de 8h à 18h ; entrée payante) bordent la place du côté est. Le premier couvre toute l'histoire de la Chine et expose des pièces en provenance du pays entier. Le second présente une collection de photos, de tableaux, de documents et de souvenirs datant de la révolution communiste.

En 1977, un an après la mort de Mao, le **Mao Zhuxi Jiniantang** ❿ (mausolée de Mao ; ouv. du mar. au dim. de 8h30 à 11h30, et aussi, de sept. à mai, le mar. et le jeu. de 14h à 16h ; entrée libre) est édifié au sud de la place Tiananmen. Les Chinois continuent à affluer de toutes les régions pour se recueillir

Cartes
p. 128
& 129

L'emblème national représente la porte Tiananmen, d'où Mao proclama la République populaire de Chine.

CI-DESSOUS :
fin de journée
à Tiananmen
et à Qianmen.

Hutong et siheyuan

Beijing, pourtant protégée par la Grande Muraille, s'abrita longtemps derrière d'imposantes fortifications. Ses habitants érigeaient aussi des murs pour défendre leurs *siheyuan*, ou maisons à cour carrée.

Des boulevards et des tours ont remplacé les murailles, victimes de l'urbanisation. Au centre de Beijing, des immeubles sans âme bâtis dans les années 1950 encadrent les *hutong*, un labyrinthe de ruelles grises et décrépites dont certaines ont été tracées voici plusieurs centaines d'années. Peu à peu, ce qui fut jadis le cœur de la vie du peuple pékinois – tous ceux qui n'avaient pas accès à la Cité interdite – disparaît pour laisser la place à des avenues, à des centres commerciaux et à des immeubles.

Des puits mongols aux murs chinois

Lorsque les conquérants mongols font de Beijing leur capitale, ils y importent leur

langue, leur mode de vie et leurs chevaux. Ils installent un peu partout des puits et des abreuvoirs, *hut* ou *hot* en mongol (comme dans Hohhot, la capitale de la Mongolie-Intérieure). Prononcés à la chinoise, ces puits deviennent des *hutong*.

Les Pékinois, ne pouvant laisser sans protection leurs maisons dispersées au milieu de ces abreuvoirs très fréquentés, ferment les petits espaces séparant leurs habitations par un mur et, ainsi, retrouvent un peu d'intimité. Personne n'a le droit de bloquer l'accès à l'eau des *hutong*, mais rien n'empêche de construire des bâtiments adossés au mur du voisin. C'est ainsi que se constitue peu à peu l'écheveau compliqué des *hutong*, ruelles qui ne laissent le passage qu'à un cavalier.

Les maisons et les cours, cachées et encloses, sont accessibles par des portes de bois sur lesquelles on grave souvent des idéogrammes censés porter chance au propriétaire. Des murs-écrans protègent ces portes des mauvais esprits : ceux-ci, ne sachant avancer qu'en ligne droite, sont incapables de contourner un mur.

Dans le secret des cours

Les *hutong* ont engendré une architecture introvertie : la *siheyuan*, maison chinoise traditionnelle, est un ensemble de 3 ou 4 bâtiments de plain-pied, encadrant une cour fermée où poussent quelques arbres, des fleurs et des plantes grasses.

Les *siheyuan* des familles les plus aisées possèdent jusqu'à deux ou trois cours. Des renfoncements de chaque côté de ces cours servent de cuisine ou de lieu de stockage. Ce type de logement est devenu rare, du fait de l'augmentation de la population. Ceux qui subsistent abritent désormais 4 ou 5 familles. De plus en plus de cours sont hérissées de huttes en contreplaqué hébergeant des paysans migrants.

Chaque *hutong* raconte une histoire différente. Autrefois, certains étaient peuplés d'artisans et l'on trouve encore la rue des cordes, celle des tissus, celle des chapeaux... D'autres, habités par les descendants d'une seule famille, en portent toujours le nom. ❏

À **GAUCHE** : scène familiale dans un *hutong*.

devant le corps embaumé du "Grand Timonier", protégé par un couvercle de verre. Dehors, des marchands vendent des bustes de Mao, des sacs, des badges et des briquets musicaux jouant quelques mesures de *L'Orient est rouge*.

Tout au sud de la place Tiananmen, **Qianmen Dajie**  (porte Antérieure) reliait la cité impériale à la ville extérieure. Datant du règne de Yongle (1421), elle est composée de deux structures : d'une part Jianlou (tour de la Flèche), en pierre, détruite en 1900 dans un incendie et reconstruite en 1903 ; de l'autre, la porte principale en bois, Zhengyangmen (porte Face au soleil), reliée aux fortifications. Sa taille donne une idée de l'épaisseur de l'enceinte.

Au sud de Qianmen Dajie, découvrez l'un des quartiers les plus animés de la ville. Promenez-vous dans **Dazhalan**, ruelle bordée d'excellentes boutiques traditionnelles, où banlieusards et provinciaux se donnent rendez-vous. Non loin de là, à travers le dédale des venelles du *hutong*, **Liulichang**, entièrement restaurée, regorge de magasins d'antiquités et d'objets d'art. Les bibelots kitsch n'y manquent pas non plus.

Tiantan

Deux fois par an, l'empereur et une procession grandiose de quelque 1 000 eunuques, courtiers et ministres quittaient Gugong, la Cité interdite, pour **Tiantan**, le **temple du Ciel** (bâtiments ouv. tlj. de 8h30 à 17h30 ; parc ouv. de 6h à 20h ; entrée payante), 3 km au sud du palais. L'empereur passait une nuit à **Zhai Gong** (palais de l'Abstinence), dans le jeûne et la solitude, avant de procéder, le lendemain matin, aux rites sacrificiels. Lors du solstice d'hiver, il remerciait les divinités pour les moissons précédentes et, le 15e jour du 1er mois de l'année lunaire, il suppliait les dieux du soleil, de la lune, des nuages, de la pluie, du tonnerre et des éclairs que la prochaine saison soit bonne.

Construit au cœur d'un parc de 270 ha, Tiantan est un exemple remarquable d'architecture confucéenne de l'époque Ming. Le parc de forme carrée et son enceinte nord arrondie ont été conçus comme une représentation symbolique du voyage spirituel que l'empereur accomplit de la terre (carrée) vers le ciel (arrondi).

Qinian Dian (temple de la Prière pour de bonnes moissons), construit tout en bois et sans le moindre clou, s'élève à 40 m de hauteur. Son triple toit est couvert de tuiles d'un bleu intense reproduisant la couleur du ciel. Il repose sur 28 piliers dont les 4 plus gros représentent les 4 saisons, la double rangée de 12 colonnes symbolisant les 12 mois ainsi que les 12 tranches de deux heures du jour. Le temple, détruit à plusieurs reprises, a été reconstruit pour la dernière fois en 1890. Au sud du parc se trouvent une terrasse de marbre blanc circulaire, **Huanqiu** (autel Circulaire), et le **mur de l'Écho**, réputé pour son acoustique. Au petit matin, les Chinois pratiquent dans ce parc le *taijiquan*, le *gongfu*, la calligraphie, la danse, le badminton et le cerf-volant.

À l'est de la Cité interdite

De Tiananmen, prenez Jianguomennei Dajie en direction de l'est pour vous rendre à **Gu Guanxiangtai**  (ancien observatoire ; ouv. du mer. au dim. de 9h à 11h30 et de 13h à 16h30 ; entrée payante). Les empereurs chinois étaient férus d'astronomie. Le premier

---

Cartes
p.128
& 129

Beijing 2008

La venue des Jeux olympiques de 2008 à Beijing est une aubaine pour la Chine. Les autorités ont lancé un vaste programme de rénovation de la ville.

CI-DESSOUS :
Qinian Dian, au temple du Ciel.

observatoire a été construit ici en 1422, sur une ancienne tour de garde de la capitale impériale. Elle a porté plusieurs noms : sous les Yuan, elle s'appelle "Terrasse qui fait descendre les cieux", ce qui correspond au tempérament conquérant des Mongols ; sous les Ming, elle devient la "Terrasse d'observation des étoiles". Des instruments astronomiques, mis au point par les Jésuites au XVIIe siècle, sont exposés sur le toit de la tour. Les salles abritent des instruments rares, des documents scientifiques, des tables de navigation et des portraits d'astronomes. À l'extérieur, un beau jardin attend le visiteur fatigué.

À 1 km à l'est de Tiananmen, découvrez **Wangfujing**, le quartier commerçant le plus chic de Beijing, couronné par l'éblouissant *Oriental Plaza*, un centre commercial de 100 000 m² (installé sur le site de ce qui fut le plus grand McDonald's du monde). Flânez parmi les hordes de clients, dans les boutiques pour touristes et les restaurants. Puis partez à la chasse aux souvenirs à **Youyi Shangdian** ⓮ (magasin de l'Amitié ; ouv. tlj. de 9h à 21h), à l'est du centre.

Au nord de la Cité interdite

L'édifice religieux de Beijing qui a été restauré avec le plus de soin est **Yonghe Gong** ⓯ (palais de l'Éternelle Harmonie ; ouv. tlj. de 9h à 16h30 ; entrée payante), une lamaserie du nord-est de la vieille ville, située à côté de la station de métro Yonghe Gong. À l'origine, le palais appartenait au prince Yong qui, respectant la tradition chinoise, le fit transformer en lieu de culte quand il accède au trône du Dragon, en 1723.

À partir du milieu du XVIIIe siècle, Yonghe Gong devient un centre religieux et artistique lamaïste (bouddhisme tibétain) qui permet au pouvoir impérial d'influencer et de contrôler ses sujets tibétains et mongols. Il appartient à la

Statue de pierre de Kong Fuzi, Confucius pour les Occidentaux.

CI-DESSOUS :
Yonghe Gong.

secte des Bonnets jaunes, dont le chef spirituel est le dalaï-lama. Admirez la statue de Maitreya, le Bouddha du futur, sculptée dans un seul tronc de santal. Sa silhouette, haute de 26 m, se projette sur les 3 étages de la partie centrale de Wanfuge (pavillon des Dix Mille Bonheurs).

En face de Yonghe Gong, de l'autre côté de Yonghegong Dajie, se trouvent **Kong Miao** ⓰ (temple de Confucius) et **Guozijian** (Collège impérial ; ouv. tlj. de 8h30 à 17h ; entrée payante), de paisibles centres d'érudition, aujourd'hui très délaissés. À son heure de gloire, Kong Miao accueillait les empereurs venus offrir des sacrifices à Confucius afin de recueillir ses conseils. Construit en 1306 sous les Yuan, le temple compte parmi ses trésors une collection de 190 stèles qui portent des inscriptions relatives aux examens de la fonction publique (*voir "Croyances et religions", p. 73*). C'est le deuxième temple confucéen de Chine par la taille, après celui de Qufu, ville natale du maître.

Guozijian, l'actuelle bibliothèque centrale de Beijing, fut en son temps la meilleure école confucéenne du pays. Des milliers d'étudiants et de lettrés venaient y préparer les examens impériaux, qui avaient lieu une fois par an. Un ensemble de stèles commandé par l'empereur Qianlong regroupe les 800 000 idéogrammes de 13 ouvrages confucéens classiques. Elles sont l'œuvre d'un seul lettré, qui mit 12 ans à les graver.

À l'ouest de Kong Miao, **Zhonglou** ⓱ (tour de la Cloche) et **Gulou** ⓲ (tour du Tambour ; ouv. tlj. de 9h à 17h30 ; entrée payante) furent construites sous les Yuan pendant le règne de Kubilaï Khan. La tour du Tambour fait face au palais impérial, à 3 km au sud ; la tour de la Cloche se dresse juste derrière elle. Elles marquèrent jadis la limite nord de Beijing, mais, à l'époque mongole, la ville les enserrait et elles en occupaient le centre. La tour de la Cloche,

Cartes
p. 128
& 129

L'un des plus jolis quartiers de la ville se situe autour du lac Houhai, à l'ouest des tours du Tambour et de la Cloche. Lotus Lane, aligné de bars et de restaurants, est devenu un lieu de sortie privilégié. Dans la journée, vous pourrez visiter l'ancienne résidence de Song Qingling et le palais du prince Gong.

CI-DESSOUS :
tour du Tambour.

Sous les Ming, le zoo de Beijing est un lieu de repos. Puis il devient un parc à l'usage des empereurs Qing. Il sert un temps à des expériences agronomiques, avant d'être ouvert au public en 1908.

dont la dernière reconstruction date de 1747, est haute de 33 m. Autrefois, la tour du Tambour possédait 24 tambours géants qui résonnaient chaque jour à la fermeture des portes de la ville et au passage des différentes veilles. Montez à son sommet ; une vue intéressante sur les *siheyuan*, les maisons traditionnelles à cour carrée du quartier (*voir p. 138*), vous y attend.

À l'ouest de la Cité interdite

Beijing Dongwuyuan ⑲ (zoo de Beijing ; ouv. tlj. de 7h30 à 17h30 ; entrée payante), ancienne ménagerie personnelle de l'impératrice Cixi, était connu sous le nom de Wanshengyuan (jardin des Dix Mille Animaux). il est situé à 7 km de la tour de la Cloche, à côté du **Centre des expositions de Beijing**. Les animaux vivent là dans des conditions sordides : l'on vient surtout y admirer les pandas et l'aquarium (supplément). Dans Suzhou Jie, à l'ouest du zoo, se trouve **Wanshou Si** (temple de la Longévité et musée d'Art de Beijing ; ouv. du mar. au dim. de 9h à 16h30 ; entrée payante), construit au XVIᵉ siècle pour conserver des sutras bouddhiques. Une collection fascinante de statues et de figurines est exposée dans les salles latérales du complexe.

Baita Si ⑳ (temple du Dagoba blanc ; ouv. tlj. de 8h30 à 16h30 ; entrée payante) est à 3 km au sud-est du zoo. Il date de 1096 mais fut profondément remanié en style lamaïste en 1271. Admirez sa belle collection de statuaire bouddhique tibétaine, ses 18 *luohan* (*arhats*) de terre cuite et son *dagoba* blanc, un stupa tibétain similaire à celui du parc Beihai.

Plus loin, au sud-ouest, près de la gare Xizhimen, **Baiyun Guan** ㉑ (temple du Nuage blanc ; ouv. tlj. de 8h30 à 16h ; entrée payante) fut le plus grand centre taoïste du nord du pays. Gengis Khan offrit cet ancien palais impérial

CI-DESSOUS :
Beitang,
la cathédrale
du Nord (XIXᵉ siècle).

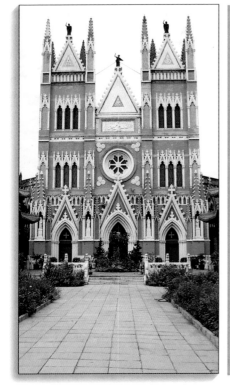

ÉGLISES ET CATHÉDRALES

Les palais impériaux et les pagodes de Beijing attirent les visiteurs du monde entier, mais peu s'attendent à y trouver tout un patrimoine d'églises catholiques et même des cathédrales ! La présence chrétienne en Chine remonte au VIIIᵉ siècle, avec l'arrivée de la secte des nestoriens. C'est toutefois aux Jésuites, très appréciés à la cour impériale pour leurs connaissances scientifiques, que le catholicisme doit d'avoir fait souche dans le pays.

Saint-Joseph (Dongtang ou cathédrale de l'Est) est la plus visible, au nord de la vaste place Sundongan, dans Wangfujing Dajie. Éclairée la nuit, cette belle église, construite en 1655, a subi de nombreux dommages et dut être restaurée plusieurs fois. Au nord-est de la station de métro Xuanwumen, Sainte-Marie (Nantang ou cathédrale du Sud) date du début du XVIIIᵉ siècle. Elle est construite sur le site de l'ancienne maison de Matteo Ricci (premier jésuite à vivre à Beijing). De couleur bleu-gris, la grande église Saint-Sauveur, datant du XIXᵉ siècle, se trouve dans Xishiku Dajie, à l'ouest du parc Beihai. Si vous vous promenez dans le quartier des ambassades, à l'est de la place Tiananmen, jetez un coup d'œil à Saint-Michel (église catholique Dongjiaomin), dans Dongjiao Minxiang, en face de l'auberge Zijin.

à Qiu Chang Chun, un prêtre taoïste ayant promis que la Chine se soumettrait si le conquérant respectait le taoïsme. Aujourd'hui siège de l'Association taoïste de Chine, Baiyun Guan dispose d'un restaurant végétarien taoïste et organise des fêtes très appréciées lors du nouvel an chinois.

L'islam arrive à l'époque des Tang (618-907) et fait des adeptes dans tout le pays. **Niujie Qingzhen Si** ❷ (mosquée de la rue de la Vache ; ouv. tlj. de 9h à 20h ; entrée payante), construite en 966, est située à 10 min à pied au nord-est de Daguan Yuan. Comme toutes les mosquées du monde, elle possède un minaret, une salle de prière faisant face à La Mecque et des inscriptions en arabe, mais les bâtiments sont de style chinois. Le quartier possède la plus forte concentration de musulmans hui de Beijing, et les restaurants y sont excellents.

En continuant 5 min à l'est, vous découvrirez **Fayuan Si** ❷ (temple de la Source de la doctrine bouddhiste ; ouv. jeu. à mar. de 8h30 à 16h ; entrée payante), édifié en hommage aux soldats de la dynastie Tang morts au combat. C'est le plus vieux temple de la ville (696), mais les bâtiments actuels datent essentiellement du XVIIIᵉ siècle. Il abrite l'académie bouddhiste qui, depuis 1956, forme les novices envoyés ensuite dans tous les monastères de Chine. L'académie dispose d'une bibliothèque de plus de 100 000 textes précieux et d'une collection de sculptures dont certaines datent de la dynastie Han.

Les palais d'Été

À 16 km au nord-ouest du centre-ville, l'empereur Qianlong (1736-1795) – un grand esthète – fit réaliser un chef-d'œuvre paysager et architectural : **Yuan-ming Yuan** (jardin de la Perfection et de la Clarté ; ouv. tlj. en été de 7h à 19h, en hiver de 8h à 17h30 ; entrée payante), mieux connu des Occidentaux sous le

Cartes
p. 128
& 129

Au milieu du XIXᵉ siècle, les Occidentaux mettent à sac l'ancien palais d'Été, de style européen.

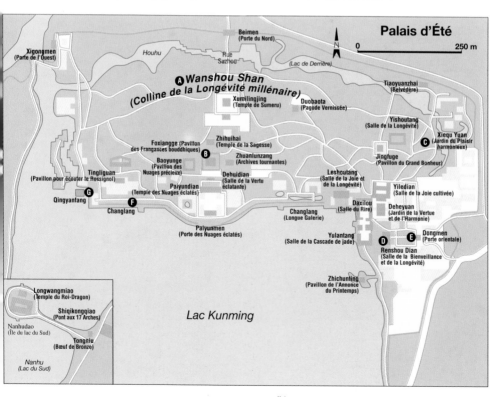

nom d'**ancien palais d'Été**. Son architecte, le missionnaire jésuite italien et artiste Giuseppe Castiglione, s'inspire des modèles européens les plus dispendieux, comme le palais de Versailles. Pendant la seconde guerre de l'Opium (1856-1860), les puissances occidentales, menées par les troupes franco-britanniques, mettent le palais à sac. Aujourd'hui, seuls un labyrinthe de briques et son pavillon central ont été restaurés, trônant au milieu de ruines qui ne manquent pas de pittoresque, en particulier celles de la grande cascade.

Un nouveau palais d'Été est reconstruit non loin de là, sur le site prévu par Qianlong pour accueillir la retraite de sa mère. Mais on associe ce palais au nom de la célèbre impératrice douairière Cixi. En 1888, piochant dans les deniers publics alloués à la constitution d'une flotte, celle-ci fait bâtir **Yiheyuan** ❷❹ (Jardin où l'on cultive la concorde, **palais d'Été**; ouv. tlj. en été de 6h30 à 19h, en hiver de 6h30 à 18h; entrée payante). Cixi, qui n'est qu'une concubine de troisième rang, se fait couronner à la mort de l'empereur. Dénuée de tout scrupule, elle passe 50 ans sur le trône du Dragon. En distrayant son fils avec des jeunes filles et d'autres amusements, elle parvient à le garder loin des affaires du pays jusqu'à ce qu'il meure, à l'âge de 18 ans. Se moquant des lois de succession, elle installe alors son neveu sur le trône et gouverne dans l'ombre jusqu'à la majorité de ce dernier. Puis elle se retire dans son palais d'Été tout en continuant à se mêler de la politique du pays jusqu'à sa mort en 1908.

Comme dans tous les jardins chinois classiques, l'eau et les montagnes (représentées par des rochers) structurent le paysage du Yiheyuan. À l'ombre du **Wanshou Shan** ❹ (colline de la Longévité millénaire), le **lac Kunming** occupe les trois quarts des 30 km² du domaine. **Foxiangge** ❸ (pavillon des Fragrances bouddhiques), qui couronne Wanshou Shan, est accessible par une

L'impératrice douairière Cixi, qui fit bâtir le nouveau palais d'Été.

CI-DESSOUS :
cerisiers en fleur au bord du lac Kunming.

série de ponts, d'escaliers, de portes et de pavillons. Dans la partie est, un petit bijou de jardin classique, **Xiequ Yuan ●** (jardin du Plaisir harmonieux), reproduit un étang à lotus de la vieille ville de Wuxi.

Pour empêcher la pénétration des espions étrangers, **Renshou Dian ●** (palais de la Bienveillance et de la Longévité) est bâti juste à côté de la porte orientale, **Dongmen ●**, aujourd'hui l'entrée principale. Derrière ce palais, les anciens appartements privés de Cixi abritent un musée du Théâtre. Cixi y faisait jouer des opéras par une troupe de 384 eunuques. **Changlang ●** (galerie Longue) est une construction légère en bois, décorée d'innombrables scènes de la mythologie chinoise. Longue de 78 m, elle relie, parallèlement à la rive nord du lac, les bâtiments éparpillés du palais jusqu'à **Qingyanfang ●** (bateau de Marbre), une folie où Cixi aimait prendre le thé.

Cartes p. 128 & 143

Xiang Shan (Collines parfumées)

Les Pékinois adorent, surtout à l'automne, se promener à **Xiang Shan** (Collines parfumées ; ouv. tlj. en été de 6h à 19h, en hiver de 6h à 18h ; entrée payante), à 8 km du palais d'Été. Si vous n'êtes pas en jambes, prenez le téléphérique menant au sommet de la colline de l'Encensoir. Près de la porte nord, **Biyun Si** (temple des Nuages d'azur) mérite une halte pour sa salle des Arhats contenant 500 statues de *luohan*, dont Kangxi et Qianlong, deux empereurs Qing, et pour la pagode du Trône de diamant, un stupa qui servit brièvement de tombeau à Sun Yatsen. À l'est des Xiang Shan, le beau **Xiang Shan Zhiwuyuan** (jardin botanique des Xiang Shan ; ouv. tlj. de 6h à 20h ; entrée payante) accueille de vastes serres. Au nord du jardin, **Wofo Si** (temple du Bouddha couché ; ouv. tlj. de 8h à 17h ; entrée payante) est connu pour son effigie du Bouddha Sakyamuni, qui pèse 54 t. ❑

À GAUCHE : pagode de Foxiangge au palais d'Été. **CI-DESSOUS :** paysage près de Xiang Shan.

GUGONG : LA CITÉ INTERDITE

La Cité interdite incarne l'apothéose de l'architecture impériale chinoise. Ancien siège du gouvernement, elle est aujourd'hui désignée sous le nom de musée du Palais.

Édifiée sous les Ming (1368-1644) et sous les Qing (1644-1911), cette merveille architecturale où logeaient l'empereur, l'impératrice, les concubines et les eunuques fut le siège du gouvernement pendant 500 ans. Durant cette période, les gens du peuple en furent rigoureusement exclus.

Comme de nombreux temples et maisons traditionnelles, la Cité interdite est conçue selon un plan quadrillé et un axe nord-sud, en conformité avec les principes de la géomancie (*feng shui*). On pénètre dans les principaux bâtiments par le sud, la direction la plus favorable, le nord n'apportant que les barbares et les vents rigoureux de Sibérie.

Les divers édifices formant le palais reposent sur des socles – des terrasses de pierre dans lesquelles sont ancrés les piliers porteurs, en bois. Entre le haut des colonnes et les poutres transversales, tout un réseau de consoles en encorbellement supporte ensuite les toits, dont les courbures garantissent la bonne fortune.

Les bâtiments de Gugong possèdent des toits à 4 pentes couverts de tuiles vernissées jaunes, couleur de rigueur pour les palais et les temples impériaux (comme le Tai Miao, au sud-est de la Cité interdite). Le jaune fait référence au Huang He (fleuve Jaune), berceau de la civilisation chinoise. Il symbolise aussi la terre, qui occupe le centre de l'univers.

SOUS LES TOITS ▷
Une stricte hiérarchie régit la circulation entre les bâtiments, les pavillons et les cours de Gugong.

GUEULE DE DRAGON ▽
Il existe 5 types de dragons : dragons célestes, spirituels, terrestres, ceux qui indiquent un trésor et le dragon à 5 griffes qui représente l'empereur, comme en témoigne l'expression "trône du Dragon".

JAUNE IMPÉRIAL △
Les bâtiments impériaux se reconnaissent à leurs toits à quadruple pente couverts de tuiles vernissées jaunes.

◁ GARDES ZOOMORPHES
Ces créatures mythologiques protègent le Taihe Dian (salle de l'Harmonie suprême) des incendies et des éclairs.

BESTIAIRE MYTHIQUE

En Chine, les bâtiments importants sont en général gardés par un couple de lions en pierre, symboles de la majesté impériale. À gauche, le mâle se reconnaît à la boule qu'il tient sous sa patte, geste signifiant le contrôle sur l'empire. À droite, la femelle pose la patte sur son petit, référence à la lignée et à la continuité. Le lion, qui n'est pas originaire de Chine, y devient signe d'autorité et de prestige. Seuls la cour et les officiels haut placés peuvent utiliser cet emblème. Il apparaît pour la première fois en architecture sous la dynastie des Han.

Le dragon, célèbre animal mythique de la Chine, règne en maître sur le bestiaire impérial. Il incarne la toute-puissance impériale et représente l'empereur, le Fils du Ciel. Symbole de l'énergie *yang* (mâle), cet être composite, à mi-chemin entre le ciel et la terre, s'élève dans le ciel au printemps pour se retirer dans les eaux à l'automne.

Le phénix incarne, quant à lui, la vie, la paix, le bonheur, ainsi que la force féminine (*yin*). Son image est associée à l'impératrice. Souvent représenté sur les édifices impériaux, le couple dragon-phénix symbolise l'harmonie matrimoniale.

FLAMMES DE MARBRE ▷
Les sculptures qui ornent les balustrades des canaux représentent la lumière.

TORTUES BRÛLE-ENCENS ▽
Symboles de longévité, les tortues sont souvent utilisées pour la divination. Ici, elles ont une fonction décorative et servent de brûle-encens. La fumée s'échappant de leur bouche contribue au caractère mystérieux des célébrations.

Carte
p. 151

CHINE   Beijing

AUTOUR DE BEIJING

N'hésitez pas à sortir de Beijing pour découvrir les trésors des environs. La Grande Muraille, les tombeaux des Ming et la résidence impériale d'été de Chengde vous éblouiront.

Vous rêvez de vous échapper quelques heures de Beijing ? Un court voyage en bus ou en train suffira à vous transporter loin de la foule, de la pollution et des incessantes sonnettes de vélo, vers l'un des nombreux sites qui entourent la capitale. Pour les plus proches d'entre eux, comme Badaling, sur la Grande Muraille, ou les tombeaux Ming, un circuit organisé ou un taxi feront parfaitement l'affaire. Des départs de bus réguliers pour Badaling sont également assurés depuis Qianmen, au centre de Beijing.

La Grande Muraille

Ponctuée de tours bâties en des points stratégiques, la **Grande Muraille** (Wanli Changcheng) s'étire interminablement de Shanhaiguan, sur la mer Jaune, jusqu'au désert de Gobi, traversant 5 provinces et 2 régions autonomes.

CI-DESSOUS :
la Grande Muraille
serpente à travers
les collines
de l'Ouest.

Sa construction débute au Vᵉ siècle av. J.-C., mais l'essentiel de son tracé actuel est arrêté vers 220 av. J.-C., sous le règne de Qin Shi Huangdi, premier empereur de Chine (*voir "Des Xia aux Ming : dynasties anciennes", p. 19*) ; celui-ci fait relier puis prolonger au nord les sections anciennes, afin de contenir les cavaliers nomades. Au fil des siècles, la muraille est maintes fois réparée et reconstruite, aussi la plupart de ses vestiges datent-ils de la dynastie des Ming.

Pour édifier ce *wanli changcheng*, le "mur de Dix Mille Li", partout en Chine des soldats et des paysans sont réquisitionnés. Il leur faut hisser sur les pentes abruptes des blocs de pierre pesant plusieurs centaines de kilos. On ignore combien d'entre eux y ont laissé la vie ; selon un poète song, si les murs sont aussi élevés, c'est parce qu'y sont empilés les ossements des innombrables soldats et paysans qui périrent lors de leur construction.

Plusieurs tronçons de la Grande Muraille sont facilement accessibles depuis Beijing. Le plus proche, la passe de **Badaling** ❶ (ouv. tlj. de 8h à 16h30 ; entrée payante), attire des hordes de touristes qui se jettent sur les boutiques de souvenirs avant de grimper sur le chemin de ronde. Heureusement, la vue fabuleuse sur les méandres de la fortification et sur les montagnes fait oublier la foule. Un film de 15 min sur l'histoire du mur est projeté au théâtre de la Grande Muraille. À 80 km de Beijing, le site de **Mutianyu** ❷ (ouv. tlj. de 8h à 17h ; entrée payante) est tout aussi magique et beaucoup moins touristique. Un téléphérique et un escalier de 1 000 marches, pour les plus courageux, conduisent du bas des collines jusqu'à la muraille. Certaines sections n'ayant pas été restaurées, la balade sur le haut des remparts peut s'avérer fatigante.

Le chemin de ronde de la Grande Muraille était conçu pour que 5 ou 6 cavaliers puissent y chevaucher côte à côte. Tours de guet, bastions et tours d'alarme renforçaient les défenses.

Elle risque d'être encore plus éprouvante à **Simitai** (ouv. tlj. de 8h à 17h ; entrée payante), à 110 km au nord-est de Beijing, car la section restaurée est courte et, ailleurs, il faut emprunter des marches souvent raides, parfois dangereuses. Mais le spectacle est superbe et les environs combleront les amateurs de randonnée et de camping. Ici, également, un téléphérique situé à l'est du réservoir permet d'accéder au mur. À l'ouest de Simitai, le site de **Jinshanling** (ouv. tlj. de 8h à 17h ; entrée payante) a été restauré et la montée y est moins pénible. À 25 km à l'ouest de Mutianyu, **Huanghua Cheng** (accès libre et

gratuit), très délabré, est réservé aux bons marcheurs. Non seulement l'accès au mur est difficile mais, une fois qu'on l'a atteint, il faut se méfier : les briques sont par endroits réduites à l'état de poussière.

Tombeaux des Ming

Beijing a beau être la capitale de l'empire sous 5 dynasties, seuls les tombeaux des Ming sont proches de la ville. Ceux des Qing se trouvent à 125 km à l'est, et aucun tombeau Yuan n'a subsisté car cette dynastie mongole avait des sépultures très simples.

CI-DESSOUS : stèle à l'entrée de Ding Ling, le tombeau de Wanli, mort en 1620.

Vous pouvez combiner en un seul jour la visite de la Grande Muraille avec celle des **tombeaux des Ming (Shisan Ling)** ❸ (ouv. tlj. de 8h à 17h30 ; entrée payante), où reposent 13 des 16 empereurs de la dynastie Ming. L'emplacement des tombeaux est conforme aux principes du *feng shui* : ils sont protégés par un cirque de collines les encadrant au nord, à l'est et à l'ouest. On entre par le sud en franchissant quelques portiques le long de la **Shendao (voie des Esprits)**, bordée d'une garde d'honneur de 12 personnages – représentant des mandarins civils, des militaires et des lettrés – et de 12 couples d'animaux accroupis ou debout. Ces derniers seraient relevés chaque jour à minuit.

Des 13 tombeaux, Chang Ling et Ding Ling sont les plus intéressants sur le plan historique et architectural. **Chang Ling** est le lieu de sépulture du 3e empereur Ming, Yongle, mort en 1424. Pour nombre d'historiens, Yongle inaugure la deuxième période des Ming et modifie de façon significative les institutions de l'État mises en place par son père, Hongwu, le fondateur de la dynastie. Il évince son neveu, le successeur désigné, et transfère la capitale de Nanjing à Beijing, après avoir reconstruit cette dernière.

Yongle ayant choisi le site, sa sépulture est la plus grande et occupe l'emplacement central. Son mausolée servira de modèle aux tombeaux suivants. L'empereur et son épouse reposent toujours sous les voûtes souterraines, mais le tumulus n'a pas été fouillé. À la surface s'étendent de magnifique cours et des salles de cérémonie.

Ding Ling, la tombe de Wanli – le 13e empereur Ming mort en 1620 –, est la seule qui ait été fouillée. Descendez et visitez le palais enfoui à 30 m sous terre. L'empereur y est enterré avec sa première femme et une concubine. Malheureusement, les seuls objets visibles aujourd'hui sont des coffres décoratifs et deux trônes de pierre qui semblent avoir été placés là pour faire plaisir aux touristes.

Le palais souterrain est fermé de l'intérieur par un verrou de pierre visible à l'entrée. Celui-ci bascule au moment de la fermeture, bloquant les deux battants de la porte et rendant l'ouverture quasi impossible. Pourtant, les pilleurs de tombes trouvèrent le moyen d'y pénétrer et les fouilles révélèrent un tombeau pratiquement vide, à l'exception de quelques objets éparpillés. Au-dessus des voûtes, deux pièces exposent des objets ayant appartenu à la famille impériale et qui n'ont pas été transférés au musée de Chang Ling.

Tianjin

À 140 km au sud-est de Beijing, **Tianjin** ❹, facilement accessible en bus ou en train, est l'une des plus grandes métropoles chinoises : 10 millions de personnes y vivent. À la fin du XIXe siècle, une communauté internationale prospère y construit, comme à Shanghai, des hôtels particuliers. En 1860, les puissances occidentales, voulant multiplier les échanges commerciaux avec la Chine, envoient des troupes pour ouvrir la ville au commerce en vertu d'un traité spécial, et forcent Beijing à la diviser selon leurs intérêts.

Promenez-vous à pied dans les rues de Tianjin, c'est seulement ainsi que vous pourrez découvrir les traces de son passé. Au centre de la ville, attardez-vous dans la vieille rue de la Culture : ses nombreuses échoppes vendent des livres, des porcelaines, des tapis, des objets artisanaux et de la nourriture, notamment la spécialité locale, les *goubuli baozi* (petits pains). Dans cette même rue s'élève **Tianhou Si**, un beau temple taoïste dédié à Mazu, la déesse de la mer. Continuez 1 km plus au nord pour admirer le **monastère bouddhiste Dabei** (ouv. du mar. au dim. de 9h à 16h ; entrée payante). Au **parc Zhongxin**, prenez le temps de vous imprégner de l'ambiance de la ville.

Carte ci-dessous

Chengde, résidence impériale d'été

Au nord-est de Beijing, à 4h30 de train, **Chengde** ❺ (Jehol) est l'ancienne résidence d'été des empereurs Qing. L'empereur Qing Kangxi fait construire en 1703 son nouveau palais d'Été à Chengde, dont l'emplacement stratégique lui permet d'imposer son autorité aux Mongols et de contrôler diverses frontières. C'est aussi, sur le plan politique, un endroit important puisque les chefs des minorités ethniques s'y retrouvent régulièrement. Aujourd'hui, Chengde est retombée dans la léthargie qui était la sienne avant qu'elle ne devienne une villégiature impériale.

L'architecture de la ville mêle divers styles et influences. Le vaste **parc impérial** (ouv. tlj. de 5h30 à 18h, bâtiments ouverts de 8h à 17h ; entrée payante) abrite le palais du Centre (Zhenggong), ainsi que des pagodes, des salles de réception et des pavillons. Les **huit temples de l'Extérieur** (Waiba Miao ; ouv.

"J'ai plusieurs fois voyagé jusqu'aux rives du Yangzi, et j'ai vu la luxuriante beauté du Sud. Au nord, j'ai traversé les sables du Dragon et à l'est, j'ai vu la région des montagnes Blanches, où les sommets et les rivières sont majestueux [...]. Je n'ai choisi aucune de ces régions. [Chengde] est le seul endroit où je désire vivre."
KANGXI, EMPEREUR QING

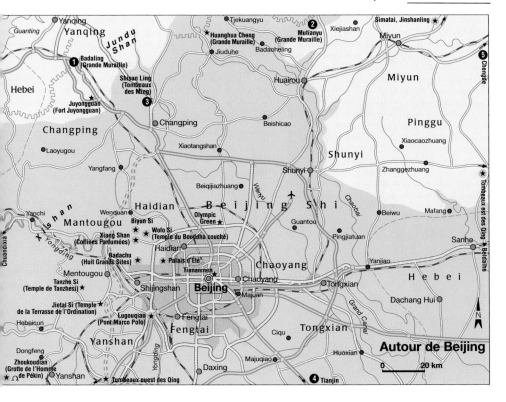

Carte
p.151

Qianlong, l'empereur
Qing qui a fait bâtir
Putuozongcheng
pour ses 60 ans.

À DROITE :
Putuozongcheng.
CI-DESSOUS :
la Grande Muraille
à Shanhaiguan.

tlj. de 8h à 18h30, oct.-avr. jusqu'à 17h ; entrées payantes séparées) qui entourent le parc impérial sont les plus intéressants sur le plan architectural. Seuls 6 des 11 temples originaux, édifiés de 1713 à 1780, subsistent. Le **Putuozongcheng** s'inspire du palais de Potala à Lhassa, au Tibet. Sa construction s'est achevée en 1771 pour célébrer le 60ᵉ anniversaire de l'empereur Qianlong. Juste à côté, le **Xumifushou** (temple du Bonheur et de la Longévité au mont Sumru) – un mariage d'architecture chinoise et tibétaine – fut construit en 1780 en l'honneur de la visite du 6ᵉ panchen-lama à Chengde pour les 70 ans de Qianlong. Le **Puning Si** (temple de la Paix universelle) commémore la trêve signée avec une minorité après un conflit au nord-ouest de la Chine. Dans la 3ᵉ cour, le pavillon du Mahayana abrite une magnifique Guanyin aux 1 000 bras (42 en réalité). Haute de plus de 22 m, elle est sculptée dans 5 bois différents. Chengde ne mérite pas seulement la visite pour l'intérêt historique de ses temples, les amateurs de randonnée apprécient aussi les montagnes qui l'environnent.

La plage des dignitaires

Sur la côte, **Beidaihe**, qui fut autrefois à la mode auprès des étrangers, est la station balnéaire préférée des hauts dignitaires. Des millions de touristes la fréquentent également. La ville est réputée pour ses vastes plages de sable, ses quelques villas de style occidental et ses fruits de mer excellents. L'été, il possible de louer des vélos pour découvrir la région. À l'est de Beidaihe, le long du chemin de fer, la ville fortifiée de **Shanhaiguan** marque l'extrémité de la Grande Muraille. Ancienne bourgade de garnison, Shanhaiguan mérite que l'on s'y promène à pied : ses ruelles tortueuses rappellent les *hutong* de Beijing. En principe, le clou de la balade est le **Premier passage sous le ciel**, des remparts où des haut-parleurs hurlent de la musique. Visitez plutôt la section de la Grande Muraille de **Jiao Shan**, à 3 km au nord de la ville, où le mur escalade ses premières collines. Prenez le téléphérique ou laissez-vous tenter par une promenade le long du mur sur les hauteurs environnantes. Dispensez-vous en revanche de visiter la **Tête du vieux dragon**, la section de la Grande Muraille qui plonge dans la mer au sud de la ville : le site est cher et décevant. Vous le verrez tout aussi bien – et gratuitement – depuis les plages.

Passé rural

La visite de **Chuandixia**, à 90 km à l'ouest de Beijing, vous précipitera dans la Chine d'autrefois. Niché dans une vallée près de la ville de Zhaitang, ce village présente un enchevêtrement pittoresque de logements traditionnels accrochés à la colline : 70 maisons dotées de cours ming et qing. Le village est réputé pour sa collection d'inscriptions maoïstes datant de la Révolution culturelle, conservées et même restaurées. Chuandixia est mal desservi par les transports publics : prenez le métro de Beijing jusqu'à Pinguoyuan, puis un taxi. Vous pouvez loger chez l'habitant pour un prix très modéré.

Tanzhe Si, à 45 km à l'ouest de Beijing, est un grand temple bouddhiste que l'on peut visiter au retour de Chuandixia. Ce sanctuaire se blottit dans un superbe décor vallonné. Visitez aussi la superbe collection de stupas située dans le temple annexe de **Talin Si**. ❑

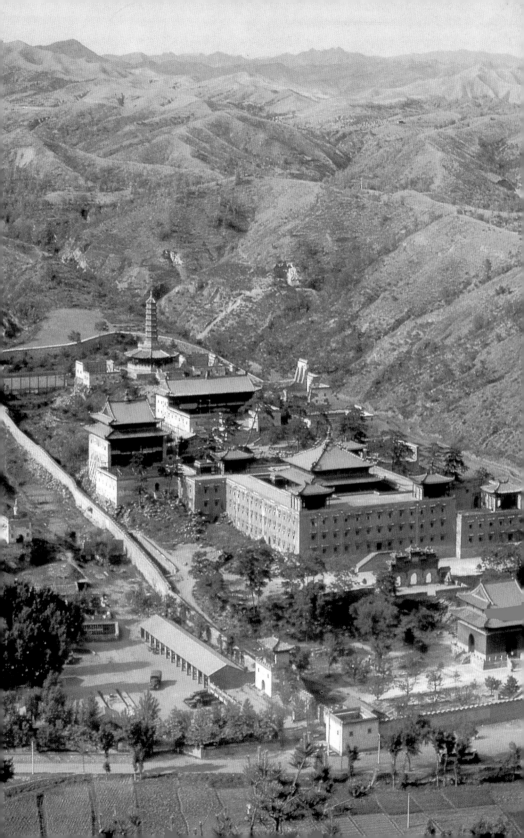

LA MANDCHOURIE

*L'austère Mandchourie, de son nom chinois Dongbei, a été modelée
par les conflits avec ses voisins, le Japon, la Corée et la Russie.*

À l'est de Beijing, les 3 provinces du Liaoning, du Jilin et du Heilongjiang sont réunies sous le nom de **Dongbei**, littéralement "Est-Nord" en chinois. Partout ailleurs dans le monde, on continue à parler de Mandchourie, en référence aux Mandchous (*manzu*), les souverains de la dynastie Qing. Le mélange d'influences chinoise, coréenne et russe que cette région lointaine a subi lui confère une identité unique.

Les souverains mandchous interdisent l'immigration des Han dans la région jusqu'au milieu du XIXᵉ siècle, mais la pression démographique et la révolte des Taiping contre le pouvoir mandchou (*voir p. 31 et p. 214*) les forcent à changer de politique. Puis, pendant les années 1930, les Japonais occupent la Mandchourie (*voir p. 33*) et tentent de la séparer du reste du pays en instaurant un État fantoche, le Manzhoukuo, dirigé par Puyi, le dernier empereur de Chine. Les débuts de la République populaire valent à la région une rapide industrialisation et la complète assimilation des Mandchous aux Chinois han. Si, ces dernières années, les coutumes et les traditions mandchoues sont à nouveau revalorisées, la fermeture des entreprises publiques a jeté une ombre sur l'avenir industriel du Dongbei, surtout pour la province du Jilin.

Shenyang

Capitale de la province du Liaoning, **Shenyang ❶**, que l'on désignait autrefois sous son nom mandchou de Moukden, est l'une des plus importantes villes industrielles de Chine : plus de 7 millions d'habitants y vivent. C'est également un nœud ferroviaire régional et routier fondamental.

Shenyang acquiert une stature importante sous la dynastie des Song en devenant le marché central des éleveurs nomades de la région. Mais c'est à l'époque des Qing qu'elle prend une place de premier plan, le Liaoning étant le pays d'origine des souverains mandchous. Aujourd'hui, plus de la moitié des Mandchous (autrefois appelés les Jürchen) de Chine vivent dans la province, formant la plus grosse minorité non chinoise dans le nord-est du pays. Un certain nombre de Mandchous habitent en Mongolie-Intérieure. Il est désormais presque impossible de les distinguer des Chinois han, dont ils ont adopté la langue, le mandarin. Leur langage d'origine, parlée depuis le XVIIᵉ siècle, est une langue altaïque, sans rapport avec le mandarin et disposant de sa propre écriture. Il semble que son usage ait totalement disparu.

Le principal site touristique de Shenyang est le **palais impérial** (ouv. tlj. de 8h30 à 17h, nov.-avr. de 9h à 16h ; entrée payante), le palais le mieux conservé de Chine après la Cité interdite. Les Mandchous l'ont construit en 1625, quand ils ont fait de Shenyang leur capitale. Ce complexe (300 édifices couvrant une super-

PAGES PRÉCÉDENTES : lumières d'automne dans le Nord.
À GAUCHE : baignade hivernale au Heilongjiang.
CI-DESSOUS : tenues traditionnelles de Shenyang.

ficie supérieure à 60 000 m²) a été la résidence de Nurhachi, le fondateur de la dynastie Qing, et de son successeur Abahai (Huang Taiji en chinois). Les Qing continuèrent à l'entretenir après avoir fait de Beijing leur nouvelle capitale. Les bâtiments principaux – un mélange d'architecture chinoise, mandchoue et mongole – sont Chongzheng, Quigning Dian, Dazheng et le pavillon Wensu.

Deux des trois sépultures impériales des Qing du Liaoning se trouvent à Shenyang (ouv. tlj. de 8h à 16h30 ; entrée payante). Dans un parc au nord de l'agglomération, **Bei Ling**, le tombeau du Nord, a été construit en 1643 pour Abahai, le fils de Nurhachi. **Dong Ling**, le tombeau de l'Est, lieu de sépulture de Nurhachi, est à 8 km de la ville. Le 3ᵉ, Yong Ling, édifié par Nurhachi en l'honneur de ses ancêtres, est dans le district de Xinbin. Le **musée d'Histoire 9-18** – dont les salles ne manquent pas de détails macabres – retrace l'époque de l'occupation nipponne (ouv. tlj. de 8h30 à 16h ; entrée payante). Son nom fait référence à la date de la prise de la ville, le 18 septembre 1931, par les Japonais.

Hong Kong en Mandchourie

De Shenyang, le train bifurque en direction du sud vers **Anshan**, à 80 km de là. Cette ville ne présente pas grand intérêt, mais elle constitue un bon point de départ pour la visite des monts **Qian Shan** et leur paysage de carte postale : pins centenaires, pavillons, temples et monastères datant des Ming et des Qing.

À travers des champs de millet et de soja, le voyage se poursuit au sud jusqu'au bout de la péninsule de Liaodong et de la ville de **Dalian ❷**, l'une des cités les plus séduisantes du nord de la Chine. Sa réussite économique lui a valu le surnom de "Hong Kong du Nord". Son port naturel, qui n'est jamais pris par les glaces, est le plus grand de la région, ce qui explique qu'il ait attiré

Au milieu des années 1980, la municipalité de Dalian fait un immense effort pour obtenir son statut de première ville dératisée de Chine.

CI-DESSOUS : les plages de Dalian attirent les foules.

tant de convoitises au fil des siècles : les Japonais s'en emparent en 1895 lors de la guerre sino-japonaise, puis la ville devient russe jusqu'au retour des Japonais en 1905. En 1945, ceux-ci doivent à nouveau laisser le champ libre aux Soviétiques, qui restituent Dalian à la Chine dans les années 1950.

Au premier abord, Dalian frappe par son intense activité portuaire et son urbanisme aux rues larges et aux beaux jardins publics. De son histoire tourmentée, elle a hérité d'un superbe ensemble d'édifices aux styles européens très divers, les plus élégants d'entre eux se trouvant place Zhongshan, en particulier l'hôtel *Dalian* et l'ancienne Banque de Chine. Dalian est également réputée pour ses excellentes spécialités de fruits de mer, mais la liste de ses attraits ne s'arrête pas là : un climat doux, de longues plages sablonneuses, des falaises vertigineuses. Ne manquez pas les plages de Bangchuidao et Fujiazhuang, ni la visite du parc naturel de Laohutan.

Frontière coréenne

Dandong ❸ et les montagnes de **Dagu Shan** se situent à la frontière de la Corée du Nord, au sud-est de Shenyang ou au nord-est de Dalian. À partir de Dadong, une ligne de chemin de fer se dirige vers l'intérieur de la Corée du Nord jusqu'à Pyongyang, sa capitale. Si vous tenez absolument à raconter que vous avez presque mis un pied en Corée du Nord, prenez l'un des bateaux qui emmènent les touristes sur le Yalu Jiang (*voir ci-contre*).

À l'est de Shenyang, la route principale mène à **Fushun**, une ville industrielle où Puyi, le dernier empereur, fut emprisonné jusqu'en 1950. Plus à l'est se trouve **Tonghua** ❹, une bourgade vinicole du sud-est de la province du Jilin. On peut y voir un monastère et le mausolée de Yanjingchu.

Carte ci-dessous

NOTEZ-LE

Pour vous approcher de la Corée du Nord au plus près, prenez l'un des bateaux qui partent tous les jours de Dandong vers le Yalu Jiang et la frontière internationale. Ils passent à 10 m du côté coréen.

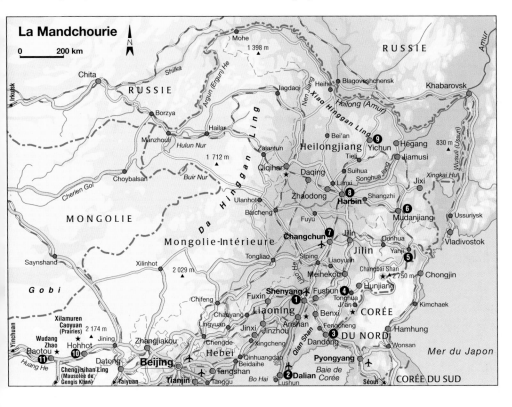

De Tonghua, **Ji'an** est accessible en train ou en bus : elle est située à la frontière sino-coréenne, sur le cours supérieur du Yalu Jiang. Cette ville fut jadis la capitale du royaume coréen de Koguryo, comme en témoignent les nombreux tombeaux des environs (tous ne sont pas ouverts au public). Aujourd'hui, elle s'insère dans une région autonome qui regroupe 60 % de la minorité coréenne du pays (la Chine héberge environ deux millions de Coréens). À cet endroit, le Yalu Jiang, qui sépare la Chine de la Corée du Nord, n'est large que de 30 m. L'été, les femmes bavardent d'un pays à l'autre en faisant leur lessive et les enfants des deux côtés se baignent ensemble même s'il est interdit de nager d'une rive à l'autre.

Les Coréens possèdent leur propre université à **Yanji** ❺, la capitale de cette région autonome. L'influence coréenne imprègne également certains quartiers de Shenyang, de Changchun, de Jilin et de Mudanjiang : leurs habitants s'habillent à la coréenne, des panneaux sont inscrits en coréen, qui est aussi la langue commerciale. À Shenyang, un cimetière commémore les Chinois tués pendant la guerre de Corée.

Entre Tonghua et Yanji, la **réserve naturelle de Changbai Shan**, qui longe la frontière montagneuse entre la Chine et la Corée du Nord, abrite de nombreux animaux en voie de disparition comme la panthère des neiges, le tigre de Sibérie et l'ours. Le ginseng local est également réputé. Le superbe **Tian Chi** (lac du Paradis), un cratère volcanique de 15 km de circonférence niché dans les montagnes, est un but d'excursion à ne pas manquer. Sachez cependant qu'il n'est accessible que de juin à septembre ; le reste du temps, la route, verglacée, est trop dangereuse. Le lac est situé sur la frontière, mais aucun panneau n'indique cette dernière ; il est préférable de ne pas en faire le tour à

CI-DESSOUS :
Changbai Shan
en hiver.
À DROITE : festival
de la Neige et de
la Glace à Harbin.

Carte
p. 159

pied. La rumeur veut qu'un monstre semblable à celui du Loch Ness (aperçu pour la dernière fois en 1981) y ait élu domicile. Le Tian Chi se déverse dans une cascade impressionnante, source du Songhua Jiang.

Au nord de Yanji, dans la province du Helongjiang, la ville de **Mudanjiang ❻** s'inscrit dans un superbe paysage. La plupart des voyageurs ne font que passer pour rejoindre **Jingpo Hu**, une station balnéaire en bordure d'un lac enchâssé dans un vaste écrin de forêt vierge. Un service de minibus dessert **Dixia Senlin** (forêt souterraine) à partir de Dongjing, au nord du Jingpo Hu. Cette forêt luxuriante pousse à l'intérieur de cratères volcaniques, d'où son nom insolite.

Au pays de Puyi

Toujours plus au nord, **Jilin**, dans la province du même nom, est accessible par le train ou par la route depuis Yanji. En hiver, on y vient surtout pour admirer le spectacle somptueux des berges du Songhua Jiang, aux arbres habillés de givre. Mais la ville mérite aussi une halte pour son **église catholique** et le **Wen Miao** (temple de Confucius), situés tous deux sur la rive nord.

Changchun ❼, la capitale provinciale, prend son essor à la fin du XIXe siècle grâce à la construction du transmandchourien par les Russes. En 1932, la ville, anciennement Hsinking, devient le siège du gouvernement du Manzhoukuo. De la présence japonaise, Changchun a hérité le tracé rectiligne de ses avenues. Cette ville universitaire et industrielle d'environ 6,8 millions d'habitants est réputée pour ses usines automobiles ainsi que pour ses vastes parcs qui lui valent le surnom de "cité verte". Vous découvrirez au **palais de Puyi** (ouv. tlj. de 8h30 à 16h30 ; entrée payante) les appartements et les souvenirs du dernier empereur de Chine.

Au début des années 1930, les Japonais installent Puyi – le dernier empereur de Chine – sur le trône du Manzhoukuo.

Carte
p. 159

Russe ou chinoise ?

Après Changchun, continuez vers le nord jusqu'à **Harbin ❽**, la capitale du Heilongjiang, à 1 400 km et 13 heures de train de Beijing. La ville est construite sur les rives du Songhua Jiang, un affluent du Heilong Jiang, le fleuve frontalier avec la Russie (où il devient l'Amour). Harbin surprend par le contraste entre les zones industrielles, les nouveaux immeubles résidentiels et les quartiers plus anciens du centre-ville, d'aspect presque européen.

À la fin du XIXᵉ siècle, les premiers Russes s'installent à Harbin lorsque cette dernière devient une étape sur la ligne de chemin de fer reliant Vladivostok à Dalian. Les réfugiés de la révolution de 1917 suivent en masse, et même si la plupart d'entre eux retournent en URSS après la Seconde Guerre mondiale, la ville garde un fort caractère russe. Le quartier central, **Daoli**, arbore des églises avec des dômes en bulbe et regorge de restaurants russes. Depuis le milieu des années 1990, de plus en plus d'hommes d'affaires et de touristes russes s'y rendent, profitant de l'amélioration des relations bilatérales. Il existe plus d'une dizaine d'églises orthodoxes, la plupart de style néogothique : la plus extraordinaire est la **cathédrale**, connue jadis sous le nom de Sainte-Sophie.

À 30 km au sud de Harbin, dans le village de Pingfang, la **base expérimentale de l'unité japonaise 731** a été transformée en **musée** (ouv. tlj. de 8h30 à 11h30 et de 13h à 16h ; entrée payante). Durant la Seconde Guerre mondiale, l'armée japonaise s'y livra à d'effroyables expériences médicales sur ses prisonniers chinois et alliés. Pendant des années, le gouvernement japonais a nié les faits, jusqu'à ce qu'un chercheur japonais en révèle les preuves. Près de 4 000 prisonniers de guerre y périrent après avoir enduré des "expérimentations" telles que l'exposition au froid, à la chaleur, aux produits chimiques, aux injections de virus et aux contaminations par la peste. Certains auraient même été disséqués vivants.

Proche de la Sibérie, Harbin subit des hivers terriblement rigoureux : le thermomètre descend couramment à -30 °C. Chaque hiver, dans le quartier de Daoli, le parc Zhaolin accueille le **festival de la Glace et de la Neige**, où sont réalisées d'extraordinaires sculptures de glace, éclairées la nuit. Le sport favori est la voile sur glace.

On peut prendre un bus à Harbin pour aller skier dans les environs, notamment à **Yabuli**, la station la mieux équipée de Chine. À 55 km au nord de **Yichun ❾**, au sud de Xiao Hinggan Ling, la **réserve naturelle de Fenglin** abrite une forêt vénérable de pins coréens, qui constitue un excellent site de randonnée.

Le train quitte Harbin vers le nord-ouest pour franchir la frontière avec la Mongolie-Intérieure, *via* la ville pétrolière de Daqing. Environ 30 km avant Qiqihar – un centre industriel –, la voie longe la **réserve naturelle du lac Zhalong**, dont les marécages abritent des espèces rares comme les grues du Japon ou les grues à cou blanc. Certains trains de la ligne Moscou-Beijing passent là. Au nord, près de Bei'an, se trouve la zone volcanique de **Wudalian Chi**.

L'été, on peut gagner le Nord en suivant le Heilong Jiang et la frontière russo-chinoise jusqu'à la ville de **Heihe**. De Heihe, il est possible d'entrer en Russie, mais il est recommandé de se procurer un permis auprès du *gonganju*. ❏

CI-DESSOUS :
église russe
à Harbin.

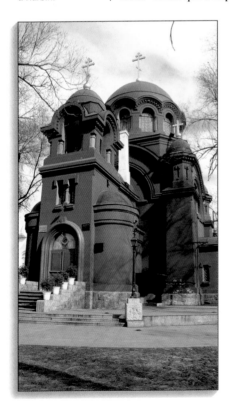

Écologie

En superficie, la Chine est le 3e pays du monde (*voir "Paysages et climats", p. 49*). Des déserts et des montagnes du Nord-Ouest jusqu'aux côtes tropicales du Sud, la variété de ses conditions climatiques et géographiques est immense et lui vaut une biodiversité étonnante. Près de 12 % des espèces de mammifères et 14 % des espèces d'oiseaux du monde ont élu domicile en Chine. S'y rencontre aussi un grand nombre d'espèces endémiques, 17 % de mammifères et 36 % de reptiles introuvables ailleurs.

Le problème crucial des Chinois est celui de l'alimentation : la Chine doit nourrir un 5e de la population mondiale, alors que seulement un 10e de sa surface totale est cultivable. La pression exercée sur la nature est donc très forte. Le braconnage, la surexploitation des forêts, l'érosion, le gaspillage des ressources en eau dû à la croissance économique ainsi que l'aridité croissante dans le nord du pays, tous ces facteurs menacent les habitats animaliers et de nombreuses espèces sont en voie de disparition (*voir p. 81*). La pollution est un autre problème grave : 9 des 10 villes les plus polluées du monde sont chinoises.

Toutefois, des progrès ont été récemment accomplis pour tenter de préserver la biodiversité du pays. Les services de défense de l'environnement collaborent avec des organismes internationaux comme le WWF, la Wildlife Conservation Society, Wetland International et la National Geographic Society pour protéger des espèces rares telles que le panda géant (*xiongmao*), la salamandre géante (*wawayu*) et le rinopithèque doré (*jinsi hou*).

Certaines réserves naturelles figurent dans la liste du patrimoine mondial de l'Unesco, ce qui leur apporte des fonds et des aides. Depuis l'établissement de la réserve naturelle de Dinghushan, dans la province du Guangdong, en 1956, la Chine a créé plus de 700 parcs naturels, protégeant ainsi 8 % de son territoire.

Le pays est signataire de la Convention sur la diversité biologique (CDB), la Convention sur le commerce international des espèces menacées d'extinction (CITES) et d'autres conventions internationales de protection de l'environnement.

Mais il reste beaucoup à faire. Si la situation critique des tigres de Mandchourie, des pandas géants et des dauphins du Yangzi attire tous les regards, le sort de variétés moins connues ne s'améliore pas. Les réserves naturelles manquent cruellement de personnel expérimenté et d'investissements. Il devient urgent d'effectuer des recherches et des explorations scientifiques afin de dresser un catalogue des espèces animales et de leur localisation. Toutefois, la croissance économique reste la priorité absolue du gouvernement et l'écologie reste un domaine quasi inconnu du public, en dépit de quelques campagnes d'information sporadiques comme celle qui a porté sur la protection de l'antilope tibétaine, menacée par les braconniers. ❏

À **DROITE :** la réserve naturelle de Changbai Shan, à la frontière nord-coréenne.

Carte
p. 159

CHINE
Beijing ●

LA MONGOLIE-INTÉRIEURE ET LE NINGXIA

Immense, vide, éloignée de tout, la Mongolie-Intérieure ressemble au Far West. Quel contraste avec sa voisine, la minuscule province du Ningxia ! Foyer des Hui musulmans, cette dernière abrite les descendants de marchands venus du Moyen-Orient.

Comme un arc géant recouvrant tout le nord de la Chine, de la frontière avec la Sibérie au désert de Gobi, la Mongolie-Intérieure – à ne pas confondre avec l'ancienne Mongolie-Extérieure, l'actuelle république de Mongolie – est l'une des terres vierges du pays. Son seul nom évoque Gengis Khan, le chef mongol qui, au XIIIe siècle, dévasta des territoires entiers pour former un empire allant de Beijing à la Volga. La culture spécifique de la Mongolie-Intérieure a perdu de sa singularité en se fondant dans la République populaire, subissant l'influence des vagues d'immigration des Chinois han. Aujourd'hui, seulement 15 % de la population mongole vit dans cette région. Mais la splendeur inaltérée du paysage – des steppes et des prairies à perte de vue – et l'incroyable faculté d'adaptation de son peuple continuent de fasciner les voyageurs.

La partie la plus accessible de la Mongolie-Intérieure s'étend autour des villes de Baotou et Hohhot, où le Huang He entaille le paysage. **Hohhot** ❿, la capitale, constitue un bon point de départ pour découvrir les prairies environnantes. La ville est une conurbation majoritairement peuplée de Chinois,

CI-DESSOUS :
steppes verdoyantes de la Mongolie-Intérieure, près de la frontière russe.

mais vous y découvrirez quelques temples bouddhistes intéressants, surtout dans la vieille ville, au sud-ouest. Le **temple Dazhao**, dans Danan Jie, fut construit sous les Ming, puis agrandi et dédié à l'empereur Qing Kangxi. Il a été largement restauré. Il en va de même pour le **temple Xilituzhao**, situé un peu plus à l'est. Ce dernier possède un grand *dagoba* (stupa) de style tibétain, qui souligne l'importance du lamaïsme dans la vie religieuse mongole. À environ 1 km au nord, les Hui (Chinois musulmans) font leurs dévotions à **Daqingzhen Si** (Grande Mosquée), qui ressemble, comme bon nombre de mosquées du pays, à un temple chinois. Au départ de Hohhot, des excursions parcourent les immenses **prairies** qui entourent la ville. La plupart des touristes se rendent à Xilamuren, à 80 km au nord, mais d'autres randonnées (de 3 ou 4 jours) permettent de rejoindre Huitengxile et Gegentala.

Dans toute la région, des rangées d'arbres ont été plantées pour ralentir l'avancée du désert de Gobi.

La ville industrielle de **Baotou** ⓫, nimbée de la fumée s'échappant de ses hauts fourneaux, est à 3 heures de train de Hohhot, côté ouest. À 70 km au nord-est, découvrez le temple de **Wudang Zhao**, le monastère tibétain le plus vaste de toute la Mongolie-Intérieure. Construit sous les Qing, il possédait à l'origine 2 500 salles et chapelles. Il est facile de se rendre jusqu'aux rives du Huang He – la principale source d'irrigation de la région – à partir de Baotou.

Le **Chengjisihan Ling** (mausolée de Genghis Khan ; ouv. tlj. ; entrée payante) se trouve à l'extérieur de la ville de Dongsheng, 100 km au sud de Baotou. Genghis Khan est-il vraiment enterré ici ? Le doute subsiste, ce qui n'empêche pas les Mongols des deux pays d'y venir en pèlerinage. Le site est surtout important sur le plan symbolique : il n'y a pas grand-chose à voir en dehors du mausolée, de son dôme et des statues du grand chef. Essayez de visiter les lieux pendant l'un des 3 ou 4 jours de fête annuels, afin d'assister aux cérémonies organisées en l'honneur de Genghis Khan.

CI-DESSOUS :
à l'intérieur d'une yourte mongole.

Au sud de la Mongolie-Intérieure, la **région autonome du Ningxia** est l'une des plus petites provinces de Chine. Elle héberge un grand nombre de Hui, les descendants musulmans de marchands du Moyen-Orient qui empruntaient la route de la Soie. Les Hui représentent aujourd'hui 30 % de la population du Ningxia.

Proche du Huang He, **Yinchuan**, chef-lieu de la région, était la capitale de la dynastie non chinoise Xi Xia, qui fut dévastée par Gengis Khan. Dans Jinning Nan, le **musée de Ningxia** (ouv. tlj. de 8h à 17h ; entrée payante) expose des vestiges de cette dynastie et des objets hui. Dans la cour, se dresse **Xi Ta** (pagode de l'Ouest, mêmes horaires ; entrée payante). De son sommet, vous bénéficierez d'une belle vue sur la ville.

La région possède un important patrimoine architectural, dont les fascinants **Xi Xai Wangling** (tombeaux Xia de l'Ouest ; ouv. tlj. de 8h à 18h ; entrée payante), à 20 km à l'ouest de Yinchuan. Près de Qingtongxia, à 80 km au sud de Yinchuan, **Yibailingba Ta** (108 *dagobas* ; ouv. tlj. de 8h à 18h ; entrée payante) regroupe un ensemble exceptionnel d'une vingtaine de rangées de stupas. La ville de **Zhongwei** est réputée pour son **Gao Miao** (temple Gao) pluriconfessionnel, datant du XVe siècle. Le Huang He traverse **Shapotou**, et l'on peut admirer non loin de là des tronçons de la **Grande Muraille** qui serpente à la lisière du désert Tenger, plus au nord. ❑

LE SHANXI, LE HEBEI, LE HENAN ET LE SHANDONG

Les plaines bordant le Huang He Jiang (fleuve Jaune) sont le berceau de la civilisation chinoise, et les vestiges du passé qui s'y éparpillent racontent une histoire vieille de cinq millénaires.

Cartes
p. 170
& 171

Certains des lieux historiques et religieux les plus prestigieux de Chine se concentrent sur le cours inférieur du **Huang He**, notamment dans le Shanxi, le Henan et le Shandong, ainsi que dans le sud du Hebei. Cette région est aussi la patrie de Confucius, de Laozi et de Mencius, trois des plus grands philosophes de la Chine ancienne (*voir p. 93*). Ses vallées fertiles sont cultivées depuis au moins 5 000 ans, et c'est en leur sein que naquirent certains des premiers États chinois. Le grand fleuve et ses affluents irriguent les terres environnantes mais causent également de graves problèmes en les inondant régulièrement ou en changeant brutalement de cours (*voir "Paysages et climats", p. 51*). L'embouchure actuelle du Huang He Jiang ne date que de 1933.

La province du **Shanxi** se déploie à l'est de la grande boucle du fleuve. Son patrimoine culturel exceptionnel compte bien des splendeurs : les grottes bouddhiques de Yungang, Xuangkong Si – un temple juché sur le pic taoïste du Heng Shan qui semble défier les lois de l'équilibre –, les montagnes bouddhiques de Wutai Shan et la ville de Pingyao – un musée Ming et Qing à ciel ouvert – figurent parmi les plus remarquables.

La plupart des sites intéressants du **Hebei** se trouvent près de Beijing (*voir "Autour de Beijing", p. 148*). Dans la partie sud de la province, qui s'étend jusqu'au Huang He, ne manquez pas de visiter la ville de Zhengding, très riche en architecture religieuse.

Le sud du **Henan** abrite bon nombre des sites bouddhiques les plus anciens de Chine, notamment le célébrissime monastère de Shaolin (foyer du bouddhisme chan – zen – et de la boxe de Shaolin) et le temple du Cheval blanc de Luoyang, qui passe pour être le plus ancien de toute la Chine. Dans les environs de Luoyang, les grottes de Longmen Shiku recèlent certaines des statues les plus vénérées du pays.

Avant de se jeter dans la mer, le Huang He traverse le **Shandong**, site des anciens États de Qi et de Lu. Tai Shan, la plus importante montagne taoïste de Chine (*voir p. 246*), et Qufu, ville natale de Confucius, attirent pèlerins et visiteurs. Sur la côte, allez flâner dans les ruelles de Qingdao, ancienne colonie allemande.

Le Shanxi : Datong

À 7 heures de train de Beijing, **Datong ❶** entre de plain-pied dans l'histoire en 386, lors du transfert de la capitale des Wei du Nord. Datong n'a pas grand intérêt en soi, mais, à 16 km à l'ouest de la ville, on peut admirer les 53 **grottes bouddhiques de Yungang**, rassemblées sur 1 km. Si nombre d'entre elles sont en mauvais état, elles n'en restent pas moins impressionnantes.

PAGES PRÉCÉDENTES : forêt de pagodes au monastère de Shaolin.
À GAUCHE : un des nombreux temples de Tai Shan.
À DROITE : bouddha de pierre à Luoyang.

Durant les deux derniers millénaires, le Huang He a changé de tracé 26 fois et causé 1 500 inondations, faisant des millions de victimes. L'irrégularité des pluies en amont crée des fluctuations spectaculaires du volume des eaux. L'accumulation des dépôts sédimentaires dans la grande boucle vers l'est accroît l'extrême imprévisibilité du fleuve.

CI-DESSOUS :
Xuankong Si
s'accroche à
la paroi rocheuse.

Initiée par les souverains Wei, la construction des grottes se poursuit jusqu'à la dynastie des Tang. Des techniques architecturales introduites par des pèlerins bouddhistes de retour de Kaboul sont utilisées pour creuser des cavités dans les montagnes. Le site compte 21 grottes principales, toutes différentes. La grotte 5 abrite un bouddha de 17 m de haut, et la grotte 6 possède une tour haute de 15 m dont les niches creusées contiennent des petits bouddhas.

Dans la ville même, vous pouvez visiter les temples **Huayan Si** et **Shang Huayan Si** (tous les 2 ouv. tlj. de 8h30 à 17h ; entrée payante). Huayan Si comporte deux monastères. Dans le premier, construit en 1064, admirez un vaste temple orné de peintures Qing et de statues Ming et couronné d'un toit de forme insolite. L'autre, datant de 1038, est en grande partie détruit, mais en subsiste une bibliothèque extraordinaire. La ville détient également, parmi ses curiosités, un mur Ming aux 9 dragons, Jiulongbi. Fait de briques vernissées de 5 couleurs, il marquait autrefois l'entrée d'un palais.

Montagnes sacrées

À 70 km au sud de Datong, **Heng Shan** ❷, la montagne taoïste la plus septentrionale de Chine, abrite 18 monastères. Le plus célèbre d'entre eux, **Xuankong Si**, un "monastère suspendu" vieux de 1 400 ans (ouv. tlj. de 9h à 17h ; entrée payante) est situé à environ 5 km de **Hunyuan**. Accroché comme par miracle à la falaise grâce à des poteaux de soutien, le temple a été reconstruit à plusieurs reprises, à chaque fois plus haut, pour échapper aux crues du fleuve. Ses sanctuaires sont consacrés à Confucius, Bouddha et Laozi.

Au sud, **Wutai Shan** ❸, l'un des monts sacrés du bouddhisme chinois, est voué à Manjusri (Wenshu), un bodhisattva incarnant la sagesse et souvent

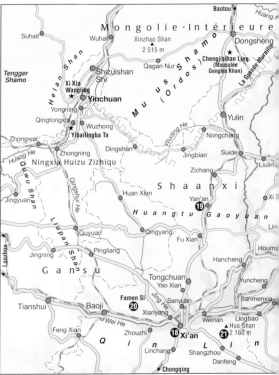

représenté chevauchant un lion. À l'époque des Tang, les pentes de la montagne ne comptaient pas moins de 200 monastères. Un grand nombre ont disparu, mais le charmant village de **Taihuai**, niché dans une vallée encerclée de montagnes, en a conservé quelques-uns. **Tayuan Si**, le temple principal, possède un *dagoba* de style tibétain. Si vous grimpez jusqu'au **Pusa Ding** (pic de Pusa), vous jouirez d'une vue magnifique sur le hameau et la vallée. N'hésitez pas à vous promener sur les collines des environs de Taihuai pour découvrir d'autres temples, tels **Nashan Si**, de l'époque des Yuan, sur le mont au sud, et **Longquan Si**, au sud-ouest de Taihuai. Le paysage de montagnes est fabuleux. Sachez toutefois qu'en hiver le froid est mordant et qu'en été les touristes affluent.

Taiyuan et Pingyao

Taiyuan ❹, la capitale de la province du Shanxi, est une ville industrielle dont les origines remontent au Vᵉ siècle av. J.-C. La plupart des touristes s'y rendent uniquement pour explorer Wutai Shan et Pingyao. Pourtant, la ville n'est pas sans intérêt. **Chongshan Si** (temple de Chongshan ; ouv. tlj. de 8h à 17h ; entrée payante) date des Ming. Une statue de Guanyin aux 1 000 bras trône dans la grande salle. Les pagodes jumelles de **Shuangta Si** (temple de Shuangta ; ouv. tlj. de 8h à 17h ; entrée payante) ont aussi été édifiées sous les Ming. Prenez la peine de monter contempler la vue sur Taiyuan.

Non loin de Taiyuan, se trouve **Pingyao ❺**, une petite ville inscrite sur la liste du patrimoine mondial de l'Unesco. Pingyao se flatte d'une histoire longue de 12 siècles, et ses édifices Ming et Qing – qui sont dans un état de conservation remarquable – méritent la visite. Pingyao fut autrefois un grand centre financier, avant de sombrer dans l'oubli, ce qui préserva la ville de toute

Carte ci-dessous

Un nouveau barrage – le plus grand après celui des Trois Gorges – est en construction sur le Huang He. Il devrait contrôler 93 % du flux des eaux du fleuve et est équipé d'un système ultra-sophistiqué permettant de réguler l'énorme accumulation de sédiments.

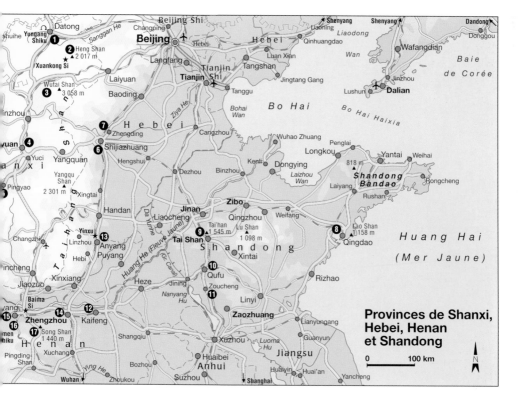

Provinces de Shanxi, Hebei, Henan et Shandong

modernisation. Le splendide mur d'enceinte Ming, long de 6 km, peut se parcourir à pied. Doté de portes et de fortins, il enserre la ville, construite selon un plan quadrillé. Les bâtiments d'architecture traditionnelle se trouvent pour la plupart dans **Ming Qing Jie** (rue Ming-et-Qing). Le **Rishengchang** (ouv. tlj. de 9h à 17h ; entrée payante), dans Xi Dajie, est une maison de change de l'époque Qing transformée en musée. Un bus vous conduira à la maison de la famille Qiao, choisie par Zhang Yimou comme décor de son film *Épouses et concubines* (*voir "Ombres électriques", p. 96*). À 6 km au sud-ouest de la ville, **Shuanglin Si** (temple Shuanglin ; ouv. tlj. de 8h à 18h ; entrée payante) est réputé pour son immense collection de sculptures bouddhiques, datant des Song. N'hésitez pas à passer la nuit dans l'un des hôtels du centre-ville.

Le Hebei, Shijiazhuang et Zhengding

Shijiazhuang ❻, l'insipide capitale de la province, est une création moderne, née avec le chemin de fer. Au début du XXe siècle, son emplacement stratégique lui vaut de devenir un nœud ferroviaire. L'un de ses rares sites de visite, le **mémorial des Martyrs de la révolution** (ouv. tlj. de 6h à 17h ; entrée libre), occupe un parc agréable dans Zhongshan Xi Lu. Plus à l'ouest, se trouve la tombe de Norman Bethuen, un chirurgien canadien qui soigna les blessés chinois pendant l'occupation japonaise et obtint, à ce titre, les louanges de Mao.

Prenez le train ou le bus pour vous rendre à **Zhengding ❼**, située à 16 km au nord-est de Shijiazhuang. Cette ancienne ville fortifiée est riche de plusieurs édifices religieux. Le sanctuaire le plus important est **Dafo Si** (temple du Grand Bouddha ; ouv. tlj. de 9h à 17h ; entrée payante), aussi appelé Longxing Si. Dans **Dabei Ge** (grande salle de la Compassion), admirez la statue géante de

CI-DESSOUS :
coucher de soleil
sur la cathédrale
de Qingdao.

Guanyin, coulée en bronze à l'époque des Song. En flânant dans la ville, prenez le temps de visiter d'autres temples et pagodes, notamment deux sanctuaires Tang, **Lingxiao Ta** (pagode de Lingxiao) et **Kaiyuan Si** (temple de Kaiyuan).

Cartes
p. 170
& 171

Le Shandong et sa capitale, Qingdao

À la fin du XIXe siècle, l'Allemagne, d'humeur expansionniste, cherche un lieu en Chine où apaiser sa fringale coloniale. Lors de la révolte des Boxeurs, en 1897, l'assassinat de deux prêtres catholiques lui sert de prétexte pour dépêcher des troupes à **Qingdao ❽**, afin d'y créer une base. Peu après, l'Allemagne obtient des Chinois une concession dans la baie de Jiaozhou.

Jusqu'à l'arrivée de la première canonnière européenne, Qingdao est un port de pêche paisible. En un tournemain, la ville se peuple d'officiers, de marins et d'hommes d'affaires allemands qui arpentent le quai Kaiser Wilhelm et dînent à l'hôtel *Prinz Heinrich*, sur le front de mer. Ils ouvrent une brasserie locale, *Germania*, qui devint célèbre dans le monde entier sous le nom de *Tsingtao* (selon l'ancien système de transcription Wade-Giles) et qui est toujours en activité. Selon ses guides, le succès de **Qingdao Pijiu-chang** (brasserie *Qingdao*, 56 Dengzhou Lu ; ouv. tlj. ; groupes uniquement ; entrée libre) tient non seulement au savoir-faire allemand, mais aussi à la qualité de l'eau de source tirée du Lao Shan (mont Lao, *voir ci-dessous*).

L'ancienne résidence du gouverneur de Qingdao rappelle la présence allemande dans la région au début du XXe siècle.

Qingdao – également réputée pour ses plages – compte bien d'autres vestiges de son passé colonial : il reste beaucoup de bâtiments de style allemand datant du XIXe siècle, reconnaissables à leurs toits de tuiles rouges, leurs colombages, leurs pignons inclinés et aux fenêtres triangulaires de leurs toits. Les hautes tours de **Tianzhu Jiaotang** (cathédrale catholique ; ouv. tlj. de 7h30 à 17h30 ; entrée libre), l'église protestante et l'ancienne résidence du gouverneur – aux airs de relais de chasse prussien – achèvent de donner un caractère germanique à la ville. La présence allemande dure jusqu'à la Première Guerre mondiale et à la conquête japonaise, qui débute en 1914. Libérée par les Chinois en 1922, Qingdao est réoccupée par les Japonais en 1938.

CI-DESSOUS :
la fête annuelle de la bière à Qingdao.

Lao Shan, région montagneuse située à 40 km à l'est sur la côte, est célèbre pour ses légendes taoïstes et pour son eau de source qui rend la bière de Qingdao si savoureuse. Le paysage est digne d'une carte postale : rien ne manque, ni les cascades, ni les grottes, ni les temples taoïstes, qui sont, néanmoins, en très mauvais état.

Tai Shan

Tai Shan ❾, la montagne taoïste la plus vénérée de Chine, est située à 300 km à l'ouest de Qingdao et à 80 km au sud de Jinan. Selon la croyance populaire chinoise, les montagnes sont des êtres vivants qui aident à préserver l'ordre cosmique grâce à leur pouvoir stabilisateur : ce sont des "assembleurs de nuages" ou des "faiseurs de pluie". D'après la mythologie ancienne, Tai Shan est sortie de la tête de Pangu, le créateur du monde. Pendant 4 000 ans, des chamans, puis des empereurs y ont accompli les rites sacrés.

Au pied de la montagne, au cœur de la petite ville de Tai'an, le magnifique **Dai Miao** (ouv. tlj. de 7h30 à 18h30 ; entrée payante) honore le dieu du Tai Shan.

Cet ensemble de plus de 600 bâtiments servait de cadre à des sacrifices complexes et hébergeait l'empereur lorsqu'il venait accomplir l'ascension du Tai Shan. **Tiangong Dian** (palais du Don du ciel), l'un des plus grands temples classiques de Chine, abrite une fresque de plus de 60 m de long.

Un peu plus loin au nord, **Daizong Fang** (porte du Dieu) marque le point de départ d'un escalier de pierre menant au sommet (1 545 m). Autrefois, les empereurs et les mandarins étaient conduits en palanquin jusqu'en haut des 6 293 marches. Les pèlerins des temps modernes doivent consacrer un jour de marche à la montée et à la descente. Ils peuvent également prendre le minibus jusqu'à mi-pente, puis le téléphérique jusqu'au sommet, mais c'est manquer les multiples merveilles qui s'offrent en chemin : temples, pavillons, sanctuaires, stèles de pierre, inscriptions et cascades sont autant d'étapes vers l'ascension divine. À l'écart du sentier, le texte d'un sutra est gravé sur un immense rocher, un chef-d'œuvre de calligraphie composé de 1 050 idéogrammes (chacun mesurant 50 cm). Depuis 1969, une citation de Mao Zedong a été également calligraphiée sur un pan de la montagne : "Le peuple le plus créatif est celui d'aujourd'hui."

Passé **Zhongtianmen** (porte à mi-chemin du ciel), la montée se fait plus raide. Après **Wudaifu Song** (pins ayant atteint le 5e rang d'officier) – un site où poussaient des pins qui, selon la légende, reçurent leur titre de Qin Shi Huangdi car ils l'avaient protégé d'un orage –, le chemin mène à **Nantianmen** (porte du Sud pour gagner le ciel), l'entrée du "royaume des Immortels", au sommet du mont. Des délices bien terrestres vous attendent aussi dans **Tian Jie** (rue du Ciel), un alignement Qing d'échoppes et de restaurants. N'hésitez pas à dormir dans l'une des auberges du lieu pour assister au lever du soleil, spectacle inoubliable.

CI-DESSOUS :
lever de soleil
sur le Tai Shan.

Qufu

En 1919, Kong Linyu, un descendant du philosophe Kong Fuzi (Confucius de son nom latinisé) meurt à Beijing, à l'âge de 76 ans. D'après la tradition, ses deux filles ne peuvent perpétuer la lignée familiale. Mais la concubine de Kong Linyu est enceinte de 5 mois. Des factions rivales au sein du clan des Kong postent des gardes à la sortie des appartements de la dame, mais laissent les portes ouvertes afin que le "sage ancêtre" puisse trouver le chemin de la réincarnation. En février 1920, la naissance d'un garçon, Kong Decheng, assure l'existence de la 77ᵉ génération après Confucius ; la "première famille sous le ciel" peut célébrer la continuité de la lignée. Dix-sept jours plus tard, la première femme de Kong Linyu, qui n'a pas eu d'enfant, empoisonne sa rivale, la mère de l'héritier.

Ce drame familial s'est joué à **Kong Fu**, la résidence des descendants de Confucius (ouv. tlj. de 8h30 à 17h30 ; entrée payante) située à **Qufu ❿**, ville natale de Confucius (551-479 av. J.-C.), au sud de Tai Shan. L'empereur Wudi (140-87 av. J.-C.), de la dynastie des Han, conféra à l'idéologie confucéenne le statut de dogme impérial, et les monarques suivants octroyèrent généreusement titres et biens aux descendants du philosophe. Construite au XVIᵉ siècle sous les Ming, la résidence hébergea des Kong jusqu'en 1948. Le dernier de la lignée s'enfuit à Taiwan à la veille de l'instauration du régime communiste. Bien que d'extérieur banal, la résidence dénombre environ 500 pièces. À la fin du XIXᵉ siècle, le successeur du "sage ancêtre" était l'un des plus gros propriétaires terriens du pays. Il disposait de son propre système judiciaire et possédait une armée. Plusieurs centaines de serviteurs étaient employés dans la partie avant de la résidence, le Yamen, qui comprenait des bâtiments administratifs et des salles d'audience. Seuls quelques serviteurs et les dames

Cartes
p. 170
& 171

Un cinquième des 600 000 habitants de Qufu et de sa région partagent le même nom de famille, Kong.

CI-DESSOUS : grande salle du temple de Confucius.

Selon une légende populaire, Confucius serait né dans une grotte près de Qufu. Il enseigne de nombreuses années dans la région, ainsi que dans les États voisins, pour tenter de moraliser la vie politique.

d'honneur pouvaient pénétrer dans la partie privée située à l'arrière du complexe et réservée à la très noble famille. Les nombreuses pièces regorgent d'œuvres d'art, de calligraphies, de vêtements et d'archives.

Confucius est enterré sous une simple butte herbeuse à **Kong Ling** (forêt de Confucius ; ouv. tlj. de 7h30 au coucher du soleil ; entrée payante), le cimetière des Kong situé à quelques kilomètres au nord de la ville. Privilège impérial octroyé au sage, le chemin qui mène à la tombe est surveillé par des animaux et des gardes en pierre.

Au centre de Qufu, **Kong Miao**, le temple de Confucius (ouv. tlj. de 7h50 à 16h30 ; entrée payante) reflète, par sa taille et sa magnificence, la gloire du philosophe. Un premier temple aurait été édifié dès 478 av. J.-C., un an après sa mort. Une voie, bordée de vénérables cyprès et de stèles de pierre, part en direction du nord et conduit à Kuiwenge (pavillon de la Constellation des lettrés), un pavillon dont la construction remonte au XIᵉ siècle et qui est doté d'un triple toit splendide de 23 m de haut. Pas moins de 13 pavillons, contenant des stèles gravées d'inscriptions impériales, jalonnent la voie, qui mène ensuite au Dacheng Kian (salle de la Grande Perfection, XVIIIᵉ siècle), dédié aux rites sacrificiels en l'honneur de Confucius. Les 28 piliers de pierre qui en supportent le toit sont gravés de 1 296 dragons. Les tuiles jaunes – couleur réservée aux temples et aux bâtiments impériaux – qui le recouvrent soulignent l'importance du philosophe.

Faisant sien ce célèbre aphorisme de Confucius : "Recevoir un ami qui vient de loin, n'est-ce pas la plus grande joie ?", la municipalité renforce son accueil touristique. L'une des nouveautés des lieux, la plus coûteuse d'ailleurs, est le **Kongzi Liu Hua Cheng** (la ville des Six Arts de Confucius ; ouv. tlj. de 9h à 16h30 ; entrée payante), un petit parc à thème célébrant les 6 arts dont Confucius se faisait l'avocat : les rites, l'écriture, la musique, la science des nombres, le tir à l'arc et la conduite de char.

CI-DESSOUS : tombe d'un membre de la famille Kong, à Qufu.

Les environs de Qufu regorgent de sites historiques. À 25 km au sud, **Zoucheng** ⓫ est la patrie de Mengzi (Mencius). Vous y découvrirez Meng Fu (la résidence de la famille Meng), Meng Lin (la forêt de Mencius) et Meng Miao (temple de Mencius). À 4 km à l'est de Qufu, **Shao Hao Ling**, un mausolée de 6 m de hauteur en pierre grise, présente une forme pyramidale peu habituelle. Il s'agit de la tombe présumée de l'empereur Shao Hao, qui aurait régné sur cette partie de la Chine il y a 4 000 ans.

Le Henan et Kaifeng

Jadis visitée par Marco Polo, **Kaifeng** ⓬ est située dans la province du Henan, 240 km à l'ouest de Qufu. À partir du Vᵉ siècle av. J.-C. (époque des Royaumes combattants), elle sert de capitale à 7 dynasties, atteignant son apogée sous celle des Song. Exposé à la Cité interdite de Beijing, un rouleau de 12 m de long, intitulé *Vue du fleuve lors de la fête de Qingming*, décrit le quotidien de cette ville autrefois prospère. Elle connaît un épisode tragique en 1644 : afin de stopper la progression des soldats mandchous, des brèches sont ménagées dans les digues du Huang He, entraînant la mort de 300 000 personnes et la destruction de nombreux temples.

Durant le XXᵉ siècle, Kaifeng n'a pas connu de développement industriel, si bien qu'elle a conservé l'aspect d'une vieille ville chinoise. La plupart des remparts en terre battue sont encore debout. Au nord-est, à l'intérieur de l'enceinte, **Tie Ta** (pagode de Fer ; ouv. tlj. de 8h30 à 16h30 ; entrée payante) date de la dynastie des Song. Haute de 50 m (13 étages), elle doit son nom à son revêtement de briques vernissées d'une couleur brun foncé rappelant celle de la fonte. Le bâtiment le plus ancien et le mieux conservé est **Fan Ta** (pagode Fan ; ouv. tlj. de 8h30 à 16h30 ; entrée payante), situé à la périphérie de la ville au sud-est de la gare. Ses 3 étages sont décorés de multiples bouddhas encastrés dans des niches.

On peut aussi visiter Yuwangtai (ancienne terrasse de la Musique), Longting (pavillon du Dragon) et **Xiangguo Si** (temple du Premier ministre ; Ziyou Lu ; ouv. tlj. de 8h30 à 17h ; entrée payante), au centre de la ville. Érigé en 555, Xiangguo Si est resté au fil des siècles l'un des grands foyers du bouddhisme en Chine. Il fut détruit en 1644 par une inondation, mais a été reconstruit depuis. Ne manquez pas le pavillon octogonal, doté d'un admirable plafond de bois, et la statue de Guanyin, dorée à l'or fin.

Selon les récits de Marco Polo, Kaifeng aurait accueilli dans le passé une importante population juive. Quelques Juifs chinois y vivent encore, mais ils ont abandonné la plupart de leurs traditions religieuses. Près d'un supermarché, une stèle marque l'emplacement de la dernière synagogue, fermée en 1850.

Le site de Yin, l'ancienne capitale des Shang (1700-1100 av. J.-C), se trouve à **Anyang ⑬**, près de la frontière entre le Henan et le Hebei. Malgré sa présence dans les annales chinoises, Yin fut oubliée pendant longtemps, jusqu'au XXᵉ siècle, lorsque des fouilles exhumèrent des traces de l'ancienne cité.

Cartes
p. 170
& 171

CI-DESSOUS :
les nouilles de blé
sont la base de
l'alimentation du
nord de la Chine.

Les quelques vestiges exposés ont un intérêt essentiellement archéologique. Vous pourrez néanmoins voir à **Yinxu** (ruines de Yin ; ouv. tlj. de 8h à 18h30 ; entrée payante) des os divinatoires trouvés sur place. Les inscriptions gravées sur ces os constituent les formes les plus anciennes de l'écriture chinoise (*voir p. 93*). **Hongqi Qu** (le canal du Drapeau rouge) évoque une époque plus récente : il fut creusé à la main pendant la Révolution culturelle. Il se visite à Linzhou, à 45 km à l'ouest d'Anyang, dans les monts Taihang.

Entre Zhengzhou et Luoyang, de nombreuses maisons troglodytes sont taillées dans des parois de lœss jaune et tendre. Quoique sombres, ces maisons conservent la chaleur en hiver et restent fraîches en été.

Zhengzhou

À 65 km à l'ouest de Kaifeng et à 20 km au sud du Huang He (fleuve Jaune), **Zhengzhou** ⓮, la capitale du Henan, est un important nœud ferroviaire entre Shanghai, Xi'an, Beijing et Guangzhou. Bien que fondée sous les Shang, elle n'acquiert son importance stratégique qu'à la fin du XIXᵉ siècle, après la construction de lignes de chemin de fer. Pendant la Seconde Guerre mondiale, elle est attaquée par les Japonais. Pour contrer l'envahisseur, les troupes du Guomindang font sauter les digues du Huang He, reproduisant la tragédie déclenchée par l'armée Ming 300 ans plus tôt. Des centaines de milliers de personnes périssent dans les inondations. Dans les années 1950, Zhengzhou, que les combats de la guerre civile ont terriblement endommagée, devient une ville industrielle et manufacturière. Si elle n'est certes pas un haut lieu touristique, on peut s'y attarder avec plaisir.

Ne manquez pas le **Henan Sheng Bowuguan** (Musée provincial du Henan ; 11 Renmin Lu ; ouv. tlj. de 8h à 17h ; entrée payante), qui abrite des vestiges d'une cité Shang retrouvés dans la banlieue est de Zhengzhou. Des os divinatoires y sont également exposés.

Luoyang et les grottes de Longmen

Quand les empereurs de la lignée des Han de l'Est (25-220) décident de déménager de Xi'an à **Luoyang** , une nouvelle destinée s'ouvre pour cette petite ville qui sera la capitale de l'empire durant 10 dynasties. Atteignant son apogée sous le règne des Tang et des Song, elle décline ensuite au profit des villes côtières, de plus en plus prospères. Située à 105 km à l'ouest de Zhengzhou, Luoyang, pourtant vieille de 3 000 ans, ne compte que 30 000 habitants avant 1949. L'industrialisation apporte son lot d'usines et d'immeubles de béton. **Luoyang Bowuguan** (musée de Luoyang ; ouv. tlj. de 8h30 à 16h30 ; entrée payante) offre un aperçu de l'histoire de la région, du néolithique aux Tang. Le musée expose des bronzes, des céramiques, des objets d'or et d'argent et des jades. Certains vestiges, vieux de près de 4 000 ans, datent des Xia (*voir p. 19*).

À 13 km à l'est de la ville, **Baima Si** (temple du Cheval blanc ; ouv. tlj. de 8h30 à 17h ; entrée payante), construit en 68, serait le plus ancien temple bouddhiste du pays. Selon une légende, deux moines y auraient rapporté des sutras d'Inde sur le dos d'un cheval blanc. Ces textes furent les premiers à être traduits du sanscrit en chinois.

Le site extraordinaire des **Longmen Shiku** (grottes de la Porte du dragon ; ouv. tlj. de 8h à 17h ; entrée payante) vous attend à 13 km au sud de la ville, sur les rives du Yi Jiang. Ces grottes bouddhiques furent creusées du Ve siècle au VIIe siècle, à la demande de riches familles de l'époque. On en dénombre plus de 1 300, ainsi que 700 niches contenant 40 pagodes, 2 780 inscriptions et plus de 100 000 statues et peintures. Au début du XXe siècle, une grande quantité de sculptures parmi les plus belles furent volées ou décapitées. Vous pouvez aujourd'hui les admirer dans les musées occidentaux… Les grottes

Ci-dessous : les grottes bouddhiques de Longmen, près du fleuve Jaune.

Cartes
p. 170
& 171

Cartes
p. 170
& 171

de Longmen, comme celles de Datong et de Dunhuang, offrent néanmoins un fascinant panorama de l'art bouddhique (*voir encadré ci-dessous*), recensant tous les styles qui se sont succédé des Wei du Nord aux Tang. La plus grande statue mesure 17 m, la plus petite moins de 2 cm. Le temple le plus impressionnant est celui de **Fengxian Si** (temple du Culte des ancêtres), qui abrite une statue de Bouddha de 17 m – ses oreilles mesurent 2 m de haut –, entourée de bodhisattvas et de gardes célestes. Le visage de cette sculpture, achevée en 676 sous l'empereur Tang Gaozong, serait celui de l'impératrice Wu Zetian, une grande bienfaitrice du bouddhisme.

Song Shan et Shaolin

À 80 km au sud-est de Luoyang, **Shaolin Si** (temple de la Jeune Forêt ; ouv. tlj. de 8h à 18h ; entrée payante) doit sa réputation mondiale aux arts martiaux (*voir p. 181*). Ce temple du Ve siècle est aménagé sur les contreforts du **Song Shan** ⓱, l'une des 4 montagnes taoïstes sacrées de Chine. Par les routes de campagne, 3 heures de voiture suffisent pour l'atteindre. Ce lieu retiré, où la sagesse se transmet de maître à novice, n'attire plus seulement les moines et les pèlerins bouddhistes, mais aussi de nombreux touristes et des adeptes étrangers des arts martiaux qui disposent là d'une salle d'entraînement.

La fresque des 18 *arhat* peinte en 1828, représentant des moines dans certaines des postures que les novices du XXIe siècle cherchent toujours à imiter, est l'une des merveilles de Shaolin. Dans **Qianfo Dian** (salle des 1000 Bouddhas), les marques sur le sol de pierre rappellent les durs exercices de combat auxquels les moines s'exercent. Au sud-ouest du monastère, **Talin** (forêt des Stupas) possède 230 stupas et tumulus, dont certains datent des Tang. ❏

Ci-dessous :
gardiens de pierre
à Longmen Shiku.

ART BOUDDHIQUE À LONGMEN

Les grottes de Longmen, comme celles de Yungang dans le Shanxi, sont l'œuvre d'une peuplade d'Asie centrale, les Tuoba, à l'origine de la dynastie des Wei du Nord (386-534). Les tailleurs de pierre continuèrent à créer à Longmen après le transfert de la capitale de Datong à Luoyang. Les dynasties suivantes, les Sui et les Tang, poursuivirent cette entreprise, et la plus grande partie des grottes fut réalisée du Ve au VIIIe siècle.

L'art bouddhique préférant la pierre au bois et au métal, les œuvres du passé ont survécu, même si nombre de bodhisattvas sont défigurés, voire décapités. Au fil des siècles, les pigments qui coloraient les statues se sont effacés, mais les murs en portent encore des traces.

Les sculptures (100 000 en tout, y compris les minuscules figurines) représentent toute une série de divinités bouddhiques, notamment les plus célèbres, Avalokiteshvara (Guanyin), Maitreya et Amithaba. Certaines racontent des épisodes de la vie de Sakyamuni. Leur création s'étant étalée sur une très longue période, il existe des différences notables entre le style des bodhisattvas des Wei du Nord – qui semblent appartenir à un autre monde –, et celui des bouddhas – plus terrestres – de l'époque des Tang.

L'art du combat

C'est au temple de Shaolin, situé dans la chaîne du Song Shan près de Luoyang, que naissent la plupart des arts martiaux d'Asie orientale. Le *gongfu*, le karaté, le taekwondo et le judo sont tous des héritiers des techniques de lutte chinoise. Depuis quelques années, les moines à la tête rasée de Shaolin ont succombé aux sirènes de la renommée et leur monastère est devenu une entreprise commerciale.

En 527, le moine Bodhidarma (Damo) visite le temple. Il comprend alors que pour de nombreux religieux, la règle de calme et de concentration absolue nécessaire à la méditation est trop exigeante. En se fondant sur l'observation minutieuse des mouvements des animaux, il établit une méthode d'entraînement physique à la méditation qui devient le *shaolinquan* (la boxe de Shaolin).

Wushu – l'art du combat – est le terme qui désigne aujourd'hui les arts martiaux avec ou sans armes. Autrefois, la maîtrise des diverses techniques impliquait des connaissances ésotériques, qui ne pouvaient se transmettre que de maître à disciple au sein d'une famille ou d'un monastère.

Le néophyte a du mal à distinguer les différents *wushu*. Le *zuiquan* est appelé le style de "l'homme ivre". La démarche incertaine est feinte, grâce à une technique aussi créative qu'efficace. Le *xingyiquan* (boxe de la forme et de la pensée) imite les gestes de lutte de 12 animaux tout en s'appuyant sur l'utilisation du *qi*, énergie vitale pouvant être dirigée vers toutes les parties du corps avec un peu d'entraînement mental.

Les mouvements sont simples et faciles à apprendre, mais les techniques sont très complexes à maîtriser. Le *wuzuquan*, boxe des 5 ancêtres, est un art bouddhique de la boxe qui s'appuie sur des méthodes de respiration et de relaxation, sources de puissance.

Le *taijiquan* (boxe du faîte suprême) vise quant à lui à éliminer l'adversaire sans faire usage de la force. Il se fonde sur l'idée taoïste que la douceur finit toujours par vaincre la force. Comme la boxe de Shaolin, le *taijiquan* serait dérivé de l'observation des mouvements des animaux, et cherche à briser l'énergie de l'attaque pour l'anéantir.

À l'origine une méthode d'autodéfense, il est aujourd'hui surtout pratiqué par les personnes âgées qui l'utilisent pour méditer et gagner en force physique. Comme le *xingyiquan*, le *taijiquan* se fonde sur la maîtrise du *qi*. Contrôlés ou flottants, rythmés ou relâchés, vers l'avant ou vers l'arrière, ses mouvements sont toujours souples et déliés : le *qi* doit circuler librement dans tout le corps. Sa pratique permet de s'approcher de l'idéal du taoïsme, *wuwei*, le non-agir.

Vieux de plus de 3 000 ans, le *qigong* (technique de respiration) est aussi un art martial, dont la technique sert à développer concentration et sérénité. ❑

À DROITE : Shaolin est synonyme d'arts martiaux chinois.

XI'AN ET LE SHAANXI

Les origines de Xi'an remontent à la fondation de l'État chinois.
Sa visite s'impose pour sa légendaire armée de terre cuite. Puis vous
partirez à l'est, à la conquête de la montagne taoïste de Hua Shan.

Cartes
p. 171
& 185

L e Shaanxi et sa capitale Xi'an ont vu naître les plus anciennes dynasties chinoises. Celle des Zhou s'y installe au XIᵉ siècle av. J.-C., puis celle des Qin, qui unifiera la Chine et lui donnera son nom. C'est également au Shaanxi que commence la route de la Soie, reliant l'empire du Milieu à l'Asie centrale et à l'Europe. Le Huang He Jiang (fleuve Jaune) fertilise abondamment ses terres, mais il est d'humeur capricieuse : depuis toujours, les habitants ont dû unir leurs forces pour résister à ses crues et à ses changements de cours.

Au fil des siècles, la région s'est enrichie de sites fabuleux. Si la découverte de l'armée des soldats de terre cuite de l'empereur Qin Shin Huangdi s'impose, elle doit se compléter de celle des musées et des temples, qui reflètent plus largement la richesse du passé. Dans les environs de Xi'an, le mont Hua Shan attend les randonneurs chevronnés, et vous pourrez découvrir le temple bouddhiste de Famen Si, ainsi que la ville de Yan'an, qui fit tant rêver les participants de la Longue Marche (*voir "De l'empire à la République populaire", p. 33*).

La vieille cité impériale de Xi'an

Xi'an ⑱ est nichée dans une vallée protégée du fleuve Wei, à 160 km de son confluent avec le Huang He Jiang. C'est ici que Qin Shi Huangdi fonde sa dynastie et transforme son royaume en glorieux empire du Milieu. Il fait de Xi'an sa capitale, un statut que la ville conserve sous 13 dynasties pendant plus de 1 100 ans. À l'époque des Tang (618-907), elle devient la plus grande ville du monde. Elle s'appelle alors Chang'an (Paix éternelle) et des milliers de marchands étrangers voyageant sur la route de la Soie y convergent. Elle décline irrémédiablement après la chute des Tang.

Le centre de Xi'an, tout en ayant gardé la même configuration qu'à l'époque des Tang, est envahi par le béton, les embouteillages et la pollution. Les quartiers périphériques, où se regroupent hôtels modernes et centres commerciaux, disposent de larges avenues bordées d'arbres apportant un peu de fraîcheur en été.

La vieille ville s'étend sur 9 km d'est en ouest et près de 8 km du nord au sud. Toutes les voies se coupent à angle droit et dessinent le quadrillage habituel des cités anciennes en suivant l'axe nord-sud et est-ouest. Les remparts bâtis par les Tang ont disparu, mais les murailles Ming, longues de 14 km, entourent toujours la ville. Elles ont été rénovées récemment ; la douve a été refaite et intégrée à un parc. Il est possible, par exemple à Nanmen, de monter en haut de ces fortifications moyennant un droit d'entrée.

Zhonglou ❹ (tour de la Cloche ; ouv. tlj. de 8h à 19h ; entrée payante) se dresse au centre-ville, à l'intersection de deux grandes rues. Datant de 1384, cette tour de 36 m de haut, rénovée depuis peu, est déplacée

À GAUCHE : chaque personnage de la sépulture de Qin Shi Huangdi a des traits individualisés. **CI-DESSOUS :** la grande pagode de l'Oie sauvage, Xi'an.

Hu Fu, un tigre Qin découvert dans la région de Xi'an.

en 1582 sur son site actuel, au cœur de ce qui forme le principal quartier commerçant de la ville. À l'est de Zhonglu, Dong Dajie, qui coupe Jiefang Lu, la rue menant vers le nord à la gare, regorge de magasins et de restaurants.

À quelques minutes à pied de Zhonglu en direction du nord-ouest, **Gulou ❸** (tour du Tambour ; ouv. tlj. de 8h à 19h ; entrée payante) ressemble fortement à Zhonglou. Construite elle aussi au XIVᵉ siècle, elle fut rebâtie après la révolution. Plus de 60 000 Hui musulmans vivent à Xi'an, et la tour du Tambour marque la limite ouest du quartier islamique. Les boutiques de souvenirs, où l'on trouve, parmi les objets d'artisanat local, de belles peintures, bordent les ruelles qui mènent à **Da Qingzhen Si ❻** (Grande Mosquée ; ouv. tlj. de 8h à 19h). Cette mosquée, construite au temps des Ming, a été restaurée à plusieurs reprises. Ses cours intérieures lui donnent un faux air de temple chinois. Le quartier qui s'étend autour de la mosquée est l'un des plus fascinants de la ville. En flânant au hasard des rues, vous pourrez vous faire une idée du mode de vie des Hui et déguster des spécialités succulentes que vous achèterez auprès des vendeurs de rue, comme les pains au sésame fourrés à l'agneau ou le très réputé *yangrou paomo*, un pot-au-feu à base de mouton, de nouilles et de galettes trempées dans un bouillon. Certains étals, surtout au nord de la ville, restent ouverts jusqu'aux petites heures du jour.

Près de **Nanmen** (porte sud), **Beilin Bowuguan ❶** (la Forêt des stèles ; ouv. tlj. de 8h30 à 17h30 ; entrée payante), un ancien temple confucéen, accueille un musée. La première section expose par ordre chronologique des représentations bouddhiques datant des premiers temps de la route de la Soie à la fin des Tang. La seconde, le clou du musée, abrite une "forêt" de stèles comprenant environ 1 100 tablettes de pierre sur lesquelles sont gravés

CI-DESSOUS : les Hui musulmans sont très nombreux à Xi'an.

des textes fondamentaux, dont ceux de Confucius et de Mencius. Du temps où l'imprimerie était onéreuse et les copies manuelles sources d'erreurs, de nombreux lettrés venaient de très loin étudier les classiques gravés ici.

À 1 km de la ville en partant de Nanmen, **Xiaoyan Ta** ❺ (petite pagode de l'Oie sauvage ; ouv. tlj. de 8h30 à 17h45 ; entrée payante) date du VIIIᵉ siècle. Très endommagée au XVIᵉ siècle par un tremblement de terre, elle fut restaurée à la fin des années 1970, avant de subir de nouveaux dégâts au début des années 1990. Du haut de ses 46 m, une belle vue sur Xi'an vous attend.

Dayan Ta ❻ (grande pagode de l'Oie sauvage ; ouv. tlj. de 8h30 à 19h ; entrée payante) est encore plus intéressante. Édifiée à l'extrémité sud de Yanta Lu, elle compte 7 étages et mesure 64 m. Le prince Li Zhila la fit construire en 652, au début de la dynastie Tang, en mémoire de sa mère. Elle recueillit de précieux sutras, des rouleaux bouddhiques rapportés d'Inde en 645 par le moine Xuanzang, dont les aventures sont racontées dans *La Pérégrination vers l'Ouest* (*voir p. 94*). Les rouleaux furent conservés dans la pagode et traduits en chinois. À l'origine, ce sanctuaire faisait partie d'un grand monastère bouddhiste comprenant 13 cours et plus de 300 salles, et dont la plupart des bâtiments ont disparu. Aujourd'hui, quelques moines sont revenus y vivre, mais les sutras ont émigré vers d'autres institutions et musées du pays. La pagode n'a plus qu'une fonction de tour d'observation sur Xi'an et la campagne environnante.

Ne manquez pas, au sud de la ville, le **Shaanxi Lishi Bowuguan** ❼ (musée d'Histoire ; ouv. tlj. de 8h30 à 17h ; entrée payante). Vous y admirerez des chevaux et des soldats de terre cuite, des céramiques Ming et Qing, des bronzes Shang et Zhou, notamment des tripodes, ainsi que des outils et des poteries datant du paléolithique et du néolithique (explications en anglais).

Carte ci-dessous (à gauche)

Sur une stèle du VIIIᵉ siècle exposée au Beilin Bowuguan, des caractères chinois et syriens décrivent la fondation d'une église par les nestoriens, une secte paléochrétienne introduite en Chine par la route de la Soie.

Si vous avez décidé d'entreprendre l'ascension de la montagne sacrée de Hua Shan (*voir p. 189*), prévoyez une halte au **Baxian Gong** ❽ (temple des Huit Immortels), le plus grand sanctuaire taoïste de la ville, situé à la périphérie est de cette dernière. Ses murs sont couverts de plaques noires gravées d'inscriptions taoïstes. La grande salle abrite une statue du Dragon vert flanqué, à sa gauche, du Tigre blanc. Des fresques illustrant des scènes de la mythologie taoïste ornent le mur arrière. Les 8 immortels vous accueillent de chaque côté de la salle éponyme.

Le gouvernement chinois investit massivement à Xi'an dans le cadre du projet "Vers l'Ouest" lancé en 2000, incitant les populations à migrer vers les régions défavorisées de l'Ouest, afin d'aider à leur développement.

Guerriers immortels de Qin Shi Huangdi

À 30 km à l'est de Xi'an, la visite de **Qing Bimgmayong** ❶, l'armée souterraine de guerriers en terre cuite (ouv. tlj. de 8h à 18h ; entrée payante), est l'un des temps forts d'un voyage en Chine. Cet immense trésor, aussi incontournable que la Grande Muraille et la Cité interdite, fut découvert fortuitement, en 1974, par des paysans qui creusaient un puits.

Les guerriers immortels font partie de **Qin Shihuang Ling**, la vaste et grandiose sépulture de Qin Shi Huangdi, le premier empereur de Chine (*voir p. 20*), dont la tombe principale se trouverait à 1,5 km à l'ouest, sous un tumulus de 47 m de hauteur. Si l'on en croit certains historiens, ce tumulus serait le centre d'une splendide nécropole de 56 km² reproduisant la totalité de la Chine en miniature. Il faudrait déplacer 12 villages et une demi-douzaine d'usines pour pouvoir fouiller la totalité du site.

CI-DESSOUS :
guerriers en terre cuite de Qing Bimgmayong.

Selon des documents anciens, le plafond de cette nécropole était parsemé de perles pour imiter le ciel nocturne, et des coulées de mercure étaient injectées mécaniquement pour donner l'illusion de fleuves. Des échantillonnages

Carte
p. 185

prélevés dans le sol signalent effectivement un taux de mercure élevé. Néanmoins, on n'a toujours pas trouvé l'entrée officielle de la tombe, qui alimente nombre de légendes. Des ouvriers, au nombre de 700 000, auraient travaillé pendant 36 ans à la construction du site, sous les ordres de l'empereur. Les contremaîtres et les équipes chargés de sa conception et de sa réalisation y auraient été enterrés vivants. Selon certaines hypothèses, par superstition ou par méfiance, l'empereur aurait pu se servir de cette nécropole comme d'un leurre et se faire inhumer dans un autre lieu resté secret.

Les guerriers de la fosse principale de Bimgmayong sont rangés en ordre de bataille : ce premier régiment se compose de 11 colonnes d'officiers, de fantassins portant des lances ou des épées – pour beaucoup authentiques – et d'autres combattants dirigeant des chariots à cheval. Les personnages mesurent environ 1,80 m et les traits de chacun sont différents. Au fond, des fragments de statues brisées s'entassent les uns sur les autres. Découvertes en 1976, les deuxième et troisième fosses, plus petites, contiennent des personnages semblables. À ce jour, plus de 7 000 guerriers ont été exhumés, dont un certain nombre ont été restaurés. Un grand hall d'exposition présente une maquette de la nécropole et des vidéos des fouilles, toujours en cours.

Un petit musée, installé dans un bâtiment annexe, expose deux superbes quadriges de bronze Qin (échelle réduite de moitié) avec chevaux et soldats. Leur découverte, en 1980, a permis de savoir quels chars utilisait l'empereur lors de ses inspections dans les provinces.

La foule des touristes et les harcèlements des marchands ambulants inhérents à un site aussi prestigieux vous rebuteront peut-être. Mais prenez votre mal en patience : des merveilles vous attendent.

Lorsque
l'on découvrit
les guerriers
de terre cuite
de Bimgmayong,
ils avaient les joues
rouges et des
uniformes peints.
L'exposition à l'air
les a noircis.

*Les fouilles réalisées
à Banpo ont permis
de découvrir
des objets vieux
de plusieurs milliers
d'années.*

Autour de Xi'an

La route entre Bimanyong et Xi'an traverse **Huaqing Chi**, les sources thermales de Huaqing utilisées depuis plus de 3 000 ans. Malheureusement, ce cadre idyllique – un parc avec des thermes et des pavillons – est envahi de touristes. Sous la dynastie Tang, la plus célèbre concubine de Chine, Yang Guifei, venait s'y baigner. Un peu plus loin dans la montagne, se trouve le site où, en 1936, Jiang Jieshi (Tchang Kaï-Chek), en fuite, fut rattrapé par deux de ses généraux et fait prisonnier, puis "convaincu" de s'allier aux communistes dans la lutte contre l'envahisseur japonais (*voir "De l'empire à la République populaire", p. 33*).

Malgré les descriptions enthousiastes de l'office de tourisme chinois, le site néolithique de **Banpo** ❿ (ouv. tlj. de 8h à 18h30 ; entrée payante) risque de ne fasciner que les visiteurs férus d'anthropologie et d'archéologie. Des objets de la culture matriarcale de Yangshao y sont exposés : poteries, armes et jarres funéraires d'enfants. Le site révèle les délimitations des habitations et des aires réservées à la cuisine.

Située à quelque 50 km au nord de Xi'an, **Xianyang** ⓚ fut la capitale du royaume de Qin Shi Huangdi, mais peu de vestiges subsistent de ses anciens palais. Le **Musée municipal de Xianyang** (ouv. tlj. de 8h à 17h30 ; entrée payante), installé dans un ancien temple confucéen, conserve des objets de la période des Royaumes combattants, ainsi que des dynasties Qin et Han, dont une magnifique collection de 3 000 chevaux et soldats de terre cuite de 50 cm de haut, datant de l'époque han.

L'empereur Tang Gaozong et sa femme, l'impératrice Wu Zetian, sont enterrés à **Qian Ling** ⓛ, à environ 85 km au nord-ouest de Xi'an. On approche du tombeau – qui n'a pas été fouillé – par une "voie des Esprits" gardée par 2 haies de statues de mandarins et d'animaux. Un groupe de 61 statues décapitées représenterait des dignitaires étrangers. Durant une famine, des paysans auraient coupé la tête de ces personnages, rendant les étrangers responsables de la disette.

Yan'an

Dans les années 1930 et 1940, la ville de **Yan'an** ⓳, à quelque 270 km au nord de Xi'an dans les collines de lœss du nord du Shaanxi, servit de base au parti communiste. La Longue Marche (*voir p. 33*), inaugurée par Mao, s'achève ici, en octobre 1935. Durant la Révolution culturelle et les années 1970, Yan'an devient un lieu de pèlerinage national, aussi important que la Cité interdite pour les dignitaires de l'époque. Le parti conserve deux établissements au nord de la ville, **Wangjiaping** et **Fenghuangshan** (tous les 2 ouv. tlj. de 8h à 17h ; entrée payante). Le lit et le bureau de Mao y sont exposés, ainsi que des lettres et des photos. Le **musée de la Révolution** (ouv. tlj. de 8h à 17h ; entrée payante) contient plus de 2 000 documents et objets témoins de ce qui reste "l'âge d'or de la révolution" aux yeux de nombreux vétérans du parti.

Les environs de Yan'an permettent de découvrir des grottes troglodytes typiques de ce paysage de lœss. Elles furent utilisées par les responsables du parti communiste et de l'Armée rouge pendant la Seconde Guerre mondiale.

Les doigts de Bouddha

À quelque 115 km au nord-ouest de Xi'an, **Famen Si** ❷⓿ (temple de Famen ; ouv. tlj. de 8h à 18h ; entrée payante) est un endroit hautement sacré pour les bouddhistes : des os de 4 des doigts de Bouddha y sont conservés et vénérés. Vieux de 1 800 ans, le temple fut construit à l'époque des Han orientaux. En 1981, les travaux de restauration entrepris dans la crypte ont permis de mettre au jour plus de 1 000 objets de culte sacrificiel. Ils sont exposés aujourd'hui dans un musée attenant.

La plus occidentale des 5 montagnes taoïstes de Chine, **Hua Shan** ❷⓵ (2 160 m), se dresse à 120 km de Xi'an. Ses impressionnantes parois verticales et ses précipices peuvent rendre son ascension terrifiante. À certains endroits, les marches deviennent de simples entailles dans la roche, à laquelle on s'agrippe à l'aide d'une chaîne. Les plus courageux montent de nuit, munis de torches, pour admirer le lever du soleil à l'arrivée. Le plus facile reste d'emprunter un téléphérique jusqu'à Bei Feng (pic du Nord, l'un des 4 sommets). Un sentier longe le Canglong Feng (crête du Dragon vert) entre Bei Feng, Dong Feng (pic de l'Est), Xi Feng (pic de l'Ouest) et le point culminant du Hua Shan, situé à Nan Feng (pic du Sud). À pied, il vous faudra environ 4 ou 5 heures pour atteindre Bei Feng, et 1 ou 2 heures de plus jusqu'à Nanfeng. C'est au printemps et à l'automne que l'excursion est la plus agréable.

Au pied de la montagne, le village dispose d'un certain nombre d'hôtels et, disséminées sur les pentes, quelques auberges rustiques pourront vous héberger si le temps se dégrade ou si vous voulez assister au lever du soleil. Autrefois, la montagne pullulait d'ermites taoïstes amateurs d'ésotérisme, à la recherche de l'immortalité. ❑

Cartes
p. 171
& 185

CI-DESSOUS :
les temples taoïstes ponctuent l'arête vertigineuse de la montagne sacrée de Hua Shan.

LES TRÉSORS DES SÉPULTURES

Les tombes royales offrent un aperçu fantastique du mode de vie, de la richesse et des croyances des souverains et des grands hommes de l'Antiquité.

L'essentiel de notre connaissance de la Chine ancienne nous vient des tombeaux des empereurs, des princes et des guerriers. Dès 3000, au néolithique, des grottes sont sculptées et remplies d'objets. Les plus somptueuses datent des Shang (XVIᵉ-XIᵉ av. J.-C.), dynastie qui établit ses capitales à Anyang et à Zhengzhou et ne refuse rien à ses monarques afin de leur garantir une vie éternelle. Pour la construction de son tombeau, le premier empereur de Chine, Qin Shihuang Ling, emploie 700 000 ouvriers, dont beaucoup périssent d'épuisement ou sont sacrifiés (*voir p. 187*). Lors des funérailles, les sacrifices sont massifs : des courtisans et des concubines sont assassinés dans les salles funéraires, des chevaux et leurs maîtres sont tués pour accompagner le mort dans l'au-delà.

Des bureaucrates passent leur vie à préparer l'inventaire des tombes qui sera présenté à leurs collègues de l'autre monde ; ils établissent même des actes prouvant que le défunt est bien le propriétaire du terrain dans lequel il est enterré.

LINCEULS ÉTERNELS

Les tombeaux Shang furent construits durant l'âge de bronze ; ils ont livré à la postérité quelques objets témoignant d'une imagination débridée et d'un grand savoir-faire. Les plus spectaculaires sont probablement les linceuls de jade, un minerai extrêmement dur qui ne se sculpte pas.

Le jade devait être abrasé jusqu'à former de petits rectangles ou carrés ; ils étaient reliés par du fil d'or et d'argent pour constituer un revêtement épousant la forme du corps. Ces "cottes de jade" furent utilisées du milieu de la période des Han de l'Ouest à la fin de celle des Han de l'Est (141 av. J.-C.-220). À ce jour, on en a découvert 40, dont celles du prince Liu Sheng (154-113 av. J.-C.) et de son épouse Dou Wan, exhumés en 1968 dans un palais souterrain où 4 000 objets étaient éparpillés à travers des écuries, des salles de banquet et des celliers.

◁ **COTTE DE JADE**
Il a fallu 10 ans pour fabriquer cette cotte de jade destinée à Liu Sheng, prince de Zhongshan. Elle comporte 2 498 plaquettes qui épousent confortablement le ventre rebondi de ce bon vivant.

▽ **DRAGON DE BRONZE**
Datant du Vᵉ-VIᵉ siècle av. J.-C., cette créature de bronze fantasmagorique (qui tire la langue) a pu servir de support à un instrument de musique. Le dragon se prête à toutes sortes de représentations au cours de l'histoire de la Chine.

◁ **VASE RITUEL**
Ce récipient, destiné à des offrandes de nourriture, provient de la tombe de dame Fu Hao, une reine ayant vécu vers le XIᵉ siècle. On a découvert 250 bronzes rituels dans sa sépulture.

LE MYSTÈRE DE SANXINDUI

◁ **GARDIEN FÉROCE**
La plus ancienne sculpture
(IVe-IIIe siècle av. J.-C.)
sur racine trouvée en Chine
ressemble à un tigre monté
sur échasses. Sur ses pattes,
faites de bambou, montent et
descendent des petites bêtes.
Découvert au-dessus de
la tête d'une femme dans
une tombe de Mashan
(canton du Jiandling), il
semble remplir une fonction
de gardien, avec son regard
farouche, rouge et orange.

▽ **L'HOMME QUI CHANTE
ET QUI DANSE**
Ce conteur (25-220)
chante et danse. Dans
les tombes, on a découvert
des instruments à percussion
et à vent, témoignant
de la forte tradition musicale
de la Chine antique.

▽ **MASQUES EN OR**
L'une des têtes de bronze,
dorées à la feuille d'or,
trouvées sur le site
archéologique de Sanxindui
(XIe siècle av. J.-C.).

Cette figure de 2,60 m
de haut fut découverte
fortuitement dans des
tombes du mystérieux site
de Sanxindui, au Sichuan,
en 1986. Ce personnage –
qui pourrait être un roi
ou un prêtre – est pieds nus,
il porte un long manteau
et ses énormes mains
semblent avoir été conçues
pour tenir quelque chose.
Cette trouvaille, datée
du XIIe siècle av. J.-C.,
a forcé les historiens
à reconsidérer
les débuts de
la civilisation
chinoise,
qui, pour eux,
était née dans
la seule vallée
du cours moyen
du Huang He (fleuve
Jaune). Les fosses
de Sanxindui contenaient un
trésor composé de défenses
d'éléphants, de bronzes
et de lames de jade
encore jamais rencontré,
mais aucune dépouille
humaine. On ignore tout
ou presque de la civilisation
de Sanxindui, dont on n'a
retrouvé aucune forme
d'écriture.

LE CENTRE

Traversées par le Chang Jiang (Yangzi), les campagnes fertiles et les villes densément peuplées du cœur de la Chine recèlent maints sites dignes d'intérêt.

Les terres fécondes de la Chine centrale, tout particulièrement la bande côtière appelée "le pays du poisson et du riz", forment depuis longtemps le grenier et l'usine de l'empire du Milieu. L'abondance des pluies et la douceur des étés créent des conditions idéales pour la riziculture. Celle-ci nécessitant une énorme main-d'œuvre, la région possède la plus forte concentration de ruraux au monde. En outre, de nombreux événements historiques se sont déroulés dans cette partie de la Chine depuis 2 siècles.

Avec ses 14 millions d'habitants, Shanghai est la plus grande ville du pays. Elle joue un rôle commercial de plus en plus important, qui la destine à devenir le centre névralgique de la Chine du XXIe siècle. Plus de 70 milliards de dollars sont actuellement investis dans de nouvelles infrastructures – des opérations massives qui métamorphosent l'apparence et la personnalité de ce vestige de l'époque coloniale.

Près de Shanghai passe le Grand Canal, qui reliait jadis le nord et le sud du pays. Les villes installées sur ses rives, comme Suzhou et Wuxi, n'ont rien perdu de leur charme malgré leur inévitable industrialisation. Nanjing, en amont sur le Chang Jiang, est une cité arborée, habitée par des siècles d'histoire. Hangzhou, à l'extrémité sud du Grand Canal, fut pendant quelque temps l'une des plus grandes villes de Chine. Les Chinois considèrent son lac de l'Ouest comme l'un des plus beaux sites du pays.

Bien plus loin à l'ouest, les remous du Chang Jiang déferlent dans Chongqing, à la frontière du Sichuan. Le bassin Rouge du Sichuan enchâsse ses terres fertiles dans des massifs montagneux. Cette région, réputée pour sa cuisine très relevée, abrite le grand bouddha de pierre de Leshan et les montagnes sacrées d'Emei Shan. À l'ouest, la province se montre plus sauvage. Les pandas ont fait leur sanctuaire de ses montagnes couvertes de forêts.

Embarquez-vous sur l'un des ferries reliant Chongqing, sur le Chang Jiang, à Sanxia, les Trois Gorges. Malheureusement, la construction du plus grand barrage du monde va altérer irrémédiablement ce paysage fabuleux. En 2009, les eaux auront monté de 175 m, engloutissant les maisons de plus d'un million d'habitants.

Le Chang Jiang fait une brève incursion dans le Hunan. Vous y dégusterez une cuisine épicée et partirez à la découverte des lieux où vécut Mao Zedong. Le voyage fluvial à travers les gorges de Sanxia s'achève à Wuhan, la capitale du Hubei. Un peu en aval, dans la région de l'Anhui, vous attend l'ascension du Huang Shan, peut-être la plus belle montagne de Chine. Au Jiangxi, province associée aux débuts du parti communiste et de Mao, Lu Shan, parsemé de maisons coloniales, est depuis toujours une villégiature appréciée dans la chaleur étouffante de l'été. ❑

PAGES PRÉCÉDENTES : jeunes gymnastes à l'entraînement.
À GAUCHE : brumes s'effilochant au sommet de Huang Shan (Anhui).

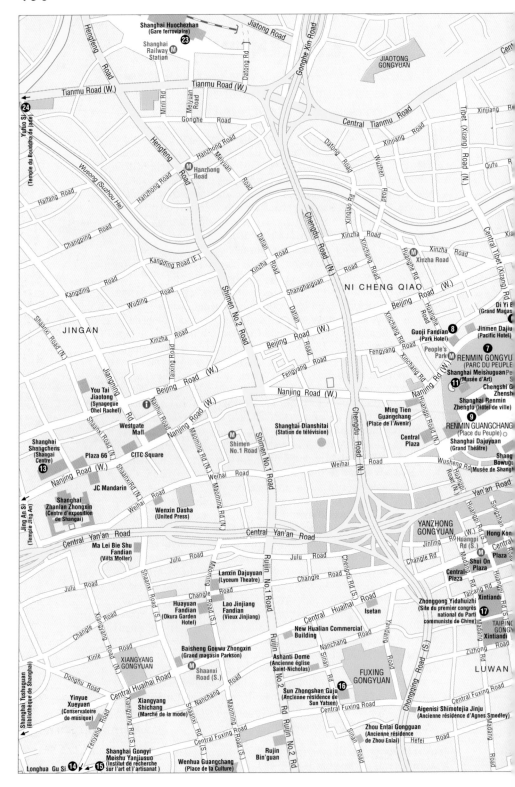

Shanghai Huochezhan
(Gare ferroviaire) 23

Shanghai
Railway
Station

JIATONG
GONGYUAN

Tianmu Road (W.)

Tianmu Road (W.)

Central Tianmu Road

24

(Temple du Bouddha de Jade)
Yufuo Si

Gonghe Road

Hengfeng Road

Wusong (Suzhou He)

Hanzhong Road

Chengdu Road (N.)

Xinjiang Road

Tibet (Xizang) Road (N.)

Qufu Road

Changping Road

Kangding Road (E.)

Shanghaiguan

Xinzha Road

Xinzha Road

Central Tibet (Xizang) Road (W.)

JINGAN

Kangding Road

Wuding Road

Xinzha Road

NI CHENG QIAO

Beijing Road (W.)

Di Yi E
(Grand Magas

Shaanxi Road (N.)

Xinzha Road

Beijing Road (W.)

Guoji Fandian 8
(Park Hotel)

Jinmen Dajiu
(Pacific Hotel)

7

Fengyang Road

People's
Park

RENMIN GONGYU
(PARC DU PEUPLE

You Tai
Jiaotong
(Synagogue
Ohel Rachel)

Nanjing Road (W.)

Fengyang Road

Nanjing Road (W.)

Shanghai Meishuguan
(Musée d'Art) 11

Shanghai Dianshitai
(Station de télévision)

Ming Tien
Guangchang
(Place de l'Avenir)

Chengshi G
Zhensh

Shanghai Renmin
Zhengfu (Hôtel de ville)
9

Westgate
Mall

Shimen
No.1 Road

Nanmu Road

Shimen No.2 Road

Chengdu Road (N.)

Central
Plaza

RENMIN GUANGCHANG
(Place du Peuple)

Shanghai Dajuyuan
(Grand Théâtre)

Shanghai
Shangchens
(Shangaï
Centre)
13

Plaza 66

CITC Square

Nanjing Road (W.)

Maoming Rd (N.)

Shaanxi Rd (N.)

Weihai Road

Weihai Road

Wusheng Rd

Shang
Bowugu
(Musée de Shangha

JC Mandarin

Yan'an Road (N.)

Shanghai
Zhanlan Zhongxin
(Centre d'exposition
de Shangaï)

Wenxin Dasha
(United Press)

Central Yan'an Road

Central Yan'an Road

YANZHONG
GONGYUAN

Hong Kon

Jing An Si
(Temple Jing An)

Ma Lei Bie Shu
Fandian
(Villa Moller)

Julu Road

Julu Road

Jinling

Huangpi Rd (S.)

Central
Plaza

Plaza

Shui On
Plaza

Julu Road

Changle Rd

Changle Road

Lanxin Dajuyuan
(Lyceum Theatre)

Maoming Road (S.)

Ruijin No.1 Road

Changle Road

Chengdu Rd (S.)

Central
Plaza

Huayuan
Fandian
(Okura Garden
Hotel)

Lao Jinjiang
Fandian
(Vieux Jinjiang)

Central Huaihai Road

Isetan

Zhonggong Yidahuizhi
(Site du premier congrès
national du Parti
communiste de Chine)

Xintiandi
17

XIANGYANG
GONGYUAN

Baisheng Gouwu Zhongxin
(Grand magasin Parkson)

New Hualian Commercial
Building

Nanchang Road

TAIPIN
GONG
Xintiandi

LUWAN

Shaanxi
Road (S.)

Ashanti Dome
(Ancienne église
Saint-Nicholas)

FUXING
GONGYUAN

Zizhong Road

Shanghai Tushuguan
(Bibliothèque de Shangaï)

Yinyue
Xueyuan
(Conservatoire
de musique)

Xiangyang
Shichang
(Marché de la mode)

Central Huaihai Road

Donghu Road

Xiangyang Rd (S.)

Nanchang Road

Sun Zhongshan Guju
(Ancienne résidence de
Sun Yatsen) 16

Central Fuxing Road

Aigenisi Shimotejia Jinju
(Ancienne résidence d'Agnes Smedley)

Zhou Enlai Gongguan
(Ancienne résidence
de Zhou Enlaï)

Chongqing Road (S.)

Hefei Road

Madang Road

Longhua Gu Si 14 15

Shanghai Gongyi
Meishu Yanjiusuo
(Institut de recherche
sur l'art et l'artisanat)

Xinle Road

Fenyang Road

Central Fuxing Road

Wenhua Guangchang
(Place de la Culture)

Rujin
Bin'guan

Rujin No.2 Rd

Sinan Road

Ruijin No.2 Rd

Central Fuxing Road

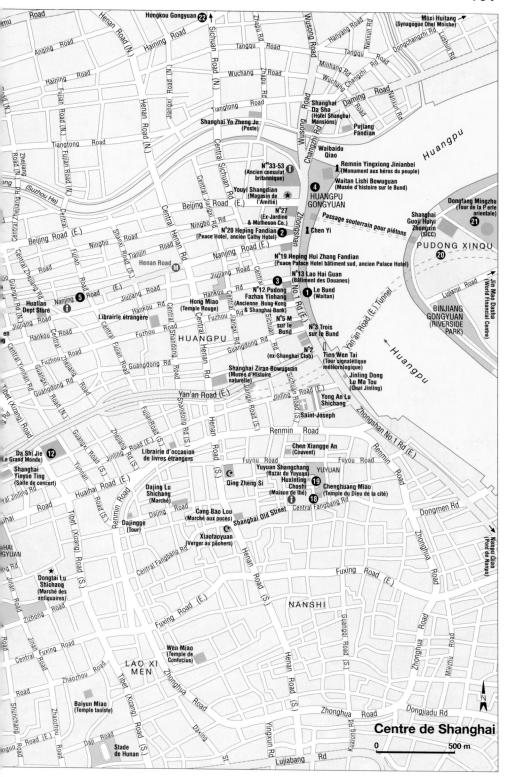

Centre de Shanghai

0   500 m

SHANGHAI

Étoile montante de la Chine, jalousée par le reste du pays, Shanghai l'élégante – le "Paris de l'Orient" à l'époque coloniale – ferait presque de l'ombre à Hong Kong.

À l'origine, Shanghai ("Au-dessus de la mer" en chinois) était un paisible village de pêcheurs. Aujourd'hui, elle s'affirme comme la plus grande métropole de Chine, attirant des investissements étrangers massifs. En l'espace de 10 ans, une forêt de gratte-ciel ceinturée de voies rapides est venue remplacer les quartiers de petites maisons traditionnelles, et des hôtels internationaux dernier cri ont jailli de terre aux côtés des édifices coloniaux centenaires. Le boom immobilier fut tel qu'à la fin des années 1990, il suscita une pénurie de grues dans le reste de l'Asie.

L'ancien Premier ministre Deng Xiaoping avait personnellement choisi de faire de Shanghai le fer de lance de la nouvelle économie du pays, l'objectif déclaré étant de surpasser Hong Kong en 2010 en tant que centre international de la banque et de la finance.

Sur le plan administratif, Shanghai est une métropole sans province, composée d'une douzaine de districts urbains et de districts ruraux des environs. Le Grand Shanghai compte plus de 16 millions d'habitants et la ville *intra-muros*, qui recouvre 375 km², 8 millions. Quel que soit le périmètre pris en compte, la ville possède l'une des plus fortes densités de la planète et chacun – Chinois et étrangers – s'accorde à penser que *"Ren tai duo"* ("il y a trop de monde").

Les Shanghaiens parlent un dialecte connu d'eux seuls, mangent une cuisine spécifique et se considèrent en général comme vivant à des années-lumière de leurs compatriotes, notamment les Pékinois. Il est vrai qu'avec son niveau de vie élevé, ses nuits trépidantes et son caractère cosmopolite, Shanghai fait paraître Beijing bien provinciale.

La circulation dans la ville peut être chaotique, mais les voies rapides surélevées se révèlent très pratiques. Les bus sont parfois bondés ; quant au métro – qui présente 2 lignes souterraines et 1 en surface –, il est propre et fonctionnel. Un train express relie le nouvel aéroport international de Pudong au centre-ville.

Un port très convoité

Dès le Xe siècle, la région qui borde le delta du Chang Jiang devient un centre commercial florissant, et le petit port de Shanghai prospère pendant plusieurs centaines d'années. Au XVIe siècle, pour le défendre des incursions des pirates japonais, on construit un mur défensif. Jusqu'en 1912, celui-ci ceint la vieille ville au sud du Bund, selon un tracé circulaire correspondant aux actuelles Renmin Rd et Zhonghua Rd. Ce mur n'empêche pas l'intrusion des Européens. Dans les années 1840, les guerres de l'opium permettent aux Britanniques d'imposer à la Chine le traité de Nankin (Nanjing), dont l'une des nombreuses clauses est l'ouverture de Shanghai aux Occidentaux.

À GAUCHE : Nanjing Lu, haut lieu du shopping.
CI-DESSOUS : publicité pour cigarettes dans la sulfureuse Shanghai des années 1930.

En 2003, dans
le cadre du nouveau
plan destiné à faire
de Shanghai une ville
internationale,
le mot chinois *lu*
est remplacé par *Rd*,
pour *road*, "route"
en anglais. Nanjing
Nong Lu devient ainsi
Nanjing Rd (East).
L'idéogramme
n'a pas changé.

CI-DESSOUS :
le Huangpu Jiang.

Pendant les 100 ans qui suivent, jusqu'à la Seconde Guerre mondiale, les concessions étrangères s'implantent à Shanghai. Elles occupent la majeure partie du centre actuel ; seule la vieille ville chinoise, murée dans ses remparts, échappe à leur emprise. Shanghai devient la ville où il faut vivre, avec sa culture cosmopolite exubérante, ses cabarets et casinos, ses négoces internationaux et son brassage d'affaires. L'effervescence atteint son comble dans les années 1930 : une fièvre bâtisseuse s'empare des concessions et c'est à qui construira les gratte-ciel les plus hauts, les banques et les hôtels les plus luxueux.

Ce radicalisme se manifeste également sur le plan des idées. C'est à Shanghai qu'est fondé le parti communiste en 1921 et que la Révolution culturelle aura son quartier général dans les années 1960. Paradoxalement, malgré leur enthousiasme à détruire tout ce qui n'entre pas dans les critères du réalisme socialiste – étranger, bouddhiste ou simplement ancien –, les gardes rouges épargnent un nombre surprenant d'édifices de l'époque coloniale.

Le Bund

Zhongshan Nº 1 Rd E, qui longe la rive occidentale du Huangpu Jiang, offre une bonne illustration de la cure de jouvence que vient d'entreprendre la ville. La plupart des étrangers appellent le **Bund** ❶ (Waitan) cet impressionnant ensemble d'édifices néoclassiques occupés durant l'âge d'or de Shanghai par des banques européennes, américaines et japonaises et par des maisons de négoce, des clubs, des consulats et des hôtels. Après 1949, le parti communiste réquisitionne ces immeubles mais, depuis peu, des banques et des institutions non gouvernementales se sont réinstallées dans leurs locaux rénovés par l'État et superbement éclairés la nuit.

Sur l'autre rive, une promenade au bord du fleuve longue de plus de 1 km attire badauds, touristes, voleurs à la tire et colporteurs. Chaque jour, à l'aube, juste en face du *Peace Hotel* (*voir ci-dessous*), de nombreux Shanghaiens débutent ici leur journée par des exercices de *taijiquan*.

Le **Heping Fandian** ❷ (*Peace Hotel*) se trouve à l'intersection du Bund et de Nanjing Rd. Ce bijou d'architecture coloniale porta jadis les noms de *Cathay Hotel* puis de *Palace Hotel*. Montez, au 11ᵉ étage, jusqu'à la terrasse à ciel ouvert : la vue sur le Bund et sur la ville est fabuleuse. Venez y dîner, afin de pouvoir contempler à votre aise les rives du Huangpu. Après le repas, offrez-vous un verre au bar en écoutant le célèbre Old Peace Hotel Jazz Band qui se produit ici depuis le début des années 1920.

Au sud du *Peace Hotel*, le **bâtiment des Douanes** ❸ (1927) est reconnaissable à sa tour d'horloge (surnommée Big Ching) et, juste à côté, l'ancienne **Hong Kong & Shanghai Bank**, à son dôme et à son hall d'entrée impressionnant. À l'angle de Zhongshan Dong Rd E et de Yan'an Dong Rd E, se dresse le **Tung Feng Hotel** qui abrita le très sélect Shanghai Club jusqu'à la révolution de 1949.

Le **Huangpu Gongyuan** ❹ (parc Huangpu) s'étend au nord du Bund, en face de l'ancien consulat de Grande-Bretagne. À l'entrée, à l'époque des concessions, un écriteau aurait jadis porté la mention "Chiens et Chinois interdits", mais il n'a été retrouvé aucun élément attestant l'existence d'un tel panneau. Le **musée d'Histoire du parc** (Waitan Lishi Bowuguan ; ouv. tlj. de 9h à 16h ; entrée gratuite) expose des documents historiques sur le Bund.

Zhongshan Dong Rd E coupe ici **Suzhou He** (nommé aussi Wusong). Ce canal traverse la ville d'est en ouest avant de se jeter dans le fleuve.

Cartes
p. 196
& 197

Le Peace Hotel, *l'ancien* Cathay Hotel, *était l'endroit où il fallait descendre dans les années 1930. Grâce au commerce de l'opium, son architecte, Victor Sassoon, gagna une fortune qu'il réinvestit dans l'immobilier à Shanghai.*

CI-DESSOUS : collectionneur d'oiseaux allant au marché.

NOTEZ-LE

La promenade
en bateau est
l'un des temps forts
d'un séjour
à Shanghai. La durée
des excursions varie
de 1h – pour aller
jusqu'au pont Yangpu
et en revenir –
à 3h30 – pour aller
jusqu'à l'embouchure
du Yangzi. On peut
aussi dîner sur les
bateaux, qui partent,
en général, du quai
Shiliupu sur le Bund.

Ci-dessous :
néons publicitaires
et activité noctune,
Nanjing Road.

Waibaidu, l'ancien pont du canal fait quelque peu pâle figure à côté de son rival tout neuf, bâti parallèlement. Premier pont construit par les Britanniques et baptisé alors Garden Bridge (pont du Jardin), il reliait les quartiers américain et britannique. En 1863, ceux-ci ont fusionné en une concession internationale (Shanghai Zujie), qui s'étendait d'ouest en est jusqu'à Yan'an Rd, au sud. De 1937 à la fin de la Seconde Guerre mondiale, Waibaidu servit de frontière avec les territoires au nord de Suzhou He, occupés par les Japonais.

À l'extrémité nord du Waibaidu, découvrez quelques beaux exemples d'architecture shanghaienne : l'hôtel Shanghai Mansions, la Bourse, et le consulat de Russie aux murs bleus, seul consulat à avoir conservé sa fonction d'origine jusqu'à nos jours. N'hésitez pas à entrer à l'intérieur du Pujiang Hotel et de la poste, superbement restaurée. La promenade en bateau sur le Huangpu pour admirer le Bund et le paysage shanghaien en mutation constante est hautement recommandée (*voir "Notez-le", ci-contre*).

Le cœur de Shangai

Le cœur de la ville correspond à l'ancienne concession internationale, c'est-à-dire une bonne partie des districts de Huangpu et Jingan, traversés d'est en ouest par **Nanjing Rd ❺**, la principale artère de la ville. Celle-ci, en partie piétonnière, envahie par une foule permanente, est souvent considérée comme la rue la plus encombrée du monde. C'est aussi le paradis du shopping ; on y trouve de tout : des vêtements, des soieries, du matériel électronique, des accessoires de théâtre, des instruments de musique et des antiquités. D'anciennes épiceries d'État côtoient les grands magasins les plus chic et les grands noms de la mode internationale comme Dior, Esprit ou Burberry's.

Pour une découverte plus authentique de la vie locale, mêlez-vous à la foule de chalands qui fréquente **Di Yi Baihuo** ❻ (grand magasin n° 1), un magasin d'État qui vend denrées et produits de base. Il est situé au milieu de la rue, à l'angle de Xizang (Tibet) Rd. Plus à l'ouest, coincé entre Fuzhou Rd au sud et Nanjing Rd au nord, **Renmin Gongyuan** ❼ (parc du Peuple) occupe ce qui fut un champ de courses aux beaux jours de l'époque coloniale et des *taipan* (surnom donné aux riches hommes d'affaires étrangers). Aujourd'hui transformé en jardin public – le plus grand de la ville –, il ne présente pas beaucoup d'intérêt.

La présence coloniale a aussi laissé sa marque au nord du parc, dans Nanjing Rd. Le **Guoji Fandian** ❽ (Park Hotel), de style Arts déco, fut jadis l'hôtel le plus haut d'Asie et sa renommée égalait celle du *Peace Hotel* sur le Bund. Au sud de Renmin Gongyan, le **Renmin Guangchang** ❾ (place du Peuple) était inclus dans le champ de courses. Aujourd'hui, il accueille un centre commercial souterrain, le Grand Théâtre (Opéra), la mairie et le Centre de planification de Shanghai, où sont organisées des expositions sur la ville. Toujours bondée, cette place est devenue le cœur de la métropole moderne. La fontaine, qui reproduit la forme du delta du Yangzi, est impressionnante.

Au sud de la place, le **Shanghai Bowuguan** ❿ (musée de Shanghai ; ouv. du lun. au ven. de 9h à 17h, le sam. de 9h à 20h ; entrée payante) occupe depuis 1996 de nouveaux bâtiments très bien conçus. Les 11 galeries contiennent peintures, bronzes, sculptures, céramiques, calligraphies, jades, meubles Ming et Qing, pièces de monnaie, sceaux et œuvres d'art de qualité de différentes cultures. La collection de bronzes a la réputation d'être la plus belle du monde, et les céramiques sont superbes. N'hésitez pas à utiliser l'audiophone, qui complète efficacement les panneaux en anglais.

Cartes
p. 196
& 197

NOTEZ-LE

Les spectacles d'acrobatie de Shanghai sont réputés dans le monde entier. Les meilleurs d'entre eux se produisent au Shanghai Centre, en face du *Ritz Carlton*, dans Nanjing Rd West (7h30-21h).

CI-DESSOUS :
Renmin Guangchang et le musée de Shanghai, à l'arrière-plan.

Non loin de là, le **Shanghai Meishuguan** ⓫ (musée d'Art de Shanghai ; ouv. tlj. de 9h à 11h et de 13h à 16h ; entrée payante) expose des pièces d'art contemporain dans l'ancien club hippique. Le temple bouddhiste **Jing'An Si** se trouve à quelques centaines de mètres à l'ouest, dans Nanjing Rd. À l'est de la place Renmin, à l'angle de Xinzang Rd et de Hankou Rd, le petit **Mu'en Tang** en briques rouges (ancienne Moore Church) offre un aperçu de l'architecture chrétienne de la ville.

Au sud de la place Renmin, dans Xizang Rd, **Da Shi Jie** ⓬ (Le Grand Monde), jadis un haut lieu du jeu, de la drogue et de la prostitution, a été réaménagé en un complexe de loisirs où se produisent des acrobates. Une salle est consacrée au *Livre Guiness des records*.

Plus à l'ouest, l'artère commerçante Nanjing Rd (qui devient plus loin Nanjing Xilu) est jalonnée de magasins sur 4 km. Le **Shanghai Zhanlan Zhongxin** (Centre d'expositions de Shanghai), d'architecture réaliste-socialiste, se dresse à l'angle de Yan'an Rd et Xikang Rd, face au **Shanghai Shangcheng** ⓭ (ou Shanghai Centre). Ce complexe monumental, surnommé "la ville américaine", abrite l'hôtel *Portman Ritz-Carlton*, deux tours résidentielles, un immeuble de bureaux où se sont installées des sociétés internationales et des compagnies aériennes, un centre commercial, ainsi que des magasins occidentaux et un restaurant de la chaîne *Hard Rock Café*.

Le sud de Shangai

Longhua Gu Si ⓮, dans la rue du même nom, comprend un temple et une pagode. Initialement bâtis en 242 av. J.-C., ils ont été détruits et reconstruits à plusieurs reprises jusqu'à l'époque des Song. Les 7 pavillons du temple retrouvent peu à peu leur activité cultuelle, bénéficiant des mesures récentes de libéralisation religieuse. À côté du temple, le *Longhua Hotel*, destiné aux pèlerins bouddhistes, dispose d'un restaurant végétarien ouvert à tous. Au nord-ouest, la **cathédrale catholique Xujiahui**, anciennement Saint-Ignace, est un impressionnant bâtiment néogothique français, construit en 1846. Le nom de Xujiahui dérive de celui de la première famille catholique de Chine, les Xu. Le mandarin Xu Guangqi (Paul Xu), né en 1562 à l'époque des Ming, se convertit au catholicisme sous l'influence du jésuite Matteo Ricci (*voir p. 27*), dont il devint par la suite l'assistant personnel.

Au sud de Yan'an Rd, la **concession française**, qui date des années 1840, a conservé toute sa séduction d'antan avec ses bâtiments de style européen et ses larges avenues. Si vous voulez faire du shopping, vous détendre dans un café, ou simplement vous promener, dirigez-vous vers l'élégante Huaihai Rd, la rue principale du quartier, beaucoup plus calme que son pendant au nord, Nanjing Rd.

Au sud de Huaihai, dans Fenyang Rd, le **Shanghai Gongyi Meishu Yanjiusuo** ⓯ (Institut de recherche sur l'art et l'artisanat ; ouv. tlj. de 9 h à 17h) est installé dans une ancienne résidence française. Vous pourrez y voir des artisans au travail et acheter certaines de leurs réalisations. La **Shanghai Tushuguan** (bibliothèque de Shanghai ; ouv. tlj. de 9 h à 17h),

CI-DESSOUS : maison de thé traditionnelle dans Fangbang Road, dans la vieille ville.

à l'ouest dans Huaihai Rd, est l'une des plus grandes bibliothèques du monde. Inaugurée en 1996, elle possède un fonds de 12 millions de volumes. Ce quartier héberge aussi un grand nombre de consulats.

Rendez-vous ensuite au sud de Huaihai Rd, près du parc Fuxing, jusqu'à **Sun Zhongshan Guju** ❶ (ancienne résidence de Sun Yatsen ; ouv. tlj. de 9h à 16h30 ; entrée payante), qui est situé dans Xianshan Rd, à l'angle de Sinan Rd. Mao Zedong et Zhou Enlai ont également vécu et travaillé dans ce quartier. À l'intersection de Xingye Rd et de Huangpi Rd, découvrez le site du **Iᵉʳ congrès national du parti communiste de Chine** ❶ (Zhonggong Yida-huizhi ; ouv. tlj. de 9h à 17h ; entrée payante). Vous visiterez la pièce où le parti fut fondé, le 1ᵉʳ juillet 1921 ; elle a conservé son ameublement d'origine et vous pourrez y voir des statues de cire des dirigeants historiques du parti.

La vieille ville

L'ancienne cité chinoise s'inscrit dans un cercle dessiné par Renmin Rd et Zhonghua Rd, suivant l'ancien tracé des murailles. Celles-ci furent détruites en 1912, puis les douves furent comblées pour faire place aux rues.

Avant 1949, seule la vieille ville était sous administration chinoise, tandis que les concessions étrangères se partageaient le reste de Shanghai. Presque exclusivement habitée par des Chinois, la vieille ville est devenue un repaire de gangsters et de trafiquants d'opium. Elle a conservé jusqu'à nos jours ses anciennes ruelles et ses petites maisons densément peuplées. Malheureusement, on démolit à tour de bras pour agrandir le bazar (*voir p. 206*).

Chenghuang Miao ❶ (temple du Dieu de la cité) et le **jardin Ming Yuyuan** (ouv. tlj. de 8h30 à 16h30 ; entrée payante) occupent le cœur de la

Cartes
p. 196
& 197

"Si le vieux ne part pas, le jeune ne vient pas."
PROVERBE CHINOIS

CI-DESSOUS :
jardin Yuyuan.

vieille ville. De facture classique, ressemblant à celui de Suzhou, le jardin serait l'œuvre d'un paysagiste excentrique extrêmement doué, Zhang Nanyang, engagé par la famille Pan, des mandarins Ming. Promenez-vous parmi les collines artificielles, les rocailles et les allées, les étangs regorgeant de carpes, les murs et les pavillons reliés entre eux par des ponts en zigzag. Lors de la révolte des Taiping, le jardin devint le refuge de la secte des Petites Épées. Le pavillon du Printemps – ancien quartier général de la secte – abrite une exposition qui lui est consacrée. À l'ouest de Yuyuan, près de Henan Rd, une brocante dominicale occupe une usine désaffectée de Fuyou Rd. Dès 4 h du matin, les brocanteurs s'affairent pour préparer leurs étals. Le marché est bondé au milieu de la matinée, le meilleur moment pour faire des affaires. On y vend toutes sortes de choses, notamment de vieilles cartes postales de la ville, des paniers et des boîtes, des porcelaines, des montres anciennes, et des objets datant de l'époque de Mao.

Huxinting Chashi ⓳ (maison de thé de Huxinting), la plus ancienne de la ville, date des Qing. Elle est située au milieu d'un petit lac et son célèbre pont en zigzag mène au jardin Yuyuan. C'est un lieu calme et privilégié, où survit un peu de la Chine d'autrefois. À l'étage, dégustez une tasse de thé, qui serait le meilleur de la ville. Des musiciens s'y retrouvent le soir pour jouer de la musique traditionnelle.

Tout autour de Yuyuan, un grand bazar traditionnel – qui ne cesse de gagner du terrain – occupe un complexe aux murs rouges et aux toits de tuiles retroussées, qui sert de marché et de lieu de rencontre depuis le XVIIIᵉ siècle. Regorgant d'articles de toutes sortes, de souvenirs et de chinoiseries, il abrite une brocante dans son sous-sol.

CI-DESSOUS :
restaurant
au décor colonial.

La rive est

Le port de Shanghai, aujourd'hui le troisième du monde, a largement contribué au développement industriel de la ville. Créée sur la rive orientale du fleuve, juste en face du Bund, pour un coût estimé à 70 millions de dollars, la nouvelle zone économique de **Pudong Xinqu ⑳** a entièrement remodelé l'aspect général de Shanghai. Ses infrastructures incluent un nouveau port à conteneurs, un aéroport international et des kilomètres carrés de surfaces de bureaux occupant des gratte-ciel flambant neufs, parmi lesquels la bourse. Par ailleurs, les autorités poussent les habitants à déménager sur la rive est afin d'alléger la pression subie par les banlieues ouest.

Le **pont de Nanpu** relie le Bund à Pudong, ainsi que plusieurs tunnels et un passage souterrain pour piétons. Les touristes peuvent emprunter un funiculaire spécialement conçu pour eux ; le voyage, qui s'effectue dans un tunnel illuminé aux rayons laser, ne dure que quelques minutes (ouv. tlj. de 9h à 21h ; entrée payante). Depuis le Bund, Pudong se repère aisément, de l'autre côté du fleuve, grâce à **Dongfang Mingzhu ㉑** (tour de télévision de la Perle orientale ; ouv. tlj. 8h-21h45 ; entrée payante). Ce gratte-ciel ressemble à une gigantesque fusée surmontée d'une flèche illuminée de couleurs vives la nuit. Des ascenseurs express hissent les visiteurs au sommet, d'où la vue à 360° est inoubliable. Pudong se flatte de posséder le plus grand magasin d'Asie : occupant 10 étages dans Yangyang Rd, **Ba Bai Ban** (grand magasin du Futur) vend aussi bien des voitures que des vêtements.

Même s'il risque d'être éclipsé en taille par le futur World Financial Centre (95 étages), **Jin Mao Dasha** mérite le détour. Achevé en 1999, ce gratte-ciel spectaculaire de 88 étages, dont la forme imite celle d'une pagode, est actuel-

Cartes
p. 196
& 197

La tour de la Perle orientale, symbole du nouveau Shanghai.

CI-DESSOUS :
marchand ambulant.

Cartes
p. 196
& 197

lement le quatrième immeuble le plus haut du monde. Il abrite des bureaux ainsi que l'hôtel *Grand Hyatt*. Si vous n'êtes pas sujet au vertige, montez jusqu'à la plateforme d'observation (entrée payante) qui ouvre à la fois sur l'extérieur et sur l'impressionnant atrium de l'hôtel.

Au nord de Suzhou He

En remontant Sichuan Rd au nord du canal, vous rejoignez Hongkou, un quartier qui conserve un charme désuet. Comme dans la vieille ville, le linge sèche encore aux balcons sur des perches de bambou, et les anciens, assis sur des tabourets, discutent, coupent des légumes, jouent aux cartes, ou surveillent la literie qui s'aère dans la rue. En été, évitez les abords des canaux, qui dégagent une odeur nauséabonde.

L'écrivain Lu Xun vécut à Shanghai dans les années 1930.

Ci-dessous :
bouddha de jade à Yufo Si.
À droite :
le Bund de nuit.

Tout au bout de Sichuan Rd, **Hongkou Gongyuan** ㉒ est sans doute le plus beau parc de Shanghai. Il abrite un musée consacré à Lu Xun, l'un des plus grands écrivains chinois du XXᵉ siècle, ainsi que sa tombe. La visite de la maison où il vécut modestement, de 1933 à sa mort en 1936, est passionnante. Elle se trouve à quelques minutes à pied à l'est du parc, dans une ruelle partant de Shangyin Rd, Dalu Xincun.

Avant la Seconde Guerre mondiale et l'occupation japonaise, Hongkou était surnommé "le Petit Tokyo". Une grande partie des 30 000 résidents japonais de Chine y vivaient. Une fois la guerre déclarée, et en dépit de l'alliance entre le Japon et l'Allemagne nazie, de nombreux Juifs d'Europe s'y réfugièrent – jusqu'en 1941, la Chine resta l'un des derniers pays ouverts aux immigrants sans condition de visa ni de revenus. Le durcissement de la législation n'empêcha pas la communauté juive, considérée comme un atout pour la ville, d'accueillir de nouveaux réfugiés et de leur offrir du travail. En 1939, 14 000 d'entre eux vivaient à Shanghai. En 1943, plus de 20 000 Juifs habitaient Hongkou, où les Japonais, à la botte des nazis, les forcèrent à rejoindre la "Zone désignée pour réfugiés apatrides". La **Moxi Huitant** (synagogue d'Ohel Moishe), construite en 1927 par des résidents juifs, se trouve toujours dans Changyang. Elle abrite un musée dédié à la communauté juive de Shanghai.

À **Shanghai Huochezhan** ㉓ (gare de Shanghai), quelques kilomètres à l'ouest dans le district de Zhabei, la journée est rythmée par les départs et les arrivées de foules de migrants issus de toute la Chine.

À l'ouest

Sur la rive sud de Suzhou He, dans Anyan Rd, **Yufo Si** ㉔ (temple du Bouddha de jade ; ouv. tlj. de 8h30 à 16h30, sauf pour le nouvel an chinois ; entrée payante) est réputé pour ses 2 statues de Bouddha en jade blanc rapportées de Birmanie (Myanmar) par le moine Huigen, en 1882. Elles furent installées à Shanghai en 1918, au moment de l'achèvement du temple. L'une d'entre elles représente un bouddha couché, symbolisant son entrée au nirvana ; la seconde, la plus belle des deux, un bouddha assis orné de bijoux. Il pèse plus de 1 000 kg et mesure 2 m de haut. Les 70 moines du temple gèrent les activités touristiques, ainsi qu'un restaurant, ouvert au public. ❑

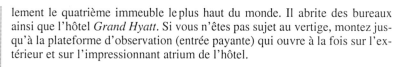

NANJING, LE JIANGSU ET LE GRAND CANAL

Cartes
p. 213
& 218

L'ancienne capitale méridionale de Nanjing, l'une des villes les plus agréables de Chine, rivalise de charme et d'intérêt avec Suzhou et les cités qui s'égrènent au fil du Grand Canal.

L e Jiangsu, que l'on a toujours appelé le "pays du poisson et du riz", occupe une bande littorale fertile et prospère sur la façade orientale de la Chine. Il est coupé en son milieu par le puissant Chang Jiang (Yangzi) qui se jette dans la mer de Chine au nord de Shanghai et génère tout un réseau de voies fluviales et de canaux.

Une impression profonde de calme et de sérénité se dégage de Nanjing, ville universitaire verdoyante, gardée à l'est par les montagnes du Zijin Shan (montagnes Pourpres), aux pentes envahies par la forêt. Haut lieu de la civilisation chinoise, et réputée pour ses soieries, Suzhou charme par ses points de vue romantiques sur le canal et par ses jardins. Vous serez également séduit par l'architecture ancienne de Wuxi, de Yangzhou et de Zhouzhuang, les autres villes qui jalonnent le Grand Canal. Non loin de là, l'immense lac Tai Hu est entouré de sites touristiques passionnants, notamment Ding Shan, le lieu de production des poteries Yixing.

À GAUCHE :
lumière du soir
sur le Grand Canal.
CI-DESSOUS :
l'une des dernières
jonques naviguant
sur le Chang Jiang.

Nanjing

Dans cette ville, l'une des plus belles du pays, l'éternel conflit entre développement rapide et préservation du passé peut se résumer à la "question des arbres". Les larges avenues de Nanjing sont bordées de platanes superbes, parfois plantés sur 3 ou 4 rangées, créant une mer de verdure. Mais la construction de tours et d'hôtels et l'aménagement de la voirie pour la circulation automobile entraînent le sacrifice d'un nombre d'arbres de plus en plus grand. Les habitants les plus âgés rapportent qu'autrefois les platanes formaient une voûte protectrice contre la chaleur torride des étés. La fraîcheur ombragée se fait désormais plus rare. Les arbres sont pourtant cruciaux, car Nanjing, avec Wuhan et Chungqing, est l'une des "trois fournaises" de la Chine, enregistrant des températures estivales supérieures à 40 °C.

Nanjing ❶ est bien desservie par les liaisons ferroviaires, aériennes et fluviales. Des trains express réguliers, au départ de Shanghai, font le trajet en 3 heures. Le chemin de fer traverse le fleuve le plus long de Chine, le Chang Jiang, sur le grand **Nanjing Changjiang Daqiao Ⓐ** (pont du Yangzi), au nord-ouest de la ville. Inauguré en 1968, ce viaduc symbolise l'indépendance et la fierté nationales. Lors de la rupture des relations avec l'URSS, en 1960, les Chinois décident de bâtir le pont – à l'origine un projet soviétique – en utilisant leurs propres plans et ressources. Luttant contre les courants puissants du fleuve, 9 000 ouvriers

travaillent pendant plus de 8 ans à sa construction. La promenade dans le **Daqiao Gongyuan** (parc du Grand Pont ; ouv. tlj. de 7h à 18h30) permet de découvrir de près la structure du pont.

La capitale du Sud

La région est peuplée depuis plus de 5 000 ans, et la ville de Nanjing fut fondée au début de la période des Royaumes combattants (Ve siècle av. J.-C.). Du IIIe au VIe siècle, elle s'impose comme la capitale des royaumes du Sud (Nanjing signifie "capitale du Sud" en chinois), à une période où les étrangers tiennent au nord les rênes du pouvoir. Plusieurs catastrophes naturelles et une révolte paysanne incitent la nouvelle dynastie Sui à transférer la capitale impériale à Xi'an, loin vers l'ouest à l'intérieur des terres. Nanjing est alors détruite, ainsi que tous les trésors culturels et historiques de la ville.

Au début de la dynastie Ming, la ville parvient à retrouver un rang national, lorsque l'empereur décide d'y établir le gouvernement avant de s'installer de nouveau à Beijing en 1421. Les murailles, en bon état, datent de cette période. Il faut 20 ans pour construire ces redoutables fortifications longues de 30 km et hautes de 12 m. Chaque brique est marquée du sceau de son fabricant (une précaution en cas de défaut) et les 13 portes servent de remparts défensifs et de baraquements. Il en reste plusieurs, notamment **Zhonghuamen** ❸ (porte de Zhonghua), au sud, qui offre un repère aux bateaux arrivant à Nanjing, et **Zhongshanmen**, dans la partie est. **Shitoucheng** ❻, un pan de mur d'enceinte, a été préservé au nord de Mochou, souvenir de l'histoire tourmentée de Nanjing. Un sentier ombragé borde la fortification, où l'on peut voir certaines parties du mur de pierre original.

À la fin des guerres de l'opium, le traité de Nankin (Nanjing) est le premier d'une série de traités qui ouvriront la Chine aux Occidentaux. C'est également lui qui décide de la cession de Hong Kong à la Grande-Bretagne.

CI-DESSOUS :
le pont de Nanjing
sur le Chang Jiang.

Dans le même quartier, près de Jiangdongmen (porte de la Rive orientale du fleuve), le mémorial **Datusha Jinianguan ⑩** (ouv. tlj. de 8h30 à 17h ; entrée payante) est dédié au tristement célèbre massacre de Nanjing, perpétré par les Japonais en décembre 1937. Une exposition de photos, de cartes et de témoignages retrace les meurtres, les viols, les incendies et les pillages des habitations et des sites historiques. Quelque 300 000 Chinois furent assassinés. Parmi les Chinoises survivantes, certaines furent retenues prisonnières dans des "maisons de réconfort" de l'armée japonaise, rejoignant d'autres esclaves sexuelles asiatiques et européennes au service des soldats et des officiers. L'une des salles du mémorial, bouleversante, donne sur le site d'un charnier, l'un des nombreux *wan ren keng* (fosse aux 10 000 corps) abandonnés par les Japonais dans leur fuite.

Sur un panneau, on peut lire : "Nous devons être vigilants face à toute tentative de déformer l'histoire de la guerre provoquée par le Japon ou de minimiser l'agression des forces nipponnes." Cette commémoration n'est pas gratuite : les Japonais contestent toujours l'ampleur du massacre quand ils ne le nient pas carrément, comme le font des ministres, des universitaires et l'establishment de droite. L'hécatombe, qui toucha surtout des civils, dépasse celle d'Hiroshima par le nombre de ses victimes, ce qui n'empêche pas les livres d'histoire japonais d'en parler comme d'un "incident mineur". En outre, la Chine attend toujours des excuses complètes et sans réserve du Japon pour l'occupation de son territoire.

Le cœur de Nanjing

Passé le carrefour **Xinjiekou ⑤**, on pénètre au cœur de l'agglomération moderne, où se télescopent dans un joyeux désordre la foule et les véhicules

Carte ci-dessous

Le bassin du Yangzi est redouté pour ses crues estivales. En 2003, elles ont fait des centaines de victimes et détruit les maisons de millions de personnes. Les dégâts matériels sont estimés à 5 milliards de dollars.

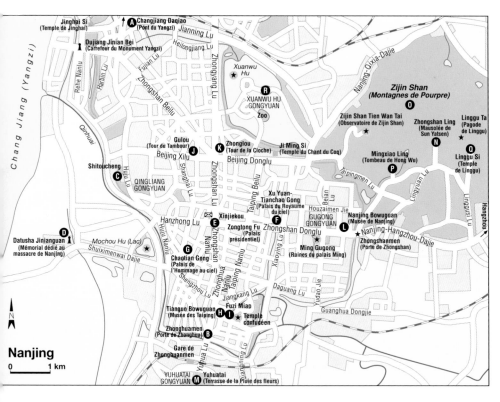

Le paysage urbain de Nanjing, à l'image de celui des autres villes de l'est de la Chine, ne cesse de changer. Les tours et les immeubles de bureaux prennent de plus en plus de place.

CI-DESSOUS :
rebelles Taiping, musée des Taiping, Nanjing.

de tous types, dans un décor non moins chaotique de bureaux, de banques et d'hôtels. Le *Jingling Hotel* se dresse comme un phare au-dessus de la mêlée. **Xu Yuan** ❻, à l'est, est un agréable jardin de l'époque Ming reconstitué. Il abrite le **Tianchao Gong** (palais du Royaume du ciel ; ouv. tlj. de 8h à 17h30 ; entrée payante), qui fut occupé par Hong Xiuquan, le chef des rebelles Taiping (*voir encadré ci-dessous*). Au sud-ouest, le lac Mochou Hu porte le nom d'une dame (la dame Sans-Souci) qui aurait vécu ici au Ve siècle. Divers pavillons Qing s'égaillent dans le parc.

Le **Chaotian Gong** ❼ (palais de l'Hommage au ciel ; ouv. tlj. de 8h à 17h ; entrée payante) date de la dynastie Song (960-1279), période durant laquelle le confucianisme connaît une phase de renouveau. Il est considéré comme l'un des temples confucéens les mieux conservés de la région. Agrandi sous les Ming, il a abrité une école pour les enfants de la cour impériale. On y pénètre par la porte de Ling Xing (porte de l'étoile de l'Esprit), un vestige de l'époque des Song. À l'intérieur, de nombreux marchands proposent un bric-à-brac d'antiquités et de journaux dont certains datent de la Révolution culturelle. La cour du temple accueille des représentations d'opéras dans la tradition du Jiangsu. Au fond du complexe, 3 bâtiments exposent des os de buffle, de cerf ou des ossements humains fossilisés datant de la période néolithique, ainsi que des objets Ming et Qing.

Situé lui aussi au sud de la ville, le **Tianguo Bowuguan** ❽ (musée des Taiping ; ouv. tlj. de 8h à 17h ; entrée payante) est installé dans une résidence de style Ming. L'insurrection connue sous le nom de révolte des Taiping (*voir encadré ci-dessous*), qui fit près de 20 millions de victimes de 1850 à 1864, est décrite en mandarin et en anglais. Le musée expose des armes utilisées

REBELLE TAIPING ET FILS DE DIEU

L'insurrection des Taiping a pour chef un certain Hong Xiuquan. Ce fils d'un paysan hakka de la région de Guangdong, déçu d'avoir échoué aux examens impériaux et convaincu d'être le frère de Jésus, donc le fils du Dieu des chrétiens, fonde la secte des Taiping (secte de la Grande Pureté). Puis il convainc ses adeptes de renverser les Qing, ces "étrangers" mandchous qui dirigent le pays.

Les Taiping avancent dans les provinces du Guangxi, du Hunan, du Hubei, de l'Anhui et du Jiangsu, s'emparent en 1853 de Nanjing, dont ils font la capitale de leur "royaume céleste de la grande paix", et contrôlent jusqu'à 600 villes. Mais leurs expéditions à l'est et au nord échouent, et des dissensions éclatent au sein de la secte. Les Qing, aidés par les puissances occidentales dont les Taiping menacent les intérêts, reprennent Nanjing en 1864. Hong Xiuquan se suicide et 100 000 rebelles sont exécutés.

Les Taiping prônaient une société égalitaire, la suppression de l'esclavage et l'émancipation des femmes. En cela, le parti communiste les considère comme les précurseurs de la révolution. Pourtant, c'est la crainte de voir le Falun Gong reproduire une insurrection d'une ampleur comparable qui a conduit le gouvernement à réprimer puis à interdire ce mouvement en 1999.

pendant la révolte – des canons, des pistolets, et des épées –, quelques photos et des tableaux. Nanjing resta la capitale des Taiping pendant 10 ans et leur chef Hong Xiuquan y édifia un temple somptueux qui fut entièrement détruit lorsque les troupes mandchoues reprirent la ville en 1864.

À l'est du musée des Taiping, un quartier commerçant animé, connu sous le nom de **Fuzi Miao** ❶, forme un labyrinthe de ruelles et de petites places bordées de boutiques de souvenirs et d'antiquités. Au cœur de ce quartier s'élèvent un temple et un ancien centre d'études confucéens, dont la fondation remonte à 1 500 ans. Le temple et les bâtiments environnants furent maintes fois rasés et reconstruits. Les édifices actuels ont été rénovés sous les Qing et comportent des ajouts récents dans le style Qing traditionnel.

Au nord du carrefour Xinjiekou se dressent deux autres vestiges des débuts de la dynastie Ming, **Gulou** ❶, la tour du Tambour et **Zhonglou** ❶, la tour de la Cloche (tous les 2 ouv. tlj. de 8h à 24h ; entrée payante). La tour du Tambour (*voir ci-contre*) fut construite en 1382, 14 ans après le début du règne du premier empereur Ming. Aujourd'hui, des artistes locaux y sont exposés. La tour de la Cloche date quant à elle de 1376.

Les rues autour du campus ombragé de l'**université** regorgent de restaurants, de librairies et de cafés d'étudiants, qui, pour la plupart, apprécient les rencontres avec les touristes ; elles leur permettent de pratiquer les langues étrangères qu'ils étudient, l'anglais, bien sûr, mais aussi le français.

Le **Nanjing Bowuguan** ❶ (musée de Nanjing ; ouv. tlj. de 9h à 17h30 ; entrée payante), dans la partie est de la ville, près de Zhongshanmen, retrace 5 millénaires de l'histoire chinoise, et présente de nombreuses pièces qui datent du néolithique. Il dispose d'une très riche collection de céramiques,

Carte p. 213

Des tours du Tambour et de la Cloche existaient dans toutes les cités impériales importantes. Le son des tambours marquait les heures de garde qui se déroulaient sur les murs d'enceinte et signalaient les dangers potentiels. Les cloches servaient aux cérémonies.

CI-DESSOUS : porcelaines à vendre près de la porte Zhonghua.

de jades, de laques, de textiles, de bronzes, de porcelaines, et des statues de pierre de Nanjing et de la province du Jiangsu. Le trésor de ces collections est un linceul vieux de 2 000 ans datant des Han de l'Est (25-220), composé de 2 600 rectangles de jade vert reliés par un fil d'argent. Un bâtiment ultra-moderne, dont les galeries sont disposées autour d'une cour centrale, a été inauguré en 1999 (explications en anglais).

Chaque quartier de Nanjing est un musée vivant, qui relate un nouveau chapitre de l'histoire chinoise. Au sud-ouest du Nanjing Bowuguan, le parc Wuchaomen abrite les ruines du Ming Gugong (palais Ming), érigé par le premier empereur de la dynastie et dévasté par la guerre. Il subsiste quelques ponts de marbre et l'ancienne porte Wumen.

Au sud de Zhonghuamen, **Yuhuatai ⓜ** (terrasse de la Pluie de fleurs ; ouv. tlj. de 6h à 19h ; entrée payante) où, selon une légende, Bouddha aurait fait pleuvoir des fleurs au IVe siècle, accueille aujourd'hui un mémorial dédié aux communistes et à leurs partisans morts durant les combats de 1927 contre les troupes nationalistes.

Le mausolée de Sun Yatsen

La plupart des Chinois se font un devoir de visiter le **Zhongshan Ling ⓝ** (mausolée de Sun Yatsen ; ouv. tlj. de 6h30 à 18h30 ; entrée payante) au moins une fois dans leur vie. Sun Yatsen, qui est considéré comme le père de la Chine moderne, fonde la République chinoise en 1911. Il écrivit un grand nombre de traités politiques, qui font encore partie des lectures obligatoires des programmes scolaires en République populaire de Chine et à Taiwan. Pourtant originaire du Guangdong, Sun Yatsen voulait reposer à Nanjing, au

Sun Yatsen (1865-1925), qui tenta de renverser les Qing, est révéré aussi bien en République populaire de Chine qu'à Taiwan.

CI-DESSOUS :
Zhongshan Ling,
le mausolée
de Sun Yatsen.

pied des **Zijin Shan**  (montagnes Pourpres) : la construction du mausolée, en 1929, permit de satisfaire sa dernière volonté. Le mémorial, gigantesque, couvre 8 ha. Au bout d'une voie bordée d'arbres, un escalier de 392 marches de granit mène au mémorial lui-même, qui est couronné d'un toit de tuiles bleues. Le premier pavillon abrite une statue du grand homme. Sur les murs, des inscriptions relatent son histoire et ses principales théories politiques. La chambre funéraire, circulaire, abrite une pierre tombale, mais la véritable tombe de Sun Yatsen, souterraine, est invisible. Selon des rumeurs, sa dépouille aurait été subrepticement emportée à Taiwan par les nationalistes. La visite du mausolée se révèle spartiate. Il existe peu d'endroits pour faire une pause et admirer la vue sur Nanjing. Vous pouvez néanmoins vous déplacer en chaise à porteurs. Zhongshan Lu, la rue qui mène au monument, suit un tracé en zig zag quelque peu désorientant, car elle retrace l'itinéraire du cortège funéraire de Sun Yatsen (Sun Zongshan, en mandarin) depuis les quais du Chang Jiang jusqu'au mausolée.

Les environs de Nanjing

Au nord-est de Nanjing, près de Zijin Shan, **Mingxiao Ling**  (ouv. tlj. de 8h à 17h ; entrée payante) abrite le tombeau, construit quelques années avant sa mort, du premier empereur Ming, Hong Wu (1327-1398). Malheureusement, il fut pillé pendant la révolte des Taiping en 1864, et seuls les murs jaunes de la structure principale subsistent. À l'intérieur, l'histoire de la dynastie Ming (1368-1644) est illustrée de quelques photos d'objets de cette période. On accède à la tombe par Shixiang Lu (rue des Statues de pierre), la voie sacrée bordée d'animaux et de soldats de pierre.

CI-DESSOUS :
voie sacrée
à Mingxiao Ling.

NOTEZ-LE

De nos jours,
le Grand Canal
n'est plus navigable
sur une grande partie
de son cours. Quelques
sections sont toutefois
ouvertes aux croisières
de touristes.
La plupart des
bateaux naviguent
de Hangzhou
à Suzhou ou Wuxi,
mais le paysage
a surtout des usines
à offrir.

À l'est de ce tombeau, à Linggu (vallée des Âmes), **le temple de Linggu Si** ❾ (ouv. tlj. de 8h à 17h ; entrée payante) date de la fin du XIVe siècle. Wuliang Dian, tout en pierre, sans une seule poutre, et restauré à plusieurs reprises, est tout ce qui reste du bâtiment central. Derrière Wuliang Dian, **Linggu Ta**, une pagode de 61 m de haut, a été édifiée en 1929 à la mémoire des victimes du conflit ayant opposé les seigneurs de la guerre et les nationalistes. De son sommet, la vue est magnifique. Un observatoire a été aménagé sur la montagne. Son musée expose des instruments astronomiques modernes et anciens. Le téléphérique qui permet d'y accéder offre un panorama superbe sur Nanjing.

Le parc aménagé sur une des rives de **Xuanwu** ❿, un lac au nord de Nanjing, invite à la promenade. Même s'il n'est pas le plus beau de la ville, c'est un endroit charmant et relaxant, parsemé de pavillons et de petites îles desservies par des chaussées et des ponts arqués.

Le Grand Canal

"Au ciel, il y a le paradis ; sur terre, il y a Suzhou et Hangzhou." Ce célèbre aphorisme de Yang Chaoying, un poète Yuan, rend hommage aux villes jardins chinoises. En effet, les cités s'égrenant le long du **Da Yunhe** ❷ (Grand Canal) possèdent un charme sans égal parmi les autres villes du pays.

Long de plus de 1 800 km du nord au sud, le Grand Canal traverse le Zhejiang et le Jiangsu en direction de Beijing. Lorsqu'il était encore entièrement navigable, il reliait les 4 principaux fleuves de Chine : Qiantang Jiang, Chang Jiang (Yangzi Jiang ou fleuve Bleu), Huai He et Huang He (fleuve Jaune).

Comme la Grande Muraille, le Grand Canal n'a pas été bâti en une seule fois. Sa construction a commencé sous la dynastie des Zhou de l'Est

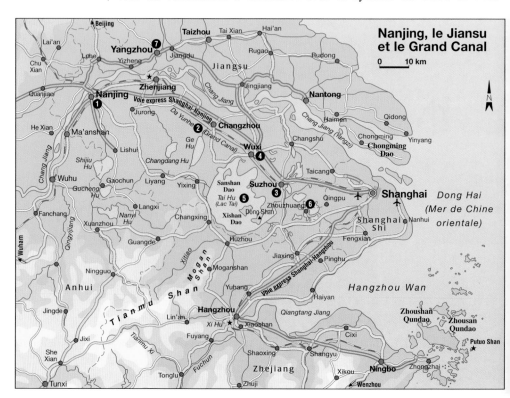

Nanjing, le Jiansu et le Grand Canal

(770-256 av. J.-C.) et ne s'est achevée qu'à la fin du XVIIIe siècle. À l'origine, le roi du pays de Wu fait creuser en 495 av. J.-C. une voie navigable de 85 km de long entre Suzhou et le Chang Jiang. Quelques années plus tard, le canal est prolongé jusqu'à Yangzhou et unit deux fleuves, le Chang Jiang et le Huai He au nord. Fasciné par cette voie d'eau, l'empereur décide de connecter Luoyang – la capitale de l'époque – avec Beijing au nord et avec le Huai He au sud-ouest, reliant ainsi Zhenjiang et Hangzhou. Luoyang est donc en contact avec le Nord et avec le Sud (important sur le plan économique) par un réseau de canaux ayant, totalisant quelque 2 700 km de long.

Cette voie navigable permet notamment d'acheminer les droits de douanes vers la capitale, ainsi que les briques ou le bois précieux destinés à la construction du palais impérial de Beijing lorsque, sous les Yuan (1279-1368), Beijing devient la capitale. Le réseau de canaux est alors prolongé, rattachant Beijing directement à Hangzhou et raccourcissant la distance entre les deux villes de 1000 km. Grâce au canal, seulement 1 800 km les séparent.

Suzhou

Même si les Chinois du Zhejiang préfèrent la ville de Hangzhou, qu'ils apprécient particulièrement pour son lac grandiose, **Suzhou** ❸, surnommée la "Venise de l'Orient", est plus séduisante. Elle est bâtie sur un entrelacs de 24 canaux et de ruelles, entre lesquels se nichent des maisons et leurs jardins. Les jours de pluie (fréquents), une légère brume envahit les venelles et les allées pavées de la ville, ajoutant encore à son charme romantique. Les constructions modernes gagnent malheureusement du terrain malgré les efforts des autorités municipales pour préserver le style architectural local.

Cartes
p. 213
& 218

NOTEZ-LE

La plupart des jardins, des temples et des pagodes de Suzhou et de ses environs sont ouverts de 8h à 17h (ou 17h30). Le droit d'entrée est minime.

CI-DESSOUS :
canal à Suzhou.

Durant la période des Royaumes combattants (403-221 av. J.-C.), pendant quelques années, Suzhou est la ville la plus importante de l'État de Wu. Au début du VIᵉ siècle, reliée à la capitale par le Grand Canal, elle devient un haut lieu de la production et du commerce des soieries. Elle connaît son époque de gloire sous les dynasties Ming et Qing. Nombre de mandarins, de lettrés et d'artistes s'y installent et les marchands s'enrichissent. Cette prospérité est généreusement investie dans l'art des jardins. Elle en comptait jadis 287, dont 69 existent encore aujourd'hui.

Pour admirer ces jardins dans de bonnes conditions, promenez-vous dans les ruelles tôt le matin, avant l'arrivée des bus touristiques (*pour les horaires, voir "Notez-le", p. 219*). Le principe gouvernant la conception des jardins chinois – recréer l'univers dans un espace restreint – est ici remarquablement mis en valeur. Des allées sinueuses mènent à des jardins minuscules dotés de fontaines et d'étangs ; l'eau s'écoule goutte à goutte de rochers torturés ; les petites îles sont reliées entre elles par des canaux et des ponts en zig zag.

Datant de l'époque des Song du Sud, **Wangshi Yuan** (le jardin du Maître des filets) est réputé pour sa floraison de pivoines au printemps. Des pavillons charmants et des allées entourent l'étang central. La nuit, on y joue de l'opéra chinois. Non loin de là, près du canal, le **Canglang Ting** (pavillon de la Vague bleue) est un jardin superbement dessiné. Près de la digue, au sud-ouest de la ville, le site touristique de **Pan Men** mérite une visite : on peut y voir un tronçon de muraille, l'élégant Wumen Qiao (pont Wumen) et Ruitant Ta (pagode de Ruitant), très bien restaurée.

Au nord-est, le plus grand jardin de la ville, **Zhuozheng Yuan** (jardin de l'Humble Administrateur) couvre 4 ha. Il est composé d'une multitude

d'étangs bordés de saules pleureurs, entre lesquels serpentent des allées et s'égaillent des pavillons reliés par des ponts zigzagants. Wang Xiancheng, un mandarin à la retraite, le fit construire en 1513, à l'endroit où vécut Lu Guimeng, un poète Tang. La légende raconte que le fils de Wang perdit cette propriété au jeu. Pendant la révolte des Taiping, alors que Suzhou subissait des dommages terribles, les rebelles y installèrent leur quartier général, de 1860 à 1864.

Plus à l'ouest, dans Xibei Jie, **Beisi Ta** (pagode du Temple du Nord) date des Song du Sud. Sa structure octogonale est d'origine, mais deux restaurations importantes ont été réalisées durant la seconde moitié du XVIIᵉ siècle. Du sommet de la tour, haute de 76 m (9 étages), la vue est superbe. Vous pouvez vous désaltérer à la maison de thé (ouv. tlj. de 8h30 à 17h ; entrée payante) située derrière la pagode. De l'autre côté de Renmin Lu, le **musée de la Soie de Suzhou** (ouv. tlj. de 9h à 17h30 ; entrée payante) retrace l'histoire de la production des soieries en Chine.

À la sortie ouest de la ville, dans la rue éponyme, **Liu Yuan** (littéralement le "jardin où l'on s'attarde") porte bien son nom. S'égarer dans ce labyrinthe de verdure est un plaisir. Un premier jardin est aménagé sur ce site au XVIᵉ siècle, mais l'actuel date de 1800. Considéré comme un magnifique exemple de jardin de la Chine du Sud durant la période Qing (1644-1912), il est classé monument historique. Son centre

Carte
p. 218

est occupé par un étang, autour duquel serpentent de nombreuses allées parsemées de pavillons. Après votre visite, faites un détour à l'ouest jusqu'à **Xiyuan Si**, qui expose de belles statues de Bouddha et une immense *guanyin*. Vous y pénétrerez par l'impressionnante salle des Arhat, qui expose 500 *luohan* dorés (*arhat*), et une *guanyin* hérissée de 1 000 bras.

Près de 1 km à l'ouest, dans le village de Fengqiao, **Hanshan Si** (monastère de la Montagne froide) a été célébré sous les Tang par le poète Zhang Ji. Construit au VIᵉ siècle, il est détruit pendant la révolte des Taiping, puis reconstruit. Encore plus à l'ouest, à environ 20 km à l'ouest de Suzhou, se déploie le célèbre **Tai Hu** (*voir p. 222*).

Wuxi et Taihu

Wuxi ❹, que l'on atteint facilement de Suzhou (30 min), ou de Nanjing (2 heures) par le train, ou encore de Hangzhou par le Grand Canal (environ 13 heures de bateau), a été fondée il y a plus de 2 000 ans. La ville s'appelait à l'origine Youxi, ce qui signifie : "Il y a de l'étain". Les Han durent épuiser le filon car le nom actuel de Wuxi se traduit par "il n'y a pas d'étain". Quoi qu'il en soit, Wuxi tire profit du Grand Canal, qui traverse la ville sous de ravissants ponts arqués. L'agriculture et la production intensive de soieries lui donnent, comme à toute la région, une certaine prospérité.

Voici presque 1 500 ans que Wuxi et sa région fabriquent des soieries, le plus ancien produit d'exportation de Chine. La plupart des habitants cultivent les vers à soie, ce qui leur fournit un revenu complémentaire appréciable. Le gros du travail se déroule d'avril à novembre. Les cocons des bombyx sont ébouillantés, puis les fils de soie dévidés, certains pouvant mesurer plus de

La région de Wuxi est réputée pour sa production de soie. Les jeunes larves sont couvées, puis nourries avec des feuilles de mûrier et placées sur des claies à quadrillage où elles tissent leur cocon en moins d'une semaine.

CI-DESSOUS :
pont traditionnel à Yangzhou.

Carte p. 218

1 000 m de long. Plusieurs fils sont assemblés pour n'en former plus qu'un, qui est ensuite tissé (*voir p. 87*).

Tai Hu ❺, le 3e lac du pays par la taille, couvre 2 420 km² et comprend 48 îles. Le paysage, qui a inspiré nombre de poètes, tout en nuances de bleu et de vert, est voilé d'une brume légère. Pour ses riverains, le lac a surtout un rôle utile, car il leur fournit du poisson, leur permet d'élever des oies et des canards ou encore de faire pousser des lotus et des châtaignes d'eau. La plupart des rochers aux formes torturées que l'on trouve dans tous les jardins classiques de Chine proviennent des eaux du Tai Hu. Dans le passé, la "culture" des rochers représentait une importante source de revenus familiaux pour la population locale.

Les groupes de touristes se pressent sur les deux sites principaux du Tai Hu, à l'extérieur de Wuxi. Au printemps, la haute saison, les milliers de pruniers en fleur du **Mei Yuan** (jardin des Pruniers) dominent le lac. Une promenade agréable vous attend à **Yuantou Zhu** (presqu'île de la Tête de tortue), parcourue de sentiers, et jalonnée de pavillons et de jardins. Au bout de la péninsule, prenez un ferry pour **San Shan** (Trois collines). De là, vous atteindrez facilement **Dong Shan**, à l'est de l'île de **Xi Shan** (colline de l'Ouest), où le **Zijing An** (couvent de Pourpre et d'Or) expose une collection d'effigies anciennes.

Les céramiques (surtout les théières) du **canton de Yixing**, sur la rive ouest du Tai Hu, sont connues dans le monde entier. Leur production est concentrée autour de la ville de Dingshan. Ces théières, d'argile rouge (*zisha*) et dénuées de couverte, absorbent la saveur du thé. Celles que l'on utilise souvent, dit-on, se passent même de thé : l'eau bouillante suffit ! Le Centre d'exposition des céramiques vous permettra d'apprécier l'ampleur de la production locale et son importance sur le plan historique.

À 30 km au sud-est de Suzhou, **Zhouzhuang** ❻ est une localité charmante, au bord du canal, inscrite au patrimoine mondial de l'Unesco. Construite sous les Yuan, cette ville entrecoupée de canaux et de ponts de pierre prospère sous les Ming grâce au commerce de la soie et des poteries. Embarquez pour l'une des nombreuses promenades en bateau qui vous sont proposées sur les canaux, ou flânez en visitant à pied les principaux sites de Zhouzhuang, notamment le Zhang Ting (salle Zhang), le Shen Ting (salle Ting) et le temple bouddhiste Quanfu Si.

CI-DESSOUS : vendeuse de soieries.
À DROITE : champ de colza en fleur.

Yangzhou

À deux heures de bus de Nanjing, **Yangzhou** ❼ est une ville agréable, datant du Ve siècle av. J.-C. Son emplacement sur le Grand Canal – la section sud reliant le Chang Jiang et le Huai He – ainsi que son monopole sur le sel ont fait sa fortune. Mais la chance tourne au milieu du XIXe siècle lorsque les Taiping y sèment la destruction (*voir p. 214*). Au nord-ouest de la ville, ils rasèrent **Daming Si** (temple de Daming, Ve siècle), ensuite reconstruit. La salle Jian Zhen est dédiée à un moine qui essaya 5 fois d'atteindre le Japon pour y diffuser le bouddhisme et n'y parvint qu'à la 6e tentative. **Shouxihu Gongyuan** (parc Shouxihu), au sud de Daming Si, est le plus beau site de Yangzhou, avec son Wuting Qiao (pont aux Cinq Pavillons). ❑

HANGZHOU ET LE ZHEJIANG

Pour Marco Polo, Hangzhou, l'une des six anciennes capitales de l'empire, était la plus belle ville du monde. L'époque moderne en a fait le centre nerveux de la province côtière du Zhejiang.

Cartes
p. 218
& 234

Située au nord du Zhejiang et à l'extrémité sud du Grand Canal, la séduisante ville de Hangzhou est l'une des premières destinations touristiques du pays. L'un de ses sites principaux est le célèbre Xi Hu (lac de l'Ouest), mais Hangzhou doit également sa réputation à sa production de soieries et de thé. La petite province du Zhejiang couvre une région qui, avec ses canaux, ses fleuves et ses terres fertiles, ressemble fortement à la partie sud du Jiangsu voisin. Ses longues côtes accidentées abritent de nombreux ports qui, à l'image de l'industrieux Ningbo, ont joué un rôle décisif dans sa prospérité. Les villes pittoresques de Shaoxing et Wuzhen sont édifiées sur des canaux. Reliée à Ningbo et à Shanghai, la séduisante île bouddhiste de Putuo Shan possède des paysages marins fabuleux, de vastes plages de sable et des temples magnifiques. Au sud de la province, vous profiterez de la visite du port actif de Wenzhou pour parcourir les montagnes voisines de Yandang Shan. Au XIXe siècle et au début du XXe siècle, la situation du Zhejiang sur le littoral a attiré vers la province un grand nombre d'Européens. Ils y ont construit des édifices de style occidental à Ningbo, Hangzhou et Wenzhou, ainsi que sur les flancs du Mogan Shan.

À GAUCHE : pagode près de Hangzhou. **CI-DESSOUS :** une porte de la Lune, élément typique des jardins classiques chinois.

Hangzhou

Hangzhou ❶, qui, déjà sous les Tang (618-907), était une ville fortifiée florissante, tire profit de sa situation à l'extrémité méridionale du Grand Canal. Elle gagne encore en importance au début du XIIe siècle, lorsque la cour chinoise, vaincue par les "barbares du Nord", fuit au sud ; en 1138, le nouvel empire des Song du Sud s'y installe provisoirement et la ville attire de nombreux fonctionnaires, écrivains et lettrés.

À l'époque des Tang, Hangzhou inspire beaucoup de poètes, parmi lesquels Bai Juyi (772-846). Devenu gouverneur de la ville, il fait construire Baidi, la digue de Xi Hu (lac de l'Ouest), qui porte son nom. Lorsque les Song du Sud en font leur capitale, la population de la ville double, passant de moins d'un demi-million à plus d'un million d'habitants. Hanzhou devient l'une des plus grandes villes du monde. Elle est presque entièrement détruite lors de la révolte des Taiping (*voir encadré, p. 214*), dont les partisans réduisent en poussière la plupart de ses bâtiments anciens. Par la suite, les murailles et les portes disparaissent et de nombreux canaux sont remblayés. Avec 6 millions d'habitants, Hangzhou est aujourd'hui un centre administratif important implanté au cœur d'une des régions les plus prospères de Chine. Elle produit de la soie et du Longjingcha (thé du Dragon vert) ; son industrie pharmaceutique et son académie des beaux-arts font des envieux dans toute la Chine.

Hangzhou est une invitation au voyage mais sachez que, le week-end, la ville, surtout aux abords de Xi Hu, est envahie par les touristes et par les couples d'amoureux débarquant de Shanghai par trains entiers.

On raconte que chaque ville chinoise a son **Xi Hu**, et il est vrai que l'on dénombre 30 "lacs de l'Ouest" dans tout le pays. Mais celui de Hangzhou reste, de loin, le plus connu de tous. Ses rives encadrées de montagnes entièrement boisées et souvent nimbées de brume composent un écrin très romantique à la ville, qui s'étend sur sa berge orientale.

Au nord-est, la pagode **Baochu**, symbole de Hangzhou, s'élance dans le ciel. Sa construction originelle date de 968 mais elle fut rebâtie plusieurs fois. Haute de 45 m, la pagode actuelle a été édifiée en 1933. Sur la rive nord-ouest, le **mausolée de Yue Fei** commémore un général de la dynastie des Song du Sud qui résista vaillamment aux envahisseurs du nord. Il fut ensuite accusé, à tort, de trahison, exécuté puis réhabilité à titre posthume. Sa tombe est un haut lieu du patriotisme chinois.

À l'ouest de la ville, au bout de Lingyin Lu, prenez un bus pour **Lingyin Si** (monastère des Âmes cachées ; ouv. tlj. de 8h à 17h ; entrée payante), un décor idyllique d'où l'on aperçoit le Feilai Feng (littéralement "pic venu en volant"). Cette communauté fut fondée en 326 par le bouddhiste indien Hui Li, pour qui ce sommet ressemblait au mont Gradhrakuta, en Inde. Depuis la seconde moitié du Xᵉ siècle, près de 300 statues – dont la plus ancienne daterait de 951 – et inscriptions bouddhiques ont été sculptées sur les parois rocheuses de la montagne. À droite de l'entrée de la grotte Qinlin, découvrez un groupe de 3 divinités bouddhistes et, au pied de la montagne, un bouddha ventripotent de la période Song ayant la réputation de porter bonheur.

Xiaoyingzhou (île des Petites Mers) est créée en 1607 sur le lac Xi Hu à l'image d'un récif de corail. On ne l'atteint que par bateau.

CI-DESSOUS : Xi Hu, le lac de l'Ouest.

Les pèlerins viennent en grand nombre le toucher et le photographier. Au plus fort de l'activité de ce site bouddhiste, 18 pavillons et 75 temples étaient installés sur les pentes de la montagne, hébergeant jusqu'à 3 000 moines.

Au-delà de la zone des statues, vous accédez à l'un des plus célèbres monastères bouddhistes de Chine. Derrière le portail et deux piliers de pierre gravés de textes canoniques, Tianwang Dian (salle des Rois célestes) abrite une statue du bouddha Maitreya (Milefo), encadré par deux rois célestes. Dans Daxiongbao Dian (précieuse salle des Grands Héros), le bouddha Sakyamuni, doré, haut de plus de 20 m, est la plus haute statue en bois de camphrier chinoise. Le monastère possède 500 statues de bronze des disciples de Bouddha. Une salle a été construite spécialement pour les accueillir.

Au nord-ouest, le village de **Longjing** (puits du Dragon) attire des hordes de touristes. Des bus spécialement affrétés depuis Hangzhou les conduisent jusqu'ici pour leur faire acheter du thé. Les séchoirs à thé, qui fonctionnaient autrefois à plein régime, ne sont activés qu'à l'arrivée des bus.

Évitez ce piège à touristes et visitez plutôt l'un des villages environnants, comme Meijiawu, à 20 min de voiture au sud de Hangzhou. Si vous êtes en jambes, allez-y à vélo (location en ville), pour profiter du trajet à travers les forêts de bambous. Le village produit lui aussi du thé et les villageois, très accueillants, seront enchantés de vous expliquer leurs techniques de production.

Shaoxing

Le train est un moyen commode pour rejoindre **Shaoxing** ❷, à 60 km au sud-est de Hangzhou. Cette ville pittoresque, traversée de canaux, est connue dans toute la Chine pour son vin de riz. Quelques noms glorieux y sont également

Cartes
p. 218
& 234

CI-DESSOUS :
pont et pavillon
sur le lac de l'Ouest.

attachés : l'écrivain Lu Xun dont c'est la ville natale (*voir p. 208*), Zhou Enlai, dont la maison de famille se trouve ici, et le légendaire Yu le Grand, natif de la région, qui sut régulariser les eaux du Chang Jiang (Yangzi) et dont le tombeau se trouve au sud-est de la ville. La **maison de Lu Xun et son mémorial** (tous les 2 ouv. tlj. de 8h à 17h ; entrée payante) se trouvent au sud de la ville, dans Lu Xun Lu. Pour vous imprégner du charme de Shaoxing, promenez-vous le long de ses canaux. Le **Bazi Qiao** (pont de l'Idéogramme 8) date du XIIIe siècle. C'est sa forme, très proche du caractère chinois *ba* (qui signifie 8), qui lui a donné son nom.

Tissu indigo
de Wuzhen.

Wuzhen et Mogan Shan

Entre Hangzhou et Shanghai, la ville de **Wuzhen** ❸, sur le Grand Canal, est dotée d'une histoire plus que millénaire. Abondamment restaurée, elle donne quelque peu l'impression d'un décor de théâtre recréé pour les touristes (évitez de vous y rendre le week-end), mais elle conserve un charme puissant, avec ses rues pavées, ses maisons perchées au-dessus des canaux et ses ponts aux formes insolites. La région est traditionnellement réputée pour sa production de tissus indigo (la couleur est extraite de l'*Eupatorium fortunei*) et il existe des ateliers de teinture à Wuzhen. L'ancienne résidence Qing de l'écrivain Mao Dun (XXe siècle) est ouverte au public.

À 60 km au nord de Hangzhou, **Mogan Shan** ❹, qui rappelle Lu Shan dans le Jiangxi voisin, est une belle montagne parsemée d'anciennes villas coloniales. Les missionnaires et les Européens expatriés avaient choisi ce lieu de villégiature qui leur permettait d'échapper à la chaleur estivale de Shanghai. Un gangster célèbre, Du Yuesheng, y vécut aussi, ainsi que les membres du

Guomindang qui venaient s'y reposer fréquemment. Plus tard encore, les hauts dignitaires du parti communiste, dont Mao Zedong, y passeront leurs vacances. Dans les années 1930, plus de 150 maisons en pierre de style occidental s'égrenaient sur les flancs de la montagne, aux côtés d'églises et d'autres édifices de style colonial. Nombre d'anciennes villas ont été transformées en hôtels, parmi lesquelles celle de Jiang Jeshi (*Wuling Hotel*).

Cartes
p. 218
& 234

Ningbo et Putuo Shan

Au confluent du Yuyao et du Yong, **Ningbo** ❺, un port commercial créé sous les Tang, est le premier port chinois à l'époque des Ming. La ville attire les Portugais, puis les Britanniques, et devient un "port ouvert" en 1843 à la suite du traité de Nanjing (*voir p. 30*). Mais elle perd ses prérogatives commerciales au profit de Shanghai. De nos jours, la plupart des touristes n'y passent que pour prendre le bateau qui rejoint l'île de Putuo. **Tianyige**, qui serait la plus ancienne bibliothèque privée du pays, a été construite sous les Ming. Son fonds principal n'est pas ouvert au public, mais les jardins et les autres bâtiments se visitent. Au-dessus du pont Xinjiang et au sud du terminal de ferries, l'**église catholique portugaise** (XVIIᵉ siècle) témoigne de l'ancienne présence européenne.

Putuo Shan ❻, le plus oriental des 4 monts bouddhistes de Chine, est davantage une île qu'un pic. C'est un domaine sacré, dimension que renforce encore son isolement. La divinité de l'île est Guanyin, déesse de la compassion. Plusieurs sanctuaires lui sont consacrés, le plus célèbre étant celui de **Puji Chansi** (temple Puji ; ouv. tlj. 6h-21h ; entrée payante). Se détachant sur un splendide fond de montagnes, **Fayu Si** (temple Fayu ; ouv. tlj. de 7h à 17h ; entrée payante), un grand temple au pied de Foding Shan, abrite une belle *guanyin* aux 1 000 bras (*qianshou guanyin*). Au sud de l'île, il est difficile de manquer Nanhai Guanyin (*guanyin* de la mer du Sud) avec ses 33 m de haut et son placage de bronze rutilant. Sous la statue, une collection de 400 effigies représente la déesse dans ses très nombreuses incarnations. Putuo Shan est bien équipé en hôtels et relié à Shanghai (4 heures, ou de nuit, 11 heures) et à Ningbo par des ferries rapides (2 heures) ou plus lents (5 heures).

Wenzhou et Yandang Shan

Wenzhou ❼, située au sud de la côte déchiquetée du Zhenjiang, près du Fujian, est depuis longtemps un important foyer d'émigration. En Europe, notamment, la ville et sa région ont fourni la première vague d'expatriés chinois durant la Première Guerre mondiale, et depuis le flux ne se tarit pas. Aujourd'hui, certains Chinois de Wenzhou rentrent dans leur pays afin de profiter des chances fournies par la récente libéralisation économique.

La ville compte peu de sites touristiques, si ce n'est un parc agréable, sur Jiangxin Dao (île Jiangxin), sa principale attraction, et deux églises – l'une du XVIIIᵉ siècle, l'autre du XIXᵉ siècle – qui s'élèvent au centre-ville. À quelque 80 km au nord-est, la région montagneuse de **Yandang Shan** est hérissée de falaises et de pics. Admirez la spectaculaire Dalongqiu Pubu (cascade de l'Étang du grand dragon), l'une des plus hautes de Chine (190 m). ❑

CI-DESSOUS :
immense statue
de Nanhai Guanyin
à Putuo Shan.

EN DESCENDANT LE YANGZI

Le Chang Jiang, mieux connu par les Occidentaux sous le nom de Yangzi Jiang, ou fleuve Bleu, entaille le centre de la Chine sur 6 300 km, passant en force à travers le site spectaculaire des Trois Gorges pour atteindre les plaines de l'aval.

Cartes
p. 234
& 236

Le plus long fleuve de Chine et le quatrième du monde, le Yangzi Jiang, prend sa source dans la province isolée du Qinghai, sur les pentes du Geladangong, le principal sommet de la chaîne des Tangulla Shan. Parcourant 9 provinces, il serpente vers l'est avant de terminer sa course au nord de Shanghai : son estuaire – un delta large de 13 km – se déverse dans Dong Hai, la mer de Chine orientale. Avec ses 700 affluents, il draine une zone de près de deux millions de km², soit environ 20 % du territoire chinois, un quart de la surface cultivable du pays. Il pourvoit ainsi aux besoins d'un sixième de la population mondiale.

Tout au long de sa traversée du pays, le fleuve change plusieurs fois de nom. Il s'appelle Jinsha Jiang ou Jin Jiang (fleuve aux Sables d'or) sur son cours supérieur, devient Chang Jiang (fleuve Long) sur son cours moyen – le nom le plus couramment employé en Chine –, puis Yangzi Jiang (fleuve Bleu) sur son cours inférieur, entre Wuhan et l'Océan. À l'époque coloniale, les puissances occidentales ne retinrent que cette dernière appellation (*voir p. 52*).

Les navires de haute mer peuvent remonter le fleuve sur 1 000 km en partant du delta au nord de Shanghai – probablement la région la plus densément peuplée de Chine – pour aller jusqu'à Wuhan. La plupart des grandes zones industrielles, sans oublier les centres de sériciculture, de production de broderies, de laques et de sculptures, bordent ses rives.

Le barrage des Trois Gorges, l'un des plus ambitieux projets d'ingénierie au monde, va modifier radicalement le cours moyen du fleuve. Son objectif est d'améliorer sa navigabilité, de maîtriser les inondations et d'accélérer le développement des provinces de l'intérieur du pays. Mais son coût social et environnemental est considérable : d'ici à l'achèvement du projet, en 2009, plus d'un million d'habitants auront été déplacés de leurs villages et de leurs villes engloutis, et les Trois Gorges, l'un des sites magnifiques – et l'un des plus touristiques – du pays ne sera plus que l'ombre de lui-même (*voir p. 239 et p. 245*).

Chongqing

Les bateaux de touristes qui proposent la traversée des gorges remontent ou descendent le fleuve et parcourent 700 km de Chongqing à Wuhan. La descente est, naturellement, plus rapide : elle dure 4 nuits et 3 jours, tandis que le trajet vers l'amont nécessite 6 jours et 5 nuits. Le choix d'une croisière peut se révéler épineux, car il n'existe en général que deux types de prestations : soit un bateau de luxe avec cabines privées, salles à manger, casino et spectacles, soit une embarcation nettement plus rudimentaire où vous partagerez

PAGES PRÉCÉDENTES : la plus grande partie du riz de Chine est cultivé dans le bassin du Yangzi. **À GAUCHE :** paysage au détour d'une gorge **CI-DESSOUS :** baignade dans la gorge Qutang.

Les rues escarpées et les escaliers rendent Chongqing impraticable aux cyclistes.

votre cabine avec 5 ou 6 autres passagers et où vous devrez vous battre pour pouvoir vous nourrir. Pendant la Révolution culturelle, les bateaux avaient tous été rebaptisés *Dongfanghong* ("L'Orient est rouge"). Depuis, ils portent le nom de leur port d'attache, Chongqing, Hankou ou Shanghai.

Si vous choisissez la descente du Chang Jiang, vous partirez des quais de **Chongqing Ⓐ**. Au confluent du Chang Jiang et du Jialing, Chongqing occupe une situation stratégique qui lui vaut depuis toujours un rôle de plaque tournante commerciale. Sous la dynastie des Tang (618-907), la ville s'appelait Yuzhou, ou plus simplement Yu. Song Zhao Dun – futur empereur de Chine – la rebaptisa Chongqing (ce qui signifie "double bonheur") en y prenant les fonctions de préfet. Perchée sur un promontoire rocheux qui longe le fleuve, elle est extrêmement différente des autres agglomérations chinoises. Ses rues très pentues ne sont pas accessibles aux vélos : les jeunes habitants de Chongqing doivent apprendre ce moyen de locomotion, pourtant si commun partout ailleurs en Chine, lorsqu'ils partent étudier dans d'autres villes du pays – au grand amusement de leurs camarades de campus.

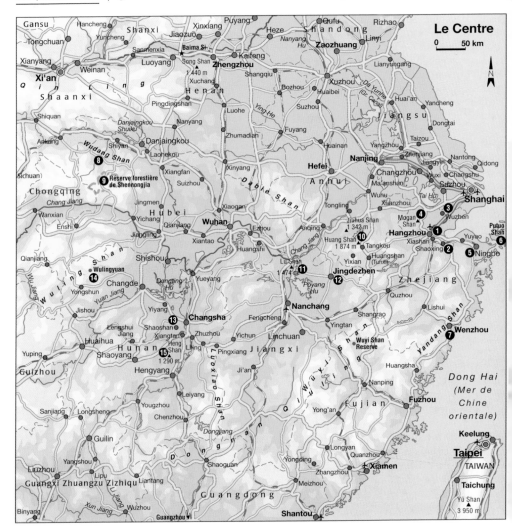

"Quand le soleil brille au Sichuan en hiver, les chiens aboient." Ce dicton s'applique particulièrement bien à Chongqing. Durant les jours froids et humides de l'hiver, la ville reste enveloppée d'une brume qui s'élève du fleuve. Pendant la Seconde Guerre mondiale, le gouvernement nationaliste de Jiang Jeshi s'étant réfugié à Chongqing, la ville est bombardée par l'occupant japonais plusieurs étés de suite ; chaque année tant que dure le conflit, la population voit avec soulagement se lever les brumes hivernales empêchant les avions ennemis de survoler les lieux.

Les maisons du vieux centre-ville sont typiques de la région : accrochées à flanc de collines et coiffées de toits noirs, elles évoquent des nids d'hirondelles. Malheureusement, comme dans bien d'autres villes chinoises, le béton gagne du terrain et la plupart des maisons anciennes seront bientôt démolies. La circulation, intense entre les rives, est assurée par deux téléphériques, 3 ponts et un service de ferries.

Le cœur de Chongqing s'étend autour de **Jiefangbei** (place de la Libération). La transformation de ce quartier en zone commerciale piétonnière n'a pas totalement éliminé le labyrinthe de ruelles charmantes et sinueuses, qu'il ne faut pas hésiter à explorer. Un petit temple bouddhiste, **Luohan Si**, se cache dans l'une de ces rues étroites. Récemment rénové, il contient 500 *luohan* (*arhat*) de terre cuite peinte et accueille un restaurant végétarien.

À l'extrémité du promontoire, un petit pavillon, **Chaotianmen** (porte qui regarde le ciel), débouche sur un escalier de marches raides qui descendent jusqu'aux rives encombrées de quais, à l'endroit où accostent les bateaux de croisière. Une marque indique le niveau atteint par l'eau lors de la grande crue de 1982, qui causa d'immenses dégâts dans toute la région.

Cartes
p. 236
& 237

En 1997, la juridiction de Chongqing s'étend, faisant de cette municipalité la plus vaste du monde : ses 82 400 km² hébergent 30 millions d'habitants. La plus grande partie du terrain passé sous la coupe de la ville a été prise sur la province du Sichuan.

Voie fluviale de première importance, le Yangzi est navigable sur près de 3 000 km, de Yibin, au Sichuan, jusqu'à la mer de Chine. Les gros tonnages (de 10 000 à 15 000 t) peuvent remonter son cours jusqu'à Wuhan.

Le soir, si le temps le permet, rejoignez **Pipa Shan**, à environ 2 km à l'ouest de Jiefangbei : la vue sur la ville est envoûtante. Un peu plus à l'ouest dans la banlieue, **Hongyuan** (village du Rocher rouge ; ouv. tlj. de 9h à 17h ; entrée payante) a servi de siège au gouvernement chinois pendant la Seconde Guerre mondiale, lorsque les communistes et le Guomindang ont été contraints de s'allier contre l'occupant japonais (*voir p. 33*).

Dazu

Avant de passer les Trois Gorges, visitez les grottes Tang et Song de **Dazu**, à 100 km à l'ouest de Chongqing. Les statues, pour la plupart bouddhiques (ce qui n'empêche pas la présence d'éléments confucéens), se partagent deux sanctuaires. Au nord de la grand-rue de Dazu, les nombreuses grottes de **Bei Shan** (ouv. tlj. de 8h à 17h ; entrée payante) abritent environ 10 000 sculptures. Ne manquez pas le roi-paon Vairocana, dans la niche 155. À 16 km au nord-est de Dazu, les statues de **Baoding Shan** (ouv. tlj. de 8h à 17h ; entrée payante) sont encore plus impressionnantes, notamment le bouddha couché (*wofo*) de la niche 11 (30 m de long).

Descente du Yangzi à partir de Chongqing

Lorsque le réservoir du barrage des Trois Gorges sera rempli, la ville de **Fengdu B**, sur la rive nord du Yangzi, sera complètement engloutie. Depuis l'époque des Tang (618-907), les statues de démons et d'esprits maléfiques de ses nombreux temples ont valu à Fengdu son surnom de "ville des démons". Vous pouvez emprunter une télécabine pour aller visiter plusieurs de ces sanctuaires (qui seront épargnés par la crue artificielle) et découvrir l'étrange

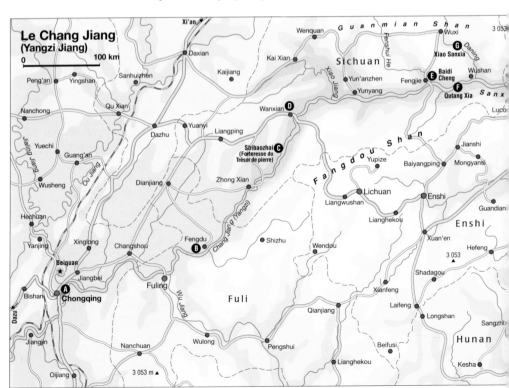

spectacle offert par la multitude de sculptures représentant des démons, des fantômes et autres personnages effrayants, ainsi que des scènes de torture.

Sur la même rive, à environ 80 km en aval de Fengdu, **Shibaozhai** ❻ (forteresse du Trésor de pierre) se dresse sur un promontoire rocheux, à 30 m au-dessus du niveau du fleuve. Il s'agit d'un temple érigé sous le règne de l'empereur Qianlong (1736-1797). Selon une légende, les moines se nourrissaient du riz qui s'écoulait miraculeusement par un petit trou pratiqué dans un des murs, d'où ce nom de "Trésor de pierre". Hélas, leur gourmandise les perdit : ils pensèrent qu'ils recevraient plus de riz en agrandissant le trou, et le miracle cessa de se produire.

Afin de rendre la montée jusqu'au temple moins éprouvante, on a construit, au début du XIXᵉ siècle, sous le règne de l'empereur Jiaqing, un pavillon en forme de pagode au pied du promontoire. Au 12ᵉ et dernier étage de ce pavillon, un escalier de bois permet d'accéder au temple. Pour préserver Shibaozhai, qui serait englouti aux deux tiers par la montée des eaux, un mur de protection entoure le bâtiment.

Plus en aval, on arrive à **Wanxian** ❹, carrefour commercial et escale traditionnelle des bateaux passant les gorges. Du débarcadère, un escalier raide, qui sera lui aussi peu à peu submergé, mène à la ville, puis, plusieurs centaines de marches plus haut, à un parc municipal. Les immeubles de béton qui bordent la partie basse de la ville ont été abandonnés, et leurs habitants relogés plus haut. Fin 2003, les deux tiers de l'agglomération étaient déjà inondés.

Baidi Cheng ❺, la "ville de l'Empereur blanc", marque l'entrée dans Sanxia, le nom chinois des Trois Gorges. D'après une légende, un monarque de la dynastie des Han de l'Est (25-220) aurait aperçu un nuage de fumée

Carte
ci-dessous

NOTEZ-LE

Dans les bateaux assurant les croisières sur le Yangzi, le niveau des prestations varie grandement selon les compagnies. Demandez donc à quoi correspondent précisément les catégories 1ᵉ, 2ᵉ et 3ᵉ classes.

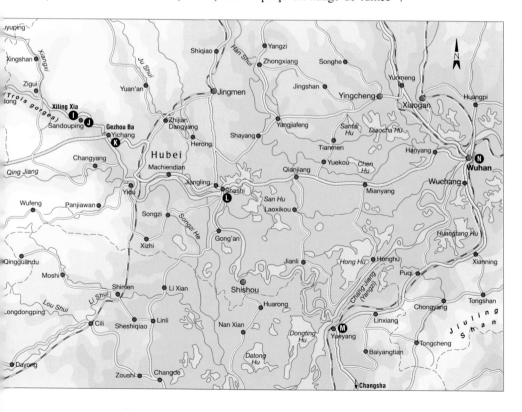

Le niveau du Yangzi monte au fur et à mesure de la construction du barrage des Trois Gorges.

blanche en forme de dragon sortant d'un puits à l'extérieur de son palais. Interprétant le phénomène comme un présage favorable, il décida de se faire appeler l'Empereur blanc. Liu Bei et Zhuge Liang, deux généraux Shu dont les exploits sont racontés dans le *Roman des trois royaumes* (221-263 av. J.-C.), sont représentés dans la grande salle du temple Baidi Miao.

Sanxia (les Trois Gorges)

Sanxia s'étend sur environ 190 km. En aval de Chongqing, les gorges portent les noms de Qutang Xia, Wu Xia et Xiling Xia. **Qutang Xia** ❻ est la gorge la plus courte (8 km) mais probablement la plus fascinante. Des parois verticales s'élèvent au-dessus du fleuve, l'enserrant dans un goulet de 100 m de large qui exige des bateliers une grande concentration, surtout dans les passages à sens unique. Les tourbillons d'eau boueuse qui se manifestent à la surface montrent combien le fleuve peut être traître.

Avant Wu Xia, le Daning He rejoint le Yangzi à la hauteur de la ville de **Wushan**. En amont de ce confluent, découvrez **Xiao Sanxia** ❼ (Trois Petites Gorges) ; le paysage est magnifique. Même si les embarcations prévues pour 30 passagers doivent lutter contre les courants puissants du Daning He, cette excursion de 5 heures rassemble tous les suffrages. Vous apercevrez des cercueils en bois dans la partie élevée d'une des parois montagneuses entourant le fleuve. Ils appartiendraient au peuple des Ba, une culture oubliée de l'âge du bronze qui fut absorbée par les Qin, et qui plaçait ses morts dans les anfractuosités des montagnes isolées. Malheureusement, les Trois Petites Gorges font partie des trésors qui seront engloutis en 2009.

Wu Xia ❽ (la gorge des Sorcières), longue de 45 km, est surplombée par 12 pics vertigineux. Selon la légende, il s'agirait de dragons que la déesse Yaoji aurait statufiés car ils la dérangeaient. L'itinéraire passe ensuite par **Zigui**, sur la rive nord. C'est là que l'illustre poète Qu Yuan (330-295 av. J.-C.) se serait noyé de désespoir à la vue de sa patrie occupée par les armées des Qin. La Chine tout entière honore sa mémoire lors du festival des Bateaux-Dragons (*voir "Fêtes et festivals", p. 64*). En 2003, la ville, vieille de 1400 ans, a été partiellement submergée et ses habitants relogés. L'entrée dans le **Xiling Xia** ❾ se fait à la hauteur du confluent du Yangzi avec le Xiangxi (fleuve Embaumé), dont les eaux vertes contrastent avec celles, marron, du Yangzi. La dernière gorge, la plus longue (66 km) et la plus dangereuse, est composée de 3 petits défilés. Le premier de ces défilés possède un nom curieux qui évoque sa forme : Niugan Mafei Xia (gorge du Poumon de cheval et du Foie de bœuf). Il est suivi de Qingtan (falaise Bleue), long de 120 m. À cet endroit, le Huangling Miao (temple de la Colline jaune) surplombe le fleuve. Son bâtiment principal date de l'époque des Han et son entrée, de la dynastie Qing.

Le barrage des Trois Gorges

Le barrage des Trois Gorges illustre parfaitement la course à la modernisation dans laquelle s'est engagée la Chine. Imaginé par Sun Yatsen en 1919, le projet n'est véritablement lancé qu'en 1994. Aussi controversé

dans le pays qu'à l'étranger, le barrage sera le plus grand du monde à son achèvement, prévu en 2009. Pour un coût d'environ 180 millions de yuan (13 milliards d'euros), il mesurera 2 309 m de long, 185 m de haut et possèdera 26 groupes électrogènes. Son réservoir, qui se remplit progressivement depuis le 1er juin 2003, s'étendra jusqu'à Chongqing, à 660 km en amont.

Le site retenu pour la construction de l'ouvrage est un tronçon de 10 km au centre de la gorge Xiling, **Sandouping ❿**. La plupart des croisières permettent de découvrir une partie du chantier, où se relaient de 20 000 à 30 000 ouvriers travaillant 24h/24. Du centre d'information, installé au point le plus élevé du chantier, vous bénéficierez d'une vue impressionnante sur l'ensemble des travaux.

Le gouvernement justifie la construction du barrage par la nécessité de dompter le Yangzi, dont le cours moyen subit des crues fréquentes et désastreuses. Il devrait en outre générer assez de courant pour éclairer la moitié du pays, qui manque cruellement d'électricité. Il est également censé améliorer la navigation sur le fleuve et dynamiser ses activités de pêcherie et de loisirs. Enfin, il ouvre la voie à un plan très ambitieux, lancé en 2002, de diversion des eaux vers les provinces assoiffées du nord de la Chine.

Mais ce projet comporte aussi de graves inconvénients, tant sur le plan social et culturel que sur celui de l'environnement : il entraîne le déplacement de 1,3 million d'habitants, la perte de terres cultivables et de sites historiques, et comporte des risques écologiques non négligeables. Malgré des mesures prises pour protéger la faune et la flore de la région, des espèces rares comme le dauphin du Yangzi, l'alligator chinois, la spatule du Yangzi ou la grue de Sibérie sont menacées. Pour certains écologistes, les rejets non traités des

Cartes p. 236 & 237

CI-DESSOUS :
pendant la saison des pluies, les eaux du fleuve se teintent en jaune.

Le meilleur hôtel de Wuhan, le Lake View Grand Hotel, *a été peint en rouge vif à la demande d'un maître de feng shui. Celui-ci, constatant que l'hôtel était situé à côté d'un ancien cimetière, a imposé des mesures draconiennes – dont la peinture rouge – pour éloigner le mauvais œil.*

CI-DESSOUS : croisières à la journée à Shiobaozhai.

villages du Yangzi risquent de polluer l'eau du réservoir. En outre, comme le fleuve est chargé de beaucoup de sédiments, on peut craindre qu'il ne faille constamment le draguer. Depuis 2003, la fermeture des vannes fait monter graduellement les eaux : en 2009, on passera de 145 m au-dessus du niveau de la mer à 175 m . Le long des gorges, des marques peintes sur les roches indiquent la hauteur prévue. Pour ne pas faire obstacle à la navigation, tout ce qui se trouve en dessous sera dynamité. Sur les collines, les immeubles poussent comme des champignons.

De Yichang à Wuhan

Avant d'atteindre Yichang, les bateaux pénètrent dans une écluse gigantesque. En face, **Gezhou Ba**, large de 2 615 m et profond de 47 m, est encore pour quelques années le plus grand barrage du pays. Inauguré en 1988, il fournit de l'électricité aux provinces avoisinantes. Une nouvelle ville a poussé le long de ses rives. Le barrage a fait monter le niveau des eaux du cours supérieur du Yangzi et, selon ses détracteurs, aggravé les risques d'inondation.

Yichang **Ⓚ**, première grande escale après les gorges, est une ville industrielle en pleine mutation. Reliée aux autres villes du fleuve par une route à 4 voies, elle accueille un flot continu de personnes délogées par la construction du barrage des Trois Gorges, et se transforme rapidement en une agglomération surpeuplée. Faites une rapide excursion en bus jusqu'à la passe de Nanjing, à 6 km de Yichang, à l'endroit où le Yangzi sort des gorges.

Une bataille importante s'est déroulée ici en 221 entre l'armée des Shu et celle des Wu. Après la défaite du roi des Shu et de son général en chef, Liu Bei, ce dernier s'enfuit à travers les gorges jusqu'à Baidi Cheng. Dans l'imaginaire chinois, cet événement symbolise le triomphe de la ruse sur la force, et celle du faible sur le puissant.

À 220 km à l'ouest de Wuhan, le fleuve passe par **Shashi** **Ⓛ**, le port de la ville de Jingzhou. Celle-ci possède une enceinte Ming impressionnante ainsi qu'un **musée** (ouv. du mar. au dim. de 8h à 16h ; entrée payante) qui expose la dépouille momifiée, vieille de 2 000 ans, d'un fonctionnaire des Han de l'Ouest.

Yueyang **Ⓜ**, un port du Hunan, est la dernière escale avant Wuhan. Bâtie sur la rive sud du fleuve, **Yueyanglou** (tour de Yueyang ; ouv. tlj. de 8h à 18h ; entrée payante) est l'une des tours les plus célèbres de la région, pour ne pas dire de Chine. Depuis les Tang (618-907), elle a inspiré de nombreuses odes. Le bâtiment actuel (XIXᵉ siècle) est flanqué de deux édifices, Xianmeiting (pavillon du Prunier en fleur) et Sanzuiting (pavillon des Trois Ivrognes).

Non loin de là, **Dongting Hu**, l'un des plus grands lacs de Chine, est relié au Yangzi par une multitude de fleuves, de canaux et de petits lacs. Durant la saison humide, Dongting Hu récupère jusqu'à 30 % des eaux du Yangzi. Très poissonneux, il attire des espèces rares d'oiseaux. Malheureusement, ceux-ci disparaissent peu à peu, notamment à cause de l'irrigation qui utilise de trop grandes quantités d'eau. Pourtant, durant l'été 2002, le niveau des eaux atteignit un seuil dangereux, menaçant de faire des centaines de milliers de victimes.

Wuhan

À mi-chemin entre Shanghai et Chongqing, au confluent du Yangzi et du Han, la ville industrielle de **Wuhan**  compte environ 8 millions d'habitants. Elle regroupe 3 agglomérations : Wuchang, sur la rive droite du Yangzi, Hankou et Hanyang sur la rive gauche, nord et sud du Han. Importante sur le plan historique – la révolution nationaliste y démarre en 1911 –, Wuhan est aujourd'hui, du fait de son emplacement, le poumon économique de la Chine centrale et un nœud de communications essentiel pour le pays.

Ne vous attendez pas à des merveilles sur le plan culturel. Dans le district de Wuchang, **Huanghelou** (tour de la Grue jaune ; ouv. tlj. de 8h à 17h ; entrée payante), qui s'élève sur She Shan (colline du Serpent), a été restaurée avec soin, et les bâtiments environnants sont reconstruits en style traditionnel – ce qui n'empêche pas certains touristes de trouver le site décevant et le prix d'entrée exorbitant. **Guiyuan Si** (temple de Guiyuan) est un sanctuaire impressionnant situé de l'autre côté du Yangzi, dans le quartier de Hanyang. Il abrite 500 *luohan* (*arhat*), tous différents les uns des autres, ainsi qu'une *guanyin* en bois doré, posée sur un autel très ouvragé dans la grande salle.

À l'extrémité est de la ville, s'étend un parc immense agrémenté d'un lac, **Dong Hu** (le vaste lac de l'Est). Depuis Huguangge (pavillon du Lac scintillant), on jouit d'une vision panoramique sur Dong Hu et les jardins environnants. Près de la rive, le **musée provincial du Hubei** (ouv. tlj. de 8h30 à 17h ; entrée payante) expose des objets trouvés dans la tombe du prince Yi, mort en 433 av. J.-C. La pièce maîtresse de cette collection est un carillon de bronze (*bianzhong*) dont les cloches sonnent encore parfaitement juste. Personne ne sait comment il a été coulé, et il est probable qu'il n'a servi que deux fois. L'auditorium du musée accueille des concerts et fournit une occasion unique d'écouter le fameux carillon, du moins sa copie.

Wudang Shan

Au nord-ouest du Hubei, les adeptes du *gongfu* se rassemblent en masse sur les montagnes de **Wudang Shan** ❽. Nombre d'entre eux viennent ici honorer la mémoire de Zhang Sanfeng, le moine qui inventa le *taijiquan* (*voir p. 181*). Wudang Shan, qui ne figure pas parmi les montagnes sacrées de Chine (*voir p. 246*), regorge néanmoins de temples taoïstes.

Plus au sud, la vaste **réserve forestière de Shennongjia** ❾ est un vaste territoire sauvage et montagneux dominé par le mont Shennong (3 105 m) et accessible depuis Yichang, sur le Yangzi. La forêt doit son nom à l'empereur légendaire Xia Shennong, inventeur des herbes médicinales et de nombreux instruments aratoires, qui écuma la région à la recherche de plantes (*voir "Médecine chinoise", p. 77*). Elle compte une population de singes dorés et abrite, dit la légende, le Ye Ren aux cheveux roux, un cousin chinois du mythique yeti tibétain.

L'Anhui

L'Anhui a beau être l'une des provinces les plus pauvres de la Chine orientale, c'est aussi l'une de ses premières destinations touristiques ; elle recèle, il est

Cartes p. 234 & 236

Une des créatures mythiques qui soutiennent la statue de Weituo à Guiyuan Si (Wuhan).

CI-DESSOUS : sourire de la marchande.

vrai, plusieurs merveilles, notamment **Huang Shan** (montagne Jaune) et les sommets sacrés bouddhistes proches de Jiuhua Shan.

Heifei, la capitale provinciale, a échappé à la fièvre bâtisseuse qui s'est emparée de la plupart des villes chinoises et possède des parcs très agréables. Pourtant les voyageurs ne s'y attardent pas, car la ville sert surtout de point de départ pour **Huang Shan ⓿**. Cette montagne nimbée de brumes qui se dresse au sud du Yangzi a été immortalisée par maints peintres chinois. Ses pins noueux, ses mers de nuages et ses bambous baignés de soleil créent une vision enchanteresse. Bien qu'elle n'appartienne pas au cercle très fermé des montagnes les plus sacrées de Chine (*voir p. 246*), ses paysages exceptionnels la rendent incontournable. Tous les Chinois désirent faire son ascension une fois dans leur vie – comme celle du Tai Shan, dans le Shandong.

Le lever du jour attire en effet jusqu'au sommet des légions de marcheurs. Deux sentiers y accèdent : les marches de l'Est et celles de l'Ouest. L'itinéraire est offre une voie plus rapide (7,5 km) que celui de l'ouest (15 km). Beaucoup de randonneurs choisissent de monter par l'est et de redescendre par l'ouest, mais, quel que soit le chemin que vous choisissez, l'excursion sera rude. Si vous ne vous sentez pas en jambes, vous avez le choix entre le téléphérique et la chaise à porteurs pour accéder au sommet.

Vous n'aurez pas de mal à trouver un hôtel dans le village de Tangkou, au pied du Huang Shan, mais vous pouvez aussi faire une halte pour la nuit dans l'une des auberges que vous rencontrerez en chemin ou au sommet. Équipez-vous de vêtements chauds et imperméables pour la montée, et n'oubliez pas d'emporter de l'eau et de la nourriture : la marchandise vendue par les colporteurs est assez chère.

CI-DESSOUS : paysage de crêtes à Huang Shan.

Huang Shan est bien desservie : Tangkou est relié par bus depuis Hefei, Nanjing, Shanghai et Hangzhou. Si vous prenez le train ou l'avion, vous devrez vous arrêter à Tunxi, à 70 km au sud-est, puis prendre un bus.

À 60 km au nord-ouest de Tunxi, découvrez la belle région de **Yixian**, qui compte de nombreux hameaux pittoresques ayant conservé leurs maisons traditionnelles. De Yixian, vous pouvez prendre un taxi pour l'un de ces 3 villages : Xidi, Hongcun et Nanping (qui a servi de décor au tournage de *Judou*, le film de Zhang Yimou).

L'ascension du **Jiuhua Shan** (1 342 m) est nettement moins éprouvante que celle de Huang Shan. Située à 50 km au nord-ouest de Huang Shan, cette montagne hérissée de temples est l'un des 4 monts bouddhistes sacrés de Chine (*voir p. 46*). Si le panorama n'est pas aussi exceptionnel qu'à Huang Shan, Jiuhua Shan bénéficie d'une moindre affluence. À flanc de montagne, le village de Jiuhuashan propose hôtels et restaurants. Un téléphérique est à la disposition de ceux que leurs forces ont désertés.

Le Jiangxi

Le Jiangxi, l'une des provinces les plus démunies de Chine, est la terre natale de plusieurs personnages exceptionnels, parmi lesquels on compte Tao Yuanming, un poète de la dynastie des Jin de l'Est, et Ou Yangxiu, un homme de lettres de l'époque des Song du Nord.

Située au sud du Yangzi, la province a connu un certain essor après la construction du Grand Canal, mais, au XXᵉ siècle, la région a beaucoup pâti des ravages causés par les conflits entre les Seigneurs de la guerre puis par les luttes entre les communistes et les nationalistes.

Carte
p. 234

CI-DESSOUS :
lourde charge sur
les marches
verglacées
de Jiuhua Shan.

Carte
p. 234

Au nord de la province, la montagne de **Lu Shan** ⑪, qui s'élève à l'ouest du Poyang Hu (lac Poyang), offre en été une fraîcheur bienvenue après la chaleur humide des plaines centrales. Au XIXᵉ siècle, les missionnaires occidentaux et les familles d'expatriés ne s'y sont pas trompés : ils ont choisi ce site pour y construire de belles villas de pierre où ils venaient passer les mois de l'année les plus chauds. Plus tard, ces villas ont été réquisitionnées par les nationalistes puis par les communistes. Certaines d'entre elles sont désormais reconverties en des hôtels charmants.

Aux yeux des Chinois, Lu Shan (Kuling pour les Européens) évoque avant tout le souvenir de Mao et des conférences du parti communiste qui s'y sont tenues. Pour les touristes, c'est également un site où s'adonner au plaisir de la randonnée tout en découvrant l'architecture locale.

Au nord-est de la province, **Jingdezhen** ⑫ est la capitale de la porcelaine. Elle compte plusieurs musées consacrés à l'histoire de la ville, qui est longtemps restée le fournisseur attitré de la porcelaine impériale et produit une grande partie de la marchandise destinée à l'exportation. Vous pourrez y visiter plusieurs ateliers et usines.

Le Hunan

Lorsqu'ils parlent de nourriture, les Sichuanais l'affirment : *La bu pa* ("si c'est épicé, c'est bon"). Au Hubei, on dit plutôt : *Bu pa la* ("n'ayez pas peur des épices"). Quant aux habitants du Hunan, ce sont de vrais prosélytes, qui n'hésitent pas à prophétiser : *Pa bu la* ("craignez les nourritures non épicées"). Épices et piments constituent en effet les ingrédients de base de la cuisine du Hunan (*voir "Gastronomie", p. 108*).

CI-DESSOUS :
le Hunan continue d'honorer la mémoire de Mao.

Dans un tout autre registre, le Hunan est le pays ancestral de Mao Zedong. Sa maison natale de **Shaoshan** ⑬, à 90 km au sud-ouest de la capitale provinciale de Changsha (qui fourmille également de sites maoïstes), est un lieu de pèlerinage pour tous ceux qui étudient la révolution communiste et l'iconographie de cette époque. Mais le Hunan présente d'autres attraits, comme la réserve de **Wulingyuan** ⑭ (Zhangjiajie), inscrite au patrimoine mondial de l'Unesco, dans le nord-ouest de la province. Cette magnifique région forestière regorge de monts en pains de sucre et de falaises vertigineuses hérissées de conifères. Proche du Guizhou, cette partie du Hunan accueille un nombre croissant de minorités ethniques, notamment des Miao, des Tujia, des Hui et des Bai. Le Suoxi coule à travers l'immense réserve, où torrents souterrains, cascades spectaculaires, étangs et grottes viennent ajouter aux charmes du paysage. Victime de son succès, Wulingyuan est hélas souvent envahie de groupes de touristes, qui souillent de leurs détritus certaines parties du parc.

À 120 km au sud de Changsha, **Heng Shan** ⑮ est la plus méridionale des montagnes sacrées taoïstes. Souvent envahi par le brouillard, le sentier menant au sommet (1 290 m) croise plusieurs temples, notamment ceux de Nanyue Damiao et de Zhuzheng Si, au début de l'ascension. Au sommet, Zhurong Dian (salle Zhurong) attend les grimpeurs chevronnés. ❑

La nouvelle "Grande Muraille"

Le 1er juin 2003, 19 des 22 vannes du barrage des Trois Gorges sont fermées pour la première fois et le niveau de l'eau est monté progressivement de 135 m. Lorsque celui-ci atteindra son maximum en 2009, les Trois Gorges auront perdu 175 m d'impérieuse beauté.

Avec la construction de cet ouvrage, les dirigeants de la Chine perpétuent une tradition millénaire de travaux titanesques. L'idée de cet ouvrage colossal revient au dirigeant républicain Sun Yatsen (Sun Zhongshan), qui imagine cette immense capacité de production d'énergie dès 1919. Le projet est abandonné pendant 40 ans jusqu'à ce que Mao s'en fasse l'avocat à la fin des années 1950. Le chaos orchestré par le Grand Bond en avant puis par la Révolution culturelle renvoie de nouveau le projet aux oubliettes. En 1992, sous l'impulsion de l'ancien Premier ministre Li Peng, le Congrès national du peuple ratifie enfin la construction du barrage.

Le projet ne vise pas seulement à faire une démonstration de force politique, mais aussi à régler des problèmes concrets : en principe, le barrage doit faire cesser les crues du Yangzi, améliorer sa navigation et générer de grandes quantités d'électricité. Ses partisans soutiennent qu'en effet les inondations désastreuses qui affectent la région n'auront plus lieu, que le tonnage fluvial augmentera de 400 % et que le barrage produira assez d'électricité pour éclairer la moitié du pays. Ses détracteurs arguent au contraire que l'accumulation des sédiments accroîtra les risques d'inondations et bloquera la navigation. En outre, ils sont persuadés que le courant produit sera mal distribué et que les autres types de production d'électricité rendront rapidement le barrage obsolète.

Par ailleurs, 1 300 sites archéologiques seront submergés et des paysages magnifiques (comme celui des Trois Gorges) perdront l'essentiel de leur beauté. Certains d'entre eux, par exemple celui des Trois Petites Gorges, disparaîtront complètement. Le lac de retenue, long de 660 km, pourrait également devenir un immense cloaque où viendront s'accumuler les déchets des villes en amont.

Le Jinsha Jiang (nom du Yangzi sur son cours supérieur) générant la plus grande part des sédiments du fleuve, 4 barrages complémentaires ont été construits sur cette partie du fleuve afin de réguler les dépôts sédimentaires tout en produisant de l'électricité. Mais ils sont situés dans une zone sismique et leur construction a provoqué une levée de boucliers de la part des géologues. Les écologistes s'inquiètent aussi de leur influence néfaste sur l'écosystème.

Seul le temps dira si le barrage des Trois Gorges, qui a déjà entraîné le déplacement de 700 000 personnes, a permis de revitaliser le centre de la Chine ou si l'histoire ne doit en retenir que le souvenir d'un gouffre financier. ❑

À DROITE : chantier du barrage des Trois Gorges.

LES MONTAGNES SACRÉES

Amateurs de randonnée, de paysages sublimes
et d'architecture religieuse, n'hésitez pas
à escalader les montagnes sacrées de Chine.

La Chine compte 9 grandes montagnes sacrées (5 monts taoïstes et 4 monts bouddhistes), disséminées sur l'ensemble du territoire. Parmi les 5 montagnes taoïstes, Tai Shan, située au Shandong, est sans doute l'une des plus escaladées au monde. Hua Shan, au Shaanxi, impressionne par ses abîmes vertigineux. Les autres sommets taoïstes sont Song Shan au Henan, dont le temple Shaolin attire de nombreux touristes, Heng Shan (*beiyue*) au Shanxi, et Heng Shan (*nanyue*) au Hunan, le plus au sud des cinq.

Quant aux montagnes bouddhistes, elles ont souvent été des sanctuaires taoïstes avant d'accueillir les disciples de Bouddha (*fo*). La plus vénérée, Emei Shan, dans le Sichuan, inspire la dévotion d'une foule de pèlerins. Putuo Shan, une petite île de la côte est, est également un haut lieu de pèlerinage. Jiuhua Shan, dans l'Anhui, souffre peut-être de sa rivalité avec sa voisine, Huang Shan, qui est sans conteste la montagne de Chine la plus célèbre. Wenshu (Manjusri), le dieu de la sagesse, règne sur Wutai Shan, dans le Shanxi, une montagne aux paysages et aux temples d'une beauté légendaire.

L'ascension d'une de ces montagnes est considérée comme un acte de foi. Emboîter le pas aux pèlerins vous permettra de vous faire une idée de la vie spirituelle chinoise. Chaque montagne comprend des escaliers taillés dans la roche et des garde-fous qui facilitent l'escalade.

◁ **WUTAI SHAN**
Ce pavillon de bronze abrite une statue de Wenshu, la divinité de la montagne.

▽ **ÎLE MONTAGNE**
L'île de Putuo Shan évoque Potala, le pays montagneux d'Avalokiteshvara, un boddisattva adoré en Chine sous le nom de Guanyin.

▷ **LOURDE CHARGE**
Les matériaux destinés à la construction de bâtiments sur les montagnes sacrées sont hissés à dos d'homme.

△ **ESCALIER CÉLESTE**
Une procession composée d'adeptes d'arts martiaux et de taoïstes monte vers le sommet du Wudang Shan (Hubei), une montagne taoïste de moindre importance. Zhang Sanfeng, l'inventeur du *taijiquan*, y passa 9 ans.

▽ **SANCTUAIRE ÉCOLOGIQUE**
Les montagnes sacrées sont tapissées de forêts luxuriantes où vivent plusieurs espèces rares de singe. Ainsi, le singe doré (*jinsi hou*) est observé sur certains des sommets, tel Wudang Shan.

▽ **PAVILLONS SUSPENDUS**
Xuankong Si, juché sur le Heng Sha, défie les lois de la gravité. Il comprend 40 pavillons – des grottes taillées à même la roche à l'entrée desquelles ont été plaquées des façades de bois soutenues par des piliers.

PASSAGES POUR LE CIEL

Pour l'homme primitif, les montagnes représentaient des sources d'énergie cosmique, habitées par les dieux et les esprits. Les animistes adoraient des montagnes comme Tai Shan avant que les taoïstes n'en revendiquent plus tard la propriété. Des poètes comme Qu Yuan ont célébré le monde des sorcières et des êtres peuplant le royaume montagneux de la Chine.

Pour les taoïstes, les montagnes relient l'humain au divin. Les 5 monts sacrés sont considérés comme des piliers soutenant le ciel et des lieux de passage des hommes vers les puissances célestes. En revanche, la pensée confucéenne, centrée sur l'homme et les relations temporelles, humaines et rituelles, n'a pas sa place dans cette spiritualité : il n'existe pas de montagne confucéenne.

Hélas, malgré leur caractère sacré, les montagnes taoïstes et bouddhistes sont envahies par les touristes, dont la présence vient troubler la tranquillité des lieux. Des téléphériques ont été construits pour hisser les plus pressés en haut.

△ **SAUVEUR DES ÂMES PERDUES**
Cette statue représente le bodhisattva Dizan, sauveur des âmes perdues et divinité de la montagne bouddhiste de Jiuhua Shan. Jing Qiaojue, un moine coréen mort ici au VIIIe siècle, serait une réincarnation de Dizang.

LE SICHUAN

Isolée du reste du pays par une barrière montagneuse, la province du Sichuan est réputée pour sa cuisine très relevée et possède le plus grand bouddha du monde. Le panda géant – une espèce menacée – a trouvé refuge dans les forêts reculées de l'Ouest.

Carte
p. 251

CHINE   Beijing

L e Sichuan est la province la plus peuplée de Chine. Couvrant environ 480 000 km², elle héberge un dixième de la population du pays, soit plus de 100 millions d'habitants. Elle compte 15 minorités reconnues, notamment les Yi, les Tibétains, les Miao, les Tujia, les Hui et les Qiang, qui vivent surtout dans les régions montagneuses autonomes de la province. Ne revendiquant pas de souveraineté sur un territoire, les Tibétains du Sichuan coexistent pacifiquement depuis très longtemps avec les Chinois han et ne connaissent pas avec eux les mêmes tensions que leurs voisins du Tibet.

Les deux royaumes de Shu et de Ba, qui font partie aujourd'hui du Sichuan, ont été intégrés à l'empire de Chine sous le règne de Qing Shi Huangdi, le premier empereur de la Chine unifiée. L'idéogramme du royaume de Shu reste l'abréviation officielle du Sichuan. À l'époque des Song du Nord, vers 1 000 av. J.-C., 4 districts furent créés pour faciliter l'administration de la région, que l'on appela Chuan Xia Si Lu (les 4 districts de Chuanxia). Sichuan en est la contraction moderne.

À GAUCHE :
bouddha géant
de Leshan.
CI-DESSOUS :
des oies
bien gardées.

Le grenier à riz de la Chine

Au cœur du Sichuan, le "bassin Rouge" est une zone fertile encerclée de montagnes. Son climat – des étés chauds, des hivers doux et beaucoup d'humidité – permet de cultiver la terre toute l'année. Les marchés regorgent de fruits et de légumes, y compris en janvier et en février, les mois les plus froids. La campagne est parsemée de villages et de champs en terrasses qui peuvent produire jusqu'à 3 récoltes par an.

Sauvage et montagneuse, la partie occidentale du Sichuan est radicalement différente. Ses forêts – le royaume des sapins et des arbres caducs – abritent des espèces animales rares, comme le panda géant. Menacé de disparition malgré tous les efforts entrepris pour le sauver, il doit se réfugier de plus en plus haut dans les régions montagneuses afin d'échapper à la présence humaine.

Le Sichuan est l'une des principales régions productrices de riz du pays. On y cultive aussi beaucoup le colza, qui sert à fabriquer l'huile de cuisson la plus utilisée en Chine. Fin mars, ses fleurs jaunes colorent les plaines. Les champs en terrasses sont bordés de mûriers, dont les feuilles nourrissent les bombyx, les vers indispensables à la production de la soie – une activité secondaire lucrative pour les paysans (*voir "Beaux-arts et arts décoratifs", p. 87*). La région, relativement prospère, produit également des agrumes – des oranges, des mandarines, des pamplemousses –,

de l'huile végétale, du sucre de canne, du camphre, de la laque brute, de la cire, du thé et des bambous. Omniprésent en Chine depuis toujours, ces derniers sont aussi bien utilisés dans la nourriture que pour fabriquer des meubles, et même pour les feux d'artifice.

Après l'achèvement du barrage des Trois Gorges, en 2009 (*voir p. 245*), le Yangzi continuera d'être un maillon important du transport de marchandises et de passagers entre la Chine orientale et le reste du monde. Chengdu, l'aéroport principal de la région, assure des liaisons aériennes faciles et rapides depuis Beijing, Shanghai, Wuhan, Guangzhou, Xi'an, Kunming, Lhasa et Hong Kong. De nombreux trains relient directement le Sichuan à presque toutes les autres provinces chinoises ; la ligne Chengdu-Kunming, en particulier, traverse des paysages magnifiques. De Chongqing à Xi'an, le chemin de fer serpente en épingles à cheveux, traverse des tunnels et des ponts, pour finalement franchir la crête de la chaîne Qinling, au nord du Sichuan.

Chengdu

Chengdu ❶, une agréable capitale régionale, est située à la périphérie ouest du "bassin Rouge". Fondée il y a deux millénaires, elle compte plus de 5 millions d'habitants *intra-muros* et près de 9 millions avec ses banlieues.

Chengdu devient le centre politique, économique et culturel de l'ouest de la Chine dès 400 av. J.-C. Pendant la période des Cinq Dynasties (907-960), à la fin du règne des Shu, le chef Meng Chang fait planter des hibiscus sur les remparts de la ville, ce qui lui vaudra son surnom de "ville des Hibiscus".

Bâtie sur un terrain plat, Chengdu s'explore à pied ou à vélo. Ses rues charmantes bordées de petites boutiques et de restaurants, ses allées où se mêlent marchands ambulants et badauds lui donnent un côté méridional. Le quartier commerçant se concentre autour de Dongfeng Lu et de Dong Dajie, au sud-est de la grande statue de Mao et du Centre des expositions.

Afin de goûter aux innombrables spécialités locales, n'hésitez pas à entrer dans les maisons de thé et les cafétérias. Tout en sirotant votre thé au jasmin, vous assisterez peut-être à une représentation d'opéra du Sichuan ou à un concert de musique traditionnelle. Les anciens s'y retrouvent pour jouer au *weiqi*, les échecs chinois, sur un damier carré de 19 cases, avec des cailloux noirs et blancs en guise de pions.

Wuhou Si (temple du duc de Wu ; ouv. tlj. de 8h à 17h30 ; entrée payante) a été bâti par le roi des Cheng à la fin de la période des Jin de l'Ouest (265-316) et porte le nom d'un haut stratège militaire de la période des Trois Royaumes, Zhuge Liang. À l'époque des Ming (1368-1644), Wuhou Si a été réuni au temple voisin de Zhaomieliao, qui est dédié à la mémoire de l'empereur Liu Bei. Les bâtiments actuels datent du règne de l'empereur Qing Kangxi (fin du XVIIe siècle). Le temple abrite plus de 40 statues représentant des personnages illustres des périodes Shu et Han, ainsi que de nombreuses tablettes, des rouleaux et des instruments rituels.

À la périphérie sud-ouest de Chengdu, **Du Fu Caotang** (chaumière de Du Fu ; ouv. tlj. de 9h à 17h ; entrée payante) est enclose dans un parc le long

À Chengdu, on appelle *chadian* les maisons de thé. Elles ont toujours été des lieux de discussion où l'on refaisait le monde. La Révolution culturelle les a fermées, mais elles ont désormais repris leur activité. Faites une halte dans l'une de celles qui se trouvent dans Remnin Park.

CI-DESSOUS :
sieste bouddhique.

duquel coule un torrent. Du Fu (712-770) est probablement le plus célèbre poète chinois. En désaccord avec la cour, il vint se réfugier avec sa famille à Chengdu après s'être enfui du poste impérial qu'il occupait à Chang'an (Xi'an). Un ami compatissant lui offrit un terrain, où il construisit une chaumière. Il y écrivit 240 de ses meilleurs poèmes pendant les 3 années qui suivirent. Durant les dynasties suivantes, cette maison a été reconstruite et rénovée plusieurs fois. La société pour l'étude de Du Fu à Chengdu est toujours très active.

Chengdu abrite également quelques sanctuaires. Situé à l'ouest de la ville, non loin de Du Fu Caotang, le fascinant **Qingyang Gong** (temple des Chèvres en bronze) est dédié à Laozi, le fondateur du taoïsme (*voir p. 69*). Sa sobriété contraste avec la profusion décorative du **Wenshu Yuan** (temple Wenshu), au nord de la ville (à mi-chemin entre la statue de Mao et la gare). Le plus grand sanctuaire bouddhiste de Chengdu – et le plus animé – possède en outre une maison de thé très populaire.

Wangjianglou (parc du Pavillon où l'on peut contempler la rivière ; ouv. tlj. ; entrée libre) occupe la rive sud du Jin Jiang, dans la partie sud-est de Chengdu. Il fut construit sous les Qing en l'honneur de Xue Tao (768-831), un poète Tang. Aujourd'hui, le bâtiment est entouré d'un jardin public où s'élèvent des tours et des pavillons. Le pavillon de Chongli, qui compte 4 étages (30 m de haut), se distingue par ses tuiles vertes vernissées et ses colonnes laquées de rouge. Plus d'une centaine de variétés de bambous, notamment des espèces rares comme le bambou tacheté ou le bambou à tige carrée, ont été plantées dans le jardin en hommage à Xue Tao, qui les appréciait beaucoup.

Au nord-ouest de la ville, la visite de **Wangjian Mu** (tombe de Wang Jian ; ouv. tlj. de 9h à 17h30 ; entrée payante) s'impose. Au début du Xe siècle,

Carte
ci-dessous

La poésie Tang idéalise la vie quotidienne, montrant que les choses simples sont essentielles et peuvent même susciter la passion. On a recensé plus de 50 000 poèmes de cette époque.

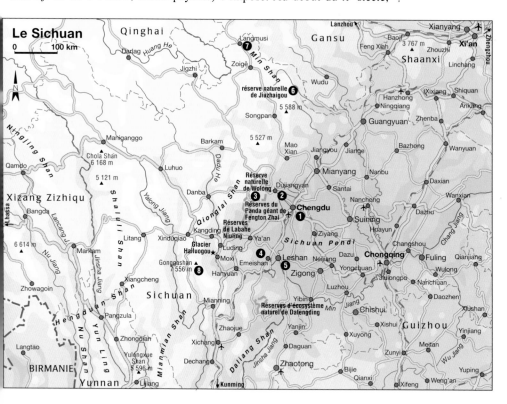

le général Tang Wangjian devient le premier monarque du nouvel État Shu, établi dans l'actuel Sichuan à la fin du règne de Lizhu. Son tombeau renferme 3 chambres funéraires, dont celle du centre contient un sarcophage flanqué de deux rangées de personnages.

Le zoo de Chengdu (ouv. tlj. de 8h à 18h ; entrée payante) accueille plusieurs pandas. Préférez la visite de l'**Institut de recherche sur l'élevage du panda géant** (ouv. tlj. ; entrée payante, tél. 351 6970), au nord de la ville, où une douzaine de grands et de petits pandas vivent dans un cadre naturel. L'institut abrite également un musée et présente des expositions de grande qualité.

Les environs de Chengdu

Baoguang Si (monastère de la Précieuse Lumière ; ouv. tlj. de 8h à 18h ; entrée payante), célèbre monastère bouddhiste, se dresse dans la ville de **Xindu**, à quelque 18 km au nord de Chengdu. Fondé probablement sous les Han de l'Est, il hébergeait plus de 3 000 moines aux Xe et XIe siècles. Sa plus ancienne structure est la pagode Sheli, qui mesure 30 m de haut. Ne manquez pas d'admirer les 500 *luohan* (*arhat*), qui datent de l'époque Qing. Ils sont très bien conservés.

À 64 km à l'ouest de Chengdu, le mont taoïste **Qingcheng Shan** enchantera les amateurs de randonnée qui découvriront un paysage riche en temples, grottes et lacs. Au nord de Qingcheng Shan, **Qingcheng Hou Shan** propose également une myriade de sentiers pédestres.

Dujiangyan ❷, sur le cours supérieur du Min Jiang et à 50 km au nord-ouest de Chengdu, est un réseau d'irrigation vieux de 2 000 ans. Construit de 306 à 251 av. J.-C., il a permis d'irriguer 200 000 ha de terre dès son achèvement.

Les Occidentaux apprirent l'existence des pandas géants dans les années 1860 quand une fourrure taillée dans la peau d'un de ces mammifères arriva en France.

CI-DESSOUS :
rizières en eau.

De nos jours, il continue vaillamment de fournir l'eau nécessaire à 240 000 ha de champs. À l'intérieur de Fulong Guan (pavillon du Dragon dompté), édifié au IIIe siècle pour célébrer le succès de cette entreprise, une statue vieille de 1 900 ans commémore son constructeur, Li Bing. Erwan Miao (temple des Deux Rois) a été érigé en l'honneur de ses architectes.

À quelque 140 km au nord de Chengdu, à 3 heures de bus de Dujiangyan, la **réserve naturelle de Wolong** ❸ offre un refuge de 200 000 ha aux pandas géants. On estime à 1 000, le nombre de pandas géants encore en liberté dans toute la Chine et répartis en une trentaine de groupes vivant au nord du Sichuan, dans le Gansu et le Shaanxi. Le panda ne disparaît pas uniquement à cause de l'intervention de l'homme sur son environnement ; le bambou flèche dont il se nourrit disparaît périodiquement de la forêt par pans entiers, forçant l'animal à recourir à un régime omnivore de substitution. Les individus les plus faibles ne supportent pas ce changement d'alimentation et meurent de faim. La réserve de Wolong est parcourue de nombreux sentiers de randonnée. Malheureusement, les seuls pandas que vous apercevrez dans ce parc vivent dans des cages.

Emei Shan

La chaîne de l'Emei s'élève à 160 km de Chengdu, au sud-ouest du bassin Rouge. Au pied des montagnes, la ville d'**Emeishan** ❹ est reliée à la capitale par le bus ou par le train (environ 3 heures). Il est également possible de gagner Emeishan par la ligne Kunming-Chengdu. De là, des minibus vous conduiront à **Baoguo Si** (monastère de Baoguo), qui date du XVIe siècle. Bâti à flanc de montagne, le temple comprend 4 salles, édifiées les unes au-dessus des autres. Des objets de culte, des calligraphies et des peintures y sont exposés. Vous trouverez plusieurs hôtels et auberges à proximité, notamment le *Hongzhushan Hotel*, une ancienne maison de repos destinée aux cadres du parti communiste. Baoguo Si est un bon point de départ pour des excursions d'une journée ou davantage dans les montagnes. Celles-ci abritent plus de 150 temples et monastères bâtis au fil des siècles. Bon nombre d'entre eux, désertés par les moines, sont très délabrés – quand ils n'ont pas été détruits. D'autres, comme celui de Baoguo, proposent un logement simple aux voyageurs.

Le nom d'**Emei Shan** évoque la forme de la chaîne (un sourcil arqué). Dès le IIe siècle, les taoïstes y ont édifié des temples mais, à partir du VIe siècle, avec l'essor du bouddhisme, Emei Shan a changé d'obédience, devenant l'une des 4 montagnes bouddhistes sacrées du pays (*voir p. 246*). Plusieurs espèces animales rares, y compris des oiseaux et environ 200 types de papillons, y ont élu domicile. Des marches relient Baoguo Si au point culminant de la chaîne, Jinding (mont Doré), à 3 100 m, et une route conduit à Jieyin Dian, un pavillon situé à 2 670 m d'altitude (les bus vous laissent à 6 km du sommet). À 20 m de la cime, **Jinding Si** (temple du mont Doré) contient une salle entièrement construite en bronze, longue de 20 m. Pour accéder à la montagne, vous devrez vous acquitter d'un droit d'entrée.

Carte p. 251

CI-DESSOUS : à l'assaut d'Emei Shan.

Du sommet, vous aurez peut-être la chance d'assister à un phénomène de réfraction extraordinaire, la "lumière de Bouddha". Selon la position du soleil – et si des nuages sont placés sous le pic –, votre ombre se projette sur les nuages, entourée d'un halo multicolore dans les tons pastel. Ce phénomène s'observe également d'avion, lorsqu'on passe au-dessus des nuages. Il ne se produit que dans 2 ou 3 autres endroits au monde, comme au sommet du Haleakala, à Maui (Hawaï). Pour les pèlerins bouddhistes, il s'agit d'un signe divin – dans le passé, plusieurs d'entre eux se sont précipités dans leur propre image, persuadés d'accéder ainsi au nirvana tant désiré.

Plusieurs monastères sont nichés au plus profond de la forêt. Si vous effectuez une randonnée et que vous souhaitez passer la nuit dans l'un d'entre eux lors de la descente (qui dure 2 jours et demi), vous aurez plus de chances d'obtenir une chambre en y arrivant avant 17h. Sinon, il vous faudra dormir sur le sol de la grande salle en compagnie d'autres randonneurs.

Environ 10 km au bas de Jieyin Dian, **Xixiang Chi** (temple du Bain de l'éléphant) s'adosse à la roche. Selon une légende populaire, c'est ici que se baignait l'éléphant blanc de la divinité de l'Emei Shan, le bodhisattva Samantabhadra (Puxian en chinois). Un panorama superbe s'offre à vous depuis le temple.

Ensuite, vous pouvez opter pour la descente rapide – mais assez raide – jusqu'à Wannian Si, ou bien prendre le chemin, plus long mais plus beau, menant à Qingyinge. Sur la partie haute du sentier, il est fort possible que vous rencontriez un escadron de singes en quête de cacahuètes ou de fruits. Faites attention, ils peuvent se montrer agressifs.

Plus loin sur le chemin, une petite gorge, **Yixiantian** (fil du Ciel) est traversée par un torrent bordé d'une végétation luxuriante. Puis le chemin devient plus escarpé jusqu'à **Wannian Si** (temple des Dix Mille Années), à 1 200 m d'altitude. Le temple date du IVe siècle. De ses 7 pavillons d'origine, un seul a subsisté, haut de 16 m. Sa forme carrée, son toit en dôme et sa structure en briques sont typiques de l'architecture Ming. Il abrite un bronze représentant Samantabhadra sur son éléphant blanc (920).

Les sentiers nord et sud se rejoignent à Qingyinge, (pavillon au Son clair) où deux torrents, ceux du Dragon blanc et du Dragon noir, convergent également, pour former la "source du Son clair". Les marcheurs y font souvent halte pour pique-niquer.

À environ 50 km à l'est d'Emei Shan, la ville de **Leshan** ❺ est réputée pour son bouddha (*dafo*) assis haut de 71 m. Cette statue gigantesque qui surplombe le confluent du Dadu He et du Min He a été conçue en 713 par le moine Haitong afin de veiller sur les bateaux naviguant en contrebas. Il faudra 90 ans pour achever sa construction. Le bouddha est équipé d'un système de drainage qui protège le grès dans lequel il est taillé. Vous pourrez escalader les alentours par des marches creusées dans la roche. Il existe plusieurs temples dans les collines avoisinantes, reliés par des sentiers qui traversent les bois.

Le nord du Sichuan

Près de la frontière avec le Gansu, au nord de la province, à environ 500 km de Chengdu, la **réserve**

NOTEZ-LE

Lors de l'ascension d'Emei Shan, pensez à vous protéger de la pluie, qui peut tomber très fort. De nombreux monastères offrent un logement simple et bon marché sur le trajet ; la plupart des randonneurs partent de Wannian Si, ce qui permet d'éviter la première montée.

CI-DESSOUS :
le sommet d'Emei Shan.

naturelle de **Jiuzhaigou** ❻ a été inaugurée en 1978. Elle offre le spectacle enchanteur de ses forêts profondes, de ses étendues herbeuses, de ses lacs, de ses rivières et de ses cascades d'un bleu transparent, dans un décor de haute montagne et de neiges éternelles. Une légende rapportée par les Tibétains vivant dans la région explique ainsi la création de Jiuzhaigou : l'immortel Dage et la fée Wunuosemo, qui vivaient tous deux au cœur de la forêt, s'éprirent l'un de l'autre. Un jour, Dage offrit à sa fiancée un miroir poli par le vent et les nuages. Hélas, elle le fit tomber et il se brisa en 108 morceaux, créant ainsi les 108 lacs de Jiuzhaigou.

Carte p. 251

La plupart des voyageurs qui se rendent à Jiuzhaigou depuis Chengdu s'attardent quelques jours à explorer à cheval les hauteurs qui entourent la ville de **Songpan**. En elle-même, la bourgade n'a pas grand intérêt – si ce n'est ses portes d'origine –, mais les paysages alentour de lacs de montagne et de cascades sont magnifiques. Vous trouverez sans problème un guide au départ de Songpan pour des excursions.

Les lacs de Jiuzhaighou doivent leur bleu intense des dépôts de calcaire dans l'eau.

En continuant vers le Gansu, entre Chengdu et Xiahe, la route mène au village de **Langmusi** ❼, perdu dans un décor splendide de montagnes herbeuses. Peuplé de Tibétains, de Golok, de Hui (musulmans) et de Chinois han, Langmusi a toutes les caractéristiques d'un village tibétain et, pour cette raison, attire un nombre croissant de touristes. C'est l'un des seuls endroits en dehors du Tibet où il est possible d'assister à un enterrement traditionnel tibétain (si cette chance vous est donnée, montrez-vous extrêmement respectueux). Du village, la route traverse les prairies et rejoint le superbe monastère Labrang de Xiahe.

CI-DESSOUS :
gompa tibétain à Langmusi.

L'ouest du Sichuan

Le voyage à travers les montagnes de l'ouest du Sichuan est fascinant. À mesure que l'on s'enfonce vers l'ouest, l'influence du Tibet tout proche se fait de plus en plus prégnante. À l'heure où nous imprimons ce guide, passer de l'ouest du Sichuan au Tibet restait interdit, tant pour des raisons de sécurité (les routes sont très mauvaises) que pour des motifs politiques.

Les touristes qui se rendent au **glacier Hailuogou** peuvent visiter la ville voisine de **Luding** ; ils y verront le célèbre pont de Luding où les communistes ont mené une bataille victorieuse contre le Guomindang pendant la Longue Marche.

Le glacier et le **mont Gonggashan** ❽ sont d'une beauté à couper le souffle. Faites-vous accompagner d'un guide si vous entreprenez l'ascension du glacier, une excursion qui vous prendra 3 jours. Vous trouverez des guides au village voisin de Moxi (accessible par la route de Leshan et d'Emeishan). Faites attention à la raréfaction de l'oxygène en altitude et au froid, intense.

Kangding, la capitale de la région tibétaine de Ganzi, abrite plusieurs monastères. Les voyageurs se dirigeant vers le Yunnan passent de **Litang** au sud *via* Xiancheng et Zhongdian au Yunnan. De là, ils atteignent Lijiang (*voir p. 316*). Par le sud, la route menant au Tibet est ouverte, mais cela peut changer à tout moment. ❏

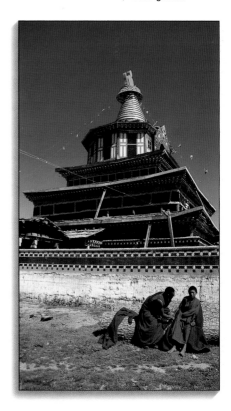

LE SUD

*Le Sud, qui lance un défi permanent au reste du pays,
se montre souvent plus innovant et plus entreprenant
que les autres provinces.*

C'est le sud de la Chine, essentiellement la côte sud-est, que Deng Xiaoping choisit en 1978 pour tester les premières réformes économiques visant à introduire progressivement une économie de marché en Chine. On y crée des zones ZES – zones économiques spéciales – ouvertes au secteur privé et bénéficiant d'aides et d'investissements. Bien qu'elles entraînent des déséquilibres entre les provinces, le succès de ces ZES montre la voie à suivre.

Il est vrai que le sud de la Chine possède une longue tradition marchande. Guangzhou est devenu un port international dès le IXe siècle. Au XVIe siècle, à l'arrivée de la flotte portugaise, la mer avait supplanté la route de la Soie en tant que voie commerciale. Pendant un siècle, jusqu'en 1842, Guangzhou, dans la province du Guangdong, a gardé le monopole du commerce international en restant le seul port ouvert aux négociants étrangers.

Hong Kong, l'autre port notoire du Sud-Est, n'entre dans l'histoire qu'au XIXe siècle, avec l'implantation des premiers marchands et colons britanniques. L'archipel a retrouvé la souveraineté chinoise en 1997, après 156 ans de colonisation. C'est aujourd'hui l'exemple même de la ville capitaliste, vouée au libre-échange et à l'esprit d'entreprise. Son intégration à la Chine populaire n'a pas été sans conséquences et, depuis 1997, l'ex-colonie traverse une crise économique et immobilière, et connaît un chômage record. En 2003, la ville subissait en outre de plein fouet les retombées de l'épidémie du SRAS.

Plus à l'est, le long de la côte, le Fujian est en pleine croissance. Comme le Guangdong, cette province fournit une large partie de la diaspora chinoise. Naturellement tournés vers les pays d'Asie du Sud-Est et au-delà, ses habitants ont toujours cherché les échanges avec l'extérieur. Parmi les sites touristiques les plus agréables du Fujian, l'ex-enclave européenne d'Amoy (actuelle Xiamen) et l'île de Gulangyu témoignent de l'ancienne présence coloniale.

Plus dans les terres à l'ouest, vous découvrirez les provinces du Guangxi et du Guizhou et leurs paysages de rêve où vit une grande partie des peuples minoritaires de Chine. Partez à la découverte des étonnantes formations karstiques de Guilin et des rizières en terrasse de Longsheng.

Au large, la grande île de Hainan, ensoleillée toute l'année, déroule ses plages méridionales. Peuplé de diverses minorités ethniques et partageant des frontières avec le Myanmar, le Laos, le Vietnam et le Tibet, le Yunnan évoque souvent d'autres contrées que la Chine. À l'ouest et au nord, les puissants Mekong, Salwene et Yangzi ont creusé des gorges spectaculaires dans des montagnes sauvages. La région tropicale du Xishuangbanna, au sud, contraste fortement avec le reste du pays. ❏

PAGES PRÉCÉDENTES : formations karstiques près de Guilin.
À GAUCHE : groom d'hôtel à Guangzhou.

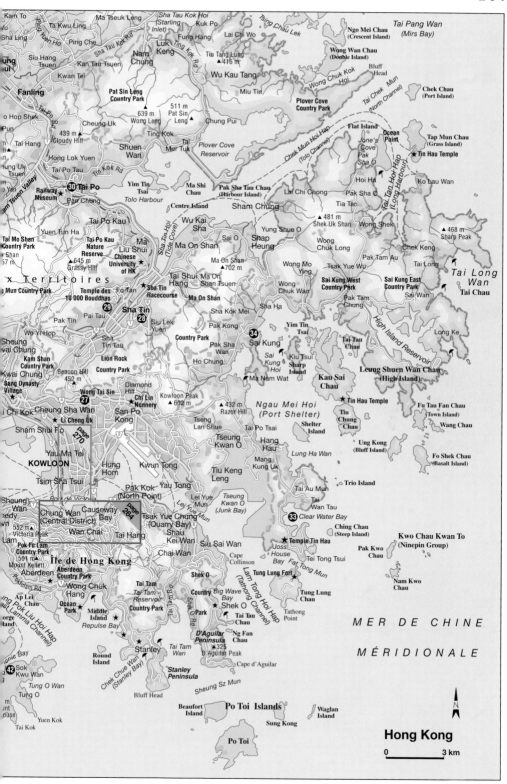

HONG KONG

Hong Kong – qui inclut l'île de Hong Kong, Kowloon et les Nouveaux Territoires – a été restitué à la Chine en 1997, après 156 ans de colonisation britannique.

Cartes
p. 260,
264 & 270

Comme l'attestent les découvertes archéologiques, la petite île de Hong Kong – seulement 75 km² – est habitée depuis l'âge de pierre. Les Chinois han s'y établissent dès l'époque des Song (960-1279). Mais l'île ne prend son essor qu'au XIXᵉ siècle, avec l'arrivée des marchands d'opium britanniques. Comprenant aussitôt tout le parti qu'ils peuvent tirer du meilleur port en eaux profondes de la région, ceux-ci décident d'en annexer 45 km². Ils se montrent en cela bien plus pragmatiques que leur reine : "Albert est si amusé que j'aie obtenu l'île de Hong Kong, aurait-elle un jour minaudé, que nous suggérons d'ajouter aux titres de Victoria celui de princesse de Hong Kong."

L'ex-colonie se divise en 4 parties : l'île de Hong Kong proprement dite, la ville de Kowloon, les Nouveaux Territoires (ou presqu'île de Kowloon) et tout un archipel d'îlots. Toutes ont retrouvé la souveraineté chinoise le 1ᵉʳ juillet 1997, selon le principe : "Un pays, deux systèmes." Aujourd'hui, l'île de Hong Kong – où se sont installés les premiers colons britanniques – réunit de grandes institutions financières, des tours gigantesques, des hôtels de luxe, des résidences somptueuses ainsi que des plages, le tout dans un assemblage immobilier particulièrement inextricable. De très anciennes communautés chinoises s'y maintiennent.

De l'autre côté du port de Victoria – 3 min en métro (MTR, Mass Transit Railway), 8 min par le Star Ferry et 10 min en voiture *via* l'un des 3 tunnels –, la ville de Kowloon concentre 46 km² de commerces et d'industries. Kowloon et l'île de Stonecutters – rattachée à Kowloon par un remblai – sont cédées aux Britanniques en 1860 afin d'assurer une meilleure défense du port. La plupart des touristes se limitent à visiter l'extrémité sud de Kowloon, c'est-à-dire le quartier de Tsim Sha Tsui, ses hôtels et ses centres commerciaux. Au nord, le long de Nathan Rd, les districts de Yau Ma Tei et de Mong Kok valent une visite.

Boundary Street marque la frontière entre l'ancienne colonie, cédée aux Britanniques "à perpétuité", en 1841, et les Nouveaux Territoires, loués à partir de 1898 pour une période de 99 ans.

Parmi les 233 îles de l'ancien archipel colonial, seulement 4 sont habitées de façon relativement dense : Lantau, Lamma, Cheung Chau et Peng Chau, devenues des "îles-dortoirs" pour les cadres de Hong Kong. Lantau, deux fois plus grande que Hong Kong, abrite le nouvel aéroport international.

À GAUCHE :
le Star Ferry
et le quartier
de Central.
CI-DESSOUS :
transports
à l'ancienne.

L'île de Hong Kong : quartier de Central

Sur l'île de Hong Kong, **Central** abrite les bureaux du gouvernement, mais ce sont les banques qui dominent le quartier. Surplombant le paysage de ses 370 m, la tour

Le IFC-2, 5ᵉ au classe-ment mondial des plus hautes tours, domine tout Hong Kong.

étincelante de la **Banque de Chine** ❶ est l'œuvre de Ioh Ming Pei, l'architecte sino-américain à qui l'on doit, à Paris, la pyramide du Louvre. Les angles aigus de la tour sont orientés vers les banques voisines, conformément aux prin-cipes géomantiques *(voir "Croyances et religions", p. 68)*. Conçu par l'architecte anglais Lord Foster, l'immeuble de la HSBC (Hongkong and Shan-ghai Banking Corporation) peut s'enorgueillir d'être le plus cher jamais bâti.

Commencez votre exploration de l'île par **l'embarcadère du Star Ferry** ❷. Les bateaux vert et blanc de cette ligne font la navette entre l'île et Kowloon depuis 1898. À droite du terminal, **Jardine House** ❸ est surnommé par les Chinois "l'immeuble aux 1 000 orifices" à cause de sa myriade de fenêtres rondes. Non loin de là, les tours d'Exchange Square, l'un des com-plexes de bureaux les plus modernes du monde, renferment la Bourse de Hong Kong et l'International Finance Centre.

L'immeuble colonial de la Cour suprême loge le Conseil législatif, tandis que de l'autre côté de Queen's Rd se dresse **Government House** ❹, l'an-cienne résidence des gouverneurs britanniques. À proximité, les **Jardins zoologiques et botaniques** (ouv. tlj. de 6h à 19h ; entrée libre) abritent une colonie de gibbons à toupet rouge. Le parc de Hong Kong accueille le **Flagstaff Museum of Teaware** (musée du Thé ; ouv. du jeu. au mar. de 10h à 17h), ainsi qu'une volière. **St John's Cathedral** ❺, d'obédience anglicane, est la plus ancienne église de la ville (1849).

Victoria Peak ❻ – le principal site touristique de Hong Kong – est un quar-tier résidentiel. Avant la construction du **funiculaire** (ouv. tlj. de 7h à 24h), appelé le Peak Tramway, en 1888, les privilégiés utilisaient des chaises à por-teurs pour accéder à ses hauteurs. À la descente du funiculaire, promenez-vous

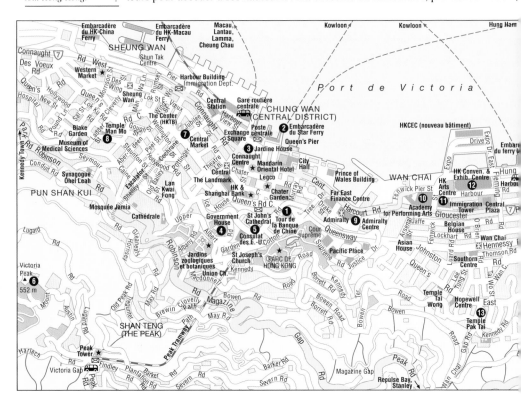

dans Lugard Rd, qui part du terminus. De ce sommet (400 m au-dessus de la mer), le panorama est somptueux et par beau temps laisse apercevoir Macau.

Quartier de Western

Ce quartier s'étend à l'ouest de Central jusqu'à Kennedy Town. En pleine transformation immobilière, il reste encore – mais pour combien de temps ? – une enclave traditionnelle, tranchant avec la modernité du secteur financier voisin. La plupart des visiteurs le laissent de côté, alors que Western leur offre l'occasion de visiter le dernier refuge hongkongais d'artisans chinois, comme les fabricants de *mah-jong* et les herboristes. Le quartier commence à Possession Street, mais c'est après **Central Market** ❼ que se trouve sa partie la plus animée. L'escalier mécanique Central-Mid Levels – le plus long du monde – mène jusqu'à la vieille ville de Victoria. En service depuis 1993, il fonctionne dans le sens de la descente de 6h à 10h10 du matin et dans celui de la montée de 10h20 à minuit. Le **temple Man Mo** ❽ (ouv. tlj. de 10h à 18h), construit vers 1840 sur un ancien sentier qui montait du quartier de Central, attire des foules de touristes qui se mêlent aux fidèles, dans les fumées épaisses et odorantes des innombrables bâtons d'encens (*heung*) qui se consument. Près de l'autel, 3 chaises à porteurs sont exposées sous verre. Elles étaient utilisées autrefois, les jours de fête, pour les processions des dieux Man (dieu des lettres) et Mo (dieu des arts martiaux) dans les rues de Western.

En 1841, lors de l'annexion de Hong Kong, l'île ne s'étendait que jusqu'à Queens Rd. Tout ce qui va au-delà de cette dernière a donc été gagné sur la mer. Le terminus des tramways mène à **Kennedy Town**, l'un des plus vieux quartiers chinois de Hong Kong.

Carte ci-dessous

Jusqu'en 1924 – date de la construction de Peak Rd –, le seul mode de transport public pour rejoindre Victoria Peak était le funiculaire. Ce système comprend deux wagons reliés par un câble. Le wagon descendant tire celui qui monte.

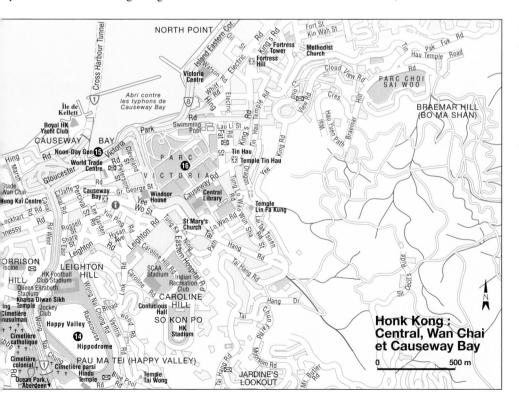

Honk Kong : Central, Wan Chai et Causeway Bay

0   500 m

Wan Chai et Causeway Bay

À l'est de Central, Wan Chai et Causeway Bay, constamment envahis par la foule, révèlent Hong Kong dans ses aspects les plus modernes et dynamiques. **Admiralty ❾**, ancienne base navale britannique, rutile désormais de tours de bureaux aux parois de verre étincelantes et de centres commerciaux. À quelques minutes à pied, **Wan Chai**, haut lieu de la nuit hongkongaise, a été immortalisé dans le film *Le Monde de Suzie Wong* (1960), qui met en scène une prostituée chinoise au grand cœur. Autrefois réputé dangereux, Wan Chai s'est assagi, même si le quartier recèle encore de nombreux bars et restaurants à l'ambiance nocturne assurée.

Près du bord de mer à Wan Chai, l'**Academy for Performing Arts ❿** et le **Hong Kong Arts Centre ⓫** accueillent concerts et spectacles. Sur le port, se dresse le futuriste **Hong Kong Convention and Exhibition Centre ⓬** et Central Plaza, l'un des plus hauts gratte-ciel de l'île. Des trottoirs surélevés mènent vers le sud du Convention Centre à Lockhart Rd, une autre rue très animée la nuit, où bars et restaurants se mêlent à d'anciens immeubles commerciaux. Au sud de Lockhart Rd, Queen's Rd East marque l'endroit où se trouvait à l'origine le front de mer. C'est aussi une partie de la ville qui a su conserver un caractère traditionnel ; vous pouvez y admirer le temple Hung Shing (Tai Wong), qui date de 1860, et l'ancienne poste de Wan Chai (1912). Juste à côté, dans Stone Nullah Lane, découvrez le **temple Pak Tai ⓭**. Ce sanctuaire, formé de 3 bâtiments, abrite une célèbre statue de 3 m de haut du dieu Pak Tai (1604), garant de l'harmonie sur terre. À l'intérieur, les fidèles font brûler de l'encens et préparent des offrandes. Un autre temple, situé dans Cheng Chau, est également consacré à Pak Tai.

NOTEZ-LE

Le Star Ferry relie en 7 à 8 min Tsim Sha Tsui à Central et à Wan Chai. Il fonctionne de 6h30 à 23h30. D'autres ferries assurent des départs toutes les heures pour les diverses îles.

CI-DESSOUS : sur l'une des places de Central.

Plus dans les terres, **Happy Valley** héberge l'hippodrome du Hong Kong Jockey Club. Durant la saison (d'oct. à mai), 75 000 parieurs s'y retrouvent les soirs de courses. Le Hong Kong Racing Museum (musée des Courses ; ouv. tlj. de 10h à 12h30 les jours de réunion, fermé le lun. ; entrée payante) témoigne de la passion des Hongkongais pour les courses. Les cimetières de l'époque coloniale et de la communauté parsie lui font face.

Jusqu'aux années 1950, **Causeway Bay** était une véritable baie. Puis elle a été progressivement remblayée : la "baie" actuelle est occupée par le Royal Hong Kong Yacht Club, aménagé sur l'ancienne île de Kellet, ainsi que par un abri contre les typhons, Typhoon Shelter. Causeway Bay est un quartier commerçant réputé pour ses grands magasins, japonais pour la plupart.

Chaque jour, une salve est tirée du **Noon-Day Gun** (canon de Midi). Cette tradition daterait du milieu du xixe siècle, lorsqu'un bateau d'opium de Jardine entra dans le port et qu'un fonctionnaire trop zélé le salua de 21 coups de canon. Le gouverneur de Hong Kong, furieux qu'un pourvoyeur de "boue étrangère" soit accueilli comme une personnalité officielle, donna l'ordre qu'une salve soit tirée chaque jour à midi, et cela à perpétuité.

Au petit matin, des adeptes de *taijiquan* envahissent l'immense **parc Victoria** , qui est aussi le lieu de la cérémonie annuelle qui commémore les victimes de la place Tiananmen, lors de la révolte estudiantine de juin 1989.

Le sud de l'île

À la différence du Nord, la côte rocheuse du Sud a très peu changé au cours des dernières décennies. Ses villages de pêcheurs, ses plages et ses paysages de montagne attirent beaucoup de monde le week-end.

Le canon de Midi est installé près du Typhoon Shelter, de l'autre côté du World Trade Centre. Comme les riverains se plaignaient du bruit du canon de 6, on le changea en 1960 pour un canon de 3 provenant de la police portuaire.

CI-DESSOUS : Wan Chai, le 1er juillet 1997, jour de la rétrocession.

CI-DESSOUS :
le port d'Aberdeen.

Aberdeen est unique en son genre à Hong Kong. Son port actif – protégé des typhons – fourmille de bateaux de pêche, de petits sampans, de jonques habitées et de bateaux-spectacles, le tout complété par 3 restaurants flottants aux décors de carton-pâte, spécialisés dans les fruits de mer. À l'affût des touristes, de vieilles femmes sont ravies de négocier une promenade dans le port à bord de leurs barcasses (pas toutes rassurantes). En bus ou en taxi, vous êtes à quelques minutes d'**Ocean Park**, l'un des sites touristiques les plus courus de Hong Kong (ouv. tlj. de 10h à 18h ; entrée payante). Parmi ses attractions vedettes, citons un voyage en télécabine au-dessus de la mer de Chine méridionale, un spectacle de mammifères marins (l'arène peut contenir 3 000 spectateurs), le plus grand aquarium à récif corallien du monde, et le royaume du Milieu, une reconstitution de la vie en Chine ancienne.

La plage de **Repulse Bay**, élargie plusieurs fois, est souvent archibondée le week-end. La baie doit son nom au HMS *Repulse*, un navire de guerre britannique qui repoussa des pirates au début de la colonie. À l'arrivée des Britanniques, en 1841, le plus grand village indigène se trouvait à **Stanley**. Son marché est réputé pour ses souvenirs originaux et ses vêtements bon marché.

Kowloon

La péninsule de Kowloon commence à **Tsim Sha Tsui**. La promenade sur le front de mer, qui débute à l'embarcadère du **Star Ferry** ❼ et qui se dirige vers Tsim Sha Tsui Est, offre une vue inoubliable sur le port et sur l'île de Hong Kong. La **tour de l'Horloge** (Railway Clock Tower) ❽, érigée en 1915, près du terminal des ferries, est le dernier vestige de la gare Kowloon-Canton, le terminus asiatique de l'*Orient-Express* qui partait autrefois de

le port d'Aberdeen.

Londres. Ses passagers descendaient au vénérable **Peninsula Hotel ⓳**, construit en 1928, de l'autre côté de Salisbury Rd. Outre le secteur des hôtels de luxe, Tsim Sha Tsui possède des poches d'immeubles délabrés, notamment les Chungking Mansions, un labyrinthe de petites auberges, de gargotes indiennes et d'ateliers clandestins. Les hôtels de Chungking Mansions constituent la seule option possible pour les voyageurs au budget limité.

Derrière le front de mer, le **Hong Kong Cultural Centre ⓴** est une structure minimaliste dotée d'un toit concave superbe malgré ses tuiles d'un goût contestable. Dénué d'ouvertures sur le port alors qu'il est placé face à l'un des plus beaux points de vue du territoire, il déclencha la controverse à son inauguration, en 1984. On y donne des spectacles d'opéra, d'opéra chinois et de théâtre, ainsi que des ballets et des concerts de musique classique. Dans le complexe, le **musée de l'Espace** (ouv. le lun. et du mer. au ven. de 13h à 21h, week-end de 10h à 21h, fermé le mar. ; tél. 2734 2722 ; entrée payante) projette chaque jour des films Omnimax consacrés aux voyages spatiaux et accueille des expositions dédiées aux inventions chinoises en matière d'astronomie. Le **musée d'Art de Hong Kong** (ouv. du lun. au dim. de 10h à 18h, fermé le jeu. ; tél. 2721 0116 ; entrée payante) expose des peintures, des calligraphies classiques et contemporaines, des photos anciennes et des objets d'art et d'artisanat de Hong Kong et de Macau.

Il existe aussi un **musée d'Histoire de Hong Kong** (ouv. le lun. et du mer. au ven. de 10h à 18h, le dim. de 10h à 19h ; tél. 2724 9042 ; entrée payante), dans Chatham Rd South, et un **musée des Sciences de Hong Kong** (ouv. du mar. au ven. de 13h à 21h, week-end de 10h à 21h ; entrée payante), qui figurent parmi les institutions culturelles dignes d'intérêt de la ville.

Cartes
p. 260
& 270

*Au début du
xxᵉ siècle, après
l'annexion des
Nouveaux Territoires
par la Grande-
Bretagne, on s'est
gaussé du gouverneur
Matthew Nathan
qui a fait construire
une route menant
à la péninsule
de Kowloon,
alors quasi déserte.*

CI-DESSOUS :
une rue de Tsim
Sha Tsui et la tour
de l'Horloge.

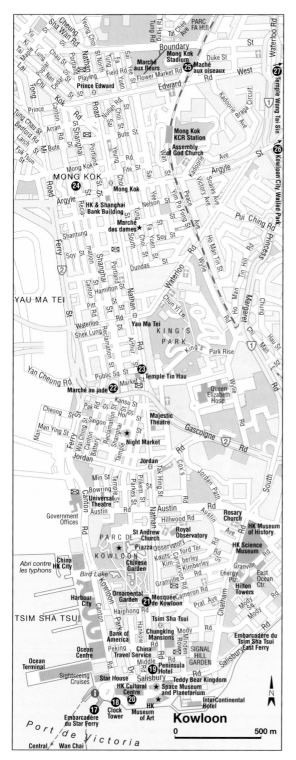

Kowloon

0   500 m

Au bout de **Nathan Rd** commence le Golden Mile de Hong Kong, où des centaines d'échoppes de tailleurs, de bijoutiers et d'électronique sont tassées les unes contre les autres. À moins de 1 km au nord de Nathan Rd, à l'angle sud-est du **parc de Kowloon,** s'élèvent les 4 minarets et le grand dôme de marbre blanc de la **mosquée de Kowloon** ㉑. Construite en 1984 pour accueillir les 50 000 musulmans du territoire, elle a succédé à une autre mosquée, édifiée 90 ans plus tôt pour les Indiens de l'armée britannique.

Remontez Nathan Rd, puis prenez à gauche dans Kansu Street, qui débouche sur le **marché au jade** ㉒ (ouv. tlj. de 9h à 18h). Le jade est ici décliné sous toutes ses formes, des gros blocs de matière brute aux minuscules bijoux et ornements sculptés. Attention : l'authenticité de tous ces jades n'est pas garantie.

Yau Ma Tei s'étend au nord de ce quartier. Temple Street, jadis réputée pour ses temples, attire principalement les visiteurs pour son marché de nuit (ouv. à partir de 14h ; intéressant à partir de 19h). Les étals entre Jordan Rd et Kansu Street regorgent de contrefaçons de montres et de chapeaux de mandarin.

Le complexe du **temple Tin Hau** ㉓ (ouv. tlj. de 8h à 18h ; entrée libre) se dresse dans Public Square Street, lieu de rendez-vous des joueurs d'échecs et de cartes. Plus que centenaire, c'est l'un des temples les plus anciens et les plus intéressants de Hong Kong. Dédié à la déesse tutélaire des pêcheurs et des marins, il se dressait jadis face à la mer, avant le remblayage des terres. Sur sa gauche, un temple a été édifié en l'honneur d'une divinité locale et des 10 juges de l'au-delà, représentés par des torses humains et des têtes d'animaux.

Mong Kok ㉔ est l'un des quartiers les plus animés et les plus bruyants du territoire. Au début de la colonie britannique, les *gweilos* (diables étrangers) s'aventuraient rarement au-delà de Yau Ma Tei, et, aujourd'hui encore, Mong Kok reste le fief des triades et des tripots. Aujourd'hui, ne craignez pas de visiter ses marchés pittoresques :

le **marché des dames** (ouv. de 12h à 22h30), qui déborde de vêtements et d'objets-souvenirs, le **marché aux poissons rouges** (ouv. de 10h à 18h) et les magasins d'usine de Fa Yuen Street. Plus au nord, se succèdent le **marché aux fleurs** (ouv. de 10h à 18h), et le **marché aux oiseaux** ㉕ (ouv. de 7h à 20h) où vous verrez des centaines d'oiseaux chanteurs et des cages superbes.

Kowloon City et Kowloon Tong sont les deux seuls quartiers ayant jusqu'à présent échappé à la vague de destructions et de reconstructions. Ils forment une enclave dans ce qu'on appelle aujourd'hui **New Kowloon**, à l'est de la péninsule, près de l'ancien aéroport de Kai Tak. Mais les immeubles bas, les boutiques familiales de Kowloon City et les hôtels de passe de Kowloon Tong – dont certains datent des années 1930 – sont, depuis la suppression récente des restrictions sur la hauteur des immeubles, voués à la démolition ; ils seront bientôt remplacés par des tours et des centres commerciaux.

N'hésitez pas à explorer à pied **Kowloon City**. Le **cimetière chinois chrétien**, qui longe Junction Rd, témoigne de la congestion immobilière dont souffre Hong Kong : les tombes sont empilées les unes sur les autres sur des terrasses en béton. En face, se trouve un ancien village de squatters. À côté, se tient un petit **temple Hau Wong** (ouv. tlj. de 8h à 17h) coiffé d'un toit de tuiles traditionnelles. Des spirales d'encens pendent de ses poutres. Datant de 1730, il est dédié à Yang Liang Jie. Ce général loyal et courageux était au service d'un enfant-empereur en exil, Ping, à l'époque des Song (960-1279).

Marchez un quart d'heure en direction de **Kowloon City Walled Park** ㉖. À l'arrivée des Britanniques, en 1841, la vieille ville murée était gouvernée par un magistrat mandchou ; de ce fait, elle a été exclue du traité de cession des Nouveaux Territoires pour 99 ans. Pendant plusieurs décennies,

Carte
p. 270

Tin Hau, déesse de la Mer, omniprésente à Hong Kong.

CI-DESSOUS :
profusion de néons
à Tsim Sha Tsui.

les fonctionnaires et les militaires Qing continuèrent d'y occuper leur poste avant d'en être chassés par les forces britanniques en 1899.

Laissé à sa seule administration, le secteur devient une zone de non-droit. Après la Seconde Guerre mondiale, il est envahi d'immeubles construits sans autorisation avec des branchements d'eau et d'électricité anarchiques. Dans les années 1950, ses ruelles sont le repaire des squatters, des drogués, des triades, des immigrants clandestins et des médecins et dentistes sans diplômes. En 1987, avec l'autorisation de la Chine, ses 35 000 résidents sont relogés dans des immeubles sociaux, et des bulldozers démolissent l'ensemble. Un parc, dessiné selon le modèle des jardins Jiangnan de style Qing précoce, a succédé aux taudis. Une exposition rappelle le souvenir de l'ancienne ville murée.

Plus au nord, dans Lung Cheung Rd, en face de la station de métro (MTR) qui porte son nom, **Wong Tai Sin ㉗** (ouv. tlj. de 7h à 17h30 ; droit d'entrée non exigé) est l'un des temples les plus pittoresques de Kowloon. Wong Tai Sin, le dieu taoïste de la guérison, aurait réussi à transformer le cinabre (du vermillon, ou sulfure de mercure) en élixir d'immortalité. À l'intérieur, des diseurs de bonne aventure prédisent l'avenir en s'aidant du *Yijing* (*voir p. 71*) et d'autres mystérieux oracles chinois. À l'est de Wong Tai Sin, près de la station de métro Diamond Hill, jetez un coup d'œil au **monastère Chi Ling** (ouv. tlj. de 9h à 16h ; droit d'entrée non exigé), un temple bouddhiste reconstruit récemment.

Les Nouveaux Territoires

Pour explorer les Nouveaux Territoires – partie continentale annexée par les Britanniques en 1898 –, le plus simple est d'emprunter le train KCR qui vous mène directement au milieu de la presqu'île, à portée de vue de la fron-

CI-DESSOUS :
le temple des
10 000 Bouddhas
à Sha Tin.

tière avec la Chine. Peu après le départ, à la sortie de Kowloon, la ville semble s'effacer, tandis que le train s'engouffre dans le Lion Rock Tunnel.

Sha Tin ㉘ est l'une de ces villes nouvelles qui se sont multipliées au cours de la période récente, les barres d'immeubles remplaçant rapidement les rizières. Plusieurs lieux de culte valent le détour. En partant de la gare de Sha Tin, vous atteindrez le **temple des 10 000 Bouddhas** ㉙ (ouv. tlj. de 9h à 17h ; entrée libre) après avoir escaladé 431 marches. Quelque 12 800 petites statues de Bouddha ornent les murs de la salle principale du sanctuaire, protégé par les sculptures de divinités à l'air féroce. Une autre série de temples vous attend plus haut sur la colline.

Le fondateur du monastère, un moine du nom de Yuet Kai, passa sa vie à étudier le bouddhisme et à méditer. Sa plus grande préoccupation était d'atteindre l'immortalité. À sa mort, on l'enterra conformément à la coutume chinoise : celle-ci prévoit d'exhumer le corps quelque temps après l'enterrement, pour lui donner ensuite sa sépulture définitive. Lors de l'exhumation de Yuet Kai, on découvrit un corps parfaitement conservé, qui irradiait une lumière jaune. À la suite de ce phénomène jugé "surnaturel", on décida de préserver sa dépouille dans une feuille d'or.

Ne manquez pas **Tsang Tai Uk** (littéralement "la grande maison de M. Tsang"), un village muré construit au milieu du XIXᵉ siècle par ce riche propriétaire de carrières. Le village est toujours habité par ses lointains descendants. Au sud de Sha Tin, à Tai Wai, l'impressionnant **musée de l'Héritage de Hong Kong** (ouv. le lun. et du mer. au sam. de 10h à 18h, le dim. de 10h à 19h ; tél. 2180 8188 ; entrée payante) expose toute une série d'objets et de documents retraçant l'histoire de l'ancienne colonie.

Cartes
p. 260
& 270

NOTEZ-LE

La ligne de train Kowloon-Canton (KCR) part de la gare Hung Hom à Kowloon et dessert les Nouveaux Territoires du Nord. Sheung Shui, sur la rive hongkongaise du Shenzhen, est le point le plus éloigné où se rendre sans visa en Chine populaire.

CI-DESSOUS :
centre commercial à Sha Tin.

Ci-dessous :
village fortifié des
Nouveaux Territoires.

Au nord de Sha Tin, **Tai Po** ㉚ signifie "lieu où l'on achète". Cet ancien village de marché est devenu, lui aussi, une ville nouvelle. Visitez le temple Man Mo (XIXᵉ siècle) et le musée du Chemin de fer (ouv. du mer. au lun. de 9h à 17h ; entrée payante).

La partie ouest des Nouveaux Territoires a été redessinée totalement grâce aux terres gagnées sur la mer et à la construction de routes et de lignes de chemin de fer ralliant le nouvel aéroport international sur l'île de Lantau. Elle compte également **Tsuen Wan** ㉛, une "ville nouvelle" dont le site est en réalité habité depuis le IIᵉ siècle ; au centre de l'ancienne bourgade, le **musée Sam Tung Uk** (ouv. du mer. au lun. de 9h à 17h ; entrée libre), qui expose du mobilier d'époque, occupe un village muré hakka (*voir encadré p. 296*) vieux de 200 ans. Au nord-est de Tsuen Wan, la grande salle de l'**Institut Yuen Yeun** – fréquenté par les fidèles de plusieurs religions – a été construite sur le modèle du temple du Ciel (Tiantan) de Beijing.

À **Tuen Mun**, à l'est de **Castle Peak** (583 m) et près de la gare, se dresse l'immense temple **Ching Chung Koon**, qui abrite de nombreux trésors d'art chinois, notamment des lanternes vieilles de 200 ans et un sceau de jade plus que millénaire. La bibliothèque, dont le fonds compte 4 000 ouvrages, est spécialisée dans l'histoire du taoïsme.

Les villages murés hakka de **Kam Tin** jouxtent **Yuen Long** ㉜. Un supermarché est planté de façon incongrue juste en face du village de Kam Hing Wai, qui date du XVIIᵉ siècle. Très visité, celui-ci est malheureusement envahi par les échoppes touristiques. Entre ses murs de 6 m de large cernés de douves et ponctués de 4 postes de garde et de meurtrières, vivent 400 personnes portant toutes le nom de Tang.

La partie est des Nouveaux Territoires passe pour la plus attirante. En effet, durant l'été, la plage de **Clear Water Bay** ❸ est noire de monde et la baie est envahie par les jonques de sociétés, sur lesquelles se retrouvent les fêtards. En quittant Clear Water Bay Rd, la route conduit à **Sai Kung** ❸, une bourgade au bord de l'eau qui sert de point de départ pour le parc de Sai Kung. Ses restaurants de fruits de mer sont excellents. Bien que les abords de la ville soient tombés aux mains des promoteurs, Sai Kung conserve sa communauté de pêcheurs. Partez explorer, à l'arrière du temple de Tin Hau, dans Yi Chun Street, le labyrinthe de ruelles bordées de pharmacies traditionnelles, de gargotes vendant des nouilles et de maisons familiales.

Les îles

Seule l'île de Lantau – deux fois plus vaste que Hong Kong – a su échapper jusqu'à présent aux appétits immobiliers et conserver un aspect essentiellement rural. L'îlot de **Chek Lap Kok** ❸, rattaché à **Lantau** par un remblai, a été entièrement transformé par la construction du nouvel aéroport international.

Sur la côte nord de Lantau, découvrez **Tung Chung** ❸, une ancienne forteresse qui fait face à la pointe sud de Chep Lap Kok. Construite en 1817, elle se dresse sur une colline au-dessus d'une baie. Ses remparts épais et ses 6 canons montaient autrefois la garde contre les pirates et les contrebandiers.

Accroché à l'épine montagneuse de l'île, le **monastère Po Lin** ❸ attire touristes et pèlerins bouddhistes. Peint de rouge, d'orange et d'or vifs (ouv. tlj. de 10h à 18h ; entrée libre), il abrite le plus grand bouddha de bronze du monde (24 m de haut), consacré en 1993. Le monastère dispose également d'un grand restaurant végétarien très fréquenté. À l'ouest de Po Lin,

Cartes p. 260 & 261

NOTEZ-LE

Hong Kong possède à présent son propre Disneyworld. Inauguré en septembre 2005 sur l'île de Lantau, il est facilement accessible par le train. Tout proche, un téléphérique, achevé en 2006, relie Tung Chung, à côté de l'aéroport, au monastère de Po Lin.

CI-DESSOUS : bouddha, monastère de Po Lin.

Cartes
p. 260
& 261

un agréable sentier pédestre longe des crêtes et traverse de petits canyons en direction de Tung Chung jusqu'au **monastère Yin Hing ❸**, un havre de paix orné de peintures et de statues bouddhiques.

Sur la côte ouest, **Tai O ❸** – la principale ville de Lantau – héberge une communauté de Tanka. Installés dans des maisons de fortune, construites sur pilotis dans une crique régulièrement envahie par l'eau à marée haute, ses membres ont, jusqu'à présent, refusé toute proposition de relogement.

Lantau compte parmi ses nombreux charmes de vastes plages de sable blanc, souvent désertes. Les plus agréables se trouvent sur la côte sud-est entre Cheung Cha, au sud de Silvermine Bay et Tong Fuk. La plage de **Silvermine ❹**, facile d'accès, est la plus fréquentée. Hélas, l'eau est de piètre qualité. Pour vous y rendre, prenez un ferry pour Mui Wo, puis un bus ou un taxi en direction de South Lantau Rd. Les adeptes de la randonnée pourront suivre le **Lantau Trail** (70 km), un circuit en boucle à travers l'île qui part de Mui Wo et y retourne.

Lamma, la 3ᵉ des îles par la taille (13 km²), est moins connue des touristes et des Hongkongais. Un des sites de peuplement les plus anciens de Hong Kong, elle a échappé à l'urbanisation (une importante centrale électrique est son unique concession à la modernité) et offre un paysage inaltéré de collines et de baies superbes. Les ferries accostent à deux endroits, à **Yung Shue Wan ❹**, au nord, et à Sok Kwu Wan, au sud. Le premier, qu'empruntent les expatriés et les Chinois voulant s'offrir quelques heures de calme et de détente, regorge de petits restaurants et de bars. Le temple Tin Hau, centenaire, gardé par une paire de lions de pierre, est dédié à la reine du Ciel et à la déesse de la Mer. À l'intérieur, derrière un écran rouge destiné à chasser les mauvais esprits, l'autel principal est orné des représentations de Tin Hau, avec ses perles et ses voiles.

L'île est traversée par un sentier bétonné en bon état qui mène à **Sok Kwu Wan ❹**, le pendant de Yung Shue Wan à 1h ou 1h30 de marche. Se dirigeant vers le sud, le sentier longe des maisons éparpillées et des champs jusqu'à Hung Shing Ye, une plage agréable. Puis il monte et descend dans les collines, offrant aux marcheurs des points de vue à 180° sur la mer, les gratte-ciel d'Aberdeen et le sud de Hong Kong. Sok Kwu Wan est réputé pour ses restaurants de fruits de mer, où la plupart des visiteurs font halte avant de reprendre le ferry.

Bien plus petite que Lamma, l'île de **Cheung Chau ❹** est si étroite qu'il suffit de quelques minutes pour passer du port de Cheung Chau, à l'ouest, à celui de Tung Wan, à l'est. Cette île résidentielle, qui a su conserver un certain cachet, continue de se consacrer à la pêche et son port est rempli de bateaux de toutes tailles et de toutes couleurs, de jonques et de sampans, qui disputent leur place aux *kaido*, les petits bateaux-taxis. À 300 m du quai, le **temple Pak Tai**, très coloré, est le plus intéressant sanctuaire de Cheung Chau.

Autrefois, l'île servait de repaire pour les pirates. Le plus célèbre d'entre eux, Cheung Po Chai, se cachait dans une grotte, au sud-ouest de l'île, que l'on peut atteindre à pied en suivant Peak Rd, le long d'une série de petites propriétés. ❑

CI-DESSOUS : bâtonnets divinatoires dans un temple. **À DROITE :** marché aux poissons à Cheng Chau.

Carte
p. 279

CHINE   Beijing

Macau

MACAU

Rétrocédée à la Chine un peu plus de deux ans après Hong Kong, Macau conserve sa personnalité originale, fruit de sa longue histoire portugaise et de sa tradition du jeu.

É tablie par les Portugais en 1557, Macau est la première colonie occidentale de Chine. Le 20 décembre 1999, elle a été rendue à la souveraineté chinoise dans le cadre du dispositif : "Un pays, deux systèmes", qui garantit la pérennité des structures économiques, politiques et judiciaires pendant 50 ans. Malgré la rétrocession et la proximité de Hong Kong (à 1h d'hydrofoil), Macau n'a rien perdu de sa personnalité : un mélange savoureux d'Europe méridionale et d'Asie orientale qui se traduit notamment par une gastronomie de qualité, une riche architecture coloniale et une ambiance détendue.

Commencez votre exploration du centre de Macau **place Largo do Senado Ⓐ**, la grand-place de la vieille ville. À l'office de tourisme, glanez quelques informations sur la ville et ses événements. Sur la place, trône le **Leal Senado Ⓑ** (Sénat loyal), qui est considéré comme le plus bel exemple d'architecture portugaise du territoire, et dont la façade a été achevée en 1876. Le titre de "Sénat loyal" fut accordé au sénat de Macau en 1809 par le roi du Portugal en reconnaissance du fait que le drapeau portugais n'a jamais cessé de flotter sur le territoire malgré l'annexion du pays par l'Espagne au XVIIᵉ siècle. Prenez le temps de visiter le bâtiment : la moitié des bureaux du rez-de-chaussée ont été convertis en salles d'exposition.

CI-DESSOUS :
façade de l'église
Saint-Paul.

Macau

0   1 km

Rua do Dr. L. Pereira Marques
Rua do Almirante   Sérgio

Musée maritime ★   Caiçada da Barra   St-Laurent   Sémina
Séminaire
St-José
Ⓗ Temple da Deua A-Ma   St-José
(Temple A-Ma)   R. P. Antonio
R. da Barra   COLINA DA PENHA   Th
Dom Pe
Pal
Fort de Barra   Église de Penha   gou
& archevéché
Pousada
de São Tiago   Rua da Praia do Bom Porto
Monument
de l'Amitié
Avenida Dr. Sun Yat-Sen   Av. de República   Av. da Praia Grande

Bahia da
Praia Grande

Macau Tower
Convention and
Entertainment Centre

Macau-Taīp

Taipa Ⓘ
Coloane Ⓙ

La place s'étend de l'Avenida de Almeida Riberio à **São Domingos**  (Saint-Dominique). Cette église, de style chrétien oriental, est l'une des plus anciennes de Macau. Elle date du XVIIᵉ siècle mais, dès 1588, les dominicains espagnols avaient édifié une chapelle et un couvent sur ce site. Près de l'église, un musée est dédié à l'art chrétien sacré (ouv. tlj. de 10h à 16h ; entrée libre).

De São Domingos, suivez la rue pavée menant aux ruines de **São Paulo** (Saint-Paul), l'un des lieux les plus touristiques de Macau et, pour les historiens, le plus beau monument chrétien d'Extrême-Orient. Malheureusement, le site semble subir un mauvais *feng shui*. Une première église est détruite par un incendie en 1601. Une seconde église la remplace – dont la façade est réalisée par des artisans chrétiens réfugiés de Nagasaki –, mais elle est à son tour presque entièrement ravagée par un incendie. Des efforts sont entrepris pour la restaurer en 1904, mais ils n'aboutissent pas. L'édifice a toutefois conservé sa façade du XVIIᵉ siècle, magnifiquement éclairée la nuit.

Dominant Saint-Paul, la **Fortaleza do Monte** (ou **Monte Fort**), entourée de solides murs de pierre, date du début des années 1620. Quand les Hollandais attaquent Macau par la mer et l'envahissent en 1622, la forteresse n'est qu'à moitié construite, et seuls des religieux et des esclaves africains sont présents pour la défendre. Un jésuite italien sauve la colonie en tirant un coup de canon qui atteint directement la réserve de poudre du navire amiral de la flotte hollandaise. Le **musée de Macau** (ouv. du mar. au sam. de 10h à 18h ; entrée payante) retrace l'histoire mouvementée de la ville. Il expose également ses arts et ses traditions populaires.

Prenez le temps de visiter les **grottes et le jardin Camões**, souvent ignorés des touristes. Ils portent le nom du célèbre poète portugais du

NOTEZ-LE

Prenez un ascenceur rapide jusqu'au sommet de la Macau Tower et admirez la vue panoramique sur la ville. D'en haut, vous comprendrez le colossal chantier de poldérisation et de constructions entrepris par Macau, qui a pour objectif d'attirer les nouvelles fortunes chinoises et de devenir le Las Vegas d'Asie.

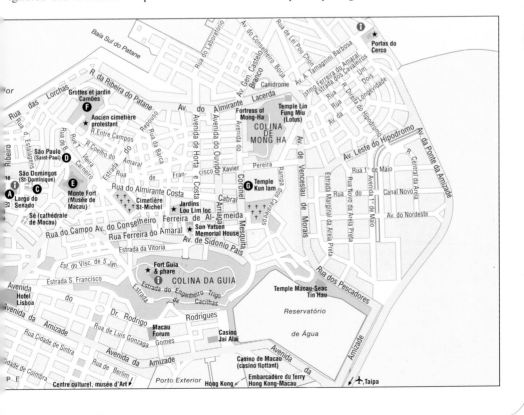

Carte
p. 279

XVIe siècle, Luis de Camões. Des banians séculaires projettent leur ombre dans les jardins et l'édifice rénové du XVIIIe siècle, qui fut la résidence du président du conseil d'administration de la Compagnie des Indes orientales, héberge aujourd'hui la Fondation d'Orient.

Situé dans l'Avenida do Coronel Mesquita, au nord de la péninsule, le **temple Kun Iam** ⓖ (ouv. tlj. de 7h à 18h ; entrée libre) est consacré à la déesse bouddhiste de la compassion. La statue de Marco Polo figure parmi les 18 représentations de *luohan* entourant la statue de la déesse Guanyin (ou Kun Iam). À quelques centaines de mètres, sur la même route en direction de l'ouest, un temple est également dédié à cette divinité.

Au sud de la rue centrale, l'Avenida de Almeida Riberio, s'élèvent deux autres églises, **Saint Augustin** et **Saint-Laurent**, au superbe plafond peint.

Ne manquez surtout pas la visite du **temple da Deusa A-Ma** ⓗ (temple A-Ma), situé sous la colline Barra, à l'entrée du port intérieur de Macau. Édifié sous les Ming, c'est le temple le plus ancien du territoire puisqu'on le dit vieux de 600 ans. Le bâtiment initial aurait été construit par des pêcheurs du Fujian et dédié à A-Ma (Tin Hau à Hong Kong), leur déesse tutélaire. À droite de l'entrée, le pavillon du bas est tout ce qu'il reste de la construction d'origine. Remarquez le bas-relief en pierre multicolore qui représente une jonque transportant A-Ma sur des eaux déchaînées par un typhon jusqu'à Macau – d'où est elle montée au paradis.

Dans le passé, les **casinos** étaient établis dans les hôtels, sur le port ou sur des barges à quai. À présent, ils prennent des allures beaucoup plus américaines, dans un style plus tapageur à la Las Vegas. Le Sands Casino symbolise parfaitement cette nouvelle génération. Ces temples de l'argent proposent tous les jeux imaginables et quantités de machines à sous – les "tigres affamés", comme les appellent les Chinois. L'ambiance manque souvent de raffinement, mais des évolutions sont dans l'air car de plus en plus d'investisseurs étrangers reprennent la direction des casinos. Cette activité est une manne pour le Trésor du territoire.

Deux îles voisines forment ce que l'on appelle "l'autre Macau" : Taipa et Coloane. **Taipa** ❶, où se trouve l'aéroport international, est relié à Macau par deux ponts. Pour y accéder, il suffit de prendre un taxi ou un bus. De grands immeubles y ont été construits pour soulager la pression immobilière de la péninsule. L'île possède également un patrimoine architectural ibérique autour de la place centrale et des communautés chinoises traditionnelles vivent dans la campagne alentour. La petite *praia* du village de Taipa n'a rien à envier en termes de beauté à sa rivale, plus grande, de Macau. Le **musée de Taipa House** (ouv. du mar. au dim. de 10h à 18h ; entrée payante) se trouve sur la *praia*. Avec son mobilier du XIXe siècle, il ne manque pas de cachet.

Coloane ❶ est reliée à Taipa par une chaussée. Visitez, à l'ouest, le **village de Coloane**. Vous y découvrirez la chapelle de Saint-François-Xavier, ainsi que quelques temples chinois. Le **parc Hac Sa**, qui jouxte une plage de sable noir au sud-ouest de l'île, est agrémenté d'une piscine et d'équipements sportifs. Le *Westin Hotel* est apprécié pour son terrain de golf, le seul existant à Macau. ❏

CI-DESSOUS : architecture portugaise au centre de Macau.
À DROITE : barbier de Coloane.

GUANGDONG, LE FUJIAN ET L'ÎLE DE HAINAN

Cartes
p. 287
& 289

Les rendez-vous importants entre l'Occident et la Chine ont souvent eu pour cadre le sud du pays. La région en a tiré son ouverture sur le monde et une certaine indépendance à l'égard de Beijing.

Les provinces côtières du Guangdong et du Fujian comptent parmi les plus riches et les plus progressistes de Chine. Elles ont toujours porté leur regard au-delà de la mer de Chine méridionale, vers les régions tropicales où leurs ressortissants partaient s'installer et faire du commerce. La plupart des Chinois de la diaspora (*huaqiao*) en sont originaires. Sur le plan linguistique, la région s'émancipe également : le cantonais et le parler du Fujian sont des dialectes complexes et peu de Méridionaux maîtrisent le mandarin. Même l'apparence des Chinois du Sud, en général petits et maigres, diffère de celle de leurs cousins du Nord, souvent plus grands et plus costauds. Ce qu'on appelle communément dans le monde la "cuisine chinoise" est presque toujours de la cuisine cantonaise, car la plus exportée.

Les liens géographiques et culturels qu'ont noués ces provinces avec Hong Kong, Macau et Taiwan ont renforcé cette propension à regarder vers l'extérieur. Les idées étrangères ont fortement influencé la pensée des personnalités locales. Sun Yatsen et ses convictions républicaines en sont la meilleure illustration. C'est aussi à Guangzhou que le chef des Taiping rencontra les missionnaires chrétiens et s'inspira de leur foi pour fonder sa secte rebelle (*voir encadré, p. 214*). Entre Guangzhou, Shantou et Xiamen, toute la côte est jalonnée d'édifices construits dans les styles européens. Shenzhen et Zhuhai sont des prolongements de, respectivement, Hong Kong et de Macau.

Guangzhou, la capitale effervescente de la province du Guangdong, est depuis longtemps à l'avant-garde des réformes économiques du pays. Cependant, elle a conservé de nombreux temples et monuments qui témoignent de sa longue histoire. La ville est aussi le fief de la cuisine cantonaise, qui comblera les gastronomes. À proximité, l'agréable ville de Zhaoqing est réputée pour ses étonnantes formations karstiques et, à l'est, près de la côte, Chaozhou offre une vitrine du passé. Xiamen, le bijou du Fujian, mérite une halte de quelques jours. Sur le littoral du Fujian, Quanzhou cultive quant à elle ses souvenirs de port prospère.

Plus au sud, l'île de Hainan est le seul endroit de Chine, avec le Xishuangbanna au sud du Yunnan, à bénéficier d'un climat tropical. L'île attire les visiteurs grâce à ses villages de minorités ethniques et à ses plages bordées de palmiers. Malheureusement, le béton en altère de plus en plus la beauté.

Guangzhou

À l'embouchure du Zhu Jiang (rivière des Perles), **Guangzhou** (Canton) ❶ aurait été fondée en

PAGES PRÉCÉDENTES :
dans les alpages
du Sud.
À GAUCHE :
Guangzhou à l'aube.
CI-DESSOUS :
monument dédié
à Sun Yatsen.

214 av. J.-C. pour servir de campement aux armées de l'empereur Qin Shi Huangdi. Dès l'époque des Tang (618-907), la ville devient un port international. En 1514, une flottille portugaise y accoste. Le renversement des Ming par les Mandchous, en 1644, nourrit un sentiment nationaliste qui perdure à Guangzhou plus longtemps qu'ailleurs dans le pays. Paradoxalement, les contacts avec les Chinois de la diaspora entretiennent une ouverture sur le monde et un désir de réformes qui iront jusqu'à se transformer en zèle révolutionnaire prononcé. Le commerce international prospère, grâce, notamment, aux Britanniques qui se servent de la ville pour écouler leur opium. De 1757 à 1842, Guangzhou, le seul port ouvert de Chine, détient le monopole du commerce avec l'étranger. Les marchands sont obligés de coopérer avec les guildes chinoises – mesure qui servira plus tard de prétexte aux puissances européennes pour s'immiscer dans la politique de l'empire.

Prononcé à la portugaise, Guangzhou devint "Cantào", puis Canton, nom adopté par tous les Occidentaux.

Guerres de l'opium et nationalisme

En 1839, les Chinois confisquent 20 000 caisses d'opium, provoquant l'intervention des troupes britanniques, et, au début des années 1840, la première guerre de l'opium (*voir p. 29*). Après la victoire de la Grande-Bretagne, le traité de Nankin (Nanjing) ouvre les ports de Guangzhou, Shanghai, Xiamen, Fuzhou et Ningbo au commerce international. Hong Kong devient britannique. Par rétorsion, en 1858, les Chinois obligent les marchands étrangers à limiter leur base opérationnelle à l'île de Shamian, à l'embouchure de la Zhu Jiang (rivière des Perles). La seconde guerre de l'opium (1856-1860) permet aux Occidentaux de s'établir dans d'autres parties de Guangzhou et de faire du commerce. Après le renversement des Qing en 1911, Guangzhou devient

CI-DESSOUS :
bâtiment colonial
sur l'île
de Shamian.

le siège du mouvement de Sun Yatsen et du Guomindang, premier parti politique moderne de Chine. Pendant la période de coopération entre le Guomindang et les communistes (*voir p. 35*), Mao Zedong travaille et enseigne à
l'Institut du mouvement paysan, et Zhou Enlai à l'académie militaire.

La modernisation de Guangzhou commence au début des années 1920.
Les vestiges des enceintes sont alors démolis et les rues principales de la ville
sont tracées. L'urgence dans laquelle celles-ci ont été réalisées (40 km en
18 mois) est encore perceptible de nos jours. Aujourd'hui, le grand Guangzhou compte plus de 6 millions d'habitants, pour deux millions d'habitants
intra-muros. Comme Shanghai, il est doté d'un quartier d'affaires flambant
neuf et les tours, les hôtels, les ponts et les autoroutes envahissent la ville. De
nombreux édifices anciens ont été sacrifiés lors de la construction du métro.

Guangzhou tranche fortement avec la Chine du Nord. Alors qu'à Beijing
l'autorité gouvernementale se fait immanquablement sentir, notamment sur la
place Tiananmen et ses alentours, c'est plutôt l'absence d'ordre et de règles
qui prévaut dans les rues de Guangzhou. Le cantonais reste incompréhensible
pour les gens du Nord, qui en général parlent le mandarin.

La région de Guangzhou était déjà surpeuplée il y a deux siècles, et de nombreux paysans durent s'exiler en Asie du Sud-Est, en Amérique du Nord et en
Europe. Le cantonais est donc le dialecte le plus courant au sein de la diaspora, et la cuisine cantonaise la plus connue des cuisines chinoises à l'étranger. Selon un proverbe chinois, "à Beijing, on parle, à Shanghai, on achète et
à Guangzhou, on dîne". La cuisine cantonaise est surtout remarquable par son
éclectisme (on mange de tout, même des omelettes aux insectes). Les *dim
sum* – raviolis, bouchées diverses, pâtisseries et assiettes de nouilles que l'on

Cartes
p. 289 &
ci-dessous

NOTEZ-LE

Le tropique du Cancer
passant à quelques
kilomètres au nord
de Guangzhou,
le climat
de la province
est subtropical.
La saison humide
coïncide avec
les mois chauds
de l'été et, l'après-
midi, des pluies sont
parfois torrentielles.

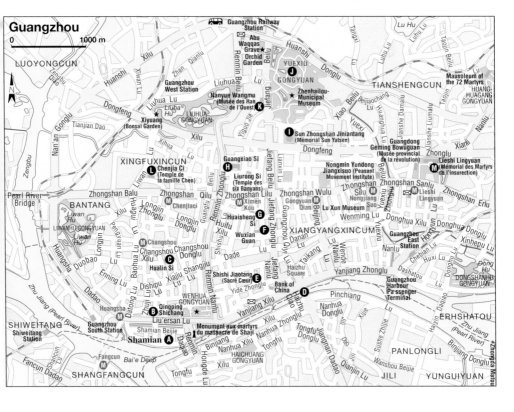

choisit sur des tables roulantes circulant en permanence dans les restaurants – sont incontournables (*voir "Gastronomie", p. 110*).

Le vieux Guangzhou

Dans la partie sud-ouest de Guangzhou, l'**île de Shamian Ⓐ** reste imprégnée de son passé colonial. Cet ancien banc de sable du Zhu Jiang (rivière des Perles) a été remblayé, agrandi, puis, en 1859, divisé en plusieurs concessions étrangères, les deux principales étant française et britannique. On creusa un canal autour de Shamian et, la nuit, des portes de fer et des ponts étroits empêchaient les Chinois de s'en approcher. L'île ne mesure que 1 km de long sur 500 m de large. Son petit air de villégiature contraste avec l'animation de Guangzhou. Les églises catholiques et anglicanes sont ouvertes au culte, et la plupart des anciens bâtiments commerciaux et consulaires sont occupés par des administrations. Nombre d'entre eux, construits par les Français, sont peints de couleurs vives. Ce quartier abrite aussi plusieurs ambassades, ainsi que le *White Swan*, un hôtel 5 étoiles au sud-ouest de l'île.

De l'autre côté de Shamian, dans Qingping Lu, le marché de **Qingping Shichang Ⓑ** se tient dans les ruelles du nord de Liu'ersan Lu. Depuis les réformes économiques de 1978, ce quartier prospère et attire une foule de chalands dans une ambiance de fête permanente. Ici, l'économie de marché a fait ses premières armes et, pendant des années, le décalage avec le reste du pays est resté flagrant. Qingping était jadis réputée pour vendre toutes sortes d'animaux – des chats, des chiens, des chouettes et des insectes –, qu'il ne restait plus qu'à abattre et à faire cuire. Aujourd'hui, les anciennes échoppes sont devenues de vraies boutiques et l'on y vend de moins en moins d'animaux en

CI-DESSOUS :
centre-ville
de Guangzhou.

tout genre. La section du marché consacrée à la pharmacopée chinoise reste particulièrement intéressante. Dishipu Lu et Daihe Lu sont bordées d'étals qui débordent de jade, de bijoux, d'horloges anciennes, de babioles datant de l'époque de Mao et de reproductions de porcelaines d'autrefois. À l'est, **Wenhua Gongyuan** (parc de la Culture) propose un théâtre à ciel ouvert, des expositions, des spectacles d'acrobatie et des pistes de roller.

Xiajiu Lu mène au célèbre *Guangzhou*, le restaurant le plus ancien de la ville. Derrière lui, dans Shangxia Jie, une ruelle étroite, se trouve **Hualin Si ❻** (ouv. tlj. de 8h à 17h ; entrée libre), un temple qui aurait été fondé en 526 par un moine indien, et dont les bâtiments actuels datent des Qing. La salle principale abrite 500 *luohan*. Dans l'iconographie bouddhique, ce sont les saints ayant atteint le nirvana.

De l'autre côté du canal qui sépare l'île de la ville, près des quais, commence le Bund. Ce boulevard longe le front de mer vers l'est jusqu'à **Haizhu ❼**, le plus vieux pont métallique (1933) de Guangzhou, qui enjambe le Zhu Jiang. À environ 100 m à l'est de **Renmin Daqiao** (le pont qui relie l'extrémité est de Shamian au continent) se dresse un mémorial édifié en l'honneur de manifestants tombés sous le feu des troupes étrangères, gardiennes des concessions au milieu des années 1920.

À 2 km vers l'est, au nord de Haizhu, s'élèvent les tours doubles (50 m) de **Shishi Jiaotang ❺** (église du Sacré-Cœur), la cathédrale catholique. Achevée en 1888, elle a commencé à se délabrer à partir de 1949, puis plus activement pendant la Révolution culturelle. Elle a finalement été restaurée dans les années 1980. Des messes y sont dites sous les auspices de l'Église patriotique de Chine, qui est officiellement interdite de tout contact avec le Vatican.

Carte
p. 287

NOTEZ-LE

La criminalité augmente rapidement à Guangzhou, où affluent des milliers de paysans sans abri, en quête d'un travail hypothétique. Méfiez-vous des pickpockets aux abords de la gare.

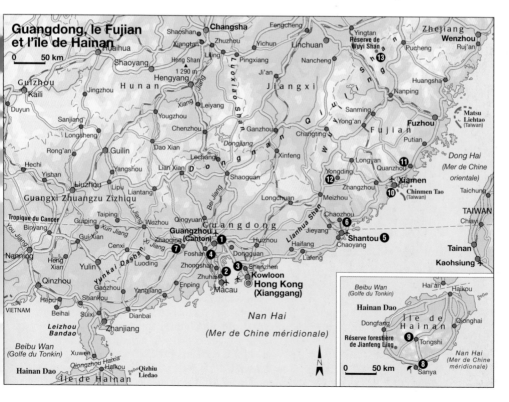

Guangdong, le Fujian et l'île de Hainan

En remontant 500 m au nord, découvrez le **Wuxian Guan**  (temple taoïste des Cinq Génies ; ouv. tlj. de 9h à 12h et de 14h à 17h ; entrée payante). Datant du XIVᵉ siècle, il marque le lieu où sont apparus les 5 béliers fondateurs de la ville. Une cloche de bronze (5 t) a été installée dans le clocher au début de la dynastie Ming. Elle reste à jamais silencieuse car, selon la superstition locale, si elle sonnait, une catastrophe pourrait se produire.

Dans Guangta Lu, entre Renmin Zhong Lu et Jiefang Zhong Lu, au sud de Zhongshan Lu, surgit la coupole de **Huaisheng Si** ❺, une mosquée qui aurait été fondée au VIIᵉ siècle par un marchand, oncle de Mahomet, dit-on. Les commerçants arabes naviguant jusqu'en Chine à cette époque, la légende pourrait contenir une parcelle de vérité – même si elle ne renseigne pas sur la date exacte de construction de l'édifice. Le minaret, **Guang Ta** (Pagode nue), haut de 25 m, s'élève au milieu des gratte-ciel, et la mosquée, dont une partie est récente, sert de centre culturel aux 5 000 musulmans de Guangzhou.

En allant vers le nord

Au nord de Zhongshan Lu, une ruelle mène à **Liurong Si** (temple des Six Banians ; ouv. tlj. de 8h30 à 17h ; entrée payante) où, depuis 1907, s'élève **Hua Ta** (pagode des Fleurs), symbole de la ville. De l'extérieur, l'édifice semble comporter 9 étages, pourvus de portes et de balcons circulaires, mais, à l'intérieur, vous en compterez 17. Tout en haut, vous bénéficierez sur le dédale des rues avoisinantes, même si les gratte-ciel ferment l'horizon.

À quelques centaines de mètres au nord-est, le temple bouddhiste **Guangxiao Si** ❻ (ouv. tlj. de 8h à 17h ; entrée payante) a été préservé des ravages de la Révolution culturelle par ordre du Premier ministre Zhou Enlai. Il s'agirait du temple le plus ancien de la ville (Vᵉ siècle). Toutefois, certains des bâtiments actuels ont été construits après les grands incendies de 1269 et 1629, et probablement aussi après 1832. À l'entrée, un bouddha (*Milefo*) jovial peint de couleurs vives vous accueille. Dans la cour principale, un immense brûle-encens embaume l'air. La grande salle est réputée pour son plafond laqué de rouge et la cour arrière contient certaines des pagodes de fer les plus anciennes du pays. Le temple a reçu la visite du moine indien Bodhidharma, fondateur au VIᵉ siècle du bouddhisme chan (zen) et inventeur de la boxe de Shaolin (*voir p. 181*).

Au nord-est, dans le parc qui donne dans Donfeng Zhong Lu, le **Sun Zhongshan Jiniantang** ❶ (mémorial de Sun Yatsen ; ouv. tlj. de 8h à 18h ; entrée payante) se signale par les tuiles bleues vernissées de son toit. Construit après la mort de Sun Yatsen, en 1925, et achevé en 1931, il abrite une vaste salle de théâtre et de conférences (12 000 m²) pouvant accueillir plusieurs milliers de personnes.

Au nord, le plus grand parc de Guangzhou, **Yuexiu Gongyuan** ❷, est agrémenté de 3 lacs artificiels, de 7 collines et de rochers sculptés. Son attraction principale, **Zhenhailou** (littéralement la "tour qui regarde la mer"), construite pour commémorer les 7 voyages maritimes entrepris par l'eunuque Zheng He, domine l'ensemble. De 1405 à 1433, la flotte de Zheng He s'est rendue en Afrique orientale, dans le golfe Persique et à Java. Dans la tour, un **musée municipal** (ouv. du mar. au dim. de 9h30 à 16h ; entrée payante) renferme des vestiges du passé de Guangzhou. Non loin de là, sur une colline surplombant le mémorial, s'élève le **monument à Sun Yatsen**, tout de marbre et de granit. Du sommet, la vue sur la ville est superbe. Le parc dispose aussi de plusieurs aires de sport et de loisirs (practice de golf, bowling, piscine).

Carte
p. 287

De l'autre côté du parc, à l'ouest dans Jiefang Bei Lu, **Nanyue Wangmu**  (musée des Han de l'Ouest ; ouv. tlj. de 9h30 à 17h30 ; entrée payante) abrite la tombe de l'empereur Nanyue. En 1983, lors de la construction du *China Hotel*, des bulldozers exhumèrent la sépulture de l'empereur Wen Di, qui régna en Chine méridionale de 137 à 122 av. J.-C. Sur le site, un musée conserve les squelettes du monarque et de 15 de ses courtisans, ainsi que ceux de concubines, de gardes, de cuisiniers et d'un musicien, enterrés vivants avec lui. Le musée recrée le décor d'une tombe, permettant aux visiteurs de descendre dans les véritables chambres funéraires. Les archéologues ont découvert que les murs du mausolée étaient constitués de grès en provenance de Lianhua Shan, à une heure à l'est sur le Zhu Jiang. Les salles annexes contiennent des milliers d'objets funéraires, dont des linceuls de jade (*voir p. 190*) et des carillons de bronze.

Situé au nord de Zhongshan Qi Lu, près du carrefour avec Liwan Lu, **Chenjia Ci** (temple de la famille Chen ; ouv. tlj. de 8h à 17h ; entrée payante), qui date de 1894, a été restauré après la Révolution culturelle. Son plan est classique – il possède 6 cours – et il est orné de frises. La plus longue des frises (28 m), décrit des scènes du *Roman des trois royaumes*. Des milliers de personnages évoluent sur fond de maisons décorées, de portes sculptées et

CI-DESSOUS :
nuit chaude
à Guangzhou.

de pagodes. L'autel, géant, est doré à la feuille d'or, et des frises de bois, de brique et de pierre décorent le toit. Les jardins abritent un lac avec ses barques, des cours de tennis, une piscine et une salle d'exercices. Les fonds nécessaires à la construction du temple ont été versés par les familles de la province portant le nom de Chen, l'un des noms les plus courants du Guangdong.

Les quartiers est

À l'est, dans Zhongshan Lu, l'ancien **Kongzi Miao** (temple de Confucius) a été déconsacré durant la "révolution bourgeoise", en 1912. En 1924, l'**Institut du Mouvement paysan** (Nongmin Yundong Jiangxisuo) y a ouvert ses portes. Première école des cadres du parti communiste, elle compta Mao Zedong (son bureau et sa chambre se visitent), Zhou Enlai, Qu Qiubai, Deng Zhong, Guo Moruo – l'élite du parti – parmi ses enseignants. C'est ici que Mao développa sa théorie sur la révolution paysanne.

Lieshi Lingyuan Ⓜ (le mémorial des Martyrs de l'insurrection) a été édifié en 1957 pour commémorer l'insurrection des ouvriers de Guangzhou en 1927, qui a fait 6 000 victimes. L'échec de cette révolte força les communistes à se retirer des villes.

L'embouchure de la rivière des Perles

Au nord de Macau, **Zhuhai** ❷ est une ZES (zone économique spéciale) bien entretenue et agréable. Le passé n'y subsiste guère, et la plupart des visiteurs qui viennent de Macau ne font qu'y passer pour acheter des produits hors taxes ou pour se rendre à Guangzhou. À la frontière avec Hong Kong, **Shenzhen** ❸ – une ZES plus dynamique que la précédente – se distingue par

CI-DESSOUS :
vues divergentes
à Shekou, à l'ouest
de Shenzhen.

ses gratte-ciel et sa vie nocturne trépidante. Aménagés à l'ouest de la ville, 3 parcs à thème constituent ses principaux sites touristiques.

À quelque 25 km au sud-ouest de Guangzhou, ne manquez pas **Foshan** ❹ (montagne de Bouddha), qui abrite le **Zu Miao** (temple Ancestral ; ouv. tlj. de 8h30 à 19h ; entrée payante). Datant du XIᵉ siècle, ce temple contient une statue de 3 t de Beidi (Pak Tai en cantonais), une divinité taoïste régnant sur les eaux et que les habitants de cette région souvent inondée vénéraient particulièrement. À Hong Kong, des temples lui sont également consacrés. Remarquez les personnages de céramique qui ornent les tuiles du toit ; ils ont été fabriqués par la manufacture de Shiwan. Shenzhen est aussi le lieu de naissance du *wing chun*, un art martial immortalisé par Bruce Lee.

Cartes
p. 287
& 289

Shantou et Chaozhou

Près de la frontière avec le Fujian, **Shantou** ❺ est l'une des premières ZES de Chine. Elle a été ouverte au commerce étranger au XIXᵉ siècle, à la suite du traité de Tianjin qui mit fin à la seconde guerre de l'opium. Des vestiges d'architecture européenne (en piètre état) subsistent dans le quartier colonial, sur la langue de terre qui pénètre loin dans le port. Ne manquez pas le **Tianhou Gong** (temple de Tianhou), merveilleusement restauré et dédié à la reine du Ciel. Plus au nord, à 40 km de Shantou, **Chaozhou** ❻ mérite aussi le détour. Cette ville commerçante est dotée d'un centre agréable, formé d'un lacis de ruelles. Un tronçon de la muraille Ming s'élève au bord du Han Jiang. Dans le vaste **Kaiyuan Si** (temple Kaiyuan [Tang] ; ouv. tlj. de 6h à 18h ; entrée payante), le pavillon de Guanyin abrite les représentations terrestres de la déesse.

*Parc à thème
près de Shenzhen.*

Ci-dessous :
le rocher des Sept
Étoiles de Zhaoqing.

Zhaoqing et ses parcs naturels

Sur les rives du Xi Jiang, à 110 km à l'ouest de Guangzhou, **Zhaoqing** ❼ est l'une des villes les plus agréables de la province. Au nord de l'agglomération, **Qixing Yan** (rochers des Sept Étoiles) regroupe une série de formations karstiques au bord d'un lac. Le paysage n'est sans doute pas aussi beau que celui de Guilin, mais les formes des rochers sont étonnantes, surtout si la lumière est au rendez-vous. Édifiée à l'époque des Ming, **Chongxi Ta** (pagode de Chongxi ; ouv. tlj. de 8h à 17h ; entrée payante) offre une vue dégagée sur l'autre rive du lac et les deux pagodes qui s'y dressent. À 20 km au nord-est, la réserve de **Dingshu Shan**, parcourue de sentiers, enchante par ses temples, ses forêts, ses cascades, ses torrents et ses étangs. Au nord du Guangdong, la ville de Shaoguan est la porte d'entrée du **parc national de Nanling** et de la réserve naturelle de **Chebaling**.

L'île de Hainan

L'île de Hainan ("sud de la mer"), battue par les typhons et jugée tout juste bonne pour abriter les exilés, a été ignorée pendant des siècles. Aujourd'hui, la plus petite province chinoise – depuis qu'elle a été détachée du Guangdong en 1988 – a acquis le statut de ZES. À cette époque, la fortune semble enfin lui sourire avec l'arrivée en masse des investisseurs. Son économie dépend désormais largement du tourisme :

*L'île de Hainan
est une destination
favorite en Chine
pour les lunes de
miel. De nombreux
couples viennent
également
s'y marier.*

l'hiver, de nombreux Chinois viennent lézarder sur ses plages. En 2001, Hainan a fait la une de la presse internationale : un avion espion américain a été forcé d'atterrir sur l'île après sa collision avec un avion chasseur chinois.

Sa capitale, **Haikou**, est assez agréable, mais les plages ensoleillées situées près de **Sanya** ❽, au sud, constituent le véritable attrait de Hainan. À l'est de la ville de Sanya, **Yalong Wan** est une baie de 7 km de long couverte de sable fin et blanc. Le soleil y brille pendant toute la pleine saison (l'hiver). Les vacanciers peuvent s'adonner à la plongée, à la pêche en haute mer ainsi qu'au parapente. La **plage de Dadonghai**, dans Sanya même, est moins idyllique. Renseignez-vous en ville sur les croisières qu'il est possible d'effectuer jusqu'aux îlots avoisinants.

L'île est habitée par des communautés li et miao, qui produisent un artisanat de qualité. On accède facilement aux villages li et miao, près de la ville de **Tongshi** (ou Tongsa) ❾, dans les collines au nord de Sanya. À Tongshi, le **musée des Minorités nationales** est passionnant (ouv. du mar. au dim. de 8h à 17h ; entrée payante). À 110 km au nord-ouest de Sanya, la **réserve forestière de Jianfeng Ling**, se déployant dans une superbe région montagneuse, a fait l'objet d'un programme réussi de reforestation. Elle est ouverte aux visiteurs.

Le Fujian et Xiamen

Le Fujian, qui entretient des liens historiques avec Taiwan du fait de leur proximité et de leur langue commune, a fourni, comme ses voisins du Guangdong et du Zhejiang, les premiers flux – et les plus importants – de l'émigration chinoise. Grâce aux investissements taïwanais et à sa situation en bord de

Carte p.289

mer, le Fujian est l'une des plus riches provinces chinoises. Il est aussi l'un des derniers refuges du seul tigre indigène du pays, le tigre de Chine. Par ailleurs, il sert de base militaire permanente pour une hypothétique invasion de Taiwan et, à ce titre, il est hérissé de missiles.

Sa capitale, **Fuzhou**, ne possède pas grand-chose pour retenir les touristes, qui préfèrent se rendre directement à **Xiamen** ❿ (l'ancienne Amoy pour les Occidentaux), une ville portuaire beaucoup plus intéressante et pleine de charme. Surnommée le "Jardin sur la mer" par les Chinois, elle est caressée par les brises marines et veinée de rues plus agréables les unes que les autres.

Xiamen est fondée sous les Song, mais son port se développe à l'époque des Ming et devient un foyer de résistance anti-mandchoue à l'avènement des Qing. Menés par Koxinga (Zheng Chenggong), les rebelles Ming combattent les envahisseurs du Nord et finissent par être expulsés vers Taiwan. Puis le port est convoité par les Européens – Hollandais, Portugais et Britanniques –, qui souhaitent l'ouvrir au commerce. Jusqu'en 1841, ils n'obtiennent que des succès mitigés, mais, durant la guerre de l'opium, les Britanniques parviennent à leurs fins. L'île de Gulangyu (*voir p. 296*) devient alors une enclave étrangère prospère. Sous l'occupation japonaise, pendant la Seconde Guerre mondiale, Xiamen sert de port de départ aux troupes nationalistes qui s'enfuient vers Taiwan, emportant avec eux tout l'or de la Chine. Les îles de Chinmen et de Matsu, qui se trouvent juste en dehors des eaux territoriales, appartiennent toujours à Taiwan. En 1980, Xiamen a acquis le statut de ZES, profitant ainsi de conditions économiques et fiscales avantageuses.

Au nord de l'université, dans la partie sud-est de l'agglomération, **Nanputuo Si** (temple de Nanputuo ; ouv. tlj. de 8h à 17h ; entrée payante) est

Dans le parler local, le mot Fujian se prononce "Hokkien". C'est ainsi que la diaspora chinoise, principalement originaire du sud de la Chine, prononce le nom de la province.

CI-DESSOUS :
l'île pittoresque de Gulangyu, près de Xiamen.

Xiamen possède certains des exemples les mieux conservés d'architecture coloniale chinoise.

maison ronde hakka dans le canton de Yongding, au Fujian.

le temple le plus célèbre de la ville. À l'entrée, **Tianwang Dian** (salle du Roi céleste) abrite le bodhisattva Milefo, Weituo et les 4 rois célestes. Le nom du temple évoque celui du Putuo Shan (*voir p. 229*), et l'on se s'étonne pas de trouver, dans **Daxiongbao Dian** (Grande Salle) et **Dabei Dian** (salle de la Grande Compassion), de multiples représentations de Guanyin. À l'intérieur de cette seconde salle, elle apparaît sous sa forme à 1000 bras (*qianshou*), qui symbolisent ses pouvoirs illimités d'aide et de miséricorde. Ce temple bouddhiste propose un restaurant végétarien.

Le long de la côte au sud de Nanputuo Si, à l'emplacement du canon, à Hulisha Paotai, vous pouvez apercevoir par temps clair l'île de Jinmen, sous contrôle taïwanais.

À Xiamen, **Gulangyu**, où flotte un petit air européen, mérite une halte. À 5 min en ferry, cette île vallonnée est un musée d'architecture coloniale. Elle est de petite taille (2 km²), aussi pourrez-vous déambuler dans ses ruelles tranquilles sans vous fatiguer. Près du quai, un aquarium moderne, Xiamen Underwater, vous attend. En haut du **pic du Soleil** (ouv. tlj. de 8h à 19h ; entrée payante), vous contemplerez l'île dans son ensemble. Jetez un coup d'œil au mémorial de Koxinga, qui organise des expositions consacrées à ce pirate rebelle. Les anciens consulats britannique et allemand, l'auberge *Gulanguy* et l'église catholique sont également à voir.

Quanzhou et le sud-ouest

Quanzhou ⓫, qui fut un port important sur la voie maritime de la route de la Soie, connut son apogée à l'époque des Song et des Yuan. Marco Polo s'y est rendu du temps où la ville s'appelait Zaytoun et recevait des milliers de

LES MAISONS DE TERRE HAKKA

Les Hakka (*kejia* en mandarin, "les hôtes") sont un peuple chinois du nord et du centre de la Chine ayant migré au sud sur les côtes fertiles du Guangdong et du Fujian. Leurs maisons de terre – des *tulou* – se trouvent dans les cantons frontières entre le Guangdong, le Jiangxi et le Fujian. Ce sont des entités communales fortifiées contre les maraudeurs et généralement faites de terre battue, de bambou, de bois et de pierre. Elles comportent un grand nombre de pièces, permettant à plusieurs familles de cohabiter. Cette conception compacte et autonome est commune à tous les modes d'habitation hakka (voir les villages murés de Kam Tin dans les Nouveaux Territoires de Hong Kong). Il existe de nombreux styles et formes (circulaire, triangulaire, rectangulaire, octogonale ou autres) de *tulou*. Les maisons rondes, remarquables, varient en taille ; elles comptent de 12 à 72 pièces. La plupart possèdent 3 étages, mais les plus grandes peuvent en avoir jusqu'à 5. Certains *tulou* sont isolés, d'autres regroupés. Le *tulou* de Huken, près de Yongding, au sud-ouest du Fujian, comprend notamment Zhenchenglou, qui est circulaire, et une maison aux 5 phénix (Wufenglou). Les maisons aux 5 phénix appartenaient plus souvent à des hauts personnages hakka et elles étaient plus imposantes que les *tulou* traditionnels.

marchands arabes. Quanzhou connaît ensuite le déclin sous la dynastie des Qing et vit aujourd'hui de ses souvenirs. **Kaiyuan Si** (temple de Kaiyuan ; ouv. tlj. de 8h à 17h ; entrée payante) est le plus vaste sanctuaire bouddhiste de la ville. Il date de la fin du VIIᵉ siècle, mais ses deux pagodes ont été ajoutées au XIIIᵉ siècle. Le matériau choisi pour les construire, la pierre (et non le bois) a contribué à leur survie. Le temple conserve la coque d'un vaisseau du XIIIᵉ siècle, ainsi que des souvenirs du passé marin de Quanzhou, auquel est entièrement dédié le **Musée maritime** (ouv. du mar. au sam. de 9h à 17h30 ; entrée payante), à l'est de la ville. Dans Tumen Jie, **Qingjing Si** (ouv. tlj. de 8h à 17h ; entrée payante) est l'une des mosquées les plus anciennes de Chine. Sur le même trottoir, s'élève le temple taoïste **Guandi Miao**.

Yongding ⓬, au sud-ouest du Fujian, près de la frontière avec le Guang-dong, n'a pas grand intérêt en soi. Néanmoins, au nord-est de la ville, et au nord du village de Huken, vous pourrez observer une maison de terre hakka ronde, appelée Zhengchenglou. Originaires du nord de la Chine, les Hakka s'installèrent ensuite au sud. Ils vivent surtout au Fujian, au Guangdong, ainsi qu'à Hong Kong (*voir encadré, p. 296*).

Wuyi Shan

Plus loin, au nord-ouest de la province, **Wuyi Shan ⓭** est une réserve proté-gée dont les sommets élancés sont tapissés d'une forêt dense. C'est le paradis des randonneurs. Malgré leur éloignement, ces montagnes sont bien connues des touristes chinois, particulièrement des Taiwanais, aussi mieux vaut y venir au printemps ou en automne (les hivers sont froids et souvent humides) si l'on veut éviter la foule. ❏

Carte
p. 289

CI-DESSOUS :
la plus grande
des maisons rondes
hakka du canton de
Yongding loge plus
de 500 personnes
du clan Su.

LE GUANGXI ET LE GUIZHOU

Le Guangxi et le Guizhou, leurs formations karstiques extraordinaires, leurs rizières en terrasses vertigineuses et leurs populations aux tenues chamarrées sont parmi les plus fascinantes destinations de la Chine.

Carte p. 303

CHINE   Beijing

L e poète Han Yu (768-794) est le premier à avoir immortalisé le paysage des environs de Guilin, capitale de la région autonome des Zhuang, dans la province du Guangxi : "Le fleuve est comme une ceinture de soie verte et les collines ressemblent à des épingles à cheveux en jade turquoise." Aujourd'hui, photographes et voyageurs accourent du monde entier pour fixer sur le papier cette splendeur intemporelle. Guilin, au même titre que Beijing, Shanghai et Xi'an, est l'une des destinations phares de la Chine.

La région doit son extrême beauté aux accidents géologiques qui s'y sont produits il y a 300 millions d'années : des mouvements tectoniques ont soulevé les fonds calcaires d'une ancienne mer ; puis l'érosion a sculpté ces roches, taillant des collines et des pics, creusant des grottes et des cavernes. Le paysage, que connaissent bien les amateurs de peinture chinoise, semble irréel. Des sommets arrondis côtoient des parois en lame de couteau et des à-pics vertigineux ; des arbres poussent dans les failles des rochers, s'élançant dans le vide.

Une légende raconte qu'un empereur du temps jadis, désireux d'agrandir la Chine, força les paysans à déplacer les montagnes, tel un troupeau, et à les jeter dans l'Océan pour en combler les fonds. La déesse Jinxing eut pitié des paysans que le roi épuisait, et offrit à chacun un fil magique ayant le pouvoir de les rendre très forts. L'empereur, apprenant la nouvelle, confisqua les fils et s'en servit comme d'un fouet pour accélérer le travail des paysans. Mais la princesse Requin, fille du roi de l'Océan, ne l'entendit pas de cette oreille. Elle vola le fouet et c'est ainsi que les montagnes, les falaises et les collines de la région de Guilin restèrent en place.

Le sud-ouest de la Chine est peuplé d'une myriade de groupes minoritaires, dont la culture diffère totalement de celle des Han. Le plus important d'entre eux, les Zhuang, représente un tiers des 46 millions d'habitants du Guangxi, où il domine l'est de la région. Dix autres minorités (dont les Yao, les Miao, les Dong et les Yi), qui vivent surtout dans les montagnes à l'ouest et au nord du Guangxi, forment 5 % de cette population. Les impeccables champs en terrasses de Longsheng et le célèbre pont de bois couvert de Sanjiang, au nord du Guangxi, témoignent de l'extrême savoir-faire de ces peuples.

Le nord de Guizhou compte aussi divers groupes ethniques, notamment au sud-est, dans la région autour de Kaili, où les villages de minorités abondent. Cette partie isolée de la province possède un grand nombre d'attraits naturels, telles ses grottes karstiques et ses cascades – celle de Huangguoshu Pubu est particulièrement impressionnante après la pluie –, ou encore la réserve forestière de Fanjing Shan où vivent

PAGES PRÉCÉDENTES : femmes miao en costume, au Guizhou.
À GAUCHE : pains de sucre au bord du Li Jiang.
CI-DESSOUS : pêche au cormoran.

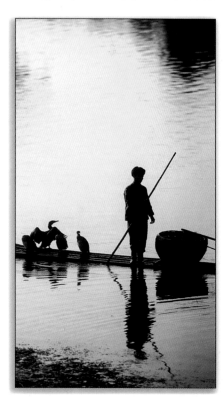

des singes dorés à nez retroussé, une espèce rare. Vous découvrirez aussi le lac de Caohai Hu, escale de nombreux oiseaux migrateurs. Enfin, si vous vous intéressez à la période communiste et à ses monuments, ne manquez pas Zunyi, où s'est déroulé l'un des épisodes cruciaux de la Longue Marche.

Guilin

Le printemps et l'automne sont les meilleures saisons pour visiter le Guangxi, car les étés sont interminables, humides et chauds, et les hivers souvent pluvieux. **Guilin ❶** occupe le cœur de la zone karstique de la province. Son nom, qui signifie "forêt de cassias", fait référence à cet arbre local (cassia ou osmanthus), dont l'odeur délicieuse parfume les rues à l'automne. Guilin aurait été fondée en 214 av. J.-C., durant le règne de Qin Shi Huangdi, le premier empereur de la Chine unifiée, lorsque celui-ci fit creuser dans la région le canal Ling afin de relier le centre de l'empire au Sud et à l'Asie du Sud-Est *via* le Yangzi, les rivières Li et Zhu. Vous admirerez une section du canal, l'un des plus longs du monde, à Xing'an, à 65 km au nord-ouest de Guilin.

Leur éloignement de Beijing a toujours fait de Guilin et du Guangxi une terre d'accueil pour les réfugiés de toutes sortes. Ainsi, la cour Ming, voulant échapper aux Mandchous, s'y replie en 1647. Trois siècles plus tard, lorsque l'armée japonaise envahit le pays, des centaines de milliers de Chinois du Nord viennent s'y réfugier. En 1949, la province est le dernier bastion nationaliste du Guomindang à tomber sous le joug des communistes.

Les plaines qui entourent Guilin sont cultivées intensivement, en dépit des obstacles naturels que représentent les collines et les forêts de bambous. Le travail s'effectue toujours à la main, avec l'aide de buffles d'eau. Le riz est la principale production de la région, mais on cultive aussi la canne à sucre, le jujube (datte chinoise) et le piment, qui entre dans la composition du *guilinjiang*, la sauce piquante locale.

La vieille ville de Guilin a été rasée par l'armée japonaise en 1944. Plus tard, le tourisme a déclenché un véritable boom immobilier. Aujourd'hui, l'agglomération possède tous les attributs d'une métropole moderne : embouteillages, centres commerciaux et boutiques, échoppes de souvenirs, sites payants, et revendeurs de toute sorte. Même si Guilin est devenue l'une des principales destinations touristiques du pays, elle demeure agréable. Traversée par la rivière Li, elle compte de nombreux parcs et des légions d'osmanthus décorent ses rues. Quelques formations karstiques comme celles de Xiangbi Shan (colline de la Trompe de l'éléphant) et de Fubo Shan s'élèvent en pleine ville, au-dessus des immeubles. Une multitude de petits restaurants cuisinent des spécialités locales à base de poisson, d'anguilles, de grenouilles, d'escargots, d'écrevisses et de serpents.

Dans Shanhubei Lu, au centre-ville, **Duxiu Feng**, le pic de l'Élégance solitaire, domine le *Lijiang Hotel*. Quelque 300 marches vous séparent du sommet, où s'offre un panorama splendide sur la ville. Au pied de la roche, vous apercevez **Wang Chen**, qui fut le siège de la cour Ming pendant une brève période. Ses bâtiments abritent l'École normale de Guilin.

CI-DESSOUS : Ludiyan, la grotte de la Flûte en roseau, et ses stalactites féeriques.
À DROITE : croisière sur la rivière Li.

Carte ci-dessous

À l'est, à l'angle de Binjiang Lu et de Fengbei Lu, **Fubo Shan** surplombe la Li. Le nom de ce promontoire signifie le "briseur de vagues" – surnom d'un général Han qui sauva Guilin d'une attaque des rebelles. Au pied de Fubo Shan, se dresse une cloche de 2 t, et, non loin de là, on a conservé une immense marmite, scellée dans le ciment. Elle aurait servi à la préparation d'un repas pour 1 000 convives.

Ouverte aux visites, la grotte de la Perle restituée, sous la colline, doit son nom à la légende. Elle abritait, dit-on, un dragon qui s'éclairait grâce à la lueur d'une perle magnifique. Un jour, un garçon vola la perle, mais sa mère le persuada de la rendre à son propriétaire. Le dragon, reconnaissant, récompensa généreusement la mère et le fils.

À la sortie de la grotte, côté rivière, ne manquez pas **Qianfo Yan** (rocher des Mille Bouddhas) : les artistes des périodes Tang et Song y ont sculpté des centaines de représentations bouddhiques et gravé des prières sur des plaques. Un peu plus loin au nord, **Diecai Shan** (colline des Couleurs accumulées) est réputée pour les nuances changeantes de ses pentes. Du haut de ses 220 m – c'est le point le plus haut de la ville –, la vue est grandiose. Ses flancs hébergent des grottes qui abritent des sculptures bouddhiques et des textes calligraphiés.

Sur la rive orientale de la Li, de l'autre côté du pont Jiefang, s'étend **Qixing Gongyuan** (parc des Sept Étoiles), ainsi nommé car la disposition de ses 7 collines reproduit celle des étoiles de la Grande Ourse. Les grottes, dont la plus intéressante est Yinlongyan (grotte du Dragon caché), couverte d'inscriptions anciennes, sont ouvertes au public. Au centre du parc s'élève Lutuo Shan (colline du Chameau). Non loin de là, vous pouvez visiter un jardin de bonzaïs et un petit zoo.

De nos jours, la pêche au cormoran sert surtout à divertir les touristes.

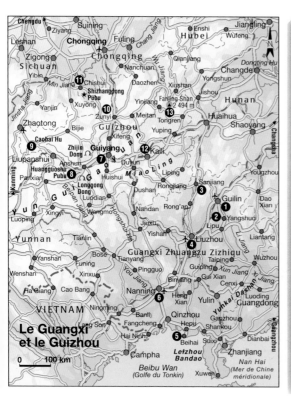

Jadis, à l'entrée de **Ludiyan** (grotte de la Flûte en roseau), à 6 km au nord-ouest de la ville, poussaient des roseaux que l'on utilisait pour fabriquer des pipeaux. Aujourd'hui, une baraque où l'on vend les tickets d'entrée, un escalier en béton et des guides postés dans l'attente des visiteurs leur ont succédé. Mais vous découvrirez des merveilles dans les entrailles de la colline : le long d'une descente de 250 m, vous contemplerez une profusion de stalactites et de stalagmites illuminées dont les formes évoquent des pagodes, des champignons, des lions, des cascades, des chandeliers, etc. La descente passe par l'impressionnant "palais de cristal du roi Dragon", une salle qui pourrait contenir 1 000 personnes (la grotte a servi d'abri pendant les bombardements japonais). Puis elle atteint le fond de la grotte, que tapisse un lac. Baignés d'une lumière douce, les rochers reflètent dans l'eau un spectacle envoûtant.

Karst : ensemble des phénomènes de corrosion du calcaire. Plateau calcaire où domine l'érosion chimique. (Robert)

Li Jiang

Bien des beautés parsèment le paysage entre Guilin et Yangshuo, et le meilleur moyen pour les découvrir est sans doute une croisière sur la paisible Li Jiang. Les départs s'effectuent le matin de l'embarcadère de Zhujiang, qui se trouve à 45 min de voiture du centre-ville.

Comptez 4 ou 5 heures pour atteindre Yangshuo, à 60 km au sud. De ce village, il est possible d'embarquer pour des balades moins onéreuses que les précédentes. Elles vous conduiront soit au nord jusqu'à Yangdi (à mi-chemin de Guilin), soit vers l'est jusqu'à Fuli, peut-être la plus belle promenade. Pendant la période d'étiage (automne), les eaux sont trop basses et les bateaux partent uniquement de Yangdi. La croisière traverse le paysage karstique, où émergent des pains de sucre qui semblent fichés dans la plaine. Leurs formes ont inspiré des

CI-DESSOUS :
Yangshuo.

noms poétiques : le Pinceau magique, le Mari impatient, le Lion chevauchant une carpe, la Mitaine, ou encore le Chameau qui traverse le fleuve. Sur le trajet, vous découvrirez la culture riveraine et ses rites. Le soir, les pêcheurs font avancer leurs étroits radeaux de bambous à l'aide de perches, emportant parfois avec eux un groupe de cormorans qui les aideront à attraper les poissons.

Sur la rive occidentale de la Li, **Yangshuo** ❷ se niche dans une alcôve de collines escarpées. Cette bourgade vit du tourisme et s'anime l'après-midi au débarquement des bateaux. Le paysage, surprenant, est encore plus beau que celui de Guilin. N'hésitez pas à louer un vélo pour vous promener dans la campagne alentour. Rendez-vous sans faute à **Yueliang Shan** (colline de la Lune), à 10 km au sud-ouest de la ville. Du sommet, le paysage est magique. Non loin de là, les grottes du Bouddha noir et du Dragon noir (ouvertes seulement en été) sont des cavités souterraines parcourues de rivières et de siphons. La rue principale de Yangshuo, envahie par les touristes, est bordée de restaurants, d'auberges, d'hôtels et d'échoppes diverses. Pour bénéficier de points de vue magnifiques, rejoignez le parc public et le pavillon qui s'élève sur sa colline, ou encore portez vos pas jusqu'au port ou au pont qui enjambe la Li, au sud de la ville. Des minibus se chargent de ramener les touristes à Guilin, par une route enchanteresse (2h) qui traverse les champs et les plaines hérissées de pains de sucre.

Au-delà de Guilin

Près de la frontière avec le Guizhou, au nord-ouest de Guilin, les cantons de **Longsheng** et de **Sanjiang** abritent plusieurs minorités du sud-ouest de la Chine. Les collines en terrasses composent un cadre magnifique aux non moins somptueux villages d'architecture traditionnelle. Vous admirerez

CI-DESSOUS :
nettoyage
des légumes
dans la rivière Li.

également la beauté des costumes ethniques (les broderies des Miao et de certains groupes Yao sont réputées). Longsheng n'a pas grand intérêt en soi mais sert de base aux visites de la région. Au sud-ouest de la ville, **Longji Titian** ("les terrasses de la colonne vertébrale du dragon") regroupe une série de collines escarpées couvertes de rizières en terrasses. Ping'an, un village zhuang planté au milieu des terrasses, à proximité d'autres bourgades où vivent des minorités, propose quelques hôtels tout simples.

À 165 km au nord-ouest de Guilin, **Sanjiang** ❸, la capitale de la région autonome Dong de Sanjiang, n'est qu'une étape sur la route du **Chengyang Fengyuqiao** ("pont venteux et pluvieux de Chengyang"), situé à 18 km au nord de la ville. Des 100 ponts semblables que compte le canton, celui-ci est sans doute le plus impressionnant. Il est bâti sans l'aide d'un seul clou, témoignant de l'admirable savoir-faire de ses concepteurs, les Dong. Long de 78 m et haut de 20 m, il enjambe la rivière Linxi. Vous trouverez facilement gîte et couvert à Chengyang, de l'autre côté du fleuve, ou dans les villages voisins.

La partie industrielle du Guangxi s'étend au sud-ouest de Guilin. Au centre de la province, la ville de **Liuzhou** ❹ compte plus de 500 000 habitants. Traversée par une rivière pittoresque, elle est dotée de plusieurs parcs vallonnés. À 10 km à l'ouest, **Dule Yan**, creusé de grottes karstiques, est peut-être le plus beau de ces parcs. À 260 km au sud-est de Liuzhou, **Guiping** occupe le confluent du Qian et du Xun. Depuis le XVIIIe siècle, c'est une importante ville de marché. Hong Xiuquan, le rebelle hakka (*voir encadré, p. 296*) qui mena la révolte des Taiping (*voir p. 214*), est né à **Jintian**, à 25 km au nord de Guiping.

Les voyageurs qui se rendent à Hainan s'arrêtent en général dans le port côtier de **Beihai** ❺. Plusieurs édifices européens datant du XIXe siècle témoi-

CI-DESSOUS :
les rizières en
terrasse du Dos
du dragon,
à Longsheng.

gnent de l'ancienne présence occidentale. Beihai est fréquentée pour ses plages. Parmi elles, Silver Beach est assez agréable, malgré la foule occasionnelle et une eau qui n'est pas toujours très limpide.

À l'ouest de Guilin, **Nanning ➏**, capitale du Guangxi et métropole prospère, regroupe plus d'un million d'habitants. Son **Musée provincial** (ouv. tlj. de 8h30 à 12h et de 14h30 à 17h ; entrée payante) expose une belle collection de tambours de bronze. Juste à côté, le centre culturel recrée à ciel ouvert des exemples d'architecture dong, miao, yao et zhuang. À 5 km au sud-est de la ville, le parc Qingxiu abrite la plus haute pagode du Guangxi.

Le Guizhou

Le **Guizhou** (*qian* pour les Chinois), qui occupe la partie orientale du plateau du Yunnan-Guizhou, est une province pauvre et injustement délaissée par les touristes. Ses collines, difficiles à cultiver, subissent des pluies incessantes. Cette campagne chinoise authentique est peuplée d'un étrange patchwork de minorités telles que les Dong, les Miao, les Bouyei, les Sui, les Hui et les Zhuang, et de sous-groupes comme les Miao à petites fleurs et les Miao à longues cornes. Toutes ces communautés – une trentaine de groupes – compose 30 % de la population. Elles sont essentiellement rurales et vivent au sud-est et à l'est de la province. Les 70 % restants sont constitués de Chinois han, qui pour la plupart habitent les villes. L'altitude, élevée à l'ouest, baisse fortement à l'est. Au centre s'étend une région de paysages karstiques.

Les Chinois ont fait leurs premières incursions dans la province il y a plus de 2 000 ans, mais l'infertilité de la terre et la résistance tribale ont relégué celle-ci pour longtemps aux confins de l'empire. Il faudra attendre l'époque des Qing

Carte
p. 303

CI-DESSOUS :
groupe de Miao.

pour voir les Han s'y établir en nombre. Dans l'esprit d'une majorité de Chinois, le Guizhou reste associé à la pauvreté rurale et au *maotai*, cette eau-de-vie fermentée à base de *sorgho* considérée comme le *nec plus ultra* des *baijiu* (alcools blancs) chinois.

Guiyang ❼, la capitale, sert de point de transit vers les sites et les villages de l'ouest de la province. Dans Beijing Lu, le **Musée provincial** (ouv. du mar. au dim. de 9h à 11h30 et de 13h à 16h ; entrée payante) est consacré aux différentes cultures ethniques de la région. À l'ouest de la ville, le parc Qianling, vallonné et boisé, abrite **Hongfu Si** (temple Honfu), accessible à pied ou par le téléphérique.

La région karstique située à 100 km au sud-ouest de Guiyang détient les magnifiques cascades de Huangguoshu, les grottes de Longgong ainsi que **Xixiu Shan Ta** (pagode de la montagne de Xixiu, Ming). On accède facilement à ces sites depuis Anshu. Des minibus font la navette entre la ville et le joyau de la région, **Huangguoshu Pubu ❽**, à 45 km au sud-ouest. En général, l'excursion inclut les grottes inondées de **Longgong**, où les bateaux naviguent sur le plus long fleuve souterrain de Chine. Les deux sites sont payants. Si les cascades abondent dans la région, Huangguoshu reste la plus impressionnante et la plus touristique. Les masses d'eau s'abattent avec une force inouïe dans l'étang du Rhinocéros en contrebas, et dégagent un nuage de vapeur derrière le rideau formé par la cascade. Prévoyez d'y aller en été, pendant la saison humide : c'est à ce moment-là que les chutes sont les plus violentes. Il est possible de se loger dans le parc. À 90 km au nord d'Anshu, le réseau de grottes karstiques de **Zhijin Dong** est réputé pour sa grande taille.

Le lac Caohai Hu attire les amateurs dsornithologie.

CI-DESSOUS : cascades de Huangguoshu.

Un peu plus loin à l'est, dans la région montagneuse de Wumeng Shan près du Yunnan, le superbe lac d'eau douce **Caohai Hu** s'étend au sein d'une réserve naturelle. Les ornithologues y affluent pendant la période des migrations d'hiver pour admirer de nombreuses espèces rares, comme les grues à cou noir. La bourgade de Weining occupe les rives du lac.

Carte p. 303

À 165 km au nord de Guiyang, **Zunyi** ⑩ est une petite ville industrielle fière de son passé révolutionnaire. En janvier 1935, alors qu'elle n'a encore réalisé que la moitié de la Longue Marche, l'armée communiste tient ici la réunion qui prépare la prise de contrôle du Parti communiste chinois (PCC) par Mao Zedong : y est approuvée en effet la stratégie proposée par Mao de promotion de la révolte paysanne. L'événement est immortalisé au **site de la conférence de Zunyi** (ouv. tlj. de 8h30 à 17h ; entrée payante), dont le décor n'a pas changé depuis. Le **musée de la Longue Marche** (ouv. tlj. de 8h30 à 17h ; entrée payante) retrace l'épuisant parcours de 10 000 km réalisé par les communistes, de 1934 à 1936 (*voir p. 33*).

À environ 10 heures de bus au nord-ouest de Zunyi, à la frontière entre le Guizhou et le Sichuan, la petite ville de **Chishui** ⑪ est nichée dans une région reculée de la forêt subtropicale. Les sentiers de randonnée de Sidonggou permettent de découvrir les beautés naturelles des alentours. Rendez-vous également ment à **Shizhangdong Pubu** (cascades de Shizhangdong), à 40 km au sud de la ville, un site très agréable, encore ignoré des touristes.

La plupart des touristes viennent au Guizhou pour gagner les zones tribales au sud-est de la province et la préfecture autonome des Miao et des Dong. La capitale provinciale de **Kaili** ⑫, reliée à Guiyang par le train, est bien équipée en hôtels, banques, restaurants et cybercafés. Des circuits en minibus permettent de rayonner dans la région. L'office de tourisme (CITS, dans le Yingpanpo Binguan, *Yingpanpo Hotel*) et votre hôtel peuvent vous fournir des cartes et vous communiquer les dates des fêtes, jours de marché, et toutes informations vous permettant de visiter les villages des minorités aux meilleurs moments. Le CITS organise également des excursions. Les bourgades charmantes de **Matang**, **Chong'an** et **Shibing**, au nord, **Xijiang**, **Rongjiang** et **Zhaoxing**, au sud, se dispersent dans la campagne vallonnée entourant Kaili. Au sud-est, les villes de Zhaoxing et Rongjiang font partie d'une région dong. Les Dong – minorité réputée pour son savoir-faire en matière d'ouvrages d'art (ponts et tours en bois) – vivent aussi à Sanjiang, au Guangxi.

Près de la frontière avec le Hunan, à l'est, Tongren sert de point d'accès à la réserve montagneuse et forestière de **Fanjing Shan** ⑬, qui abrite plusieurs espèces rares comme le singe doré à nez retroussé (*jinsi hou*) et la salamandre géante (*wawa yu*), ainsi qu'une incroyable variété d'arbres et de plantes médicinales. Pour atteindre le sommet de la montagne (2 494 m) – une promenade qui exige au moins deux jours, l'un pour la montée, l'autre pour la descente –, prévoyez des vêtements chauds. Fanjing Shan (littéralement "la montagne bouddhiste pure") est un mont bouddhiste. Vous pouvez loger dans un monastère, près du sommet, ce qui vous permet d'assister au lever du soleil. ❑

CI-DESSOUS :
Zunyi cultive
les souvenirs
de la révolution
communiste.

LE YUNNAN

*Le Yunnan, qui partage des frontières avec la Birmanie,
le Laos et le Vietnam d'un côté, et avec le Tibet de l'autre, forme
une mosaïque ethnique et culturelle unique en Chine.*

Carte
p. 313

L a situation géographique du Yunnan – limitrophe de l'Asie du Sud-Est et à l'extrême sud-ouest de la Chine – l'a isolé du reste du pays. Dès le IVᵉ siècle av. J.-C., la Chine envoie ses armées basées au Sichuan envahir ces contrées lointaines. Coupés de leur patrie à la suite de revirements politiques, celles-ci se sédentarisent et créent le royaume de Dian, près de l'actuel Kunming. Les Han (206 av. J.-C.-220) tentent de reprendre le contrôle de Dian afin de protéger les avant-postes établis sur l'itinéraire sud de la route de la Soie. Mais leur mainmise sur cette partie de la Chine reste sporadique. Sous la dynastie des Tang (618-907), la région se divise en petites principautés. À cette époque, l'un de ses princes entreprend un long périple jusqu'à Chang'an pour rendre visite à l'empereur Tang. Lorsque celui-ci lui demande d'où il vient, le prince répond : "D'un pays lointain du Sud, au-delà des pluies du Sichuan." Le souverain décide alors de nommer cette principauté Yunnan, littéralement le "Sud des nuages".

À GAUCHE :
gorge du Saut
du tigre.
CI-DESSOUS :
pont suspendu
près de Yaoqu,
au Xishuangbanna.

Au VIIIᵉ siècle, l'un des princes s'empare du pouvoir au centre du Yunnan et fonde le royaume de Nanzhao, qui s'engage pour 100 ans dans une guerre triangulaire contre les Tibétains et les Tang, visant le contrôle du sud-ouest du pays. Le Yunnan reste en dehors de la juridiction impériale jusqu'en 1253, date à laquelle Kubilaï Khan conquiert Dali, le royaume qui a succédé à celui de Nanzhao. La cour considère alors ce pays comme sauvage, dangereux et peuplé de barbares incultes – même si ces barbares sont majoritairement des Chinois han. Depuis, le Yunnan a toujours été une terre d'exil pour les mécontents, les fauteurs de troubles et les paysans de l'est de la Chine, forcés par les catastrophes naturelles de repartir de rien en jouant les pionniers aux confins du pays.

La région

Le Yunnan se distingue par sa diversité géographique et culturelle, inégalée dans le reste de la Chine. Les montagnes font partie intégrante du paysage, celles du Nord-Ouest étant les plus élevées. Au cœur de la province se dresse le plateau du Yunnan-Guizhou, à une altitude moyenne de 2 000 m. Le Nord se caractérise par une faune et une flore de type tempéré et par des saisons bien définies ; au printemps et à l'automne, on assiste à une débauche de couleurs. Le Sud est dominé par une végétation tropicale ; les collines sont peu élevées mais très escarpées, et la flore mêle bambous, palmiers et plantain aux pins et aux peupliers.

Certains des plus grands fleuves asiatiques traversent le Yunnan : le Yangzi Jiang (que les autochtones appellent, dans cette partie supérieure de son cours, le Jinsha Jiang ou fleuve aux Sables d'or) au nord, la Zhu Jiang (rivière des Perles) qui coule jusqu'à

Guangzhou, le Nu Jiang (Salween) et le Lancang Jiang (Mekong), qui serpente dans la province avant de traverser l'Asie du Sud-Est.

Pas moins de 24 minorités reconnues se sont établies dans cette province fascinante. Leurs modes de vie et leurs costumes traditionnels sont aussi variés que les environnements naturels dans lesquels elles sont installées. Elles forment 30 % de la population du Yunnan et occupent les deux tiers du territoire. Depuis 1979, elles peuvent pratiquer librement leurs religions et leurs coutumes, vivant ainsi une véritable renaissance culturelle. Leurs populations sont très accueillantes et désireuses de rencontres et d'échanges, pour peu que le voyageur sache être poli et manifester une égale ouverture d'esprit.

Kunming

La capitale, **Kunming ❶**, est installée à 2 000 m d'altitude sur la rive nord du Dian Chi, le plus grand lac de la province dont les eaux fourmillent de ferries, de bateaux de touristes et de barques de pêche. La population de Kunming (4 millions d'habitants) ne cesse d'augmenter, la ville devenant la plaque tournante des échanges économiques avec l'Asie du Sud-Est. En dépit de ces transformations, Kunming conserve un charme suranné. Grâce à l'altitude, ses étés sont frais et ses hivers doux et ensoleillés.

Dans le quartier sud-est s'élèvent deux pagodes Tang de 13 étages, **Dongsi Ta** et **Xisi Ta**, qui figurent parmi les plus vieux édifices de la ville. Au nord-est, **Yuantong Si** (ouv. tlj. de 8h à 17h30 ; entrée payante), un temple un peu plus ancien que les précédents, a été généreusement agrandi au XIVᵉ siècle afin d'intégrer des jardins ornementaux que l'on peut toujours admirer. Marchez jusqu'au **Cui Hu** (lac Vert), à proximité. Des bateaux et des pavillons aux

NOTEZ-LE

Construite par les Français il y a un siècle, une ligne de chemin de fer étroite relie Kunming à Hanoi en passant par le poste frontière de Lao Cai, au Vietnam, et par Hekou au Yunnan.

CI-DESSOUS :
femmes bai.

couleurs chatoyantes animent la surface de ses eaux et ses rives. Chaque matin, des adeptes du *taiji* et de danses de salon se regroupent sur les bords du lac pour pratiquer leur activité favorite. Un spectacle semblable se déroule dans le parc Daguan, au bout du Dian Chi, ainsi que sur la grand-place à l'intersection de Beijing Lu et Dongfeng Lu.

Carte ci-dessous

Les environs de Kunming comptent d'autres sanctuaires dignes d'une visite. À 13 km au nord-est, **Qiongzhu Si** (temple du Bambou ; ouv. tlj. de 8h à 17h ; entrée payante) est le plus bel exemple d'art et d'architecture bouddhique de la région. Il renferme 500 *luohan* (*arhat*) du XIXe siècle, chacun incarnant une vertu bouddhiste différente. À 11 km au nord de la ville, **Heilongtan** (étang du Dragon noir ; ouv. tlj. de 8h à 18h ; entrée payante), flanqué d'un temple taoïste Ming, jouxte un jardin botanique où fleurissent des camélias, des rhododendrons et des azalées. À 7 km au nord-est de Kunming, **Jin Dian** (temple d'Or ; ouv. tlj. de 8h à 17h ; entrée payante) a été édifié au sommet de la colline du Chant du phénix. Ses murs, ses colonnes, ses poutres et ses autels sont entièrement recouverts de cuivre.

La plupart des voyageurs se rendent aux monts de l'Ouest (ouv. tlj. de 8h à 17h30 ; entrée payante), à 26 km à l'ouest de Kunming. Les pèlerins commencent cette ascension de 6 km près du temple de **Huating Si**, au pied de la montagne. Ce vaste sanctuaire bouddhiste contient des reproductions grandeur nature des 500 *luohan* de Qiongzhu Si. Puis le sentier longe une forêt dense et atteint **Taihua Si**, un sanctuaire charmant aux proportions plus modestes que le précédent. La montée devient ensuite plus rude et traverse plusieurs tunnels taillés dans la roche. Elle s'achève à Longmen (porte du Dragon) et à Sanqing Ge, un pavillon taoïste (pavillon des Trois Purs).

Chacun des 500 luohan *du temple de Qiongzhu Si est unique.*

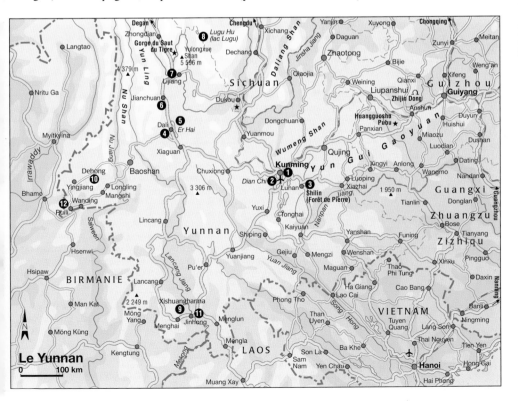

Le Yunnan

0   100 km

La forêt de pierre de Kunming, facilement accessible, est l'un des premiers sites touristiques du Yunnan.

Du pavillon, vous pouvez profiter d'un beau panorama sur le **Dian Chi** ❷. Le domaine de **Baijukou** et le temple de Guanyin se trouvent à l'ouest du lac. À l'extrémité sud du Dian Chi, la colline de **Jinning** abrite un parc et un musée consacrés à l'enfant le plus célèbre du pays, l'amiral Zheng He (*voir p. 24*). Il contient des documents et des cartes des voyages maritimes que celui-ci a entrepris au XVᵉ siècle en Asie du Sud-Est, en Inde, en Afrique et au Moyen-Orient. Le **Musée provincial du Yunnan** (ouv. du lun. au jeu. de 9h à 17h, le ven. de 9h à 14h ; entrée payante) expose l'artisanat des minorités locales, des bronzes du royaume de Dian et des vestiges préhistoriques trouvés sur place, comme des trilobites et des os de dinosaures.

Après avoir visité Kunming, la plupart des voyageurs partent découvrir les paysages plus sauvages de **Lunan**, à l'est. Il y a 270 millions d'années, un lac recouvrait entièrement les lieux. Puis des mouvements tectoniques ont soulevé la roche calcaire qui tapissait le fond du lac. Avec la pluie et l'érosion, d'étranges cheminées karstiques se sont ensuite formées, dont la hauteur varie de 5 à 30 m et que l'on peut voir disséminées à travers toute la région. Les plus spectaculaires se trouvent à 125 km de Kunming, sur le site de **Shilin** ❸ (ouv. tlj. ; entrée payante), une "forêt de pierre" de 80 ha devenue le premier site touristique de la province. Le peuple indigène des Sani a baptisé ces roches karstiques de noms fantaisistes. L'une d'elles représente leur héroïne nationale, Ashima, qui incarne toutes les vertus de la femme sani. Selon une légende, un ogre de la contrée souhaitait qu'Ashima épouse son fils. Celle-ci ayant décliné l'offre, l'ogre la kidnappa. Le frère d'Ashima vint à son secours. Pour empêcher les deux jeunes gens de fuir, l'ogre provoqua une inondation qui emporta la belle. Son âme s'est réfugiée dans le rocher qui depuis porte son nom.

Dali

À 400 km à l'ouest de Kunming, la préfecture bai autonome de **Dali** ❹ constitue depuis longtemps l'une des étapes favorites des touristes. Ils viennent découvrir les Bai et leurs voisins, les Yi, tout en profitant de la douceur du climat, de la beauté des montagnes et du **Er Hai** ❺, le deuxième plus grand lac du Yunnan. La vieille ville de Dali regorge d'auberges, de magasins et de restaurants proposant des spécialités qui n'ont rien de local (pizzas, crêpes au chocolat, etc.).

De nombreux vestiges ont été retrouvés à Dali. Ils datent du royaume de Nanzhao, qui s'étendait de l'est de la Birmanie au nord du Vietnam et s'est épanoui dans la région de 738 à 902. À la fin de cette période, les Yi, profitant de dissensions internes, se sont emparés du pouvoir ; 35 ans plus tard, un satrape bai rebaptisait le royaume du nom de Dali. Ses descendants sont restés au pouvoir jusqu'à l'arrivée de Kubilaï Khan, petit-fils de Gengis Khan, à la fin du XIIIᵉ siècle. Près de **Taihe**, la première capitale de Nanzhao, une stèle gravée retrace la composition de la population, l'organisation administrative et les relations politiques et commerciales avec la Chine des Tang.

Au nord de Dali, **Santa Si** (ouv. tlj. de 8h à 17h ; entrée payante) regroupe les monuments les mieux conservés de la période Nanzhao. Ces 3 pagodes

élancées (la plus haute et la plus ancienne mesure 70 m) et dotées d'avant-toits rapprochés serviront de modèle aux futures pagodes de la province, comme celle de l'Os du serpent près de Xiaguan, et celle de Baoshan, à 200 km au sud-ouest. Les pagodes de Santa Si ont résisté à plusieurs séismes. Ce n'est pas le cas du temple qui les a précédées sur ce site. En 1979, des fouilles ont permis d'exhumer des objets lui appartenant : bouddhas en or, phénix en argent, miroirs de bronze, ustensiles de cuivre. Vous pouvez admirer tous ces trésors au musée situé à l'arrière des pagodes. Prenez le téléphérique ou grimpez à pied jusqu'à **Zhonghe Si** (temple de Zhonge ; ouv. tlj. de 8h à 17h ; entrée payante), dans les monts Cang Shan, à l'ouest de Dali. De beaux points de vue sur le lac vous attendent.

Ne manquez pas la visite des grottes troglodytes du **Shibao Shan** (mont de la Cloche de pierre), à 130 km au nord de **Jianchuan ❻**. Elles abritent des sculptures de divinités bouddhistes, de souverains et de ministres du royaume de Nanzhao, ainsi que de gens du peuple et de marchands. Un festival de chants bai s'y déroule tous les ans au printemps.

Les Yi s'étant depuis longtemps retirés dans les collines, les Bai forment la plus grosse communauté de la région. Cultivant dans les plaines ou pratiquant la pêche, ils ont la réputation d'être d'excellents constructeurs, architectes, ébénistes et tailleurs de pierre. La langue bai fait de nombreux emprunts au chinois, mais sa grammaire diffère et les linguistes ignorent toujours comment la classer. Le mot *bai* veut dire "blanc", et les Bai se décrivent comme la nation blanche, les descendants du roi Blanc. Le mystère reste toutefois entier quant à l'origine de cette appellation. À 24 km au nord de Dali, le village de **Xizhou** propose de merveilleux exemples d'architecture bai. Plusieurs maisons sont ouvertes aux touristes.

Carte p. 313

Au XIXe siècle, Dali a servi de quartier général aux rebelles musulmans en lutte contre le gouvernement Qing. Les mosquées et les nombreux restaurants hui témoignent de la présence importante des musulmans dans la région.

Ci-dessous :
Yulongxue Shan vu de Lijiang.

À 5 km au sud de Dali, s'élève l'élégant **Guanyin Tang** (temple de Guanyin). En face de Daxiong Baodian (Grande Salle), une statue de Guanyin reçoit les hommages de 18 *luohan* charismatiques. Dans la cour intérieure, le petit temple qui lui est dédié se dresse au milieu d'un étang, que des ponts enjambent gracieusement. La déesse aurait sauvé Dali en repoussant une armée hostile à cet endroit précis. À une heure de là, dans les hauteurs, se trouve le petit **Gantong Si** (temple de Gantong).

Le nord-ouest et Lijiang

Les hautes plaines de **Lijiang** ❼ se nichent à 2 400 m d'altitude au pied du **Yulongxue Shan** (montagne enneigée du Dragon de jade). Ce massif de 5 596 m, qui compte 13 sommets coiffés de neiges éternelles, est réputé auprès des alpinistes. Sur ses pentes, pousse la moitié de la flore du Yunnan – 13 000 types de plantes, 400 arbres différents, des dizaines de sortes de fleurs – et un tiers des espèces connues d'herbes médicinales chinoises.

Les hautes plaines sont habitées depuis 1 000 ans par les Naxi, qui ont nourri la montagne de leurs mythes et de leurs légendes et donné des noms à tous ses ravins, torrents, falaises et prairies. Encore largement recouvertes d'une forêt dense, les montagnes se parent de mille couleurs au printemps lorsque fleurissent camélias, rhododendrons et azalées. Les bergers y mènent paître leurs animaux – chèvres, moutons, yaks – dans les prairies.

On aperçoit le Yulongxue Shan depuis la ville mais il est préférable de rejoindre **Heilong Tan** (étang du Dragon noir), où se reflète le massif, entre un pont de marbre et un pavillon chinois. Le parc abrite l'**Institut de recherche Dongba** – où des érudits naxi se consacrent à la traduction d'anciens

"On trouve la cité maîtresse, qui est appelée Iaci (Kunming) et qui est très grande et noble. Il y a passablement de marchands et d'artisans. Les gens sont de plusieurs sortes, car il y a des gens qui adorent Mahomet, des idolâtres, quelques chrétiens, qui sont nestoriens…"
MARCO POLO

CI-DESSOUS :
une rue du quartier de Lijiang.

manuscrits religieux –, un centre culturel proposant des expositions ainsi qu'un musée aménagé à l'intérieur de la tour des Cinq Phénix, où se dresse une statue de Sanduo, le dieu naxi de la guerre.

Carte
p. 313

Plus au nord, à **Baishui** ("eau blanche"), vous pouvez vous promenez à dos de poney ou prendre le télésiège jusqu'à Yunshanping, une très agréable prairie d'altitude (3 300 m). Plus haut, le pic Haba (5 400 m) se mesure avec son voisin, le Yulongxue Shan. La **gorge du Saut du tigre**, au fond de laquelle gronde le Jinsha Jiang, se faufile sur 16 km entre les monts Haba et la montagne enneigée du Dragon de jade. On raconte qu'au point le plus étroit de la gorge, un tigre aurait échappé à un chasseur en sautant les 30 m qui le séparaient de l'autre rive. Un sentier de randonnée, jalonné d'anciennes fermes reconverties en auberges, parcourt la gorge. Il devient dangereux en juillet et en août, à cause des glissements de terrain provoqués par les pluies.

Lijiang abrite un quartier naxi vieux de 750 ans, **Dayan**, qui a conservé son plan d'origine et son architecture. Dayan a heureusement survécu au séisme de 1996. Les dégâts les plus importants ont pu être réparés, et l'on en profita pour raser les édifices non traditionnels et les rebâtir dans le style naxi.

Les dongba *naxi, aux pouvoirs chamaniques, ont inventé une écriture pictographique.*

Originaires du nord-est du Tibet, les Naxi ont immigré dans la région il y a longtemps. Leur religion, *dongba,* évoque un culte de la nature mêlé de *bön,* la confession tibétaine qui précéda le bouddhisme. Cette religion passionne les érudits à travers le monde, notamment à cause des pictogrammes utilisés par les *dongbas* (chamans) pour la transcription des textes religieux.

Dans la société naxi, les hommes perpétuent la tradition musicale. Le premier orchestre classique naxi a été fondé sous la houlette de Kubilaï Khan. Le soir, l'ensemble de Dayan joue dans la vieille ville. Les femmes, du moins

CI-DESSOUS :
récolte de l'orge
à Zhongdian.

Selon la légende,
la pagode
de Manfeilong,
à Damenglong,
abrite l'empreinte
de pied de Bouddha.

celles de Lijiang, remplissent des fonctions très diverses : elles taillent le bois et le transportent, s'occupent du commerce, travaillent dans les champs et gèrent le budget. Les hommes demeurent toutefois les propriétaires des biens familiaux. Les femmes portent une cape en peau de mouton, taillée en forme de grenouille. Le haut noir et le bas blanc représentent la nuit et le jour et, au centre, les 7 étoiles de la Grande Ourse sont finement brodées. La femme ainsi vêtue porte "le ciel sur son dos", une expression qui symbolise ses responsabilités.

Installés au nord-ouest de Lijiang, du côté du **lac Lugu** ❽ et du bassin du Yongning, les Mosuo forment, quant à eux, une véritable société matriarcale, dans laquelle les hommes ont peu de droits et de responsabilités. La propriété foncière (maison et terre) se transmet de mère en fille et les enfants vivent dans le clan maternel. La plupart des Mosuo pratiquent encore l'*axia* : les couples ne se retrouvent que la nuit, l'homme rentrant le matin chez sa mère pour travailler. Les femmes s'occupent du travail domestique et agricole.

Au nord-est de Lijiang, le lac Lugu étire son superbe plan d'eau entre des collines parsemées de cabanes en rondins. Les Yi, repérables aux jupes tricolores et aux grands chapeaux noirs de leurs femmes, vivent dans les montagnes alentour.

Au-delà du territoire des Yi, la route monte sur le plateau tibétain à 3 500 m. **Zhongdian** affiche toutes les caractéristiques de la culture tibétaine. Les champs d'orge, les yaks et les lamas, les monastères et les drapeaux de prière... tout cela fait partie du paysage, et vous pourrez boire du thé au beurre de yak, une spécialité tibétaine. Tranchant avec le reste de la région, **Deqen**, plus au nord, est très escarpé. Les montagnes s'élancent au-dessus du Jinsha Jiang et, plus à l'ouest, le Lancang Jiang (Mekong) est dominé par le Meilixue Shan, le plus haut sommet du Yunnan (6 740 m). Zhongdian devient de plus en plus touristique du fait de ses monastères superbement restaurés, de ses paysages somptueux, fleuris en été, et de l'accueil chaleureux des Tibétains khamba.

Le Xishuangbanna et le Dehong

Tout au sud, à l'extrémité de la célèbre route de Birmanie, les préfectures de **Xishuangbanna** ❾ et de **Dehong** ❿ offrent une succession de paysages tropicaux : des plaines luxuriantes alternent avec des jungles profondes où vivent des espèces rares d'oiseaux, des serpents, des éléphants, des ours et même quelques tigres. Les essences précieuses comme le teck, l'acajou, le camphre et le santal abondent dans ces forêts. Au centre du Banna (abréviation de Xishuangbanna), entre Jinuoshan et Menglun, une bande de forêt vierge, s'étirant sur 40 km, attire les chercheurs du monde entier.

Les Dai sont les principaux habitants des plaines. Adeptes du bouddhisme du Petit Véhicule, ils ont construit un monastère ou une pagode dans chaque village digne de ce nom. La plupart ont conservé leurs modes de vie traditionnels, dont témoignent la majorité des habitations : les unes en bambou recouvertes de toits de chaume, les autres en pisé recouvertes de toits de tuile. Le festival de l'eau – le plus connu – a lieu en général à Xishuangbanna à la mi-avril (prévoyez des vêtements imperméables). L'environnement évoque celui de l'Asie du Sud-Est, qu'il s'agisse de la nourriture, des fruits, des palmiers, des nasses en

Carte
p. 313

bambou, des pousse-pousse ou des banians géants bordant les routes. Les montagnes du Banna hébergent aussi des Aini (une branche akha des Hani), des Jinuo, des Yao et des Yi. Celles du Dehong abritent surtout des Jingpo (Kachin), ainsi que dans quelques enclaves des Achang et des De'hang.

On se rend essentiellement à **Jinhong** ⓫ pour découvrir les villages et les villes des minorités ethniques des environs. Le vélo (disponible à la location) est un bon mode d'exploration. Il est également possible de participer à des excursions guidées de plusieurs jours à travers les hameaux et la jungle. Les destinations habituelles sont Ganlanba (Menghan), Mengla, Menglun, Menghai, Menghun et Xiding, mais il existe d'autres options. Les monuments, principalement bouddhistes, ne sont pas aussi extraordinaires que ceux que l'on voit ailleurs en Asie du Sud-Est. Le plus remarquable est le **temple Dai Chunman** à Ganlanba. Quelques sanctuaires méritent aussi une visite : la **pagode Manfeilong**, à Damenglong, à 70 km au sud de Jinghong, le Jingzhen Baijiaoting, au toit insolite, à 70 km à l'ouest de Jinghong, et le stupa ocre de **Mengzhe**, à 80 km à l'ouest. De juin à août, pendant la saison des pluies, le climat du Xinshuangbanna est très chaud et humide.

À quelques encablures de la Birmanie, la ville animée de **Ruili** ⓬ prospère grâce au trafic de l'héroïne. On se sent loin ici de l'autoritaire Beijing, surtout durant la vie nocturne. À l'est, sur le Shweli, **Wanding** est rattachée par un pont à la Birmanie, mais le passage est interdit aux étrangers. Même avec un visa, il vous faudra probablement aller en avion jusqu'à Yangon, depuis Kunming.

Dans la région, ne manquez pas de visiter, près de Yingjiang, la **pagode Yunyan**, le **stupa d'or** de Jiele, à 7 km à l'est de Ruili, et le **temple Wuyin Si**, de style birman, à Mangshi. ❑

CI-DESSOUS :
village du
Xishuangbanna à
la saison des pluies.

L'OUEST

*Les vastes espaces de l'Ouest, des montagnes himalayennes
aux oasis de la route de la Soie dans le Xinjiang, dissimulent
certaines des plus belles terres d'aventure de la planète.*

Aux confins du territoire chinois, le Tibet, le Qinghai, le
Gansu et le Xinjiang forment à l'ouest une région
immense et fantastique, habitée par une mosaïque de
peuples. Les distances laissent rêveur : la ville de Kashi (Kashgar)
est plus près de Bagdad qu'elle ne l'est de Beijing. Lanzhou, la
capitale du Gansu, se trouve aux portes de ce grand Ouest tout en
occupant le centre géographique de la Chine. Le Xinjiang, 3 fois
grand comme la France (ce qui en fait la plus vaste province
chinoise), partage des frontières avec 8 pays. Le Tibet et le Qinghai
sont très peu peuplés mais représentent ensemble un quart de
la surface de la Chine.

Une aura de mystère et de légende se dégage du Tibet (*Xizang* en
chinois), réfugié sur le lointain "toit du monde". Ses paysages de
haute montagne et sa culture religieuse lui confèrent une identité
unique. Malheureusement, le contrôle politique exercé par Beijing
et l'afflux massif d'immigrants han menacent son intégrité. Lhassa
et d'autres agglomérations tibétaines ont subi récemment les assauts
de la modernisation, un processus qui devrait s'accélérer avec
l'achèvement de la nouvelle ligne de chemins de fer de Golmud. Au
nord du Tibet, dont il partage la culture, le Qinghai, montagneux et
désertique, semble pour le moment échapper à cette modernisation.

La légendaire route de la Soie, qui reliait jadis l'Orient méditerranéen et l'Europe à la Chine, partait de Xi'an, dans le Shaanxi.
Elle traversait rapidement le Gansu – une province tampon entre la
Chine han classique et les terres barbares de l'Ouest. À partir de
Lanzhou, qui évoque une ville frontière, le voyageur contemporain
perçoit un avant-goût des trésors qui l'attendent plus loin.
Le monastère de Labrang à Xiahe, au sud du Gansu, est l'un des
lieux les plus envoûtants du pays. Vous ne trouverez pas mieux, si
vous n'avez pas la chance de vous rendre au Tibet, pour découvrir la
culture religieuse du pays. À la frontière ouest du Gansu, vous admirerez les splendides grottes Mogao, près de l'oasis de Dunhuang.

De là, la route de la Soie s'engage vers l'ouest. Elle se divise en
deux itinéraires, contournant par le nord et par le sud le redoutable
désert du Taklamakan. Les villes oasis ont tiré richesse et progrès
du passage de la route de la Soie, qui a également permis au bouddhisme et à l'islam de se propager dans la région. La route atteint
ensuite le Xinjiang, jadis surnommé le Turkestan chinois. Dans
cette immensité montagneuse, où alternent les glaciers et les bassins asséchés, se nichent des villes de désert mythiques
comme Turpan et Kashi. À l'est d'Ürümqi – la ville la plus continentale du monde – vous attendent des montagnes luxuriantes, qui
offrent un contraste total avec le reste de la région. ❏

PAGES PRÉCÉDENTES : palais du Potala, à Lhasa.
À GAUCHE : chameaux dans les montagnes désertiques du Xinjiang.

LE TIBET ET LE QINGHAI

*La découverte des pays vivant sur le "toit du monde" demeure
une aventure unique et inoubliable. La culture tibétaine
reste encore bien vivante, même si elle connaît
une modernisation et des changements inéluctables.*

Carte
p. 327

Le Tibet (*Xizang* en chinois) est resté longtemps impénétrable, isolé du reste du monde, dissimulé derrière les plus hautes montagnes de la planète. Pendant des siècles, cette terre mystérieuse a fait rêver d'innombrables explorateurs et aventuriers.

Depuis son ouverture au tourisme, dans les années 1980, le Tibet voit accourir du monde entier des voyageurs venus admirer le "toit du monde" (surnom de la chaîne himalayenne et de ses dépendances). Avec l'afflux massif de Chinois han, au cours de la période récente, le pays poursuit une mutation qui semble inéluctable. Lhasa se métamorphose en ville chinoise moderne : les immeubles en béton remplacent les anciens bâtiments tibétains et certains monastères sont désormais quasiment vides. La ligne de chemin de fer qui mène à Golmud au Qinghai (ouverture prévue en 2009) ne fera qu'accélérer ce processus.

Certains éléments inaltérables continuent cependant de rendre la visite du Tibet particulièrement dépaysante : l'extrême altitude rend l'air transparent ; les montagnes spectaculaires projettent des ombres immenses sur des paysages ocre s'étirant à perte de vue ; les temples étranges et mélancoliques et leurs statues de divinités à peine éclairées par des lampes au beurre de yak exhalent une odeur âcre.

Les ethnologues pensent que les Tibétains descendent d'un peuple de nomades venus d'Asie centrale. Au IIᵉ siècle, le premier roi du Tibet, Nyatri Tsenpo, inaugure une longue lignée de monarques adeptes de la religion chamaniste *bön*. Au VIIᵉ siècle, Songtsen Gampo, roi de la dynastie Yarlung, fait du Tibet un État militaire puissant ; il conquiert un vaste territoire et devient même une menace pour l'Empire chinois, l'Inde et le Népal. Le bouddhisme est alors introduit au Tibet par les épouses népalaise et chinoise de Songtsen Gampo. Le pays reste florissant jusqu'au IXᵉ siècle, où Langdarma, un leader pro-*bön*, s'empare du pouvoir. Le Tibet se divise alors en plusieurs principautés. Le bouddhisme renaît ensuite sous l'influence d'Arisha, un Indien érudit. Au XIIᵉ siècle, les abbés des grands monastères deviennent si puissants qu'ils défient les autorités séculaires. Au siècle suivant, le Tibet subit une première vague d'invasion mongole, puis les khans mongols accordent des pouvoirs séculiers aux abbés du monastère Sakya.

Au XIVᵉ siècle, le grand réformateur bouddhiste Tsongkhapa (1357-1416) fonde plusieurs monastères. Il crée la secte des Gelugpa (les Vertueux), que l'on appelle aussi la secte des Bonnets jaunes en raison de la couleur des couvre-chefs des moines. Cette nouvelle école du bouddhisme prend peu à peu l'ascendant sur toute la vie religieuse et civile du pays : ses plus hauts représentants, le dalaï-lama et le panchen-lama, sont considérés comme les incarnations des deux principaux dieux du Tibet. Au XVIIᵉ siècle, le 5ᵉ dalaï-lama fonde la théocratie de l'Église jaune ; il est soutenu par le khan mongol Gusri, qui soumet les rois tibétains adeptes de l'ancienne religion *bön* et qui établit le dalaï-lama en tant que chef spirituel et temporel du Tibet.

En 1720, l'empereur Qing Kangxi chasse les Zungar, qui ont envahi le Tibet en 1717. La Chine contrôle alors le pays et les dalaï-lamas deviennent les

*Moine tibétain.
Lhasa, la plus
grande ville du Tibet,
compte environ
200 000 habitants,
dont la moitié sont
des Chinois han.*

À GAUCHE : maison
traditionnelle
à Lhasa.

NOTEZ-LE

Lhasa se trouve
à environ 3 600 m
d'altitude et plusieurs
routes tibétaines
montent jusqu'à
5 000 m. Méfiez-vous
du mal aigu des
montagnes (MAM)
qui cause maux de
tête, vertiges, nausées
et vomissements.
Comptez 2 ou 3 jours
pour vous acclimater.
Évitez l'exercice
physique pendant cette
phase d'adaptation.

CI-DESSOUS :

Jokhang, le saint
des saints du
bouddhisme tibétain.

vassaux de l'empereur. Les résidents impériaux, que l'on appelle les *ambans*, dirigent les affaires locales. À la fin du XIXᵉ siècle, les Britanniques font des incursions au Tibet, qui devient l'enjeu de conflits entre grandes puissances. Au début du XXᵉ siècle, la Russie tsariste revendique à son tour le territoire, tandis que la Chine, ravagée par la guerre et la révolution, en perd le contrôle. Elle le regagne en 1950, un an après la prise de pouvoir par les communistes. Cette année-là, l'Armée rouge envahit le pays.

L'invasion chinoise n'entraîne pas pour les Tibétains de meilleures conditions de vie ni davantage de liberté, loin s'en faut. En 1959, une révolte est brutalement réprimée. À la fin des années 1960, la Révolution culturelle interdit toute activité religieuse. La situation semble s'améliorer après 1970, mais de violentes manifestations dénoncent la domination chinoise à la fin de la décennie 1980 et au début des années 1990. En dépit de l'absence d'incidents majeurs au cours des dernières années, le climat politique reste tendu.

Lhasa

La capitale du Tibet, **Lhasa ❶**, est la seule ville importante du Tibet et le centre du bouddhisme tibétain. Elle est située à 3 600 m d'altitude, sur les rives du **Lhasa He** – que l'on appelle aussi le Kyichu –, un affluent du Yarlung Tsangpo Jiang. Lhasa se confond de plus en plus avec une ville chinoise. Cette cité majestueuse et irréelle connaît désormais la prostitution ainsi que la pollution automobile ; depuis peu, elle est même reliée à la bourse de Shanghai. En 2001, la Chine a officialisé ses projets de modernisation du Tibet, axés sur le développement du secteur privé et du tourisme. Lhasa devrait croître de 50 % dans les 15 années à venir et il est prévu d'y construire de nombreux gratte-ciel.

Le Potala, résidence du dalaï-lama

Les toits dorés du **Potala** (Budala Gong ; ouv. tlj. de 9h à 18h ; entrée payante) attirent de loin les regards. Son site, sur le Marpori (mont Rouge), est occupé dès le VIIe siècle par le palais du roi Songtsen Gampo. En 1645, le Potala lui succède et devient la résidence des dalaï-lamas, les chefs religieux et temporels du pays. Un premier bâtiment, le **palais Blanc**, est édifié ; 50 ans plus tard, lui est adjoint le **palais Rouge**, qui s'élance telle une tour au-dessus de la masse blanche des premiers édifices. L'ensemble du complexe mesure 400 m d'est en ouest et 350 m du nord au sud. Les 13 étages contiennent près de 1 000 pièces, aux plafonds soutenus par plus de 15 000 colonnes. Le **palais Rouge**, qui sert de résidence privée au dalaï-lama, regroupe des salles de cérémonie, 35 petites chapelles, 4 pièces de méditation et les chambres funéraires de 8 dalaï-lamas. Celle du 5e dalaï-lama est ornée de 4 t d'or et incrustée d'innombrables diamants, turquoises, coraux et perles. Au nord-est du bâtiment, la chapelle d'**Avalokitesh-vara**, dans la partie la plus ancienne, serait un vestige du palais originel de Songtsen Gampo. Elle contient les statues du roi, de sa femme chinoise, Wen Cheng, et de son épouse népalaise, Bhrikuti. N'oubliez pas de monter sur le toit du Potala, vous découvrirez une vue magnifique sur la vallée et la vieille ville.

Mokhang, cœur du bouddhisme tibétain

Vous pénétrez dans le temple **Jokhang** (Dazhao Si ; ouv. tlj. de 8h à 20h ; entrée payante pour le temple intérieur) par une salle de prière aux colonnes rouges. Envahi par les fumées d'encens, c'est le plus sacré de tous les sanctuaires tibétains. Son bâtiment principal, qui suit le plan quadrangulaire d'un mandala, date du VIIe siècle. Il a été conçu pour abriter une statue de Bouddha, offerte par

Le Tibet dispose de ressources naturelles, parmi lesquelles l'or, le lithium et le chrome, mais leur extraction pose de nombreuses difficultés techniques.

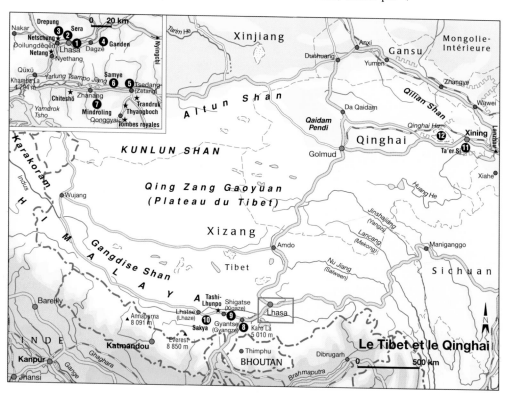

Le Tibet et le Qinghai

l'empereur de Chine pour le mariage de la princesse chinoise Wen Cheng avec le roi Songtsen Gampo. Ce bouddha, Jowo en tibétain, a donné son nom au temple : Jokhang veut dire "salle de Jowo". Quatre toits dorés coiffent les salles les plus importantes : Jowo, Avalokiteshvara, Maitreya et Songtsen Gampo.

La statue en or de Jowo est sertie de pierres précieuses et souvent recouverte de tissus de brocart et de rubans de soie. À ses pieds, des lampes en argent massif, remplies de beurre de yak, brûlent jour et nuit. Il est impossible de savoir avec certitude si la statue est d'origine (VIIe siècle), car beaucoup d'objets de culte ont été détruits pendant la Révolution culturelle, puis remplacés par des copies.

Du toit du Jokhang on aperçoit le Potala et le **Barkhor**, l'allée rituelle entourant le Jokhang et le Tsuglagkhang. Cette allée est parcourue par les pénitents qui font le tour du temple en s'allongeant dans la poussière, se relevant puis se prosternant à nouveau. D'autres font constamment tourner leurs moulins à prière. Des moines pèlerins méditent au bord de l'allée, entre les étals de marchands, et offrent des prières spéciales contre une obole. Lingkhor, l'ancienne voie rituelle, était plus longue (elle faisait tout le tour de la ville), mais la construction de nouveaux immeubles en a coupé le tracé. Les pèlerins devaient autrefois se prosterner sur ce chemin avant de pouvoir entrer dans la ville.

À l'entrée du Jokhang, le long du Barkhor, un saule pleureur marque depuis 1985 l'endroit où, en 641, une princesse chinoise planta un premier saule en symbole d'amitié. Devant l'entrée du temple, le sol pavé porte l'inscription d'un traité d'amitié sino-tibétain datant de 821.

Résidence d'été du dalaï-lama

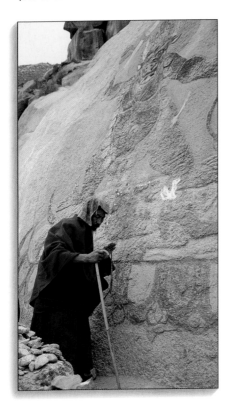

À environ 7 km à l'ouest de la ville, **Norbulingka** (jardin de la Pierre précieuse ; ouv. tlj. de 9h à 12h30 et de 14h30 à 18h ; entrée payante) a été construit sur les ordres du 7e dalaï-lama pendant la seconde moitié du XVIIIe siècle. Depuis, il sert de résidence d'été aux dalaï-lamas. Le nouveau palais d'Été, édifié pour le 14e d'entre eux et achevé en 1956, est le mieux conservé. À l'étage supérieur, décoré de fresques, une salle d'audience, ouverte aux visites, est ornée de peintures relatant l'histoire du peuple tibétain. On peut aussi pénétrer dans la pièce de méditation et la chambre à coucher du dalaï-lama. Le trône du roi-dieu se trouve dans la salle de réception, où des fresques retracent des épisodes de la vie du 14e dalaï-lama et des légendes sur Bouddha et Tsongkhapa. Les autres bâtiments du parc incluent les résidences du 8e et du 13e dalaï-lama, et le palais Drunzig, qui contient une bibliothèque et un bureau.

Au nord de la ville, près du Barkhor, **Ramoche** (ouv. tlj. de 9h à 18h ; entrée payante) est vraisemblablement le plus ancien monastère de Lhasa. Il aurait été construit pendant la première moitié du VIIe siècle pour abriter une statue offerte au Tibet par la femme népalaise du roi Songtsen Gampo. Plus tard, lors du mariage du roi avec la princesse chinoise Wen Cheng, on y plaça également le bouddha Jowo (*voir ci-dessus*) avant de l'installer au Jokhang. Le temple, restauré et rouvert en 1958, a subi des dégâts importants durant la Révolution culturelle. Aujourd'hui rénové, il héberge à nouveau des moines.

Les piliers de l'État théocratique sont Sera, Drepung et Ganden, 3 grands monastères considérés comme les centres vitaux de l'école des Bonnets jaunes. À 5 km au nord de Lhasa, au pied des montagnes qui dominent la vallée, **Sera ❷** (Sela Si ; ouv. tlj. de 9h à 12h et de 14h à 16h ; entrée payante) a été construit en 1419 par un disciple de Tsongkhapa, sur le lieu même où, dans une petite hutte, le maître avait passé des années à étudier et à méditer. Pendant sa période la plus active, près de 5 000 moines vivaient dans le monastère, qui jouissait d'une haute réputation académique. De nos jours, ils ne sont plus que 300. Les principaux bâtiments ont survécu à la Révolution culturelle.

Sur la route de Drepung, à 10 km à l'ouest du centre de la ville, le petit **monastère Netschung** logeait autrefois l'oracle de l'État du Tibet. Cette fonction était accessible aussi bien aux laïcs qu'aux religieux. Le devin était consulté avant toute décision, la consultation intervenant après que les prêtres étaient entrés en état de transe. Le dernier des oracles de Netschung s'est exilé en Inde avec le dalaï-lama.

Le **monastère de Drepung ❸** (Zhebang Si ; ouv. tlj. de 9h à 18h ; entrée payante), construit en 1416 par un disciple de Tsongkhapa, est longtemps resté le siège politique de la secte des Bonnets jaunes. Les prédécesseurs du 5e dalaï-lama y vivaient avant de s'installer au Potala. Il contient les stupas des 2e, 3e et 4e dalaï-lamas. À son apogée, ce fut vraisemblablement le plus grand monastère du monde : il aurait hébergé jusqu'à 10 000 moines. La partie inférieure ne comprend que des ermitages et des réserves. Un peu plus haut, les salles de prière et le *dukhang* (salle de réunion) abritent des statues et des documents précieux. Prenez votre temps pour découvrir les lieux, la raréfaction de l'oxygène rend la visite fatigante.

Carte
p. 327

*Yama, le dieu
de la mort, s'attaque
à la roue de la vie.*

CI-DESSOUS :
porte rouge et or
d'un monastère.

À 40 km au nord-est de Lhasa, **Ganden ❹** (ouv. tlj. de 9h à 12h et de 14h à 16h ; entrée payante) est le 3ᵉ grand monastère de la secte de Gelugpa. Ce sanctuaire du bouddhisme tibétain a été établi en 1409 par Tsongkhapa, fondateur réformateur de l'école des Bonnets jaunes. Ses bâtiments ont été rasés pendant la Révolution culturelle et il ne reste presque rien de ses trésors. Face aux vestiges, il est difficile d'imaginer que 5 000 moines ont vécu là. Les reconstructions, qui ont débuté en 1985, se limitent pour l'instant aux principaux édifices, notamment au mausolée de Tsongkhapa, reconnaissable à ses murs rouges. Plusieurs centaines de moines sont revenus vivre dans le monastère.

Vallée du Yarlung

À 2 heures de bus vers l'est en partant de l'aéroport de Gonggar, au sud de Lhasa, **Tsedang ❺** (ou Zetang) sert de point de départ à la découverte des tombes des rois tibétains, dans la vallée du Yarlung, et des monastères Samye et Mindroling. Selon une légende, la ville de Tsedang aurait été édifiée à l'endroit où le bodhisattva Avalokiteshvara serait descendu du ciel sous la forme d'un singe et aurait engendré le premier Tibétain avec l'aide d'une femme démon. À quelque 7 km au sud de Tsedang, sur la route de la vallée du Yarlung, Khrabrug est l'un des plus anciens monastères bouddhistes du pays. Il aurait été construit sous le règne du roi Songtsen Gampo. Après la Révolution culturelle, les bâtiments ont été reconvertis en ferme.

À environ 30 km de Tsedang se trouve le lieu de sépulture des rois de la lignée de Yarlung, qui régnèrent sur le Tibet de 627 à 842. Les petits monticules qui abritent les tombes sont à peine visibles. Le plus grand, coiffé d'un petit temple, serait celui de Songtsen Gampo. **Yumbulagang** (ouv. tlj. de 8h

Les Tibétains seraient les descendants des tribus Turan et Tangut, originaires d'Asie centrale, et arrivées au Tibet par le nord. Ils se sont installés dans la vallée du Yarlung Tsangpo et se sont mêlés à la population locale.

CI-DESSOUS : pèlerins Yarlung franchissant le Tsangpo pour se rendre au monastère Samye.

à 18h; entrée payante), qui semble faire partie intégrante de la colline, serait l'un des rares édifices remontant aux origines de la nation tibétaine. Transformé de bonne heure en chapelle bouddhiste, il est tombé en ruine pendant la Révolution culturelle. Sa reconstruction date de 1982.

Carte
p. 327

Le plus vieux monastère du Tibet

En partant de Tsedang, vous pouvez visiter le plus ancien monastère du pays, **Samye ❻** (ouv. tlj. de 9h à 12h30 et de 15h à 17h; entrée payante). Vous devrez d'abord traverser le Yarlung Tsangpo en ferry, à 35 km à l'ouest de Tsedang, puis effectuer 30 min de route en camion. Samye aurait été fondé autour de 770 par le maître indien Padmasambhava. Considéré comme le père du lamaïsme, il aurait réussi à triompher des dieux démons de la religion *bön*. De nombreux dieux démons des monastères tibétains se réfèrent à ces divinités *bön*. Le plan du site est conforme à celui d'un mandala, qui reflète la vision cosmogonique du bouddhisme tibétain. Au centre, le temple principal symbolise un sommet bouddhiste mythique, le mont Meru, et 4 petites chapelles ont été édifiées aux 4 points cardinaux. Le site est entouré d'un mur encore partiellement debout.

À quelque 60 km à l'ouest de Tsedang, le **monastère Mindroling ❼** (ouv. tlj. de 9h à 17h; entrée payante), que vous pouvez aussi visiter en allant vers Lhasa ou en repartant, appartient aux Nyingma, l'ordre le plus ancien du pays, fondé par Padmasambhava.

L'itinéraire qui part de Lhasa vers Mindroling et au-delà, *via* Gyantse et Shigatse (Xigaze), est d'une grande beauté. La route commence par serpenter le long du Yarlung Tsangpo et monte jusqu'à **Kampa La**, à 4 800 m. En franchissant le col, on peut admirer d'un côté la vallée du Yarlung et de l'autre les eaux

Avant l'invasion du Tibet par la Chine, en 1950, le pays possédait environ 2 000 monastères importants qui hébergeaient 110 000 moines bouddhistes. Il ne reste que 1 700 monastères et 64 000 moines.

CI-DESSOUS :
le *dagoba* Kumbum de Gyantse.

bleu-vert du **lac Yamdrok**, une centaine de mètres en contrebas. La route longe la rive du lac pendant plusieurs kilomètres. Sur la rive opposée, elle s'engage ensuite en une série de lacets escarpés jusqu'à **Karo La**, à 5 000 m.

La chaussée traverse des petits villages et des vallées fertiles, où paissent des troupeaux et des yaks. À 265 km au sud-ouest de Lhasa, **Gyantse ❽**, sur la rive nord du Nyangchu, est la 3e ville du pays. Sa situation stratégique – entre Shigatse et Lhasa et sur les itinéraires commerciaux vers l'Inde, le Sikkim et le Bhoutan – a rendu cette cité incontournable. En 1910, un diplomate anglais comparait le marché de Gyantse (qui s'épelle aussi Gyangze) – où l'on trouvait du whisky écossais et des montres suisses – à Oxford Street (une rue marchande de Londres).

Au loin, vous apercevez **Dzong**, les vestiges d'une forteresse édifiée sur une colline, qui fut attaquée et détruite en 1904 par une expédition anglaise. Depuis 1985, le site est ouvert aux touristes.

Palkhor Tschöde (ouv. du lun. au sam. de 9h à 12h et de 15h à 18h ; entrée payante), ceint d'un mur circulaire, a été le siège de plusieurs monastères appartenant à différentes sectes. Au centre du complexe s'élève le *dagoba* **Kumbum**, qui mesure 32 m de haut. C'est un exemple unique d'architecture tibétaine. Construit comme un mandala à 3 dimensions, il symbolise le mont Meru. La structure centrale qui couronne le stupa est une chapelle dédiée à Bouddha. Ici également, 4 oratoires sont placés aux 4 points cardinaux. Les autres sanctuaires sont répartis sur les 4 étages. Le sentier menant au cœur du site symbolise le chemin spirituel qu'un bouddhiste doit parcourir pour être sauvé. Érigé durant la première moitié du XVIIe siècle, le stupa a traversé des siècles d'histoire tourmentée.

Broche à cheveux en argent et turquoise.

CI-DESSOUS :
panorama
depuis Dingri.

Shigatse, fief du panchen-lama

À 360 km à l'ouest de Lhasa, sur la rive orientale du Yarlung Tsangpo, **Shigatse** ❾ (Xigaze) était la capitale provinciale du Tsang, dans le Tibet ancien. Puis la ville est devenue le siège du panchen-lama, la deuxième autorité du lamaïsme. Ce titre, qui signifie "grand érudit", est conféré pour la première fois au XVIIᵉ siècle par le 5ᵉ dalaï-lama ("Océan de sagesse") qui l'accorde à son précepteur du monastère de Tashi-Lhunpo. Si le dalaï-lama est l'incarnation d'Avalokiteshvara, le panchen-lama est celle du Bouddha Amithaba : dans la hiérarchie céleste, son rang est plus élevé. Les Russes, les Britanniques et les Chinois ne se sont d'ailleurs jamais privés d'exploiter les rivalités qui ont pu exister entre les deux sages pour servir leurs visées colonialistes.

Le monastère de **Tashi-Lhunpo** (ouv. tlj. de 9h à 12h et de 15h30 à 17h ; entrée payante), résidence officielle du panchen-lama, a été fondé en 1447 par un disciple de Tsongkhapa. Il sera considérablement agrandi aux XVIIᵉ et XVIIIᵉ siècles. Près de 4 000 moines y résidaient alors, contre seulement 600 aujourd'hui. Le bâtiment principal est le **temple de Maitreya**, un sanctuaire construit en 1914 par le 9ᵉ panchen-lama. Le bâtiment de pierre rouge abrite la statue dorée de Maitreya, le Bouddha du futur (26 m).

Ne manquez pas la chambre funéraire du 4ᵉ panchen-lama. Édifiée en 1662, elle est décorée de 85 kg d'or, 15 t d'argent et d'innombrables pierres précieuses. Les toits dorés des chapelles des panchen-lamas décédés dominent l'ensemble du monastère. À l'ouest de la ville, dans un vaste parc, se dresse le palais du 7ᵉ panchen-lama. Il est difficile de le visiter, depuis sa restitution au 10ᵉ panchen-lama (*voir ci-contre*) dans les années 1980. En outre, les actuels moines résidents n'apprécient guère l'intrusion des touristes.

 Carte p. 327

En 1993, 4 ans après la mort du 10ᵉ panchen-lama, le gouvernement chinois propose au dalaï-lama de l'aider dans la recherche de son successeur, puis récuse le choix du dalaï-lama et nomme un autre enfant à sa place. Le successeur désigné par le dalaï-lama est toujours emprisonné à Beijing.

CI-DESSOUS :
nouvelle voie ferrée, menant au Tibet.

UN TRAIN SUR LE TOIT DU MONDE

La Chine, qui désire développer ses régions de l'Ouest, construit actuellement une ligne de chemin de fer entre Golmud, à l'ouest du Qinghai, et Lhasa, la capitale du Tibet. Cette voie de 1 120 km, qui traversera du permafrost (sol gelé) sur la moitié de son parcours, devrait être achevée en 2009, pour un coût total de 26 millions de RMB. Son tracé a été élaboré après mûre réflexion. D'autres tracés prévoyaient de passer par le Yunnan, le Gansu et le Sichuan, mais ils ont été abandonnés en raison de leur coût trop élevé.

Cette ligne de chemin de fer pourrait avoir un impact négatif sur le milieu fragile de la région tibétaine, même si l'agence d'État de protection de l'environnement a garanti qu'elle éviterait certaines réserves naturelles importantes. Elle traverse en outre une zone sismique.

Le projet aura pour conséquence probable une colonisation accrue du Tibet par les Chinois han et une dilution accélérée de sa culture, sur le modèle de ce qu'ont connu la Mongolie-Intérieure et certaines parties du Xinjiang. Malgré d'indéniables retombées économiques positives, l'accès au "toit du monde" menacera indéniablement l'identité du Tibet.

Carte
p. 327

L'Himalaya est la plus jeune chaîne de montagnes du monde. Elle est née d'un déplacement de la plaque indienne vers le nord, il y a environ 40 millions d'années. Son site était auparavant occupé par l'un des plus grands océans de l'histoire terrestre.

CI-DESSOUS : yaks en train de paître près du lac Qinghai.
À DROITE : femme tibétaine.

On atteint **Sakya** ❿, à environ 145 km au sud-ouest de Shigatse, par une route qui passe 2 cols à haute altitude, d'où l'on peut apercevoir, par temps clair, le **sommet de l'Everest**. Le **monastère de Sakya** (ouv. du lun. au sam. de 9h à 12h et de 16h à 18h ; entrée payante) tient une place spéciale dans l'histoire du Tibet. Sa fondation, en 1073, marque la création d'une nouvelle école du bouddhisme, celle de Sakyapa (Terre claire), dont le chef spirituel est une incarnation du bodhisattva Manjusri. À partir de 1247, date à laquelle le khan mongol Göden fait du supérieur du monastère, Sakya Pandita, le vice-roi du Tibet, le chef spirituel de la secte Sakya a régné sur la plus grande partie de la région située à l'ouest de Shigatse. L'actuel supérieur, Sakya Trizin, vit toutefois en exil en Inde.

Les bâtiments du monastère de Sakya sont gris foncé, ornés de bandes horizontales blanches sous le toit, et de rayures verticales rouges sur les coins. La partie sud a été épargnée par la Révolution culturelle, mais celle du nord a été presque entièrement rasée. Certains bâtiments ont été reconstruits depuis.

Pour revenir à Lhasa, à moins que vous n'ayez prévu de passer par le Népal, vous pouvez envisager de prendre la route du Nord, qui traverse une région de pâturages fréquentée par des nomades. Cette route franchit un col à 5 300 m, sous un sommet couronné d'un glacier.

Le Qinghai

Le Qinghai, qui jouxte le Tibet, le Xinjiang, le Gansu et le Sichuan, occupe une partie du plateau du Tibet à une altitude moyenne de 4 000 m. C'est l'une des provinces les moins visitées et les plus pauvres du pays. Les étés y sont chauds, les hivers froids et secs. Cette circonscription doit son nom au vaste Qinghai Hu (lac de la Mer verte). Plusieurs groupes de minorités rebelles, notamment des Hui, des Tibétains, des Mongols et des Kazaks, peuplent cette immense zone de montagnes et de plateaux. Rattaché géographiquement au Tibet, le Qinghai a de tout temps accueilli des nomades et, depuis peu, des prisonniers politiques. Les efforts du gouvernement pour développer l'Ouest ont peu d'effets sur le Qinghai : c'est donc une destination de choix pour les amateurs de terres inconnues.

La capitale, **Xining**, possède une grande mosquée de style chinois qui est l'une des plus belles du pays. Xining dessert deux des principaux sites touristiques de la province : à 25 km de Xining, le premier, **Ta'er Si** ⓫ (ouv. tlj. de 8h à 16h ; entrée payante), figure parmi les grands monastères tibétains situés hors du Tibet. Il fut le lieu de naissance de Tsongkhapa, le fondateur de la secte de Gelugpa, ce qui lui valut d'être dévasté par les gardes rouges pendant la Révolution culturelle. Il a été restauré dans les années 1980. La salle de Sculpture en beurre est décorée de bas-reliefs en beurre de yak illustrant des mythes tibétains et des récits bouddhistes. Le second site, à 150 km à l'ouest de Xining, est **Qinghai Hu** ⓬ (Koko Nor en mongol), le plus grand lac de Chine, qui accueille l'été des nuées d'oiseaux migrateurs, notamment sur son île aux oiseaux. Les voyageurs qui prennent le train ou le bus entre Golmud et Xining peuvent contempler le lac au passage. ❑

LES NOMADES DU BOUT DE LA CHINE

Loin des villes industrielles, les peuples nomades continuent de mener leur vie errante à travers les prairies et les déserts du nord et du nord-ouest de la Chine.

Les nomades de Chine, qui appartiennent pour la plupart aux groupes minoritaires, sont très attachés à leur passé et à leurs traditions, et leur mode de vie reste presque entièrement soumis aux lois et aux aléas de la nature. Les tribus du Nord et de l'Ouest, qui ont de fortes velléités d'indépendance, ont toujours posé problème aux dirigeants chinois. Dans le Nord-Ouest, les Kazakhs, les Kirghizes et, dans une moindre mesure, les Tadjiks parcourent la région autonome du Xinjiang ; leur cohabitation avec les Chinois han est parfois difficile.

LA VIE DES KAZAKHS

Comme leurs frères mongols, les Kazakhs sont des pasteurs nomades (*voir p. 337*). Leur existence est rythmée par la migration saisonnière de leurs troupeaux de moutons, de chevaux, de chèvres et de bovins. Les tribus vivent dans des yourtes, des tentes rondes à armature de treillage, recouvertes de feutrine et de peaux et dont le démontage et le pliage s'effectuent très rapidement. Une ouverture centrale laisse pénétrer la lumière à l'intérieur de la yourte, qui est décorée de tissus brodés très colorés et de superbes tapisseries et tapis.

D'avril à octobre, lors des migrations, les Kazakhs plantent habituellement leurs yourtes au pied du Tian Shan, où ils font paître leur bétail. L'hiver, ils se retirent dans des vallées où ils vivent dans des maisons d'adobe. Les Kazakhs musulmans se nourrissent principalement de la viande et des laitages de leurs troupeaux et boivent du thé au lait.

◁ **MAISON MOBILE**
La yourte, qui se démonte facilement, convient parfaitement à la vie nomade. Les Kazakhs les plus riches ornent les toits de broderies.

△ **INTÉRIEUR D'UNE YOURTE**
Il se dégage de l'intérieur d'une yourte une atmosphère extrêmement chaleureuse et accueillante. Les Kazakhs sont très fiers de leur habitat, dont ils savent utiliser l'espace avec talent.

◁ **LAC DE KARAKUL**
L'été, les nomades kirghizes arpentent les pâturages des magnifiques montagnes du Pamir, comme ici près du lac de Karagul.

△ **UN BERGER ET SON AGNEAU**
Presque tous les nomades de Chine sont éleveurs.

▽ **BOUZKACHI**
Scène de *bouzkachi* dans le désert du Taklamakan, au Xinjiang. Au cours de cette joute équestre, les cavaliers se disputent une carcasse de chèvre. Les festivités offrent aux jeunes Kazakhs l'occasion de se rencontrer.

ENFANTS DE GENGIS KHAN

Les Mongols – les nomades les plus célèbres de l'histoire chinoise – ont régné pendant un siècle sur le plus vaste empire de tous les temps. Le destin de ces peuplades itinérantes divisées en bandes disparates bascule lorsqu'en 1206 l'un de leurs chefs, Gengis Khan, rassemble plusieurs tribus concurrentes et se lance dans une conquête féroce de l'Asie et de l'Europe orientale. Grâce à leur maîtrise équestre inégalée, acquise par des générations de pratique dans les vastes plaines de l'Est, les Mongols parviennent à vaincre des armées 10 fois plus importantes que les leurs. Ils sèment la terreur partout où ils passent.

En 1279, Kubilaï Khan, le petit-fils de Gengis Khan, fonde la dynastie des Yuan. À la fin du XIIIe siècle, celle-ci contrôle un territoire qui s'étend de la mer Jaune à la mer Caspienne.

Aujourd'hui, certains Mongols se sont sédentarisés dans des villes comme Hohhot (Mongolie-Intérieure). Mais la plupart restent nomades et conservent leurs traditions bien vivaces. La fête annuelle du *nadam* se célèbre dans de vastes prairies où se mesurent archers, cavaliers et lutteurs.

LA ROUTE DE LA SOIE

Pendant des siècles, la route de la Soie a servi de voie d'échanges commerciaux et culturels entre l'Orient et l'Occident. En Chine, elle s'enfonce vers la frontière occidentale du pays à travers la province fascinante du Xinjiang.

Carte p. 342

Pour explorer l'immense Nord-Ouest, les voyageurs peuvent suivre les traces de la légendaire route de la Soie. Utilisé pour la première fois par un géographe allemand à la fin du XIXᵉ siècle, le terme désigne l'ensemble des routes caravanières qui ont relié la Chine centrale au monde méditerranéen depuis l'Antiquité. La soie, connue de l'Occident dès le IVᵉ siècle av. J.-C., était la principale marchandise circulant tout au long de cet itinéraire d'environ 10 000 km, mais elle n'était pas la seule : les caravanes échangeaient aussi épices, papier, porcelaine, chevaux, etc. La Route permit également aux idées de voyager : c'est grâce aux marchands et aux pèlerins en provenance de l'Inde que le bouddhisme fut introduit en Chine au Iᵉʳ siècle.

La route de la Soie connaît sa dernière période florissante au XIIIᵉ siècle, époque où son parcours est entièrement intégré à l'immense Empire mongol. Elle demeure la principale liaison entre l'Orient et l'Occident jusqu'à l'ouverture, au XVᵉ siècle, de la voie maritime vers l'Asie passant par l'Inde.

En Chine, elle part des anciennes capitales de Luoyang et de Xi'an (Chang'an à l'époque), dans le Henan et le Shaanxi, rejoint le Huang He (fleuve Jaune) à Lanzhou, puis s'enfonce vers l'ouest à travers les plateaux du **désert de Gobi** (*voir ci-contre*). Elle se divise en deux branches, nord et sud, à l'oasis de Dunhuang. L'itinéraire nord rejoint Hami, une autre oasis, puis serpente le long du Bogda Shan, jusqu'à l'oasis de Turpan. Il s'approche ensuite d'Ürümqi, franchit plusieurs cols dans le Tian Shan jusqu'à Korla, pour arriver à Kashi (Kashgar). L'itinéraire sud part de Dunhuang, entre les oasis du fleuve sur le versant nord du Kunlun Shan (Altyndagh) et le désert du Taklamakan Shamo, au Tarim Pendi (bassin du Tarim). De nos jours, on peut faire le trajet nord en train de Beijing à Kashi.

Lanzhou

Encerclée de montagnes, **Lanzhou** ❶ est une ville extrêmement polluée (le gouvernement local commence même à aplanir certaines hauteurs pour améliorer la qualité de l'air). Néanmoins, elle reste agréable et peut se flatter de posséder un musée excellent (*voir ci-dessous*) ainsi qu'une gastronomie raffinée (les *niurou lamian* – nouilles au bœuf – sont savoureuses). Pour bénéficier d'une vue d'ensemble de la ville, rejoignez **Baita Shan** (colline de la Pagode blanche), au nord du Huang He, un parc charmant couronné du temple de la Pagode blanche, ou bien **Gaolan Shan**, au sud de la ville, une chaîne de montagnes aux sommets accessibles en télésiège. Situé dans la périphérie ouest, le **Gansu Sheng Bowuguan** (Musée provincial ; ouv. du lun. au sam. de 9h à 12h et de 14h30 à 17h30 ; entrée payante) mérite que vous lui consacriez quelques heures : sa collection d'objets du Gansu et de la route de la Soie est superbe ; elle couvre une large période allant des cultures Dadiwan (8 000 av. J.-C.) jusqu'aux Yuan (1279-1368). Ne manquez pas le Cheval volant de Wuwei (*voir page suivante*) – le clou du musée –, ainsi qu'une carte retraçant toutes les routes caravanières utilisées au plus fort des échanges commerciaux Est-Ouest. Le musée abrite aussi un immense fossile de mammouth, dont les défenses sont intactes.

Le désert de Gobi, l'un des plus grands du monde, couvre 1,3 million de km² et possède de grandes réserves de charbon et de pétrole. Il est réputé pour ses tempêtes de sable, et l'on ressent sa présence jusqu'à Beijing (à 95 km seulement, à l'ouest), surtout au printemps, lorsqu'une poussière fine soufflée par les vents du Nord-Ouest envahit les rues. Le désert de Gobi progresse vers le sud et vers l'est.

PAGES PRÉCÉDENTES : l'ouest de la Chine reste presque entièrement sauvage et désert.

À GAUCHE : jeune fille d'Ürümqi.

Le monastère de Labrang à Xiahe est la plus grande lamaserie en dehors du Tibet – et la plus spectaculaire.

Plusieurs sites régionaux peuvent être explorés au départ de Lanzhou. À 140 km, **Bingling Si** (grottes des Mille Bouddhas ; ouv. tlj. de 9h à 17h ; entrée payante) regroupe plusieurs cavités taillées dans une falaise haute de 60 m. Elles sont décorées de sculptures, de fresques et de statues bouddhiques. Maitreya, Bouddha du futur, y tient la vedette (27 m). Attention : l'accès aux grottes les plus intéressantes est onéreux et le trajet jusqu'à Bingling Si assez compliqué. Des agences locales organisent des excursions d'une journée (bateau et bus).

Rendez-vous à **Xiahe ❷**, à 175 km au sud-ouest de Lanzhou – prenez un car assurant la liaison directe (6h) ou changez à Linxia –, pour visiter le **monastère de Labrang** (ouv. tlj. de 8h à 19h ; entrée payante). Cette lamaserie de la secte des Bonnets jaunes (*voir p. 325*), très impressionnante, occupe la deuxième place parmi les 6 que compte la Chine. Elle héberge plus de 2 000 moines, compte 6 académies et abrite d'importantes reliques bouddhistes ainsi que 10 000 livres tibétains. Les prairies et les montagnes alentour, fréquentées par les nomades, invitent à la randonnée.

De Lanzhou à Jiayuguan

Prenez le temps de découvrir, en train ou en voiture, l'étonnant paysage de lœss et de désert s'étendant de Lanzhou à Jiuquan, une ancienne ville de garnison située à la croisée des chemins. Vous apercevrez les cimes enneigées du **Qilian Shan** se dressant au sud dans le lointain. En arrivant dans la vieille cité administrative et militaire de **Wuwei ❸**, capitale de district depuis 115 av. J.-C., le train s'engage dans un long couloir plat de 800 km. C'est ici qu'a été découvert, en 1968, le célèbre Cheval volant des Han de l'Est que l'on peut admirer au Musée provincial du Ganzu, à Lanzhou (*voir p. 341*).

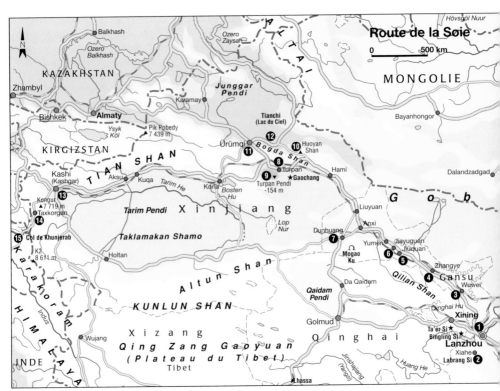

Route de la Soie

0   500 km

Ville de garnison fondée en 121 av. J.-C., **Zhangye ❹**, capitale du district qui porte son nom, vous attend 140 km plus à l'ouest. **Dafo Si** (temple du Grand Bouddha ; ouv. tlj. de 7h30 à 18h30 ; entrée payante) abrite le plus grand bouddha couché de Chine (35 m). La pagode de bois de Zhangye (Muta) date des Tang. Seuls les deux derniers des 8 étages sont en bois.

À 200 km à l'ouest, **Jiuquan ❺**, ville industrielle florissante, a été fondée en tant qu'avant-poste militaire en 111 av. J.-C. De 127 à 102 av. J.-C., les empereurs Han ont relogé ici un million de familles rurales, notamment les quelque 700 000 victimes d'une inondation au Shandong. La vieille ville, qui se déploie autour des tours de la Cloche et du Tambour, cède peu à peu la place aux constructions modernes. Non loin de Jiuquan, une zone désertique accueille la base de lancement des fusées Longue-Marche, site clé de l'ambitieux programme spatial mis au point par la Chine depuis quelques années.

Un peu plus de 30 km à l'ouest, l'imposante forteresse **Jiayuguan ❻**, restaurée depuis peu, s'élève à 1 800 m au-dessus du niveau de la mer. Achevée 4 ans après l'avènement des Ming (1372), remaniée vers 1507 puis sous les Qing, elle marque l'extrémité ouest de la Grande Muraille. Son enceinte carrée de 10 m de haut, gardée par deux portes, occupe un site stratégique sur le col reliant les monts Qilian Shan et Bei Shan. Deux tours de 17 m de haut, datant de la fin des Ming et du début des Qing, dominent l'ensemble. Le dernier tronçon de la Grande Muraille *stricto sensu*, construit sous les Ming, s'étend de part et d'autre de la forteresse. Il grimpe jusqu'aux contreforts du Qilian Shan au sud et jusqu'à ceux du Bei Shan au nord. À l'entrée sud du fort, se dresse une estrade surélevée qui ressemble à un pavillon. Autrefois, on y donnait des spectacles que les dignitaires avaient l'habitude de regarder

Carte p. 342

NOTEZ-LE

De Lanzhou, les trains allant vers l'ouest s'arrêtent à Jiayuguan (11h), Liuyuan/Dunhuang (20h) et Daheyan/Turpan (30h). Passez par une agence de voyages pour réserver des places en wagon-lit, car vous ne pourrez le faire de la gare.

Ci-dessous : promenade solitaire.

Près de Jiayuguan, un fort restauré de la Grande Muraille.

du bâtiment lui faisant face à droite. Sur le côté ouest, un monument de 1809 porte l'inscription "La forteresse la plus puissante du monde". Au dire de nombreux visiteurs cependant, elle déçoit. Vous pouvez vous contenter de l'apercevoir depuis le train pour Liuyuan. Mais si vous tenez absolument à découvrir l'extrémité ouest de la Grande Muraille, ne prévoyez pas plus d'une demi-journée sur place.

Au nord-est de Jiayuguan, le site de **Weijin Bihua Mu** regroupe 8 tombes datant de l'époque Wei (220-265) et Jin (265-420). Elles contiennent des fresques représentant des scènes de la vie quotidienne. Avant d'entreprendre le déplacement, sachez qu'une seule tombe est ouverte au public.

Dunhuang

À **Liuyuan**, la route de Dunhuang vire au sud-ouest et tourne le dos à la ligne de chemin de fer (attention : la gare de Liuyuan figure parfois sous le nom de "Dunhuang" dans les horaires des trains). Environ 40 km avant Dunhuang, une tour élevée en 1730, bien conservée, témoigne des anciens modes de communication : le jour, des signaux étaient transmis à l'aide de drapeaux hissés en haut de la tour, et, la nuit, des feux étaient allumés. Une fois franchie la plaine asséchée de Shule He, vous découvrirez des vestiges de la Grande Muraille datant de la période des Han de l'Est.

Dunhuang ❼ occupe le cœur d'une oasis irriguée qui produit du coton. Entre l'oasis et les zones de battage situées à la périphérie de l'agglomération, **Baima Ta** (*dagoba* du Cheval blanc) évoque le *dagoba* blanc de Beijing (*voir p. 142*). C'est le lieu présumé de la mort du cheval blanc du Kumarajiva (344-431), un célèbre moine indien itinérant. Le **Xian Bowuguan**

CI-DESSOUS : autoroute dans le désert.

de Dunhuang (musée du Canton ; ouv. tlj. de 9h à 17h ; entrée payante) expose des maquettes qui reflètent l'importante activité de l'oasis dans le passé, ainsi que quelques manuscrits provenant des grottes de Mogao.

À 25 km au sud-ouest de la ville, **Mogao Ku** (ouv. tlj. de 8h30 à 11h30 et de 14h30 à 16h ; entrée payante) regroupe 492 grottes ; une trentaine d'entre elles sont ouvertes au public mais il est impossible de prévoir lesquelles. Comptez une demi-journée si vous voulez visiter une douzaine de grottes avec un guide local. Les premières auraient été aménagées par le moine Lezun en 366, et les dernières datent de la conquête mongole, en 1277. Mogao tombe ensuite dans l'oubli jusqu'à ce que le moine Wang Yuanlu s'y installe au début du XXᵉ siècle. La première grotte qu'il découvre porte aujourd'hui le n° 16. Dans la grotte voisine (n° 17), il mettra au jour plus de 40 000 canons bouddhiques. Au début du XXᵉ siècle, des archéologues étrangers vident les grottes de Mogao de leurs trésors. Ainsi, de 1907 à 1914, l'explorateur anglo-hongrois sir Aurel Stein achète plus de 6 500 manuscrits pour une somme dérisoire (une partie de cette collection est toujours conservée au British Museum, à Londres) ; à la même époque, un Français en acquiert 6 000. Bien que de tels pillages soient condamnables, il est permis de penser qu'ils ont peut-être sauvé bon nombre d'objets des destructions de la Révolution culturelle. Depuis, certains ont été restitués à la Chine (*voir ci-contre, à droite*).

On ne saurait trop recommander la visite de ces grottes, qui résument à elles seules 1 000 ans d'art bouddhique. L'une des plus belles (n° 323) renferme une statue en bois de santal d'un bouddha indien, offerte à un empereur chinois. Taillé dans la falaise, le bouddha Maitreya, haut de 35 m, est également très impressionnant.

Dans la région, vous pourrez aussi profiter des paysages du **Yueyaquan** (lac du Croissant de lune) et de **Mingsha Shan** (colline du Sable qui chante), à 6 km au sud de Dunhuang. Blotti entre les dunes, le lac est relativement décevant, mais Mingsha Shan, une montagne de sable qui se découpe sur un ciel bleu transparent, est magnifique. Observé du haut de la dune, le coucher de soleil est un enchantement.

À l'ouest de Xinjiang

La population non han du **Xinjiang** – à la fois une région autonome et la plus grande province chinoise – est essentiellement composée de musulmans. Il s'agit surtout de Ouïgour, qui parlent une langue turque et forment environ 45 % de la population totale de la province.

Le gouvernement de Beijing offre des primes aux Chinois han pour qu'ils s'installent dans la région. Ceux-ci constituent désormais près de la moitié des habitants du Xinjiang, alors qu'ils étaient seulement 8 % en 1940. Comme au Tibet et en Mongolie-Intérieure, les Han habitent majoritairement les grandes villes, tandis que les Ouïgour et les Kazakhs vivent surtout dans les oasis de petite taille et dans les régions de nomades, ainsi que dans les zones agricoles du nord du Xinjiang.

L'un des lieux les plus fascinants de la région est la petite ville de **Turpan** ❽ (Tulufan), lointaine escale sur

Carte p. 342

En 1997, un homme d'affaires japonais a rendu à la Chine certains des plus beaux objets appartenant aux grottes de Mogao – des rouleaux bouddhiques datant du VIIᵉ siècle. Son père les avait achetés dans une librairie de Tokyo 10 ans auparavant.

CI-DESSOUS : entrée des grottes de Mogao.

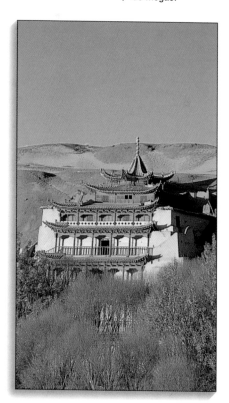

la route de la Soie, à l'entrée de l'oasis de Turpan Pendi. On accède à Turpan en train (la gare la plus proche se trouve à Daheyan, à 60 km de Turpan) ou en bus, au départ d'Ürümqi (5 heures). La route traverse des prairies sur le versant nord de Tian Shan et passe par Dabancheng, une petite cité industrielle près d'un col qui mène à la vallée boisée du Baiyang He (fleuve du Peuplier blanc). Au bout de Baiyang He, la route atteint la limite de **Turpan Pendi** ❾ (bassin de Turpan), où s'étend un désert caillouteux. L'oasis, longue de 150 km d'est en ouest, est située à 150 m en dessous du niveau de la mer (c'est le deuxième site le plus bas du monde après la mer Morte). Elle contient un lac salé en cours d'assèchement, Aydingkol Hu (lac de la Lumière de la lune), qui fournit à la région 70 % de sa production de sel. L'été, la température peut grimper jusqu'à 47 °C.

Turpan a conservé quelques bâtiments anciens. **Sugong Ta** (minaret du sultan Emin) date de 1788. Un escalier de 72 marches mène en haut de ce minaret en pisé (fermé au public). Juste à côté se dresse la plus vaste mosquée de Turpan, qui peut accueillir 3 000 fidèles. Ces deux édifices, les symboles de la ville, ont été classés monuments historiques. Les **puits de Karez** – un ancien système d'irrigation – recueillent l'eau des glaciers grâce à un réseau souterrain, conçu pour éviter l'évaporation, long de 3 000 km.

Huoyan Shan ❿ (littéralement "collines flamboyantes"), une chaîne de montagnes de grès brut, s'élève à 1 800 m et se déploie sur 100 km vers l'est. Dans le roman *La Pérégrination vers l'Ouest* (*voir p. 94*), cette chaîne est décrite comme entravant le moine Xuanzang dans sa quête des sutras légendaires. Xuanzang, qui a bel et bien existé, est né à Luoyang vers 602. Il entre dans un monastère bouddhiste à l'âge de 13 ans. En 629, encouragé par

Plusieurs expéditions sino-japonaises dans la région du Xinjiang ont permis de découvrir des champs de dinosaures fossilisés, datant en grande partie de l'ère jurassique.

Ci-dessous :
Sugong Ta –
minaret du Sultan
Emin –, à Turpan.

l'empereur Tang Taizong (627-649), il part en Inde étudier à l'académie boud-dhiste Nalanda, près de l'actuel Patna. Il rentre en Chine au bout de 17 ans, avec dans ses bagages 657 rouleaux bouddhiques, puis enseigne à Chang'an (actuel Xi'an), où il meurt en 664.

À 45 km au sud-ouest de Turpan, découvrez les ruines de **Gaochang**. Anciennement Karachotka ou Khocho, cette ville de garnison a été fondée sous le règne de Wudi (140-186), un empereur Han. À son apogée, elle comp-tait 30 000 habitants, quelque 3 000 moines et plus de 40 monastères boud-dhistes. On peut encore observer la disposition de la ville, les édifices religieux occupant le centre et les marchés et quartiers résidentiels, la périphérie.

Environ 6 km au nord-ouest, les **tombes Astana** – cimetière de Gaochang – contiennent plus de 500 sépultures. La visite n'a pas grand intérêt, car seules 3 d'entre elles sont ouvertes au public et de nombreux vestiges ont été trans-férés dans divers musées.

Au nord de Gaochang, l'ancien monastère de **Bezeklik** (ou Qianfo Dong, grottes des Mille Bouddhas ; ouv. tlj. ; entrée payante) occupe des grottes creusées dans la falaise à 80 m au-dessus de la rive ouest d'une rivière. Seules 5 des 80 grottes se visitent. En traversant le canyon, vous pourrez admirer une tour de garde Qing (vers 1770). Elle fait face au site du monastère troglodyte Samgin (Murtuq), actif du milieu du Ve siècle au début du XIIIe siècle.

Des archéologues allemands et britanniques ont vidé les grottes de leurs peintures, endommageant la représentation de Bouddha et nombre de bodhisattvas. Après 1860, des musulmans fanatiques ont détruit la plus grande partie des visages, processus qui se répétera un siècle plus tard durant la Révolution culturelle. Il ne reste donc pas grand-chose à voir, mais les grottes sont impressionnantes et le site est magnifique.

À 10 km à l'ouest de Turpan, plus ancienne encore que Gaochang, la ville en ruines de **Jiaohe Gucheng** ("vieille cité au bord de deux fleuves") s'appelait, dans le passé, Yariko ou Yarkhoto. Elle a été fondée sous les Han et fait office de capitale royale jusqu'au Ve siècle. Ses vestiges sont visibles sur un plateau, dans la boucle d'une rivière qui lui sert de défense naturelle. Les guerres civiles, sous les Mongols (au début du XIIIe siècle), ainsi que la sécheresse ont ravagé la cité. Le sanctuaire central et les vestiges de monastères bouddhistes et de stupas au nord-ouest sont, quant à eux, bien conservés. Les anciens loge-ments souterrains, qui protégeaient de la chaleur l'été et du froid l'hiver, sont particulièrement intéressants.

Ürümqi

À 186 km à l'ouest de Turpan et à 900 m d'altitude, **Ürümqi ⓫** est à la fois la capitale de la région auto-nome du Xinjiang et la ville la plus continentale du monde – celle qui se trouve le plus loin de la mer. Les Chinois han représentent plus de 80 % de ses 2,8 mil-lions d'habitants. Cette ville industrielle est très pol-luée, surtout l'hiver, quand le froid est mordant.

Le **Xinjiang Sheng Bowuguan** (Musée régional ; ouv. tlj. de 9h30 à 19h ; entrée payante) mérite une halte pour ses vestiges archéologiques importants et ses reconstitutions de maisons et d'outils des groupes

Carte
p. 342

CI-DESSOUS :
architecture
islamique
au Xinjiang.

ethniques de la région. Une salle abrite les momies de personnages d'ascendance européenne – peut-être celte d'après l'analyse des fibres et de la teinture des vêtements – ayant vécu là il y a quelque 3 000 ans.

Hong Shan (montagne Rouge), d'où vous aurez une belle vue sur Ürümqi, est agrémenté d'un pavillon de style chinois et d'une petite pagode qui symbolisent la ville. Celle-ci, dotée d'immeubles modernes et de larges rues arborées, déborde de petites mosquées et de bazars animés.

À 110 km à l'est d'Ürümqi, sur les pentes du **Tian Shan** et au pied de la haute chaîne du Bodga, découvrez l'extraordinaire **Tianchi** ⓬ (lac du Ciel), ainsi que la ravissante route qui y mène. Le lac est souvent envahi de touristes mais les sentiers et les balades dans les collines alentour vous permettront d'échapper à la foule. Passez la nuit à Tianchi. Certains voyageurs venus pour séjourner quelques jours dans des yourtes de familles kazakhs y sont restés des semaines entières !

Sur la ligne de chemin de fer en direction de Kashi, **Kuqa** (Kuche) était autrefois un avant-poste important de la route de la Soie. La région qui entoure cette ville ouïgour est riche en ruines préislamiques. À l'ouest, seules quelques grottes de **Kezier Qianfodong** (grottes des Mille Bouddhas de Kizil) sont ouvertes aux touristes.

Kashi

Loin à l'ouest, de l'autre côté de l'immense étendue de Tarim Pendi, sur les rives de la Tumen, **Kashi** ⓭ (Kashgar) occupe une oasis qui irrigue des champs de coton et d'autres cultures. La ville est plus près d'Islamabad, de Delhi, de Kaboul, de Téhéran, et même de Bagdad, que de Beijing. Les frontières du Kirghizstan, du Tadjikistan, de l'Afghanistan et du Pakistan sont proches.

CI-DESSOUS :
Bezeklik
(Qianfo Dong).

Le climat est très rude: l'hiver, la température peut descendre jusqu'à -24 °C et, l'été, elle grimpe régulièrement au-delà de 40 °C. Les 250 000 habitants de la ville sont essentiellement des Ouïgours. Kashi est passée sous le joug chinois vers 200 av. J.-C., puis de nouveau sous les Tang, et sous le règne des empereurs Qing Kangxi (1662-1722) et Qianlong (1736-1775).

Située au centre-ville, **Aitika Mosque** (mosquée Id Kah) a été restaurée à de multiples reprises. Pouvant accueillir 6 000 fidèles, c'est la plus grande mosquée de Chine. Le bâtiment (1442), coiffé d'un dôme central et flanqué de deux minarets, a fière allure. Passé la porte, une succession de cours arborées accueille les fidèles. Elles conduisent, quelque 100 m plus loin, à la grande salle de prière, qui ne sert que le vendredi.

Les anciens aiment se retrouver sur les marches alignées le long des murs latéraux. Devant la mosquée, la **place Id Kah** est bordée de bars, de maisons de thé, de boutiques d'artisanat et d'ateliers, ainsi que de diverses échoppes proposant un choix de marchandises des plus disparates. Le lieu n'échappe pas à la modernisation et l'on voit apparaître, dans ce cadre jusqu'ici resté paisible et traditionnel, des boutiques flambant neuves diffusant de la musique ouïgour à plein volume.

Au nord de la mosquée et de la place, une rue très animée fourmille de coiffeurs, de bouquinistes, de pelletiers, de forgerons, de boulangers, de tailleurs, et de dentistes. Elle donne sur un bazar couvert où se vend à peu près de tout.

À la périphérie nord-est de la ville, dans Izlati Rd, les **marchés d'Asie centrale et occidentale** proposent des soies de qualité, des dentelles, du coton, des couteaux, des chapeaux et des produits locaux. En marchandant, vous obtiendrez des prix très raisonnables.

Carte
p. 342

CI-DESSOUS :
le lac Tianchi
près des Tian Shan.

À 5 km au nord-est de la ville, **Xiangfei Mu**, le mausolée d'Abakh Hoja, offre un remarquable ensemble d'architecture ouïgour traditionnelle. Construit en 1640 par Abakh Hoja pour abriter la dépouille de son père, le mausolée a été restauré en 1980, puis en 1997.

Abakh Hoja (Aba Hezhuo) y repose également avec sa descendance. Ce chef politique et religieux d'exception est mort en 1695. Son sarcophage, l'un des 72 que compte le mausolée, se dresse sur un piédestal au cœur de la grande salle du bâtiment central. Celui-ci rappelle une mosquée, bien qu'il ne soit pas orienté vers La Mecque et qu'il soit flanqué d'un minaret légèrement penché. Dans le coin gauche de la grande salle, vous découvrez le sarcophage de Xiangfei ("concubine parfumée"), la fille d'Ali Hoja, le dernier des Hoja, et l'arrière-petite-fille du grand Abakh Hoja. Le mausolée porte son nom, honorant ainsi sa légende. Celle-ci raconte qu'en 1758 l'empereur Qianlong enleva la jeune fille à la suite d'une révolte régionale et l'emmena jusqu'à Beijing. La belle refusant d'accorder ses faveurs à l'empereur, l'impératrice douairière (la mère de Qianlong) la força à se suicider. Sa dépouille fut rapportée à Kashi dans un chariot, dont on peut voir les vestiges dans la petite salle.

Sur les rives de la Tumen, qui est enjambée par plusieurs ponts et reliée à la ville par des marches, se tient chaque semaine un grand événement : le *basha*, la **foire du dimanche**. Elle attire des dizaines de milliers de chalands et de marchands en provenance de toute la région.

Le **mausolée de Mahmud al Kashgarli** (1008-1105) se trouve à environ 45 km de Kashi, sur la route du Pakistan. Le bâtiment domine une mosquée jadis détruite par un tremblement de terre. Mahmud, l'un des grands savants de son époque, était l'un des membres de la famille régnante des Karachanid.

CI-DESSOUS :
mosquée
d'Aitika, à Kashi.

Exilé du Xinjiang après le renversement du clan en 1058, Mahmud est revenu à Kashi peu de temps avant sa mort.

De Kashi, les jours de beau temps, vous pouvez apercevoir les montagnes coiffées de neige du Muztagata (7 546 m) et du Kongur (7 719 m), les deuxième et troisième sommets du Pamir. À 200 km au sud-ouest de Kashi, les contreforts du Pamir abritent le **lac Karakul**.

À 20 km au nord de Kashi, les **Sanxian Dong** (grottes des Trois Immortels) sont creusées dans une paroi abrupte près du fleuve Qiakmak. Ces grottes bouddhistes sont aussi intéressantes que celles de Bezeklik et de Dunhuang, mais extrêmement difficiles d'accès.

Taxkorgan

À environ 250 km au sud de Kashi et à 3 600 m d'altitude, **Taxkorgan** ⑭ (Tashkurgan) est l'ultime bastion chinois avant la frontière pakistanaise. La ville est la capitale du district autonome qui porte son nom. Ses habitants sont majoritairement tadjiks. Dans ses récits datant de 140 apr. J.-C., Ptolémée parle de cette région comme d'un lieu d'échange entre marchands d'Orient et d'Occident.

En continuant au sud, la route mène à la chaîne pakistanaise du **Karakoram**, dont les sommets très escarpés contrastent fortement avec les montagnes du Pamir, plus arrondies. La piste de 750 km qui passe par le **col de Khunjerab** ⑮ est parfois difficile d'accès à cause des intempéries et des troubles politiques. Le premier aéroport pakistanais, à Gilgit, n'est plus qu'à quelque 270 km au sud du col. De nombreuses fresques et sculptures datant du temps où la route de la Soie était active bordent cet itinéraire de montagne. Le paysage est spectaculaire. ❏

Carte p. 342

NOTEZ-LE

La route de Kashi à Lhasa par l'ouest du Tibet est interdite. Plus d'un étranger s'est vu imposer une lourde amende pour avoir tenté de l'emprunter.

Ci-dessous : enfants ouïgour près d'un étal d'épices. **Pages suivantes :** moutons sur les pentes du Qilian Shan, près de Jiayuguan.

SOMMAIRE

Connaître la Chine

Le pays

Nom officiel Zonghua Renmin Gongheguo (République populaire de Chine).
Superficie 9 560 960 km².
Capitale Beijing (Pékin).
Population 1,29 milliard.
Langues Mandarin (langue officielle) et de nombreux dialectes, dont le cantonais.
Religion Pas de religion officielle. Principales religions pratiquées : confucianisme, taoïsme, bouddhisme.
Fuseau horaire GMT + 8h. Pas d'heure d'hiver.
Monnaie Yuan (RMB).
Poids et mesures Système métrique.
Électricité 220 volts, 50 cycles.
Indicatif téléphonique du pays 86.

Climat

La Chine est un immense pays couvrant 35 ° de latitude. Les meilleures périodes pour voyager sont le printemps (avril/mai) et l'automne (septembre/octobre).

Le nord de la Chine, au-delà du Chang Jiang (Yangzi Jiang), connaît des hivers froids et ensoleillés, très éprouvants dans le Nord-Est où il gèle plusieurs mois d'affilée. Les étés sont chauds voire très chauds et parfois accompagnés de pluies torrentielles. Au printemps, les tempêtes de sable du désert de Gobi peuvent affecter Beijing et Xi'an.

Le centre de la Chine se caractérise par des étés chauds, moites et très arrosés. Dans les régions basses autour du Yangzi et sur le littoral, les hivers sont assez doux mais plutôt humides (entre décembre et mars, il fait souvent gris et frais à Shanghai). Chongqing, Wuhan et Nanjing sont réputées pour leurs étés torrides et étouffants.

La plus grande partie du **sud de la Chine** présente un climat subtropical, avec des étés longs et chauds et des hivers courts et frais. L'été est ponctué de pluies diluviennes et, entre juillet et septembre, les côtes sont parfois balayées par des typhons. Sur les hauteurs, à l'intérieur des terres, il pleut toute l'année et les hivers sont rudes, à l'exception du Yunnan, où ils sont plus doux et plus secs. Le sud du Yunnan (Xishuanbanna) et l'île de Hainan bénéficient d'un climat tropical (il fait chaud toute l'année).

À l'ouest de la Chine, le plateau du Tibet jouit d'étés agréables mais connaît souvent des hivers très rudes. Les pluies sont rares. La plus grande partie du Xinjiang est aride et étouffante en été (surtout à Turpan) et glaciale en hiver. Il fait moins chaud en été dans le nord de cette région.

Typhons

En Chine méridionale, la saison des typhons dure de juillet à septembre. À Hong Kong, les alertes sont classées par ordre croissant de probabilité et de gravité : 1, 3, 8, 9 et 10. Ce dernier degré signalant un typhon imminent et très puissant.
• **informations sur les alertes** Tél. 2835 1473 (Hong Kong)

Géographie

La Chine, après la Russie et le Canada, est le troisième pays du monde par sa superficie. Son immense territoire est constitué de montagnes (35 %), de hauts plateaux (27 %), de bassins et de déserts (17 %), de zones de collines (8 %) et de plaines (13 %).

Seulement 7 % des terres sont cultivables. La population chinoise est concentrée dans la partie est du pays et connaît, dans certaines villes, les plus fortes densités du monde. À l'ouest, des régions entières sont presque inhabitées.

Le peuple

La Chine est la nation la plus peuplée du monde et 20 % de ses 1,29 milliard d'habitants vivent dans des zones urbaines. Près de 90 % de la population appartient à l'ethnie chinoise han ; les 10 % restant – soit plus de 100 millions de personnes – se répartissent entre 55 minorités dont les coutumes, les traditions et la langue diffèrent radicalement de celles des Han. Ces minorités ont été exemptées des mesures de contrôle des naissances.

Culture et coutumes

Si la politesse chinoise a toujours été régie par des règles strictes, les Chinois pourront, en certaines occasions, vous paraître très impolis. Ainsi, il est considéré comme normal de manger bruyamment et de roter au cours d'un repas. Cela ne veut pas dire que l'étranger doit en faire autant ; d'ailleurs, un nombre croissant de Chinois des grandes villes ne trouvent pas ce type de comportement très plaisant. Dans les restaurants ordinaires, les clients jettent les os et autres déchets au sol ou sur la table et crachent volontiers, malgré les campagnes pour lutter contre cette habitude.

Dans les transports en commun, souvent bondés, il n'existe pas de règles de politesse. Les piétons n'ayant pas la priorité, faites très attention en traversant les rues.

Les Chinois ont horreur de perdre la face, surtout devant un étranger. Exprimez votre point de vue, mais gentiment et avec tact. Restez courtois, et abstenez-vous d'élever la voix ou d'insulter autrui. Soyez prudent si la conversation s'engage sur le terrain politique.

De nature peu démonstrative, les Chinois ne se serrent pas la main (sauf avec les étrangers) et ne s'étreignent ni ne s'embrassent en se rencontrant ou en se disant au revoir. Mieux vaut donc garder ses distances en public.

Se faire de bonnes relations (*guanxi*) et les conserver – y compris avec les étrangers en voyage d'affaires – est essentiel. Attendez-vous donc à recevoir invitations et cadeaux. Le *qingke* – un festin bien arrosé – est une vieille tradition. De nos jours, on l'utilise toujours pour remercier des amis ou nouer de nouveaux contacts professionnels. Si vous êtes invité, vous devrez rendre l'invitation.

Gouvernement et économie

La République populaire de Chine est un État socialiste, fondé le 1er octobre 1949. Il est divisé en 23 provinces (Taiwan inclus), 5 régions autonomes (Mongolie-Intérieure, Xinjiang, Tibet, Ningxia et Guangxi), 4 municipalités (Beijing, Tianjin, Shanghai et Chongqing) et 2 régions administratives spéciales (Hong Kong et Macau). Toutes les provinces et les régions autonomes sont contrôlées par le pouvoir central.

Les **régions autonomes** sont peuplées de membres des minorités ethniques, qui conservent leurs coutumes, leurs traditions et leurs langues. L'État central détient un droit de regard sur les politiques menées dans les régions autonomes.

Le **Congrès national du peuple** est la plus haute instance dirigeante. Localement, des congrès du peuple sont élus au suffrage direct, mais le parti se garde le droit de proposer ses candidats. L'Armée populaire de libération, les Chinois de la diaspora et les minorités nationales sont représentés dans les congrès.

Le **Parti communiste Chinois (PCC)**, fondé en 1921, est l'organe moteur de l'État et de la société. Depuis la fin de la Révolution culturelle, sa bureaucratie, ses abus de pouvoir et ses privilèges sont de plus en plus critiqués.

L'actuelle politique officielle du parti – **les quatre modernisations** – concerne les quatre secteurs de l'agriculture, l'industrie, la science et la technologie, la défense ; elle vise à transformer un pays encore largement agricole et peu développé en une nation industrielle moderne, où la planification socialiste s'efforce de cohabiter avec l'économie de marché.

Préparatifs

Offices de tourisme

Canada
480 University Avenue (Suite 806)
Toronto, Ontario, M5G 1V2
Tél. 1 416 599-6636,
Fax 1 416 599-6382
www.tourismchina-ca.com
France
15, rue de Berri
75008 Paris
Tél. 33(0)1 56 59 10 10
Fax 33(0)1 53 75 32 88

Ambassades et consulats de Chine

Belgique
Service consulaire
443-445, av. de Tervuren
1150 Bruxelles
Tél. 32 (0)2 771 3309
ou 32 (0)2 779 4333
Fax 32 (0)2 779 2283
www.chinaembassy-org.be
Canada
515, rue St-Patrick, Ottawa
Ontario K1N 5H3
Tél. 1 613 789-3434
www.chinaembassycanada.org

Noms chinois

En Chine, on commence toujours par donner le nom de famille puis le prénom mais seuls les amis proches et la famille appellent une personne par son prénom. Adressez-vous aux gens par leur nom patrimonial suivi de *xiansheng* pour les hommes, *furen* pour les femmes (équivalents de M. et Mme), ou, le cas échéant, par leur titre honorifique. Par exemple, on dira Directeur Li (Li jingli) ou Professeur Wang (Wang jiaoshou).

Fax 1 613 789-1414
www.chinaembassycanada.org
France
11, av. George-V
75008 Paris
Tél. 33 (0)1 47 23 34 45
Fax 33 (0)1 47 20 24 22
www.amb-chine.fr
Service Consulaire
9, av. Victor-Cresson
92130 Issy-les-Moulineaux
Tél. 33 (0)1 47 36 77 90
ou 33 (0)1 47 36 02 58
Fax 33 (0)1 47 36 34 46
Suisse
Service consulaire
10, Kalcheggweg
3006 Berne
Tél. 41 (0)31 351 4593
Fax 41 (0)31 3514573
www.china-embassy.ch

Formalités

VISAS ET PASSEPORTS

Tous les étrangers doivent se munir d'un passeport d'une validité d'au moins 6 mois après la date de sortie du territoire et d'un visa. La durée du visa touristique est en général de 3 mois. Si vous faites partie d'un groupe, le tour operator se chargera des formalités. Les visas de groupe nécessitent un minimum de 10 participants et sont conservés par l'accompagnateur durant tout le séjour.

Les voyageurs individuels peuvent effectuer leur demande de visa auprès de n'importe quelle ambassade de Chine. La procédure est simple et prend environ une semaine.

Si votre visa arrive à échéance pendant votre séjour, vous pourrez le faire prolonger au *Gongan ju*, le poste de police (ou bureau de la sécurité publique local). Attention : effectuez cette démarche avant la date d'expiration, car les amendes sont lourdes et vous risquez de perdre beaucoup de temps.

Tous les étrangers (touristes, visiteurs ou résidents de longue durée) doivent déclarer leur lieu de séjour au *Gongan ju* local dans les 24h suivant leur arrivée.

Les touristes français, belges, suisses et canadiens sont exemptés de visa pour Hong Kong si leur séjour n'excède pas 90 jours. Il existe plusieures adresses à Hong Kong où obtenir un visa pour la Chine. Adressez-vous au bureau des visas :
China ressources Building
26 Harbour Road, Wan Chai
Tél. 3413 2300
Pour un visa multi-entrées, rendez-vous aux bureaux du CTS :
78-83 Connaught Road Central ou
27-33 Nathan Road, Tsim Sha Tsui
À présent, la majorité du pays est ouvert aux étrangers, à l'exception des zones militaires et de certaines zones frontalières. Il faut un permis spécial pour se rendre au Tibet.

DOUANES

Les touristes peuvent introduire librement 4 bouteilles de vin ou d'alcool et 2 cartouches de cigarettes dans le pays, ainsi que toutes les devises et objets de valeur nécessaires à leur usage personnel. L'importation d'armes, de munitions, de drogue et d'ouvrages pornographiques est interdite.
Au retour, les antiquités (porcelaines, peintures, calligraphie, livres anciens, etc.) doivent porter le sceau de laque rouge des magasins officiels, au risque d'être confisquées par les fonctionnaires sans le moindre dédommagement. (*voir aussi "Shopping", p. 393*)

Assurances

Il est vivement conseillé de souscrire, pour la durée de votre séjour, un contrat d'**assurance** et/ou d'**assistance** voyage. Selon les clauses, les garanties vont de l'indemnisation en cas d'annulation de vol à la protection juridique en cas de litige à l'étranger, en passant par l'assistance médicale sur place et le rapatriement sanitaire.
Avant de souscrire, assurez-vous que vous n'êtes pas déjà couvert par l'un de vos contrats d'assurance ou par votre carte bancaire. Vérifiez que toutes les activités que vous avez prévu de faire sur place sont prises en charge, tout comme le vol

ou la perte de vos bagages ; vérifiez également qui, dans votre entourage, bénéficie des garanties, et la liste des restrictions ; renseignez-vous précisément sur la couverture médicale offerte et sur les protocoles de paiement. Par ailleurs, pensez à emporter les factures de vos objets de valeur (bijoux, appareils photo...), avec photos et numéros de série.
Si aucun de vos contrats ne répond à ces spécificités, adressez-vous soit à votre assureur habituel – ou à toute autre compagnie – soit à l'un des organismes spécialisés dans les voyages longue distance, tels que :
Europ-Assistance
1, promenade de la Bonnette
92230 Genevilliers
Tél. 33 (0)1 41 85 85 41
(achat ou abonnement)
ou 33 (0)1 41 85 85 85
(service d'assistance)
www.europ-assistance.fr
Mondial Assistance
2, rue Fragonard
75017 Paris
Tél. 33 (01) 40 25 52 04
Inter Mutuelles Assistance (IMA)
BP 8000 – 118, av. de Paris
79003 Niort Cedex 9
Tél. 33 (0)5 49 75 75 75
Fax 33 (0)5 49 34 70 07
www.ima.tm.fr

Santé

L'eau et la nourriture sont les premiers facteurs de maladie chez les voyageurs qui se rendent en Asie. La plus fréquente est la diarrhée, due à des virus ou à des bactéries.
Respectez la meilleure hygiène possible lorsque vous fréquentez les restaurants ou achetez à manger auprès des étals de rue. En dehors de ceux servis dans les grands hôtels, évitez les aliments crus ou partiellement cuits (notamment les viandes, les œufs, et les salades : les excréments humains ou animaux servant toujours couramment de fumier, les bactéries sont très présentes. Lavez-vous régulièrement les mains à l'eau et au savon ou avec un soluté hydro-alcoolique (à emporter).

Si vous voyagez seul, achetez-vous des baguettes et un bol en étain muni d'un couvercle pour les trajets en train et les repas au bord de la route. Limitez-vous à l'eau bouillie ou en bouteille et essayez de ne pas vous offrir en pâture aux insectes. Lisez attentivement les informations qui suivent concernant le SRAS et la fièvre aviaire.
Un voyage au Tibet, dans le Nord-Ouest ou dans la province tropicale du Yunnan peut se révéler éprouvant. Les hautes altitudes tibétaines sont fortement déconseillées aux cardiaques et aux personnes souffrant d'hypertension. Si vous comptez emprunter la route de la Soie, prenez en compte les températures élevées et la grande sécheresse de cette région.
Si votre itinéraire vous entraîne en dehors de Beijing, Shanghai, Guangzhou et Hong Kong, prenez une assurance de rapatriement d'urgence.

RISQUES

Choléra

Infection intestinale aiguë causée par des bactéries, transmise en général par de l'eau ou de la nourriture contaminées. Risque quasiment nul.
Symptômes Diarrhée soudaine et liquide, déshydratation, vomissements et crampes musculaires. En cas de doute, consultez un médecin de toute urgence. Le vaccin n'est pas recommandé sauf exception.

Dengue

Infection virale essentiellement urbaine transmise par les moustiques à proximité des habitations.
Symptômes Poussée subite de forte fièvre, violents maux de têtes, douleurs musculaires et articulaires, éruption 3 ou 4 jours après la poussée de fièvre.
Risque Surtout en Chine méridionale et à Taiwan. La maladie a peu d'incidence auprès de la plupart des touristes. Il n'existe pas de vaccins ni de traitement spécifique.

Encéphalite japonaise

Maladie virale transmise par les moustiques, courante dans les zones rurales rizicoles.

Symptômes Aucun, ou alors maux de tête, fièvre et autres symptômes grippaux. Parmi les complications sérieuses : encéphalite.

Risque Bas à minime, sauf en milieu rural et en Corée. Très rare à Hong Kong et à Taiwan. Les moustiques sévissent surtout pendant la saison des pluies. Il n'existe pas de traitement mais un vaccin préventif, à envisager si vous prévoyez un séjour supérieur à 4 semaines en zone rurale.

Fièvre aviaire

Les voyageurs se rendant dans les pays déclarés infectés par l'OMS (Organisation mondiale de la santé) et l'OIE (Organisation internationale des épizooties) sont invités à éviter tout contact avec les volatiles vivants ou morts (ne pas se rendre dans les élevages ni sur les marchés aux volatiles, ainsi qu'avec la moindre surface souillée par des déjections animales. Il est fortement déconseillé d'exporter des oiseaux de ces pays.

Hépatite A

Infection virale du foie transmise par des aliments ou des boissons contaminées par des matières fécales, ou par contact direct de personne à personne.

Symptômes Fatigue, fièvre, manque d'appétit, nausées, urines foncées et/ou jaunisse, vomissements, douleurs. Pas de traitement spécifique mais un vaccin conseillé aux personnes effectuant des séjours longs ou répétés en Chine. Les immunoglobulines ne sont conseillées que pour un séjour court.

Hépatite B

Tous les pays asiatiques, Chine comprise, connaissent une forte prévalence de l'hépatite B, une infection virale du foie transmise par transfusion de sang ou de ses produits dérivés, ou par rapport sexuel avec un partenaire contaminé. Le sang non testé, les aiguilles non stériles et le contact avec des personnes infectées ayant des plaies ouvertes peuvent vous contaminer. Il existe un vaccin efficace, à prévoir 6 mois avant le voyage.

Malaria

Cette maladie se transmet par les moustiques, surtout actifs du crépuscule à l'aube.

Symptômes Similaires à ceux de la grippe : fièvre, frissons, courbatures et fatigue. Jusqu'à un an après votre retour, signalez à votre médecin tout état grippal.

Risque Minime ou nul dans les villes et les destinations touristiques, inexistant aux frontières limitrophes de la Mongolie, au Heilongjian, au Ningxia, au Qinghai, à Hong Kong ou Macau. Les zones rurales peu visitées – où le parasite se transmet surtout entre mai et décembre – restent les plus dangereuses. Dans le Sud, la période à risque dure toute l'année. Avec ou sans traitement préventif, les voyageurs se rendant dans ces zones doivent absolument éviter de se faire piquer par les moustiques : utilisez un répulsif antimoustiques, portez des vêtements couvrant bras et jambes, et demandez à votre hôtel de vous fournir une moustiquaire, un appareil antimoustiques (*quwenqi*) ou des spirales (*wenxiang*).

Prenez un traitement antipaludéen si vous prévoyez de voyager dans les zones rurales ou de rester dehors le soir. Certaines personnes sont allergiques aux médicaments les plus récents, aussi, avant de partir, demandez conseil à des spécialistes de médecine tropicale (médecin ou établissement de santé).

Évitez les maladies

- Limitez l'exposition aux insectes
- Arrangez-vous pour boire et pour vous nourrir correctement
- Renseignez-vous sur les maladies sévissant dans les régions où vous allez
- SIDA : évitez les comportements à risque (consommation de drogue et rapports sexuels non protégés).

Schistosomiase (bilharziose)

Infection par une larve de trématode (vers plat) qui pénètre sous la peau.

Risque Prévalence dans certaines régions, notamment dans les fleuves et les lacs du sud-est et de l'est du pays, surtout le long du Chang Jiang (Yangzi) et de ses confluents.

Il est impossible de savoir si l'eau douce où l'on souhaite se baigner est contaminée ou non. En cas d'exposition, se frotter tout de suite et vigoureusement avec une serviette ou de l'alcool peut réduire le risque. L'eau traitée au chlore ou à l'iode est virtuellement sans danger, tout comme l'eau de mer.

SRAS

L'OMS recommande aux voyageurs, quel que soit le pays d'Asie où ils se rendent, d'être attentifs aux symptômes de la maladie – fièvre supérieure à 38°, toux sèche, étouffement ou difficultés respiratoires – et de consulter un médecin si ces symptômes se manifestent. L'OMS met à jour régulièrement ses informations sur son site www.who.int/csr/sars/travel

Typhoïde

Infection bactérienne transmise par la nourriture et/ou l'eau contaminées ou entre personnes. Les voyageurs se rendant en Asie orientale, surtout dans les petites villes ou dans les zones rurales, risquent de l'attraper.

Symptômes Fièvre, maux de tête, fatigue, manque d'appétit et constipation. Limitez-vous à l'eau bouillie ou en bouteille et aux aliments bien cuits. Traitement par antibiotiques. Faites-vous vacciner si votre séjour dépasse 6 semaines. Les sérums existant protègent dans 70 à 90 % des cas.

Argent

La monnaie chinoise est le yuan, ou *renmibi* (monnaie du peuple), dont l'abréviation est **RMB**. Le yuan, également appelé *kuai* dans le langage courant, vaut 10 *jiao* (*mao*) ; 1 *jiao* vaut 10 *fen* et 100 *fen* valent 1 yuan. Il existe des billets de 1, 2, 5, 10, 20, 50 et

Handicapés

La plupart des transports en commun, des édifices publics et des sites touristiques ne sont pas aménagés pour les personnes handicapées.

Le cas échéant, il est donc fortement conseillé de voyager avec un groupe de handicapés. Les offices de tourisme et le CITS (*voir p. 366*) disposent d'informations sur ces circuits.

100 yuan, et des pièces de 1 yuan, de 1 et 5 jiao et de 5 fen. À l'heure où nous imprimions, le taux de change était d'environ 9,8 yuan pour 1 €, de 6,6 yuan pour 1 $ canadien et de 8 yuan pour 1 $US.

Hong Kong et Macau ont chacun conservé leur devise, le $HK (dollar de Hong Kong) et le pataca. Le $HK est indexé sur le dollar américain et le pataca sur le dollar de Hong Kong. Taux de change : 1 HK$ = 0,10 €, 0,15 $ canadien et 0,12 $US. Consultez www.oanda.com

Banques et hôtels acceptent les devises fortes, et les principales banques chinoises changent les **Traveller's cheques**, notamment la Banque de Chine, dont le siège à Beijing se trouve :
*410 Fuchengmennei Dajie,
tél. 6601 6688* (également une agence au *19 Donganmen Dajie, tél. 6519 9114*). Les plus grandes villes et les centres touristiques possèdent des DAB (Cirrus Plus) reliés aux réseaux mondiaux. Essayez les agences de la Bank of China, les grands hôtels et grands magasins. **Citibank** est présent à Beijing, à Shanghai et à Guangzhou et ses distributeurs acceptent la majorité des cartes bancaires.

Les principales **cartes bancaires** – AmEx, Diners Club, MasterCard et Visa – ont cours dans les grandes villes et lieux touristiques. Les billets de train ou de bus se payent en espèces, mais ceux d'avions peuvent être réglés par carte.

N'essayez pas de recevoir en Chine des **virements** : il vous faudra un mois et beaucoup de patience pour venir à bout de toutes les formalités.

Dans votre valise

Vous trouverez tous les articles et produits de base à Shanghai, Beijing et Guangzhou. Mais si vous vous éloignez de ces grandes villes, emportez ce dont vous avez besoin : dans les zones rurales, il peut être difficile de se procurer des tampons hygiéniques, par exemple. N'oubliez pas vos médicaments.

Emportez également pellicules et piles (moins chères et plus récentes que sur place), surtout si vous utilisez des pellicules de professionnel. Prenez une petite lampe torche, notamment si vous devez loger dans des hôtels bon marché : celles que l'on achète en Chine ne durent pas.

Quelle tenue ?

L'été, emportez des tenues de coton léger faciles à laver et pas trop fragiles. Prévoyez un vêtement un peu plus chaud, même en plein été, car les hôtels sont parfois extrêmement climatisés... Des chaussures solides et confortables sont indispensables.

Les Chinois ne portent pas de tenue habillée lorsqu'ils se rendent à l'opéra, au théâtre ou au cirque ; autant en faire de même, surtout dans les campagnes où le sol est parfois en terre battue. En revanche, ils sont beaucoup plus élégants quand ils vont danser dans les boîtes de nuit et dans les clubs en ville.

Prévoyez des vêtements imperméables, surtout si vous voyagez l'été. La saison des pluies dure de mai à août.

Électricité

Le courant est en 220 volts 50 cycles. Emportez un adaptateur international, utilisable avec différents types de fiches. Il pourra vous rendre service : nombre d'hôtels non rénovés sont munis de prises à 3 fiches et peu d'adaptateurs sont à la disposition des clients. Si vous voyagez hors des grandes villes, privilégiez les appareils à pile.

Voyager en groupe

Si vous voyagez en groupe, tout est réservé et payé d'avance : vols et trajets intérieurs, hôtels, repas et visites. Il arrive que des excursions supplémentaires soient proposées sur place, mais, en général, elles ne coûtent pas très cher. Il faut parfois payer pour prendre des photos.

Des guides fournis par les offices de tourisme locaux se chargent de vous emmener sur les sites.

Chaque groupe de plus de 10 personnes est par ailleurs accompagné, pour toute la durée du voyage, d'un guide chinois. La réussite du voyage en groupe dépend largement des compétences de ce dernier, tant en ce qui concerne l'organisation du voyage, que sa connaissance des sites et sa capacité à communiquer.

Il est souvent préférable, afin de déjouer bien des pièges, de passer par une agence spécialisée ayant une bonne connaissance du pays et des sites. En outre, en plus des itinéraires traditionnels, nombre de voyagistes proposent aujourd'hui des voyages à thème comme le *taijiquan*, la calligraphie, l'acupuncture ou les cours de langue.

Voyager seul

Il est possible de se voyager à titre individuel partout en Chine, à l'exception de certaines régions (*voir p. 356*). Vous disposez de 3 options. La plus confortable, et la plus chère bien sûr, est de confier l'organisation de l'ensemble du voyage à une agence de voyages spécialisée. Tout est alors réservé (vols, trajets, hôtels, repas et transferts), mais c'est vous qui établissez l'itinéraire et les visites de votre choix. En outre, dans chaque ville, les agences de voyages vous fourniront un guide pour vous aider à assurer votre programme de visite.

La seconde possibilité est le mini-voyage organisé. L'agence spécialisée réserve les vols, les hôtels avec petit déjeuner, les transferts et le transport des bagages. C'est elle qui établit l'itinéraire, mais vous qui élaborez votre plan de visites. Vous êtes

Bagages

Emportez des bagages solides qui peuvent se fermer à clé ou à l'aide d'un cadenas : il se peut sinon que l'on refuse de les transporter.

attendu dans chaque aéroport ou dans chaque gare, puis à l'hôtel. Chaque hôtel dispose d'un comptoir d'agence de voyages, où vous pouvez planifier vos visites moyennant une commission. Si vous préparez bien votre séjour, cette formule vous permettra de voyager le plus souvent hors des sentiers battus. Demandez à votre agence de voyages d'effectuer des réservations fermes 3 mois au plus tard avant votre départ.

La dernière solution consiste à effectuer votre voyage de manière à être parfaitement indépendant et libre de toute réservation – une formule de voyage qui progresse depuis quelques années. À vous de réserver vos vols, vos places de trains, de cars, etc. Sur place, à défaut de parler le chinois, mieux vaut passer par une agence de voyages, où vous aurez plus de chance de trouver du personnel anglophone. Dans les aéroports et dans les gares, les informations sont inscrites en pinyin, mais, dans certains cas, elles sont uniquement inscrites en idéogrammes.

Si vous établissez des trajets à la dernière minute, sachez que vous devrez parfois attendre plusieurs jours avant de pouvoir vous procurer les billets de train ou d'avion correspondants, et préparez-vous à devoir éventuellement changer vos plans en cours de voyage.

Essayez d'effectuer ces réservations dès votre arrivée dans une ville. Votre hôtel pourra s'en charger, moyennant une petite commission – ce qui peut s'avérer très utile dans le cas de billets difficiles à obtenir.

Les agences de voyages locales peuvent également se charger de vos réservations de chambres d'hôtel, mais sachez qu'elles privilégient les catégories d'hôtels supérieures.

Se rendre en Chine

PAR AVION

Au départ de tout aéroport chinois, les passagers doivent s'acquitter d'une taxe de 100 RMB pour les vols internationaux et de 60 RMB pour les vols intérieurs. Voir "Se déplacer" p. 370 pour les compagnies locales.

COMPAGNIES AÉRIENNES

Canada

Air Canada
106, bd Haussmann, 75008 Paris
Tél. 33 1(0) 825 880 881

France

Air China
10, bd Malesherbes, 75008 Paris
Tél. 33 (0)1 42 66 16 58
Fax 33 (0)1 47 42 67 63
Air France
119, av. des Champs-Élysées
75008 Paris
Tél. 33 (0)802 802 802
www.airfrance.fr
Cathay Pacific
8, rue de l'Hôtel-de-Ville
92000 Neuilly-sur-Seine
Tél. 33 (0)1 41 43 75 77
www.cathaypacific.com
China Airlines
191, av. Charles-de-Gaulle
92200 Neuilly-sur-Seine
Tél. 33 (0)1 46 41 46 41
China Eastern Airlines
6, rue de la Paix, 75002 Paris
Tél. 33 (0)1 44 86 03 00
www.ce-air.com

Suisse

Swiss Air
Tél. 41 (0) 820 04 05 06
www.swiss.com

AÉROPORTS

Beijing

À 25 km du centre de Beijing, Capital Airport relie la capitale à toutes les provinces chinoises et toutes les grandes villes du monde (renseignements, *tél. 6459 9567*). À l'arrivée, prévoyez 30 min à 1h,

selon la circulation, pour rallier le centre. Les navettes (16 yuan) pour le centre-ville sont à l'arrivée des vols intérieurs. La plupart des grands hôtels assurent un service de limousine ou de minibus.

Les stations de taxis se trouvent entre les arrivées internationales et intérieures. Ignorez les rabatteurs qui attendent les touristes à la sortie du terminal ; leurs taxis sont illégaux et leurs tarifs prohibitifs. Assurez-vous que le compteur de votre taxi a bien été mis en marche.

Chongqing

L'aéroport Jiangbei est situé à 25 km au nord de la ville. La CAAC (Administration chinoise de l'aviation civile) assure toutes les 30 min une navette entre l'aéroport et ses bureaux en ville 190 Zhongshan Sanlu (*tlj. 8h-20h, tél. 6386 5824*).

Chongqing est relié par avions à toutes les grandes villes chinoises. La CAAC dessert Hong Kong, Macau et Singapour. *Dragonair* assure 2 vols directs pour Hong Kong par semaine. Ses bureaux sont installés dans le *Holiday Inn Yangtze*, 15 Nanping Beilu (*tél. 6280 3380*).

La ville est également desservie par *China Southwest Airlines*, *Sichuan Airlines*, *Shanghai Airlines*, *Xinhua Airlines* et *Wuhan Airlines*. Tous les billets s'achètent aux bureaux de la CAAC.

Guangzhou

Le nouvel aéroport de Baiyun, inauguré en 2004, se trouve à 34 km au nord de la ville. Les navettes bus de la CAAC relie, au départ devant le bureau de la

Vols intérieurs

Vous n'aurez aucune difficulté pour acheter un billet d'avion pour un vol intérieur. Le prix d'un aller-retour est tout simplement le double d'un aller simple. Pour obtenir des réductions, adressez-vous à une agence de voyages ou à la compagnie aérienne.

China Southern Airlines, le centre-ville en 1 heure. Le taxi vous en coûtera environ 100 yuan.

Guangzhou assure des liaisons directes avec un nombre grandissant de destinations internationales, dont Amsterdam, Bangkok, Hanoi, Hô Chi-Minh-Ville, Jakarta, Kuala Lumpur, Los Angeles, Manille, Singapour et Sydney. *Japan Airlines, MAS, Singapore Airlines, Vietnam Airlines* et *United Airlines* possèdent des bureaux en ville. *China Southern Airlines* (lignes internationales et intérieures) a les siens au 181 Huanshi Donglu (*tél. 8668 2000*). Guangzhou est également relié aux principales villes de Chine. Vous pourrez acheter vos billets auprès des compagnies chinoises.

Fuyong, l'autre aéroport important de la province du Guangdong, est à 55 km de Shenzhen, et à 25 km de Shekou.

Hong Kong

L'aéroport international est situé à Chek Lap Kok, dans la partie nord de l'île de Lantau, à 34 km de Central (www.hkairport.com).

L'Airport Express (AEL) assure une liaison ferroviaire (23 min) avec le centre de Hong Kong. Le trajet dure environ 20 min avec un départ toutes les 10 min. C'est le mode de transport le plus pratique et le moins cher (le trajet en taxi ou en bus prend 40 min). Il existe des navettes gratuites entre la gare de l'AEL et les principaux hôtels. En quittant Hong Kong, prévoyez d'arriver à AEL Central ou à Kowloon 90 min avant le départ.

Kashi (Kashgar)

L'aéroport est à 11 km au nord de la ville. Une navette relie l'aéroport et le bureau de la CAAC, 95 Jiefang Nanlu (*tél. 282 2113*). *Xinjiang Airlines* assure des vols quotidiens entre Kashi et Ürümqi (places rares).

Kunming

Situé à 3 km du centre-ville, l'aéroport international de Kunming dessert les principales villes de Chine, ainsi que Yangon (Rangoon), Singapour, Bangkok, Chiang Mai, Vientiane et Hanoi.

Kunming est aussi le siège de *Yunnan Airlines*, qui assure des vols vers les principales destinations de la province, notamment Dali, Lijiang, Mangshi (vols quotidiens) et Jinghong (plusieurs fois par jour).

Lanzhou

L'aéroport se trouve à Zhongyuan, à 75 km au nord de Lanzhou. La CAAC (*tél. 888 9666*) assure des navettes entre ses bureaux de Donggang Xilu et l'aéroport. Malheureusement, les horaires ne sont pas fixes : il faut donc les vérifier au cas par cas.

La course en taxi coûte de 200 à 300 yuan. Il est conseillé de marchander. Méfiez-vous des chauffeurs de taxi qui proposent des courses moins chères. Si votre avion part tôt le matin, vous pouvez passer la nuit dans l'un des hôtels de l'aéroport, comme le *Zhongchuan Hotel* (*tél. 841 5926*).

Lanzhou est également reliée à toutes les grandes villes chinoises. La CAAC opère à Lanzhou sous le nom de *China Northwest* (Xibei Hangkong), 46 Donggang Xilu (*tél. 882 1964, tlj. 8h-21h*). Il n'existe plus de vol pour Hong Kong.

Macau

L'aéroport international (MFM, *tél. 861 111*), sur la côte est de l'île de Taipa, est relié au centre de Macau par des ponts. Moins de 30 min suffisent pour le rejoindre.

Des taxis autorisés et des bus AP1 desservent les principaux hôtels, la frontière et la gare maritime. Deux compagnies de ferries opèrent 24h/24 des vedettes rapides vers Hong Kong (55-75 min). Les ferries étant bondés le week-end, réservez *via* une agence de voyages.

Si vous appréciez les vols en hélicoptère, *East Asia Airlines* (*tél. 2108 9898* à Hong Kong et *727 288* à Macau) relie quotidiennement les héliports du terminal de ferries de Macau et du Shun Tak Centre, à Hong Kong. Un départ a lieu toutes les 30 min de 9h30 à 22h30. Le vol transporte 10 passagers en 16 min

Il existe des vols réguliers entre Macau et 22 villes asiatiques (Singapour, Manille, Kuala Lumpur, Bangkok et Taipei...), dont 14 en

Chine (Beijing, Shanghai..). Pour la Chine, la taxe d'aéroport s'élève à 80 $ MOP (50 $ MOP pour les moins de 13 ans). Pour les autres destinations, elle est de 130 $ MOP (80 $ MOP pour les enfants).

Shanghai

Shanghai est reliée à la plupart des villes chinoises et à un grand nombre de destinations internationales. Les vols intérieurs et certains vols internationaux utilisent le vieil aéroport de Hongqiao (*tél. 6268 8918*), situé à 15 km du centre de la ville. L'aéroport international (*tél. 3848 4500*) se trouve à Pudong, à 70 km à l'est du centre.

Le trajet Hongqiao-Shanghai dure de 30 min à 1h. La plupart des hôtels proposent des navettes. Vous trouverez facilement des taxis à l'extérieur des terminaux. Évitez les taxis illégaux, qui ne possèdent pas de compteurs. Pour se rendre en ville, la plupart des chauffeurs utilisent la voie express reliée au périphérique ; le péage est à votre charge. De Pudong, la course coûte entre 30 et 150 yuan (1h de trajet).

Le train MAGLEV rejoint en moins de 8 min la station de métro de Lugyang Road, avec une pointe à 430 km/h (aller simple : 50 yuan).

Il existe 5 navettes d'aéroport. La ligne n° 1 mène aux aéroports Hongqiao et Pudong, et la ligne n° 2, aux aéroports internationaux de Hongqiao et de Pudong.

Pour les vols internationaux, prévoyez d'arriver à l'aéroport 2h avant le décollage (vous devrez payer 90 yuan de taxe d'aéroport). Pour un vol dans le pays, soyez là au moins 1h avant le départ (50 yuan). *China Eastern Airlines* (*tél. 6247 5953*) assure la réservation des vols intérieurs.

Ürümqi

L'aéroport (*tél. 371 9511, poste 113*) se trouve à 17 km au nord de la ville. Les bureaux de *China Northwest* sont situés 67 Youhao Nanlu (*tél. 452 5594 ou 451 2212, tlj. 7h-12h*). En face se trouvent ceux de CAAC, connu ici sous le nom de *Xinjiang Airlines* (62 Youhao Nanlu, *tél. 451 4668*). Le coût d'une course

en taxi revient à environ 30-40 yuan.
Vous pouvez autrement opter pour
le bus 51 ou le bus 2.

Ürümqi est reliée par des vols
internationaux à Almaty (Kazakstan),
Bishkek (Kyrgyzstan), Islamabad
(Pakistan), Moscou, Novosibirsk
(Russie) et Tashkent (Ouzbekistan).
Les compagnies représentées
à Ürümqi inclus Siberian Airlines
(*tél. 286 2326*) et Kyrgyzstan
Airlines (*tél. 231 6333*). Au Xinjiang,
elle dessert Yining, Tacheng,
Kelamayi (Karamai), Kashi (Kashgar),
Akesu (Aksu), Hetian (Hotan), Kuche
(Kuqa), Kuerle (Korla), Qiemo (Jumo)
et Aletai (Altai). Ürümqi est aussi
reliée à Beijing, Changsha, Chengdu,
Chongqing, Fuzhou, Guangzhou,
Lanzhou, Shanghai, Tianjin, Xi'an
et Zhengzhou.

Xi'an

L'aéroport est installé à 40 km au
nord-ouest de Xi'an, à Xianyang. La
plupart des grands hôtels proposent
un service de limousine ou de
minibus, qui doivent être réservés.
La CAAC/*China Northwest Airlines*
assure une navette (5h-18h) de
ses bureaux de Laodong Nanlu
à l'aéroport. Vous pouvez aussi
prendre un taxi (90-100 yuan ; trajet
50 min). Négocier avant de monter :
certains chauffeurs demandent
jusqu'à 200 yuan.

L'aéroport de Xi'an dessert
presque toutes les grandes villes
de Chine. À Xi'an, la CAAC opère
sous le nom de *China Northwest
Airlines* (Xibei Hangkong). Ses
bureaux se trouvent à l'angle
de Laodong Nanlu et de Xiguan
Zhengjie, à 1 km à l'extérieur de
la porte ouest de la vieille ville
(*tél. 8870 2299, fax 862 4068*).
China Northwest assure 4 vols par
semaine entre Xi'an et Hong Kong,
et *Dragonair* 2. Le bureau de
réservation de *Dragonair* (*tél. 8426
2988*) est situé dans le hall de
l'hôtel *Sheraton*, 12 Fenggao Lu.

PAR LE TRAIN

Beijing

Beijing possède 2 gares principales :
la gare de Beijing (Beijing zhan) et
celle de Beijing Ouest (Xi zhan) – où
arrivent la majorité des trains –, ainsi
que 3 gares plus petit desservant
d'autres régions. Si vous arrivez en
Chine par le transmandchourien ou
le transmongolien – appelé à tort
le transsibérien, alors qu'il relie
Moscou à Vladivostok sans passer
par la Chine –, les conditions
d'entrée et sanitaires sont les
mêmes que si vous arriviez par
avion (*voir p. 355 et 365*).

Deux itinéraires sont possibles. Le
transmongolien chinois, mieux équipé,
passe par Oulan Bator (Ulaanbaatar),
traverse la Mongolie et pénètre en
Chine par Erlian (5 jours). Le train
russe, le transmandchourien,
parcourt la Mandchourie et entre en
Chine à Manzhouli (6 jours). Dans
les deux cas, le départ se fait une
fois par semaine à Moscou.

Selon les trains, il existe 2 ou
3 classes. Les repas (non compris)
sont corrects, mais deviennent vite
répétitifs au fil du voyage. Si vous
souhaitez vous arrêter en Russie plus
de 24h, il vous faudra un visa
touristique pour ce pays et une
réservation d'hôtel. Cela peut
devenir assez onéreux.

Il est plus facile d'obtenir
des billets de train et les visas
correspondants dans le sens Beijing-
Moscou que le contraire. En Chine,
vous pouvez réserver vos billets dans
les hôtels *Chongwenmen* et *Beijing
International* ou chez *Monkey
Business*, 12 Dong Daqioxie Lu (*tél.
6591 6519*). Comptez un certain
temps pour l'obtention des visas.

Si vous voulez vous déplacer en
train à l'intérieur du pays, mieux vaut
acheter vos billets au bureau des
réservations destiné aux étrangers
(*ouv. tlj. 5h30-7h30, 8h-18h30, 19h-
23h*) à la gare centrale de Beijing.
Vous pourrez aussi y prendre vos
billets pour les trains partant de la
gare Beijing Ouest, mais cette
dernière possède aussi un bureau de
réservation pour les étrangers ouvert
24h/24. Si vous souhaitez voyager
en couchette, surtout l'été, réservez
2 ou 3 jours à l'avance. Sachez qu'il
est possible d'acheter des billets
aller/retour pour la ligne Hong
Kong/Beijing, mais pas pour les
autres trajets.

Chongqing

Chongqing assure des liaisons
ferroviaires directes avec Beijing
(30h), Shanghai (43h), Chengdu
(11h), Kunming (17h), Guangzhou,
Zhengzhou, Yangzhou, Wuchang,
Guiyang, Nanning et Zhejiang.
Il existe un guichet spécial pour
les couchettes, difficiles à obtenir
pendant la haute saison d'été.
La gare ferroviaire jouxte la gare
routière à l'extrémité sud de la
péninsule, dans Nanqu Lu.

Guangzhou

Les trains arrivent soit à la gare
centrale, soit à la gare de l'Est
(Guangzhou Dong) à Tianhe,
à 30 min de taxi du centre.

Guangzhou possède des liaisons
ferroviaires avec la plupart des
grandes villes chinoises. Sept trains
relient quotidiennement Guangzhou et
Hong Kong au départ de la gare Est.
Le premier train quitte Guangzhou
à 9h50 et le dernier à 17h20 (2h de
trajet). Un train direct relie Foshan et
Hong Kong (3h).

La plupart des hôtels et le bureau
du CTS vendent les billets. À Hong
Kong, on peut les acheter dans les
agences de voyages, les hôtels, les
bureaux du CTS ou à la gare Hung
Hom (*tél. 2947 7888*). Si vous voulez
payer moins cher, ou s'il ne reste plus
de place, prenez le train Kowloon-
Guangzhou (KCR) jusqu'à la frontière
à Lo Wu (40 min, et 3 départs/h
entre 5h30 et 22h19). La gare de
Shenzhen est juste en face côté de
la frontière. Vous pourrez y prendre
un express jusqu'à Guangzhou
(2 départs/h, 55 min).

Tous les trains de Kowloon à
Guangzhou sont climatisés, à la
différence de ceux circulant entre
Shenzhen et Guangzhou. Si vous
prenez un express, votre billet vous
coûtera 60% plus cher. Le train
à grande vitesse (4 départs/jour)
atteint 200 km/h. Demandez un
compartiment climatisé (*you kong-tia*),
un luxe appréciable en été.

Kunming

Construite par les Français il y a
un siècle, une voie relie Kunming
à Hanoi, au Vietnam, et Hekou, au
Yunnan, *via* Lao Cai à la frontière. De

Hanoi, on peut prendre un train pour Dong Dang et passer au Guangxi, dans le canton de Pingxiang, à 247 km au sud-est de Nanning.

Lanzhou

De Lanzhou, des trains partent pour Beijing, Shanghai, Xining, Ürümqi, Xi'an, Chengdu et Golmud. Ceux qui se rendent à Ürümqi (24h) s'arrêtent à Jiayuguan (10h), à Liuyuan, la gare de Dunhuang (14h), et à Daheyan, la gare de Turpan (22h).

Il vaut mieux s'adresser à une agence de voyages ou à un hôtel pour réserver des couchettes. Dans la gare, méfiez-vous des pickpockets.

Shanghai

La gare de Shanghai (*303 Moling Road*), se trouve au nord de la ville. Parmi les nombreuses destinations – direct et express –, il y a plusieurs départs par jour pour Guangzhou, Shenzhen, Nanjing, Suzhou, Hangzhou. Pour Beijing, optez pour l'express de nuit, qui part vers 19h pour arriver le lendemain matin. L'express de Hong Kong fonctionne tous les 2 jours (24h de trajet).

À la gare de Shanghai, achetez votre billet au guichet de la salle d'attente de la "classe molle" (*voir p. 372*) : il est réservé aux étrangers et aux Chinois expatriés (*ouv. tlj. 7h-21h*), ou à l'hôtel *Longmen* (*777 Henfeng Rd, tél. 6317 9325*), situé à l'ouest de la gare. Vous pouvez aussi vous adresser au CITS. Informations sur les horaires : *tél. 6317 9090*.

Ürümqi

La gare se trouve au sud-ouest de la ville. Des trains partent vers l'est et le sud pour Beijing, Shanghai, Zhengzhou, Chengdu et Xi'an. Ils s'arrêtent tous à Lanzhou. D'autres vont jusqu'à Kashi *via* Kupa (23h de trajet). Depuis Lanzhou, le train d'Ürümqi s'arrête à Daheyan (gare de Turpan), Hami, Liuyuan (Dunhuang) et Jiayuguan. Couchettes rares.

Xi'an

Xi'an est reliée à beaucoup de grandes villes chinoises, notamment Beijing (14h express), Shanghai (17-24h), Guangzhou, Chengdu, Hefei, Wuhan, Qingdao, Lanzhou et Ürümqi.

Réservez vos billets auprès des hôtels, des agences de voyages et au CITS malgré le supplément, car il est impossible de se les procurer au bureau de la gare destiné aux étrangers : il est fermé. Prévoyez quelques jours pour les obtenir.

La plupart des trains de nuit ont 3 classes : couchette molle, couchette dure et siège dur. Tous les wagons ne sont pas climatisés.

AUTRES PAYS

Russie/Mongolie

L'odyssée en transmongolien ou en transmandchourien de Moscou à Beijing, qui dure 5 ou 6 jours, est un grand classique du voyage ferroviaire (*voir p. 361*). Dans le train russe, le service laisse à désirer.

Vietnam

Deux fois par semaine, le train qui relie Beijing et Hanoi passe par le col de l'Amitié, à la frontière du Guangxi avec le Vietnam. On peut y monter

Au départ de Beijing

Distances et temps nécessaires en train au départ de Beijing vers les autres villes chinoises :

De Beijing À :	Distance (km)	Temps (heures)
Chengdu	2 048	28
Chongqing	2 552	31
Datong	400	5
Dalian	1 239	10
Guangzhou	2 313	24
Guilin	2 134	24
Hangzhou	1 651	16
Harbin	1 388	14
Hohhot	680	11
Kunming	3 179	45
Lanzhou	1 882	29
Luoyang	819	10
Nanjing	1 157	12
Qingdao	887	10
Shanghai	1 462	14
Suzhou	1 376	14
Taiyuan	514	11
Ürümqi	3 774	49
Wuhan	1 229	14
Wuxi	1 334	14
Xi'an	1 165	14

depuis plusieurs villes chinoises, dont Nanning, Changsha et Guilin. Il est aussi possible de passer la frontière à pied à Hekou (Chine), Lao Cai (Vietnam) et à la porte de l'Amitié (Dong Dang, Vietnam, et Pingxiang, Chine).

PAR LA ROUTE

Plusieurs frontières internationales sont ouvertes, mais dans certaines régions (comme à la frontière du Bouthan) le passage est interdit.

Kazakhstan

Almaty (Kazakhstan) est reliée 1 fois/jour par car, 2 fois/semaine par train à Ürümqi (visa obligatoire).

Kirghizstan

Il est possible de voyager en car de Kashi à Bishkek, au Kirghizstan, mais il vous faudra acquérir au préalable un visa et un permit PSB pour ce pays. Il est parfois difficile d'obtenir une place dans un car lorsque l'on est étranger, même muni d'un visa.

Laos

Du Laos, les voyageurs peuvent entrer dans le canton du Mengla, à l'est du Xishuangbanna, depuis Boten dans la province de Luang Nam Tha. Des excursions permettent de remonter le Mekong en bateau jusqu'à Jinghong.

Myanmar (Birmanie)

La frontière avec le Myanmar est en principe ouverte depuis 1996. Vous pourrez obtenir un visa au consulat de Kunming, mais, vous ne pourrez franchir la frontière qu'en vous joignant à un groupe en voyage organisé à Kunming ou à Ruili. Vous n'aurez pas l'autorisation d'entrée en Chine en tant que voyageur indépendant. Renseignez-vous sur les dernières formalités auprès du consulat à Kunming.

Népal

Il est possible depuis 1985 d'entrer en Chine *via* le Népal au poste de Zhangmu/Kodari où vous pourrez obtenir un visa pour le Népal ou bien au consulat du Népal, à Lhasa. La route entre Kathmandu et Lhasa est ouverte mais il faut compter un temps considérable – pas pour le voyage mais surtout pour la bureaucracie, en particulier si vous passez par le Tibet. Il est impossible d'obrtenir un visa pour la Chine à la frontière et sachez que le moyen le plus pratique pour passer la frontière est de joindre un groupe pour Lhasa à Kathmandu. Il existe des transports en commun du côté népalais mais peu du côté tibétain et les formalités sont très fastidieuses : vous devrez louer ou partager une voiture pour vous rendre à Lhasa.

Pakistan

Depuis 1986, on peut emprunter la grand-route de Karakorum entre Kashi et Islamabad. Le visa pakistanais est indispensable et impossible à obtenir à la frontière. La route est ouverte d'avril à octobre, selon la météo. Pendant la période d'ouverture, des cars quotidiens relient Kashi à Taxkorgan (5h), le dernier avant-poste frontière chinois, où les cars s'arrêtent pour la nuit avant de rallier Sost en passant par le col de Khunjerab. En été, départs réguliers pour cette excursion de 2 jours.

Du côté pakistanais comme du côté chinois, la route peut être bloquée par des glissements de terrain. Le cas échéant, vous devrez parcourir la distance à pied en portant vos bagages. L'hébergement en route est plutôt modeste.

PAR BATEAU

Corée

Une ligne de ferries relie la Corée du Sud et la Chine. Au départ d'Inchon, elle dessert Weihai (18h) 2 fois/semaine ; Qingdao (15h), 3 fois/semaine ; Tianjin (environ 24h), tous les 5 jours ; et Dalian (18h), 3 fois/semaine. Les billets s'achètent dans les bureaux du CITS.

Japon

Un ferry relie Shanghai et Osaka une fois par semaine. Il existe également un service moins régulier vers Kobe. Tianjin/Tanggu est reliée à Kobe une fois par semaine. Le trajet prend deux jours et se réserve auprès des bureaux du CITS.

Tour operators

Généralistes

EUROPE

Belgique

Nouvelles Frontières
Bd Lemonnier 2
1000 Bruxelles
Tél. 32 (0)2 547 44 44
Fax 32 (0)2 547 44 99
Terres d'aventure
Vitamin Travel
Rue Van Artevelde 48
1000 Bruxelles
Tél. 32 (0)2 512 74 64
Fax 32 (0)2 512 69 60
Zig-zag
Serra tours
Rue Grétry 22
1000 Bruxelles
Tél. 32 (0)2 223 49 48

France

Adeo
11, rue Pache
75011 Paris
Tél. 33 (0)1 43 72 80 20
Fax 33 (0)1 43 72 79 09
www.adeo-voyages.com
Route de la Soie. Voyages au Sichuan, Yunnan et Guizhou.
Amplitudes
20, rue du Rempart-St.-Étienne
31000 Toulouse
Tél. 33 (0)5 62 30 17 77
Fax 33 (0)5 62 30 17 78
Circuits individuels : Tibet, Beijing, Chine impériale et sud du pays.
Ariane Tours
5, square Dunoix
75013 Paris
Tél. 33 (0)1 45 86 88 66
www.ariane-tours.com
Route de la Soie, croisière sur le Yangzi, visites du Yunnan et du Guizhou.
Atalante
CP 701 – 36/37, quai Arloing

69256 Lyon cedex 09
Tél. 33 (0)4 72 53 24 80
Fax 33 (0)4 72 53 24 81
www.atalante.fr
10, rue des Carmes
75005 Paris
Tél. 33 (0)1 55 42 81 00
Fax 33 (0)1 55 42 81 01
FRAM
32, rue Alsace-Lorraine
31000 Toulouse
Tél. 33 (0)5 61 23 40 89
Fax 33 (0)5 61 12 23 08
www.fram.fr
Intermèdes
60, rue de la Boëtie
75008 Paris
Tél. 33 (0)1 45 61 90 90
Fax 33 (0)1 45 61 90 09
www.intermedes.com
Croisière sur le Yangzi. Visites de Beijing, de Shanghai et du Yunnan.
JET Tours
Informations et réservations auprès de votre agence de voyages.
www.jettours.com
Croisière sur le Yangzi. Découverte du Yunnan.
Kuoni
95, rue d'Amsterdam
75008 Paris
Tél. 33 (0)1 42 85 71 22
www.kuoni.fr
Circuit intégrant la visite des grottes du Yungang, de la montagne sacrée de Wutaishan, du temple suspendu de Hengshan, des rizières de Guilin, des Hong Kong, de Shanghai. Autre circuit : croisière sur le Yangzi, Beijing et la Grande Muraille.
Nomade aventure
49 et 40 (sur cour),
rue de la Montagne-Ste-Geneviève
75005 Paris
Tél. 33 (0)1 46 33 71 71
Fax 33 (0)1 43 54 76 12
www.nomade-aventure.com
Tibet, Chine du Sud, Sichuan, Yunnan, Shanghai, et Grande Muraille.
Nouvelles Frontières
87, bd de Grenelle
75015 Paris
Tél. 33 (0)1 45 68 70 38
www.nouvelles-frontieres.fr
Circuits à Shanghai, Hong Kong, dans le delta du Yangzi, au Shandong, au Yunnan. Croisière sur le Yangzi.

Orients
25, rue des Boulangers
75005 Paris
Tél. 33 (0)1 40 51 10 40
Fax 33 (0)1 40 51 10 41
www.orients.com
Une quinzaine de circuits,
notamment "les Routes de la Soie".
La Procure Terre entière
10, rue de Mézières
75006 Paris
Tél. 33 (0)1 44 39 03 03
Fax 33 (0)1 42 84 18 99
Croisières-conférences sur le Yangzi.
Terra Incognita
10, rue des Carmes
75005 Paris
Tél. 33 (0)1 55 42 81 03
www.terra-incognita.fr
Deux formules : "Les Derniers
Empereurs" et "Minorités du Sud".
Voyages à la carte.
Traditions et civilisations
164, rue Jeanne-d'Arc
75013 Paris
Tél. 33 (0)1 43 36 98 10
Fax 33 (0)1 43 36 03 00
Voyages culturels.
Voyageur du monde
55, rue Sainte-Anne
75002 Paris
Tél. 33 (0)1 42 86 16 00
Fax. 33 (0)1 42 86 17 88
www.vdm.com
Groupes et individuels. Croisière sur
le Yangzi, Grande Muraille, route
de la Soie. Découverte de la vie
quotidienne chinoise.
Yoketai
15, rue Chevert
75007 Paris
Tél. 33 (0)1 45 56 58 20
Fax 33 (0)1 45 51 34 70
www.atlv.net
Formules individuelles avec guide.
Yunnan, palais des Mandchous,
fleuve Jaune, Shanghai, Beijing,
les Trois Gorges.

Suisse
Asia
Fert & Cie Voyages
22a, rue Le Corbusier 2364
CH-1211 Genève
Tél. 41 (0)22 839 43 92 ou
41 (0)22 839 43 91
Fax 41 (0)22 347 09 17
Au tigre vanillé
8, rue de Rive

CH-1204 Genève
Tél. 41 (0)22 817 37 37
Fax 41 (0)22 817 37 39
www.autigrevanille.com
Kuoni Voyages
8, rue de Chantepoulet
1201 Genève
Tél. 41 (0)22 908 69 10
Fax 41 (0)22 908 69 29
www.kuoni.ch
Nouvelles Frontières
10, rue Chantepoulet
1201 Genève
Tél. 41 (0)22 906 80 90
Fax 41 (0)22 906 80 90

CANADA

Nouvelles Frontières
1180, rue Drummond
H3G-2R7 Montréal
Tél. 1 514 871-3060
Fax 1 514 871-30 0

Tour operators spécialisés

EUROPE

Belgique
Atalante
Continents Insolites
Rue César Franck 44A
B-1050 Bruxelles
Tél. 32 (0)22 18 24 84
Fax 32 (0)22 18 24 88
www.continentsinsolites.com
Terra Incognita
Rue César Franck 44A
1055 Bruxelles
Tél. 32 (0)22 18 24 84
Fax 32 (0)22 18 24 88

Enfants

Les Chinois se montrent très
chaleureux avec les enfants ;
voyager en famille ne pose donc
pas de problème particulier.
Vous trouverez des couches
jetables et des petits pots dans
toutes les grandes villes.
Les enfants bénéficient de tarifs
réduits en train et en avion.
Les hôtels de luxe proposent des
services de baby-sitting payants.

France
Club-Aventure
18, rue Séguier
75006 Paris
Tél. 33 (0)8 25 30 60 32
www.clubaventure.fr
Randonnées dans les montagnes du
Yunnan.
Tamera
26, rue du Bœuf
69005 Lyon
Tél. 33 (0)4 78 37 88 88
Fax 33 (0)4 78 92 99 70
www.tamera.fr
Voyages d'aventures : du Pakistan à
la Chine, au Tibet. Randonnées aux
confins du Tibet et du Yunnan.
Terres d'aventure
6, rue Saint-Victor
75005 Paris
Tél. 33 (0)825 847 800
Fax : 33 (0)1 43 25 69 37
www.terdav.com
Randonnées en Chine du Nord, au
Yunnan, au Tonkin, au Tibet.
Tirawa
2, rue Claude-Martin
73026 Chambéry cedex
Tél. 33 (0)4 79 33 76 33
Fax 33 (0)4 79 33 78 78
www.tirawa.com
Circuits dans les provinces du Sud-
Ouest, du Nord-Ouest, de l'Est, à
Beijing, à Shanghai. Randonnées
dans le désert du Taklamakan.
UCPA
62, rue de la Glacière (BP 415)
75626 Paris cedex 13
Tél. 33 (0)825 820 830
www.ucpa.com
Randonnées dans les montagnes du
Yunnan.
Zig-zag
54, rue de Dunkerque
75009 Paris
Tél. 33 (0)1 42 85 13 93 ou
33 (0)1 42 85 13 18
Fax 33 (0)1 45 26 32 85
www.zig-zag.tm.fr
Randonnées dans le Guangxi
Zhuang, le Guizhou et le Yunnan.

Suisse
Atalante 100% Nature
15, bd d'Yvoy
1205 Genève
Tél : 41 (0)22 320 17 25
Fax : 41 (0)22 320 24 76
www.100p100nature.ch

Terres d'aventure
Néos Voyages
50, rue des Bains
1205 Genève
Tél. (41) 22 320 66 35
Fax (41) 22 320 66 36

CHINE

China International Travel Services (CITS), l'agence de voyages chinoise la plus connue, était autrefois la seule habilitée à prendre en charge des touristes étrangers. Elle possède des bureaux indépendants dans un très grand nombre de villes en Chine (*voir p. 366*).

China Travel Services (CTS) est un organisme de même type. Initialement spécialisé auprès de la clientèle locale et des Chinois de la diaspora, il est désormais aussi habilité à prendre en charge les séjours des touristes étrangers. L'efficacité de ces deux agences est très variable selon les bureaux, mais CTS semble l'emporter d'une courte tête sur CITS.

Des agences comme celles du CITS peuvent réserver des billets d'avion, d'opéra, de spectacles d'acrobatie et de concerts – même lorsqu'ils sont, en principe, complets. Prévoyez de payer un supplément le cas échéant.

Ces agences ne se contentent pas d'organiser des circuits ou de faire des réservations, elles sont parfois propriétaires d'hôtels, en partenariat avec leurs homologues locales. Il s'avère parfois plus économique de passer par ces dernières.

Les petits tour operators locaux non licenciés ont mauvaise réputation. Certains, dit-on, font circuler des véhicules en mauvais état, emmènent leurs clients dans des magasins et des restaurants avec lesquels ils ont des accords et exigent des commissions de 100 % ou plus sur les billets d'entrée aux spectacles et aux sites.

Il est tout à fait possible de se passer du service d'agences. Sachez en outre qu'elles ne s'occupent en aucun cas des prolongations de visa et autres formalités. C'est la police qui s'en charge.

Sur place

À votre arrivée en Chine, que vous entriez par avion, par le train ou par bateau, vous devrez remplir un formulaire concernant votre santé, ainsi qu'une fiche relative à votre séjour qui sera agrafée à votre passeport.

Les aéroports, les gares et les ports sont pourvus de bureaux de change et de stations de taxis. Les compagnies aériennes proposent des navettes peu onéreuses pour rejoindre leurs bureaux en centre-ville.

Méfiez-vous des taxis illégaux qui offrent leurs services en dehors des files et stations officielles, et mettez-vous d'accord sur le prix du trajet, ou bien assurez-vous que le chauffeur accepte de mettre en marche son compteur.

Sécurité

La Chine reste un pays relativement épargné par la criminalité. La politique de répression drastique menée par le gouvernement n'y est pas étrangère : des milliers de criminels sont exécutés chaque année.

La délinquance est toutefois en augmentation, notamment dans les grandes villes (et surtout à Guangzhou), où affluent depuis ces dernières années des milliers de migrants sans domicile et sans emploi. Prenez les précautions d'usage lorsque vous vous promenez dans les rues et faites attention à vos objets de valeur dans les hôtels et dans les transports publics. Les pickpockets agissent principalement dans les trains et les bus bondés, ainsi que dans les gares.

Abstenez-vous d'emporter vos plus belles valises, surtout

si vous voyagez hors des grandes villes. Prenez des bagages solides que vous pourrez fermer à clé.

La police – **Bureau de la sécurité publique** (*Gongan Ju*) – est omniprésente. Elle fait preuve, en général, d'une attitude bienveillante vis-à-vis des étrangers. Si vous rencontrez un problème avec un chauffeur de taxi ou avec le personnel de votre hôtel, elle vous aidera efficacement à le résoudre. Mais ne vous faites pas surprendre dans des zones interdites aux touristes ou avec un visa expiré si vous ne voulez pas avoir maille à partir avec elle.

Adresses utiles

BUREAUX DE LA SÉCURITÉ PUBLIQUE

Beijing
2 Andingmen Dongdajie
Tél. 8402 0101
Ouv. lun.-sam. 8h30-16h30
Chongqing
48 Wusi Lu
Tél. 6386 7017 ou 8640 7061
Ouv. lun.-ven. 9h-11h30, 14h-17h
Guangzhou
863 Jiefang Beilu
Tél. 8333 1326
Kaifeng
86 Zhongshan Lu
Tél. 532 2242
Ouv. 8h30-12h, 15h-18h
Kashi (Kashgar)
111 Yunmulakexia Lu
(ou 67 Renmin Donglu)
Tél. 282 2048
Kunming
82 Renmin Donglu
Tél. 316 6191
Lanzhou
310 Wudu Lu
Tél. 846 2851
Ouv. lun.-ven. 8h-12h, 14h30-18h30

Étudiants

Les étudiants étrangers voyageant en Chine ne sont soumis à aucune réglementation spécifique. Les titulaires d'une carte ISIC peuvent bénéficier de certaines réductions.

Luoyang
1 Tiyuchang Lu
Tél. 393 8397
Nanning
Keyuan Dadao
Tél. 289 1260
Ov. lun.-ven. 8h-16h
Qingdao
272 Ningxia Lu
Tél. 579 2555
Shanghai
333 Wusong Road
Tél. 6357 7925
Ouv. lun.-ven. 9h-11h, 14h-17h
Tai'an
Angle de Dongyue Lu et Qingnian Lu
Tél. 827 5264
Ürümqi
Au coin de Minzhu Lu
et de Jiankang Lu
Tél. 281 0452 (poste 3614)
Ouv. lun.-ven. 9h30-13h30, 16h-18h
Xi'an
138 Xi Dajie
Tél. 723 4500 (poste 51810)
Ouv. lun.-ven. 8h-12h, 15h-18h
Zhengzhou
70 Erqi Lu
Tél. 622 2023

BUREAUX DU CITS

CITS, ou China International Travels Services est l'une des deux agences touristiques officielles de Chine (*voir p. 365*).

Beijing
103 Fuxingmennei Dajie
Tél. 6601 1122
Ouv. 8h30-11h30, 13h30-17h
autres adresses :
Capital Airport, tél. 6459 8148
10 Dengshikou Xijie, tél. 6512 3043
27 Sanlitun Beilun, tél. 6417 6627
Chengdu
65, Sec 2, Renmin Nan Lu
Tél. 665 8731
Chongqing
63 Zaozilanya Zhenglu

Infos en direct

Beijing tél. 6513 0828
Shanghai tél. 6252 0000
Bureau des touristes à Shanghai
tél. 6272 0000
Guangzhou tél. 8667 7422

Tél. 6385 1098
Ouv. lun.-ven. 8h30-12h, 14h-17h30
Autre adresse : 125 Renmin Lu
Tél. 6385 7015
Ouv. lun.-ven. 9h-18h
Dalian
1 Changtong Jie
Tél. 368 7843
Guangzhou
185 Huanshi Lu
Tél. 8666 6889
Guilin
41 Ronghu Beilu
Tél. 286 1623
Hangzhou
1 Beishan Lu
Tél. 8521 5525
Hong Kong (CTS)
CTS House (rdc)
78-83 Connaught Rd, Central
Tél. 2853 3888
Fax 2541 9777
Office de tourisme de Hong Kong
The Centre (rdc)
99 Queen's Road, Central
Tél. 2508 1234
Kashi (Kashgar)
Qinibagh Hotel, 93 Seman Road
Tél. 298 3156
Ouv. tlj. 9h30-13h30, 16h-20h
Kunming
285 Huancheng Nan Lu
Tél. 355 4283
Lanzhou
361 Tianshui Lu
(entrée dans Nongmin Xiang)
Tél. 881 3222
Luoyang
Changjiang Lu
Tél. 432 3212
Nanjing
202-1 Zhongshan Beilu
Tél. 342 3070
Ouv. lun.-sam. 9h-17h
Ningbo
Ningbo Mirage Hotel
129 Yaohang Jie
Tél. 8731 9999
Qingdao
Yuyuan Building
73 Xianggang Xilu
Tél. 389 2065
Shanghai
Shanghai Guangming Building
2 Jinling Road (E)
Tél. 6323 8770
Suzhou
Dajing Xiang (à côté du Lexiang Hotel)
Tél. 6515 5199

Tianjin
22 Youyi Lu
Tél. 2835 8309
Ouv. lun.-ven. 9h-17h, sam. 9h-12h
Ürümqi
51 Xinhua Beilu
Tél. 282 6769
Wuhan
26 Taibei Yilu (7e niveau), Hankou
Tél. 8578 4125/2124
Wuxi
8 Zhongshan Lu
Tél. 270 5369
Xiamen
Zhongshan Lu
(à côté de la Bank of China)
Tél. 210 3911
Ouv. tlj. 8h-17h30
Xi'an
48 (N) Changan Lu
Tél. 8524 1864
Autre adresse : Bell Tower Hotel
Tél. 727 9200 (poste 2842)
Ouv. lun.-ven. 8h30-12h,
14h30-17h30
Office de tourisme du gouvernement de Macau :
9 Largo do Senado
Tél. 315 566, fax 510 104
www.macautourism.gov.mo

AMERICAN EXPRESS

Beijing
L115D West Wing Building
(Bureau 2101), China World Trade
Centre, Beijing 100004
Tél. 6505 2888
Ouv. lun.-ven. 9h-17h, sam. 9h-12h
Guangzhou
339 Huanshi Dong Lu
Guangzhou 510060
Tél. 8331 1771
Ouv. lun.-ven. 9h-17h, sam. 9h-12h
Shanghai
206 East Tower, Shanghai Centre

Urgences

Police 110
Pompiers 119
Ambulances 120
Renseignements locaux 114
Renseignements nationaux 116
Renseignements internationaux
(en anglais) 115
Horloge parlante 117
Météo 121

1376 Nanjing Rd (W)
Shanghai 200040
Tél. 6279 8082
Ouv. lun.-ven. 9h-17h, sam. 9h-12h
Xiamen
Holiday Inn Crowne (2e niveau)
Plaza Harbour View (Bureau 27)
12-8 Zhenhai Lu, Xiamen 361001
Tél. 212 0268
Fax 212 0270

Ambassades et consulats en Chine

Si vous voyagez hors des grandes villes et principaux sites, avertissez votre ambassade.

Beijing

Canada
19 Dongzhimenwai Dajie
Chaoyang District
Tél. (86-10) 6532 3536
Fax (86-10) 6532 1684
www.beijing.gc.ca
France
3 Dongsanjie, Sanlitun
Tél. (86-10) 65 32 13 31
Fax (86-10) 65 32 47 57
ou 65 32 48 41
Suisse
3 Dongwujie, Sanlitun
Tél. 6532 2736

Shanghai

Canada
Consulat général
American International Centre
604, West Tower, 1376 Nanjing Xi Lu
Tél. (86-21) 6279-8400
Fax (86-21) 6279-8401
www.shangai.gc.ca
France
Consulat général
United Plaza, 12 F, 1468, Nanjing Xilu
Tél. (86-21) 62 89 74 14
Fax (86-21) 62 79 22 49
www.consulfrance-shangai.org
Suisse
Consulat général
22F, Bldg. A, Far East
International Plaza, N. 319
Tél. (0-21) 6270 0519-21
Fax (0-21) 6270 0522

Guangzhou (Canton)

Canada
Consulat général
China Hotel Office Tower (suite 801),

Liu Hua Lu
Tél. (86-20) 8666-0569
Fax (86-20) 8667-2401
www.guangzhou.gc.ca
France
Consulat général
Guangdong International Hotel
339 Huan Shi Dong Lu
Tél. (86-20) 83 30 34 05
Fax (86-20) 83 30 34 37

Hong Kong

Canada
Consulat général
Tower 1 (12e niveau)
Exchange Square
8 Connaught Place, Central
Tél. (85-2) 2810-4321
Fax (85-2) 2810-6736
www.dfait-maeci.gc.ca/hongkong
France
Consulat général
Tower 2 (26e niveau), Admiralty
Center, 18 Harcourt Rd, Central
Tél. 2529 4351
Suisse
Consulat général
Gloucester Tower (37e niveau)
The Landmark, 11 Pedder St, Central
Tél. 2522 7147

Prestations médicales

Elles diffèrent énormément selon que l'on se trouve en ville ou à la campagne. Si vous voyagez dans des zones rurales, attendez-vous à recevoir des soins rudimentaires mais de bonne qualité. Certains hôpitaux urbains disposent de services destinés aux étrangers, où le personnel médical parle l'anglais.

La plupart des grands hôtels ont leur propre médecin. Le paiement de la consultation, des médicaments et du transport se fait sur le champ et en espèces.
International SOS (HK) Limited
World Trade Center (16e niveau)
280 Gloucester Road, Causeway Bay
Tél. 2528 9998
Fax 2528 9933
Urgences 2528 9900
Asia Emergency Assistance (AEA)
Allied Resources Bldg (9e niveau)
32 Ice House St, Central, Hong Kong
Tél. 2810 8898
Fax 2845 0395
Beijing 6462 9100

BEIJING

Urgences/ rapatriement sanitaire

MEDEX Assistance Corporation
Beijing Lufthansa Centre
Regus Office 19
Tél. 6465 1264
Fax 6465 1269
International SOS
Building C, BITIC Ying Yi Building
1 Xingfu Sancun, Beijie
Tél. 6462 9112
Urgences 6462 9100

Urgences

Beijing International Medical Center
Lufthansa Centre
(Bureau S106-S111)
50 Liangmaqiao Lu
Tél. 6465 1561 ou 6465 1562
Fax 6465 1560
Hong Kong International Medical Clinic
Hong Kong Macau Center (9e niveau)
Swisshotel
Tél. 6501 4260 (poste 2345)
Fax 6502 3426

Hopitaux et cliniques

Sino-German Polyclinic
Landmark Tower (Bureau B1)
Tél. 6501 1983
Fax 6501 1944
Peking Union Medical Hospital
53 Dongdanbei Dajie
Tél. 6529 5269
ou 6529 5284 (urgences)
Beijing United Family Hospital
2 Jiangtai Lu
Tél. 6433 3960
Fax 6433 3963
Services médicaux généralistes et gynécologiques ; pharmacie ouverte 24h/24.

CHONGQING

People's Hospital (Renmin Hospital)
256 Xinhua Lu
Tél. 6370 8624

GUANGZHOU

Urgences

Red Cross Hospital
Tél. 8444 2233 (anglais parlé)

Sun Yatsen Memorial Hospital
107 Yanjiang Xilu
Tél. 8133 2199
Cardiologie
Tél. 8384 5357
Guangzhou N°1 People's Hospital
602 Renmin Beilu
Tél. 8108 3090 (poste 681)
**Can-Am International Medical
Center**
Garden Hotel (5e niveau)
368 Huangshi Donglu
Tél. 8387 9057

HANGZHOU

Shengzhong Hospital
Youdian Lu
Tél. 7068 8001
Hangzhou City Central Hospital
453 Tiyuchang Lu
Tél. 8515 7591

HONG KONG

Même si les Hong-Kongais recourent
toujours à la médecine traditionnelle
pour les soins courants, les
pratiques occidentales tendent
de plus en plus à l'emporter, et la
plupart des médecins autochtones
ont été formés à l'étranger.
De nombreux médecins et dentistes
expatriés exercent à Honk Kong.
Les honoraires des médecins privés
tendent à devenir comparables
à ceux pratiqués en Occident.

Hôpitaux
Ils ne sont pas bon marché, mais
confortables, bien équipés et les
soins sont assurés par des
spécialistes compétents. Voici la
liste des hôpitaux les plus connus
(par ordre de prix décroissant) :
Matilda
41 Mt Kellett Road
The Peak
Tél. 2849 0111
Canossa
1 Old Peak Road
Mid Levels
Tél. 2522 0181
The Baptist Hospital
222 Waterloo Road, Kowloon
Tél. 2337 4141
Hong Kong Adventist Hospital
40 Stubbs Road, Happy Valley
Tél. 2574 6211

Médecine ambulatoire avec du
personnel expatrié, du dim. au ven.
Stomatologie d'urgence 24h/24.
Central Medical Practice
1501 Prince's Building
Central
Tél. 2521 2567
Hong Kong Central
1B Lower Albert Road, Central
Tél. 2522 3141

Cliniques
Elles offrent une alternative
économique.
Anderson & Partners
Tél. 2523 8166
Vio & Partners
Tél. 2521 3302
Dr Oram & Partners
Tél. 2525 1730
Cliniques des 2 côtés du port.

Rapatriement sanitaire
International SOS (HK) Limited
World Trade Centre (16e niveau)
280 Gloucester Road
Causeway Bay
Tél. 2528 9998
Fax 2528 9933

KAIFENG

Kaifeng N° 1 People's Hospital
85 Hedao Lu
Tél. 595 8812

KASHI (KASHGAR)

People's Hospital (Renmin Hospital)
Jichang Lu
Tél. 282 2338

LHASA

Number One People's Hospital
18 Linkuo Beilu
Tél. 0891-6332 462

LANZHOU

Gansu Province People's Hospital
96 Donggang Donglu
Tél. 841 6801

MACAU

Kiang Wu Hospital
Rua Coelho do Amaral
Tél. 371 333

NANJING

Gulou Hospital
321 Zhongshan Lu
Tél. 330 4616

QINGDAO

**Qingdao Southern District
People's Hospital**
29 Guangzhou Lu
Tél. 261 9783

SHANGHAI

*Urgences et
rapatriement sanitaire*
SOS International Assistance
Tél. 5298 9538
Urgences 6295 0099

*Urgences et
médecine générale*
Shanghai Emergency Centre
68 Haining Road
Tél. 6324 4010
Huashan Hospital
12 Ürümqi Road (C)
Foreigners' Clinic (19e niveau)
Tél. 6248 3986/6248 9999
(poste 1921)
World Link Medical Centre
Shanghai Centre
1376 Nanjing Road (W)
Tél. 6279 7688

ÜRÜMQI

Xinjiang People's Hospital
91 Tianchi Lu
Tél. 282 2927
Ürümqi Chinese Medical Hospital
60 Youhao Nanlu
Tél. 452 0963

XI'AN

**Xi'an Shaanxi Province
People's Hospital**
214 Youyi Xilu
Tél. 525 1331 (poste 2283/2284)

ZHENGZHOU

Hospital N°1
Henan Medical University, Daxue Lu
Tél. 696 4992

Offices religieux

Bien que la République populaire de Chine prône l'athéisme, de très nombreux temples bouddhistes sont ouverts au culte dans tout le pays. On trouve aussi de nombreux sanctuaires taoïstes, ainsi que des mosquées dans toutes les régions où vivent des musulmans. La plupart des grandes villes possèdent des églises catholiques et protestantes.

Poids et mesures

En Chine, on utilise à la fois le système métrique et le système traditionnel pour les poids et les mesures :

chi	mètre
3,00	1,00
1,00	0,33
0,91	0,31

mu	hectare
15,00	1.00
01,00	0,07
03,22	1,61

jin	kilo
02,00	1,00
01,00	0,50
00,91	0,45

sheng	litre
1,00	1,00
4,55	4,55

Heures d'ouverture

Les magasins sont ouverts tous les jours, y compris les jours fériés, de 8h30 (ou 9h) à 20h. Les administrations et les banques sont ouvertes du lun. au ven. de 8h30 à 12h et de 13h30 à 17h30. Ces horaires sont variables ; en Chine occidentale, par exemple, les bureaux restent ouverts plus tard car ils fonctionnent à l'heure de Beijing.

Pourboires

Excepté à Hong Kong et Macau, les pourboires sont officiellement interdits. Mais leur pratique devient courante dans les villes comme Guangzhou et Shanghai. Il est aujourd'hui normal de rétribuer un guide et un chauffeur chinois. Si vous voyagez en groupe, demandez au guide si le pourboire est recommandé et combien il convient de donner. Cet usage reste peu répandu dans les restaurants et les hôtels, sauf dans les établissements les plus chic. Conformément au rituel, le pourboire est d'abord refusé fermement avant d'être accepté.

Photos

Il est interdit de photographier ou de filmer les installations militaires. Comme partout dans le monde, les touristes ne sont pas autorisés à photographier l'intérieur de certains musées, palais et temples.

Journaux

China Daily, de langue anglaise mais conforme à la ligne du parti, est publié quotidiennement, sauf le dimanche, et distribué gratuitement dans les grands hôtels. On trouve le journal du jour dans les grandes villes ; ailleurs, il date souvent de quelques jours. Des éditions étrangères sont publiées à Hong Kong et aux États-Unis. À Shanghai, vous trouverez 2 autres publications gratuites en anglais, *Shanghai Star* et *Shanghai Daily*.

À Beijing, Guangzhou et Shanghai, des magazines gratuits destinés aux expatriés donnent des informations locales. Ils sont distribués dans la plupart des hôtels, des bars et des restaurants. Les grands hôtels vendent des journaux étrangers, notamment *International Herald Tribune*, *Times*, *Asian Wall Street Journal*, *Time*, *Newsweek*, *Far Eastern Economic Review*.

Services postaux

Ils sont rapides et peu onéreux. Dans certaines villes, la distribution se fait le jour même. Entre les grandes villes, comptez 24h. Le courrier international marche bien.

La majorité des destinations internationales sont desservies par courrier express (EMS) ainsi que par les routeurs internationaux privés (*voir ci-après*). Les gros paquets doivent être confectionnés et fermés à la poste. Rendez-vous à la poste centrale pour tous les autres services. Les détenteurs de la carte American Express peuvent se faire expédier leur courrier dans les agences de cette compagnie.

COURRIER RAPIDE

Beijing

DHL
Tél. 6466 2211, fax 6436 5767
Federal Express
Tél. 800 810 2338/6561 2003
Fax 6467 6952
TNT
Tél. 6465 2227, fax 6462 4018
UPS
Tél. 6593 2932, fax 6593 2941

Hong Kong

DHL
Tél. 2400 3388, fax 2400 2388
Federal Express
Tél. 2730 3333

Shanghai

DHL
Tél. 6536 2900
Federal Express
Tél. 800 820 1338
UPS
Tél. 6391 5555

Xi'an

DHL
Tél. 731 8313
Federal Express
Tél. 328 2754/322 7713
UPS
Tél. 742 0830/742 0141

Télécommunications

TÉLÉPHONE/FAX

Les appels nationaux ne coûtent pas cher. Les appels locaux effectués depuis les hôtels sont en principe gratuits. Il est en revanche très onéreux d'appeler l'étranger depuis son hôtel, car ces appels font l'objet de fortes commissions. Les cartes IP (téléphone par Internet) constituent le moyen le plus économique d'appeler à l'étranger. On les achète dans les kiosques ou dans les hôtels des grandes villes. Il existe aussi des cartes IP pour les appels nationaux.

Comme de nombreux pays dont le réseau téléphonique est en plein développement, les numéros sont sujets à changements fréquents.

Les bureaux de poste et les grands hôtels sont équipés de fax.

INTERNET

Beijing

Outre le fait que les cafés Internet sont difficiles à trouver – pas d'enseigne en anglais – un grand nombre d'entre eux, à Beijing et dans d'autres grandes villes, ont fermé suite aux restrictions de l'État. Néanmoins, vous en trouverez des pas cher dans les auberges de jeunesse et le quartier universitaire, et vous n'aurez pas de mal à vous connecter dans les hôtels. Pour une solution facile mais plus onéreuse, rendez-vous au sud-est de la place Tiananmen :

Qianyi Internet Café
Old Station Building (3e niveau)
Tél. 6705 1722
Ouv. 9h-0h

Hong Kong

Hong Kong est sans doute la ville la plus connectée de Chine. Hôtels et pensions proposent un accès, et les bibliothèques municipales offrent un accès gratuit.
Central Library
66 Causeway Road, Causeway Bay

Appels internationaux

Indicatif international : 86

Pour appeler directement l'international depuis la Chine, composez le 00, puis le code du pays, puis le numéro .
Vous pouvez également appeler directement votre pays en composant d'abord le 108. Par exemple, pour appeler la France, faites le 108-33, puis le code de la zone, puis le numéro. Pour le Canada, composez le 108-1.

Tél. 2921 0503
Vous pouvez également bénéficier d'un accès gratuit dans les principales stations du MTR.
Cyber Clan
South Basement (sous-sol sud)
Golden Crown Court
66-70 Nathan Rd, Tsim Tcha Tsui
Tél. 2523 2821
Pacific Coffee House Company
Cette chaîne dispose de plusieurs adresses en ville. Commandez une boisson et bénéficiez de quelque temps de connection gratuite.
GO6
China Hong Kong City
33 Canton Road, Tsim Tcha Tsui
Tél. 2314 2721
www. pacificcoffee.com

Shanghai

Bibliothèque de Shanghai
1555 Huaihai Road
Tél. 6445 5555
China Telecom
30 Nanjing Road

Indicatifs urbains

Si vous appelez de Chine, faites le 0 avant les indicatifs suivants :

Beijing	10
Chengdu	28
Chongqing	811
Guangzhou	20
Guilin	773
Hangzhou	571
Harbin	451
Jilin	432
Kunming	871
Luoyang	379
Nanjing	25
Shanghai	21
Shenyang	24
Shenzhen	755
Suzhou	512
Taiyuan	351
Tianjin	22
Ürümqi	991
Wuhan	27
Wuxi	510
Xi'an	29
Xiamen	592
Zhengzhou	371

Indicatif international de **Hong Kong** : 852, de **Macau** : 853. Ces indicatifs sont à composer depuis la Chine.

Se déplacer

Orientation

L'avion, le train et les autocars relient toutes les villes d'importance (*voir p. 359*). Le bateau peut s'avérer pratique dans les régions traversées par les grands fleuves. Le réseau routier s'est amélioré, mais il reste déficient dans de nombreuses régions.

NOMS DES RUES

Les plans des villes chinoises sont en général disposés en damier et les rues orientées suivant les points cardinaux.

Un suffixe ajouté au nom principal de la rue indique le nord, le sud, l'est ou l'ouest. Les points cardinaux sont *bei*, nord ; *nan*, sud ; *dong*, est et *xi*, ouest. *Zhong* signale le milieu de la rue ; *Lu* ou *jie* désignent les rues principales, *nong* ou *xiang* les ruelles.

À Shanghai, depuis 2003, tous les noms de rue sont passés du pinyin à l'anglais. *Zhong, nan, bei, dong* et *xi* sont devenus respectivement Centre (centre), South (sud), North (nord), East (est) et West (ouest). C'est sous cette forme que les adresses sont mentionnées dans ce guide.

Transports

AVION

Voir également la rubrique "*Par avion*", p. 359.

Beijing

Aeroflot
Jinglun Hotel (1er niveau)
Chaoyong District
Tél. 6500 2266 ou 6500 8300

Air Canada
Lufthansa Center (bureau C301)
Liangmaqiao Lu
Chaoyang District
Tél. 6464 9168
Air China
15 Xi Changan Jie, Xicheng District
Tél. 6601 7755, 6601 3336
(vols intérieurs), 6601 6667
(vols internationaux)
Air France
Full Link Plaza (5ᵉ niveau, bur. 512)
18 Chaoyangmenwai Dajie
Tél. 6588 1388
Alitalia
West Wing (5ᵉ niveau), China World
Trade Centre, Chaoyang District
Tél. 6505 6657 ou 6505 6658
All Nippon Airways
Fortune Building (bureau N200)
5 Dongsanhuan Beilu
Chaoyang District
Tél. 6590 9174
Asiana Airlines
Lufthansa Building (1ᵉʳ niveau)
Liangmaqiao Lu, Chaoyang District
Tél. 6468 4000
British Airways
Scitech Tower (bureau 210)
Tél. 6512 4070
China Northwest Airlines
Air China Building
Tél. 6601 7755 (poste 2200)
China Sichuan Airlines
Air China Building
Tél. 6601 7755 (poste 2265)
China Southern Airlines
2 Dongsanhuan Nanlu
Tél. 6567 2203
Dragonair
A Building (bureau 1710)
Henderson Centre
18 Jianguomennei Dajie
Dongcheng District
Tél. 6518 2533
Japan Airlines
Hotel New Otani
Changfugong
Tél. 6513 0888
Lufthansa
Beijing Lufthansa Centre
Tél. 6465 4488
Malaysian Airlines
West Wing (bureau 115A),
China World Trade Centre
Tél. 6505 2681
MIAT (Mongolian)
Golden Bridge Plaza (1ᵉʳ niveau)
Tél. 6507 9297

Northwest Airlines
China World Trade Centre (bur. 104)
Tél. 6505 3505
Philippines Airlines
12-53 Jianguomenwai Dajie
Tél. 6532 3992
Qantas
Lufthansa Centre (bur. 102)
Tél. 6467 3337
Singapore Airlines
China World Trade Centre (bur. L109)
Tél. 6505 2233
Thai Airways International
Lufthansa Center (bur. S102B)
50 Liangmaqiao Lu
Tél. 6460 8899
United Airlines
Lufthansa Centre, Office Bldg
Tél. 6463 1111

Hong Kong

Air Canada
Wheelock House (10ᵉ niveau)
20 Pedder St, Central
Tél. 2522 1001 ou 2596 2299
Air France
Jardine House (25ᵉ niveau)
Connaight Road, Central
Tél. 2524 8145 ou 2501 9590
Air New Zealand
Li Po Chun Chambers (17ᵉ niveau)
189 Des Vœux Road, Central
Tél. 2524 9041 ou 2842 3642
British Airways
Jardine House (24ᵉ niveau)
1 Connaught Place, Central
Tél. 2822 9000
Cathay Pacific
2 Pacific Place (35ᵉ niveau)
Queensway, Admiralty
Tél. 2747 1888
China Airlines
St George's Building (3ᵉ niveau)
2 Ice House St, Central
Tél. 2843 9800 ou 2868 2299
Dragonair
Cosco Tower (46ᵉ niveau)
183 Queen's Road, Central
Tél. 3193 3888
KLM Royal Dutch
World Trade Centre (22ᵉ niveau)
280 Gloucester Rd, Causeway Bay
Tél. 2808 2111 ou 2116 8730
Lufthansa
1109-1110 Wing Shan Tower
193 Des Vœux Road, Central
Tél. 2868 2313 ou 2769 6560
Northwest Airlines
Cosco Tower (19ᵉ niveau, bur. 1908)

183 Queen's Road, Central
Tél. 2810 4288
Qantas
Jardine House (24ᵉ niveau)
1 Connaught Place, Central
Tél. 2822 9000
Singapore Airlines
United Centre (17ᵉ niveau)
95 Queensway, Admiralty
Tél. 2520 2233 ou 2769 6387
United Airlines
Gloucester Tower (29ᵉ niveau)
The Landmark, Central
Tél. 2810 4888 ou 2769 7279
Virgin Atlantic
Alexandra House (8ᵉ niveau)
16-20 Chater Road, Central
Tél. 2532 6060

Shanghai

Air Canada
Unit 702, Central Plaza
227 Huangpi Road (N)
Tél. 6375 8899
Air China
600 Huashan Road
Tél. 6269 2999
Air France
Novel (bureau 1301)
128 Nanjing Road (W)
Tél. 6360 6688
All Nippon Airways
Shanghai Centre
376 Nanjing Road (W)
Tél. 6279 7000
China Eastern Airlines
200 Yanan Road (W)
Tél. 6247 5953 (vols intérieurs)
ou 6247 2255 (vols internationaux)
Dragonair
Shanghai Square (bureau 2103)
138 Huaihai Road
Tél. 6375 6375
Japan Airlines
Plaza 66 (bureau 435)
1266 Nanjing Road
Tél. 6288 3000
Lufthansa
Puxiang Plaza (24ᵉ niveau)
1600 Shiji Dadao
Tél. 5830 4400
Northwest Airlines
Shanghai Centre
1376 Nanjing Road (W)
Tél. 6279 8088
Qantas
Shanghai Centre
1376 Nanjing Road (W)
Tél. 6279 8660

Shanghai Airlines
212 Jiangning Road
Tél. 6255 8888
Singapore Airlines
Kerry Centre (bur. 606-608)
1515 Nanjing Road (W)
Tél. 6289 1000
United Airlines
3301-3317 Central Plaza
381 Huaihai Road
Tél. 3311 4567
Virgin Atlantic
12 Zhongshan N°1 Rd (E), suite 221
Tél. 5353 4600

TRAIN

Le réseau ferroviaire chinois couvre 53 400 km, dont 4 400 km sont électrifiés. La vitesse moyenne des trains n'est pas très élevée mais le réseau se modernise. Les trains peuvent offrir jusqu'à 4 classes : *ruanwo* (couchettes molles), *ruanzuo* (sièges mous), *yingwo* (couchettes dures), et *yingzuo* (sièges durs). Les sièges mous n'existent que pour les trajets courts. Tous les trains couvrant des longues distances sont équipés de wagons-lits à couchettes dures ou molles. Privilégiez la catégorie molle (4 couchettes par compartiment). Les compartiments "durs" sont ouverts et possèdent 6 couchettes superposées. Il est impératif de réserver ses places pour les 3 premières classes.

Tous les trains mettent de l'eau bouillante à la disposition des voyageurs. Les wagons de couchettes molles et dures ont un coin lavabo. La propreté des toilettes, quelle que soit la classe de wagon, laisse à désirer, et mieux vaut emporter son propre papier hygiénique. Sur les longs trajets, les trains possèdent des wagons-restaurants.

Prenez votre billet le plus tôt possible : les trains sont généralement pleins, surtout en haute saison (nouvel an chinois, 1er mai et 1er octobre, *voir aussi les encadrés, p. 392*).

Vous réserverez dans les gares au guichet destiné aux étrangers. Le prix dépend de la classe et de la vitesse du train. Il existe des trains lents, rapides, des express et des trains interurbains. Vous pouvez aussi vous adresser au bureau de la compagnie de chemin de fer en ville, aux agences de voyages et dans les hôtels. Soyez à l'heure, les horaires sont généralement respectés.

CARS

Le car est le moyen de locomotion le plus répandu en Chine et le plus économique. La plupart des villes et villages possèdent leur gare routière. Les escales sont régulières, et il est relativement facile de se nourrir et de se loger à proximité des gares lorsqu'on effectue un voyage de plusieurs jours. Un grand nombre de cars sont équipés de sièges numérotés, et il vaut mieux réserver longtemps à l'avance. Les cars modernes climatisés sont courants dans les régions touristiques.

Beijing

Les cars relient Beijing à de nombreuses villes, telles Tianjin, Chengde, Beidaihe, Taiyuan et Hohhot. Sur certains itinéraires, ils sont plus rapides que les trains, mais restent moins confortables.

Les longs trajets sont desservis par des cars à couchettes. Pour gagner Tianjin (2h) et Chengde (4h), le car s'avère la meilleure option.

Les gares des cars longue distance sont celles de Dongzhimen (pour le nord-est), Deshengmen (pour Chengde), Zhaogongkou et Haihutun (pour Tianjin et autres villes de la province sud de Hebei).

Chongqing

Chongqing est reliée par car à nombre de villes du Sichuan, comme Emei, Dazu, Leshan, Shazhou, Yibin et Neijiang. Les liaisons avec Dazu (2h) et Chengdu (4h) sont fréquentes. La gare routière est située près de la gare ferroviaire, au sud-ouest de la péninsule dans Nanqu Lu. Elle est relativement propre et facile d'accès.

Kashi (Kashgar)

La gare des cars longue distance se trouve dans Tiannan Lu, au sud de Renmin Lu. Il existe des liaisons quotidiennes pour Korla, Kuqa, Aksu, Hotan, Daheyan, Ürümqi, ou encore Yengisar. La route entre Kashi et Lhasa est dangereuse et officiellement fermée. Sachez que vous risquez une amende importante si vous bravez l'interdiction.

Lanzhou

Pour les destinations est, la gare routière se trouve dans Pingliang Lu entre Minzhu Lu et Jiuda Lu, et dessert Xi'an, Yinchuan et Guyuan. Pour l'ouest, elle est située à l'ouest de la ville dans Xinjin Donglu et dessert Linxia, Xiahe et Hezuo. Plusieurs cars quotidiens partent pour Linxia et Hezu, mais un seul, très matinal, rallie directement Xiahe. Si vous le manquez, prenez l'un des nombreux cars pour Linxia, puis l'un des minibus pour Xiahe.

Au Gansu, non seulement les étrangers paient deux fois plus cher leurs billets longue distance que les autochtones, mais ils doivent en outre souscrire une assurance sans laquelle on ne les laisse pas monter dans le car. Vous pourrez l'obtenir auprès de PICC (*150 Qingyang Lu, tél. 841 6421*), dans une agence de voyages ou dans les gares routières.

Shanghai

Des autoroutes modernes relient la ville à Suzhou, Nanjing et Hangzhou. Les cars au départ de la gare routière, North District Bus Station, dans Gongxing Lu, desservent les provinces alentours, tandis que les cars pour Nanjing, Suzhou et Hangzhou partent de la gare routière dans Hengfeng Lu. La gare routière de Qiujiang Lu, à l'ouest de Henan Bei Lu, est le port d'attache des cars longue distance (réguliers mais moins confortables). Chaque jour, on peut rejoindre des villes plus proches comme Hangzhou et Suzhou.

Ürümqi

Ürümqi dessert de nombreuses destinations du Xinjiang. La majorité des départs s'effectue depuis la gare de Heilongjiang Lu. Pour Turpan (3h), les cars partent du marché Erdaoqiao, à la périphérie sud d'Ürümqi.

Les cars pour Kashi partent de la gare de Heilongjiang Lu ou de celle de Nanjiao, au sud d'Ürümqi. Les départs sont réguliers, et il faut compter environ 30h pour arriver à destination. Il existe également des cars à couchettes de luxe. Mais sachez que si vous optez pour cette formule, vous devrez rester allongé pendant tout le trajet. Signalons que des femmes étrangères ont été harcelées sur cet itinéraire.

Les cars pour Tianchi (2-3 heures) partent en milieu de matinée de la porte nord de Renmim Gongyuan (parc du Peuple), à l'ouest de l'intersection avec Hongshan. Le trajet de retour s'effectue en fin d'après-midi. Contrairement au Gansu (voir p. 372), il n'est pas non plus nécessaire de souscrire une assurance, mais si vous souhaitez le faire, appelez le PICC (tél. 281 5031).

Xi'an

Des cars relient Xi'an à Zhengzhou, Yichang, Luoyang, Yan'an et Huashan. Mais la majorité des étrangers préfèrent le train (voir p. 362). La gare routière se trouve en face de la gare ferroviaire.

BATEAU

Les grandes villes côtières sont desservies par des lignes de ferries et de bateaux régulières, tout comme le sont les grands fleuves, particulièrement le Chang Jiang (Yangzi) et la Zhu Jiang (rivière des Perles). Le Huang He Jiang et le Grand Canal sont moins praticables, même si quelques bateaux naviguent encore entre Hangzhou (Zhejiang) et Suzhou et Wuxi (Jiangsu). Les ferries maritimes et fluviaux comprennent plusieurs classes. Les agences de voyages et les compagnies maritimes vous fourniront les horaires.

Chongqing

Les croisières sur le Chang Jiang (Yangzi) au départ ou à l'arrivée de Chongqing sont très appréciées des touristes. Descendre le fleuve jusqu'à Wuhan prend 3 jours et

2 nuits, tandis que le remonter au départ de Wuhan jusqu'à Chongqing nécessite 6 jours et 5 nuits (toutefois de nombreux touristes choisissant de remonter le fleuve raccourcissent le trajet en évitant le premier tronçon, sans grand intérêt, et en embarquant directement à Sashi ou à Yichang).

À Chongqing, les bateaux sont amarrés aux quais Chaotianmen, tout au bout de la péninsule où se trouve le cœur de la ville. Des escaliers vertigineux, souvent jonchés de détritus, permettent d'accéder aux quais. À l'arrivée, des porteurs peuvent se charger de vos bagages. À vous de négocier.

Il est important de savoir précisément pour quelle sorte de bateau vous achetez vos billets. Au départ de Chongqing, il existe en effet deux types de bateaux. Les premiers transportent des passagers ainsi que des marchandises ; leurs cabines vont de la 1ère classe (2 couchettes dans une pièce avec douche privative) à la 4e (simple couchette dans un dortoir). Ces bateaux constituent la seule option des voyageurs à très petit budget ; ils n'offrent aucun confort, et les sites traversés au cours du trajet ne sont pas commentés. Les billets pour ces bateaux s'achètent au Chaotianmen Chongqing Gang (quai Chaotianmen), dans Shaanxi Lu (tél. 6384 1342). Les bureaux sont ouverts tous les jours de 5h à 23h30. Officiellement, le prix est le même pour les étrangers que pour les autochtones.

Le deuxième type de bateaux, pour lequel optent la plupart des touristes, est la formule de luxe réservée aux étrangers. Mais sachez que pour ce type de prestation également, la qualité des équipements et des prestations peut différer grandement selon les bateaux ; il est nécessaire que vous vous renseigniez sérieusement. Sachez en outre que si réserver depuis l'étranger coûte souvent beaucoup plus cher que sur place via un agent de voyage, les croisières offrent souvent alors des bateaux disposant de salles de casino, de séances de cinéma ou de leçons de mah-jong.

Sur place, vous pouvez acheter votre billet dans l'une des nombreuses agences de voyages qui bordent les quais, au CITS, au CYTS ou encore auprès des bureaux de réservation des grands hôtels. Les étrangers paieront plus cher que les autochtones.

La construction du barrage des Trois Gorges et les caprices de la météo imposent des changements d'horaires imprévisibles. Par ailleurs, certains touristes se sont plaints de la vétusté des sampans utilisés dans le circuit des petites gorges. Cette situation ne s'améliorera vraisemblablement qu'après leur première phase d'inondation ; les propriétaires de bateaux pourront alors réévaluer leurs besoins et moderniser leur flotte.

Hong Kong

De nombreuses lignes maritimes de ferries ou d'hydrofoils relient régulièrement Hong Kong et les ports du Guangdong, dont notamment Guangzhou (2 heures en hydrofoil), Shekou (près de l'aéroport de Shenzhen) et Zhuhai. Vous pourrez également vous rendre par voie maritime à Shantou (tlj. ; trajet 14 h), Xiamen (5 fois/semaine ; 20 h) et à Shanghaï (1 fois/semaine ; 60 h). La plupart des bateaux partent de la gare maritime :
China Ferry terminal
China Hong Kong Building
Canton Road
Tsim Tcha Tsui

Pour se rendre à Macau, des bateaux rapides fonctionnent à toute heure du jour et de la nuit et font le trajet en 1 h – par contre, prévoyez plus à l'immigration une fois arrivé à Macau). À Hong Kong, les départs se font soit du China Ferry Terminal, à Kowloon, soit du Hong Kong Macau Ferry Terminal, au Shun Tak Centre, à Sheungwan, sur l'île de Hong Kong. Il existe aussi des services de ferries entre Macau et les ports du Guangdong.

Nombre de compagnies assurent le service Hong Kong-Macau. Pour connaître leurs horaires au départ de Hong Kong, contactez :
Tél. 2859 3333/2736 1387/2516 9581

Shanghai

Shanghai est reliée à divers ports chinois et assure des liaisons fluviales sur le Chang Jiang (Yangzi), en direction de Nanjing, de Wuhan et de Chongqing. Sur la côte, un bateau relie Dalian tous les 4 jours et un service quotidien est assuré pour Putuoshuan (départ à 18h pour un trajet de nuit).

Toutes les réservations se font auprès du guichet réservé aux étrangers, au bureau des réservations situé 1 Jinling Road (E). Vous pouvez également acheter des billets au bureau se trouvant sur le quai Shiliupu, d'où partent la plupart des bateaux desservant des destinations intérieures. Ce quai est situé dans Zhongshan Road (C), au sud du Bund, sur la Huangpu. Les départs internationaux se font du terminal se trouvant dans Taiping Lu.

TRANSPORTS URBAINS

En ville, vous avez en général le choix entre les 3 modes de transport suivants : le taxi, le bus ou le vélo. Beijing, Hong Kong, Guangzhou, Tianjin, Shenzhen et Shanghai bénéficient en outre d'un métro. Le taxi, que l'on peut louer pour une excursion, reste le moyen de locomotion le plus confortable.

Bus Souvent bondés. Le prix du billet, payé au conducteur, dépend de la distance parcourue. Les bus sont en général d'un usage simple et pratique ; les horaires et les plans sont disponibles partout.

Minibus Dans plusieurs villes, comme à Beijing, des minibus circulent sur certains itinéraires. Ils sont un peu plus chers, mais ils s'arrêtent à la demande. Ils présentent, en principe, une capacité maximale de 16 personnes mais les chauffeurs ont tendance à admettre davantage de passagers que prévu. Aussi préparez-vous à devoir parfois effectuer le trajet debout.

Vélo Dans de nombreuses villes, vous pouvez louer un vélo auprès d'une boutique de location ou d'un hôtel. Mieux vaut le parquer dans un espace gardé peu onéreux. Les vols sont fréquents et vous risquez une amende en cas de parking illégal.

Se loger

Hébergements

Les grandes villes possèdent de nombreux hôtels modernes, pour la plupart luxueux, certains rivalisant avec les meilleurs du monde. En général, ils font partie de chaînes et emploient un personnel formé à l'étranger. Les prix des chambres s'alignent sur les prix occidentaux.

À l'exception des établissements de catégorie supérieure, méfiez-vous des services de blanchisserie, surtout pour vos vêtements fragiles.

Il est parfois difficile de trouver une chambre de gamme moyenne ou bon marché, surtout lors du nouvel an chinois, et pendant les vacances de mai et d'octobre.

Quelques anciens établissements coloniaux, modernisés, méritent qu'on les mentionne. Il s'agit du *Peace Hotel* (*Heping Fandian*) à Shanghai, de l'*Astor Hotel* (*Lishunde Dafandian*) à Tianjin, et du *Beijing Hotel* (*Beijing Fandian*) dans la capitale.

Un service de 10-15 % est ajouté à tous les tarifs sauf dans les hôtels les moins chers. Les gammes de prix figurent en encadrés dans les pages qui suivent.

Les hôtels sont classés par ville et par ordre alphabétique. Les indicatifs urbains figurent p. 370.

Anhui

HEFEI

Holiday Inn
1104 Changjiang Dong Lu
Tél. 429 1188
Fax 429 1166
Établissement élégant, chambres bien équipées, 4 restaurants et piscine couverte. **$$$**

Beijing

Beijing Bamboo Garden Hotel
24 Xiaoshiqiao Hutong, Jiugulou Dajie
Tél. 6403 2229
Fax 6401 2633
Proche de la tour du Tambour et de la porte Deshengmen, dans la vieille ville. Chambres simples et propres donnant sur un jardin chinois classique. **$$**

Beijing Hotel
33 Dong Chang'an Jie
Tél. 6513 7766
Fax 6513 7307
À deux pas de la Cité interdite et des quartiers commerçants, un hôtel colonial récemment restauré et plein de caractère. **$$$$$**

Beijing International Hotel
19 Jianguomenwai Dajie
Tél. 6512 6688
Fax 6513 7842
Près de la gare ferroviaire de Beijing, l'hôtel dispose d'un bureau de réservation pour les billets d'avion et de train. **$$$**

China World Hotel
1 Jianguomenwai Dajie
Tél. 6505 2266
Fax 6505 0828
Cet hôtel aménagé dans le complexe du China World Trade Centre dispose d'une salle de sport, d'une piscine, de boutiques, d'un business center, et de restaurants de cuisines occidentale et asiatique. **$$$$$**

Crowne Plaza Beijing
48 Wangfujing Dajie, Dengshikou
Tél. 6513 3388
www.crowneplaza.com
Un palace niché dans l'une des rues commerçantes les plus animées du centre de Beijing, non loin de la Cité interdite. Il dispose d'une salle de sport et d'une piscine. **$$$$$**

Fangyuan Hotel
36 Dengshikou Xijie
Tél. 6525 6331
Fax 6513 8549
Bien situé (près de Wangfujing Dajie), simple, bon marché et petit déjeuner inclus. En 1 mot : idéal. **$**

Fragrant Hills Hotel
À l'intérieur de Fragrant Hills Park
Tél. 6259 1166
Fax 6259 1762
Un havre de paix niché dans des collines verdoyantes au nord-ouest

de Beijing, au-delà du palais d'Été. Bonnes tables chinoise et occidentale, piscine. **$$**

Friendship Hotel
3 Baishiqiao Lu, Haidian District
Tél. 6849 8888
Fax 6849 8866
Cet immense hôtel appartenant à l'État est installé dans un cadre agréable, près du palais d'Été et de l'université. **$$**

Grand Hyatt Beijing
1 Dong Chang'an Jie
Tél. 8518 1234
www.beijing.grand.hyatt.com
Ce 5-étoiles luxueux est merveilleusement situé au centre de Beijing, tout près de Wangfujing Dajie, à l'intérieur de l'Oriental Plaza. **$$$$$**

Haoyuan Guesthouse
53 Shijia Hutong
Tél. 6512 5557
www.haoyuanhotel.com
Les jolies chambres s'ordonnent autour de la cour de ce charmant hôtel, niché dans un quartier historique et central de la ville. **$$**

Holiday Inn Lido
Jichang Lu
Jiangtai Lu
Tél. 6437 6688
Fax 6437 6237
À seulement 20 min de l'aéroport, ce Lido, avec ses boutiques, sa boulangerie, son supermarché, ses bureaux et ses apartements, est une sorte de havre pour étrangers. **$$**

Hotel New Otani Changfugong
26 Jianguomenwai Dajie
Tél. 6512 5555
Fax 6512 5346
Une joint-venture japonaise située à l'est du centre, près des ambassades. **$$$$**

Jianguo Hotel
5 Jianguomenwai Dajie
Tél. 6500 2233
Fax 6500 2871
Situé à proximité du Friendship Store, du marché à la soie et de la plupart des ambassades, cet hôtel est très apprécié des visiteurs qui séjournent longtemps à Beijing. **$$$**

Kempinski Hotel
Beijing Lufthansa Centre
50 Liangmaqiao Lu
Tél. 6465 3388
Fax 6465 3366

Juste à côté du Lufthansa Shopping Centre, cet hôtel parfaitement équipé comblera les voyageurs exigeants. Il dispose d'une salle de sport et de restaurants. **$$$$$**

Lu Song Yuan Hotel
22 Banchang Hutong
Tél. 6404 0436
Fax 6403 0418
Dans un quartier historique, un hôtel qui donne sur une cour traditionnelle de *hutong*. **$**

Marco Polo
6 Xuanwumennel Dajie
Tél. 6603 6688
www.marcopolohotels.com
Le meilleur hôtel du quartier de Xidan, à l'ouest de la ville. Superbe piscine intérieure. **$$$$**

Novotel Peace Hotel
3 Jinyu Hutong, Wangfujing Dajie
Tél. 6512 8833
Fax 6512 6863
Idéalement placé, à proximité de la place Tiananmen et de la Cité interdite. **$$$**

Peninsula Palace
8 Jinyu Hutong
Wangfujing Dajie
Tél. 6559 2888
Fax 6512 9050
Installé dans la même ruelle animée que le *Novotel*, un excellent établissement offrant de nombreux services dont un large choix de restaurants et boutiques. **$$$$$**

Qianmen Jianguo Hotel
175 Yongan Lu
Tél. 6301 6688
Fax 6301 3883
Dans la vielle ville chinoise, près de Tiantan, l'un des hôtels les plus fréquentés du quartier. Spectacles d'opéra de Pékin le soir. **$$**

Radisson SAS Royal Hotel
6A Dongsanhuan Beilu
Tél. 6466 3388
Fax 6465 3186
Cet hôtel dispose d'un bureau du CITS et d'un restaurant scandinave. Des jardins agréables conduisent à des courts de tennis. **$$$$**

Scitech Hotel
22 Jianguomenwai Dajie
Tél. 6512 3388
Fax 6512 3543
Dans le quartier commercial du centre, un grand hôtel moderne, confortable et fonctionnel. **$$$**

Shangri-La Hotel
29 Zizhyuan Lu, Haidian District
Tél. 6841 2211
Fax 6841 8002
Légèrement excentré (périphérie ouest), cet hôtel dispose de navettes pour le centre-ville. **$$$**

Gamme des prix

Les prix s'entendent pour une chambre double en haute saison.

$	moins de 50 $US
$$	de 50 $US à 100 $US
$$$	de 100 $US à 150$US
$$$$	de 150 $US à 200 $US
$$$$$	plus de 200 $US

The St Regis
21 Jianguomenwai Dajie
Tél. 6460 6688
Fax 6460 3299
Installé en plein cœur de Beijing, un établissement luxueux et sophistiqué. **$$$$$**

Swissotel Beijing
Hong Kong Macau Centre
Dongsishitiao Lu
Tél. 6501 2288
Fax 6501 2501
Une façade de verre semi-circulaire donnant sur l'un des carrefours les plus animés de Beijing. Bien placé pour les séjours professionnels. **$$$$**

Traders' Hotel
China World Trade Centre
1 Jianguomenwai Dajie
Tél. 6505 2277
Fax 6505 0818
À l'intérieur du China World Trade Centre, une adresse pratique pour les voyages d'affaires. Services de qualité. **$$$$**

Youyl Youth Hostel
43 Beisanlitun, Sanlitun
Tél. 6417 2632
Fax 6415 6866
Parfait pour les noctambules : hôtel avec bar inclus – populaire et fort bruyant – en plein quartier des bars. Petit déjeuner inclus. **$**

Zhaolong International Youth Hostel
2 Gongrentiyuchang Beilu
Tél. 6597 2299
Fax 6597 2288
Cette auberge, propre et à l'ambiance amicale, se trouve à l'arrière de l'hôtel du même nom. **$**

Chongqing Shi

Chongqing Marriott
77 Qingnian Lu
Tél. 6388 8888
Fax 6388 8777
Le plus impressionnant des hôtels de la ville : un élégant lobby, 4 restaurants, une piscine, plusieurs bars et un service irréprochable. **$$$$**

Chung King Hotel
41-43 Xin Hua Lu
Tél. 6383 8888/6384 9301
Fax 6384 3085
Près des quais Chaotianmen, un 3-étoiles aux chambres quelconques. Services bancaires, réservations d'excursions et de voyages. **$**

Harbour Plaza
Wuyi Lu
Tél. 6370 0888
Fax 6370 0778
Au cœur de la ville, de superbes chambres dans un hôtel récemment rénové. **$$$**

Holiday Inn Yangtze
15 Nanping Beilu
Tél. 6280 3380
Fax 6280 0884
Un hôtel animé, offrant un choix de restaurants chinois, japonais, français et allemand. Très fréquenté malgré son emplacement peu pratique, au sud du centre-ville. **$$$$**

Huixian Lou Hotel
186 Minzu Lu
Tél. 6383 7495
Fax 6384 4034
Bien situé près des quais, l'un des rares hôtels bon marché de la ville. **$**

Fujian

XIAMEN

Holiday Inn Crowne Plaza
12-8 Zhenhai Lu
Tél. 202 3333
Fax 203 6666
Au cœur de Xiamen, des chambres propres et spacieuses, des boutiques, une salle de sport, une clinique, une piscine découverte très agréable et plusieurs tables réputées. Bon service. **$$$$**

Lujiang Hotel
54 Lujiang Lu
Tél. 202 2922
Fax 202 4644
Joliment installé dans un bâtiment historique sur le front de mer, à proximité de l'embarcadère du ferry pour l'île de Gulangyu. Quelques chambres avec vue sur mer. **$$**

Gansu

LANZHOU

Lanzhou Hotel (Lanzhou Fandian)
434 Donggang Xilu
Tél. 841 6321
Fax 841 8608
Cet hôtel 3 étoiles aux chambres standard est situé non loin de la gare. Il dispose de plusieurs comptoirs d'agences de voyages et de dortoirs corrects. **$$**

Gamme des prix

Les prix s'entendent pour une chambre double en haute saison.

$	moins de 50 $US
$$	de 50 $US à 100 $US
$$$	de 100 $US à 150 $US
$$$$	de 150 $US à 200 $US
$$$$$	plus de 200 $US

Lanzhou Legend Hotel
529 Tianshui Lu
Tél. 853 2888
Le plus élégant, le plus agréable et le plus cher des hôtels de Lanzhou. Bien équipé, bon service. **$$$**

Sunshine Plaza (Yangguang Dasha)
408 Taiyang Lu
Tél. 460 8888
Fax 460 8889
Nouvel hôtel avec chambres confortables, équipées d'accès Internet et du câble. Petit déjeuner inclus. **$$$**

Guangdong

GUANGZHOU

Baigong Hotel
13-17 renmin Nanlu
Tél. 8101 2313
Fax 8188 9161
Non loin de la rivière Pearl, au sud de la ville, cet hôtel très prisé offre de jolies chambres. Personnel avenant et chaleureux. **$**

Dongfang Hotel
120 Liuhua Lu
Tél. 8666 9000
Fax 8666 2775
Cet établissement construit par les Soviétiques dans les années 1950 et agrandi d'une aile dans les années 1970, ne manque pas de charme. Il est bien placé pour les voyages d'affaires, en face de l'Export Commodities Hall. **$$$$**

Garden Hotel
368 Huanshi Donglu
Tél. 8333 8989
Fax 8335 0467
Un hôtel 5 étoiles, en face du magasin de l'Amitié. **$$$$**

Guangdong Hotel
294 Changdi Lu
Tél. 8188 3601
Un hôtel 2 étoiles aux chambres simples et salles de bains communes. Restaurant chinois et karaoké. Prix très raisonnables. **$**

Guangzhou Youth Hostel
2 Shamian Sijie, île de Shamian
Tél. 8121 8606
Fax 8121 8298
Surnommé le "vilain petit canard" – il est en face du *White Swann Hotel* ("cygne blanc") –, c'est une bonne adresse pour les petits budgets. Propre et bien situé sur l'ancienne île-concession de Shamian. **$**

Holiday Inn
28 Guangming Lu
Tél. 8776 6999
Fax 8775 3126
Un hôtel de 430 chambres réputé pour l'amabilité de son personnel. **$$$**

Marriott China Hotel
Liuhua Lu
Tél. 8666 6888
Fax 8667 7014
En plein centre-ville, en face du Guangzhou Export Commodities Hall, l'ancien *China Hotel* dispose d'une myriade de restaurants, dont un Hard Rock Café, et de boutiques de luxe. **$$$$**

Overseas Chinese Hotel
90 Zhanqian Lu
Tél. 8666 3488
Fax 8666 3230

Outre ses 400 chambres, cet hôtel propose 2 restaurants, un café et une boîte de nuit. **$$**

Ramada Pearl Hotel
9 Mingyue Yilu
Tél. 8777 2988
Fax 8776 7481
Dans la partie est de la ville, 400 chambres fonctionnelles. **$$$**

Shamian Hotel
52 Shamian Nanjie, île de Shamian
Tél. 8121 8288
Fax 8191 1628
À proximité du *White Swan*, chambres à prix raisonnables. **$**

Victory Hotel
54 Shamian Sijie, île de Shamian
Tél. 8186 2622
Fax 8186 1062
Près de la vieille ville, l'un des hôtels chic des années 1930. **$$**

White Swan Hotel
1 Shamian Nanjie, île de Shamian
Tél. 8188 6968
Fax 8186 1188
Le tout premier hôtel 5 étoiles du pays, sur l'île de Shamian. Cet établissement de 843 chambres est équipé d'un luxueux centre commercial et de restaurants. **$$$$**

Xin Xing Hotel
1115 Jiefang Bei Lu
Tél. 8668 3288
Fax 8666 2032
Près de la gare, un hôtel 2 étoiles aux chambres propres. Plusieurs restaurants chinois. **$**

Xinhua Hotel
2-6 Renmin Nanlu
Tél. 8188 9788
Fax 8188 8809
Chambres pratiques, situées non loin de la rivière Pearl. **$**

SHENZHEN

Century Plaza
Chunfeng Lu
Tél. 8222 0888
Fax 8223 4060
Un hôtel de luxe en plein cœur de Shenzhen : 5 restaurants, piscine, salle de sport et business centre. **$$**

Landmark Hotel
3018 Nanhu Lu
Tél. 8217 2288
Fax 8229 0473
Restaurants, café, bar, boîte de nuit, salle de sport et piscine. **$$$**

Shangri-La
East Side, Railway Station
1002 Jianshe Lu
Tél. 8233 0888
Fax 8233 9878
Grand hôtel de luxe. Large choix de restaurants et de bars. **$$$**

Guangxi

GUILIN

Bravo Hotel
14 Ronghu Nanlu
Tél. 282 3950
Fax 282 2101
Une bonne adresse : piscine et restaurants de bonne tenue. **$$$**

Fubo Hotel
121 Binjiang Lu
Tél. 256 9898
Fax 282 2328
Le meilleur de sa catégorie. À côté de Fubo Shan sur la rivière Li. **$$**

Guilin Osmanthus Hotel
451 Zhongshan Nan Lu
Tél. 383 4300
Fax 383 5316
Au cœur de la ville, sur la rivière de la Fleur de pêcher, à une encablure de la colline de la Trompe d'éléphant. Nombreux équipements de qualité, dont un bassin d'hydromassage. **$$$**

Lijiang Waterfall Guilin Hotel
1 Shanhu Beilu
Tél. 282 2881
Fax 282 2891
Au centre de la ville, au bord du lac du Cèdre et en face de la colline de la Trompe d'éléphant. Chambres spacieuses et modernes, sauna et salle de sport. **$$$**

Sheraton Hotel
9 Binjiang Nan Lu
Tél. 282 5588
Fax 282 5598
L'un des meilleurs hôtels de Guilin. Vue imprenable sur le fleuve. **$$$$**

Guizhou

GUIYANG

Holiday Inn
1 Guikai Lu
Tél. 677 1888
Fax 677 1688

Un hôtel 4 étoiles dont les chambres sont équipées de télévision par satellite et d'un coffre-fort. Restaurants chinois et occidentaux, salle de sport et piscine couverte. **$$$**

Île de Hainan

YALONG WAN

Gloria Resort Sanya
Tél. 8856 8855
Fax 8856 8533
Cet hôtel 5 étoiles luxueux possède une plage privée donnant sur la fabuleuse baie Yalong. Le complexe s'enorgueillit d'excellents restaurants, dont un délicieux restaurant chinois de fruits de mer, d'une grande piscine découverte, d'une salle de sport, d'une petite clinique. Vue superbe. **$$$$**

Hebei

SHANHAIGUAN

Jingshan Hotel (Jingshan Binguan)
Dong Dajie
Tél. 505 1130
Fax 505 1897
Un bâtiment d'architecture Qing, à proximité de la Grande Muraille. Shanhaiguan ne possédant que quelques hôtels, incontestablement celui-ci sera votre meilleur choix – même si les chambres doubles sont impersonnelles et le service indifférent. Petit déjeuner inclus. **$**

Henan

KAIFENG

Dongjing Hotel
99 Yingbin Lu
Tél. 398 9388
Un grand hôtel moderne avec 4 ailes séparées. **$**

Kaifeng Guesthouse
66 Ziyou Lu
Tél. 595 5589
Au centre de la ville, un édifice de style russe généreusement restauré et bon marché. **$**

LUOYANG

New Friendship Hotel
6 Xiyuan Lu
Tél. 468 6666
Fax 491 2328
Ses 8 restaurants combleront
toutes les faims. Chambres
à l'élégance dépouillée.
Jardin chinois classique qui invite
à la détente. **$$**

Peony Plaza
2 Nanchang Lu
Tél. 493 1111
Fax 493 0303
Un hôtel de luxe qui dispose d'un
restaurant tournant et d'un piano-bar
dans son grand hall de marbre. **$$$**

ZHENGZHOU

Holiday Inn Crowne Plaza
115 Jinshui Lu
Tél. 595 0055
Dans l'est de la ville, un hôtel bien
géré et confortable. **$$$**

Hotel Sofitel
289 Chengdong Lu
Tél. 595 0088
Fax 595 0080
Également dans le secteur est, un
hôtel élégant et tout confort. **$$$**

Hong Kong

Anne Black Guest House (YWCA)
5 Man Fuk Road, Ho Man Tin
Tél. 2713 9211
Fax 2761 1269
Des chambres propres et simples
pour femmes et couples. À 2 pas du
marché des dames (forcément !), de
la station de KCR Mongkok et du
MTR. **$**

Bangkok Royal
2-12 Pilkem St, Yau Ma Tei
Tél. 2735 9181
Fax 2730 2209
Les prix les plus bas de cette
gamme. Un bon choix pour les
voyageurs individuels et les petits
groupes. Bonne table thaïe. Station
de MTR Jordan toute proche. **$$**

Caritas Bianchi Lodge
4 Cliff Road, Yau Ma Tei
Tél. 2388 1111
Fax 2770 6669
Cet établissement tenu par Caritas
(Secours catholique) propose des
chambres propres et spacieuses.
l'hôtel est situé près du marché de
nuit de Temple Street, des
magasins, des restaurants et de la
station de MTR Yau Ma Tei. **$$**

Concourse
22 Lai Chi Kok Road, Mong Kok
Tél. 2397 6683
Fax 2381 3768
À quelques pas des magasins
d'usines de Fa Yuen St et du MTR,
cet hôtel moderne est fréquenté par
les hommes d'affaires asiatiques.
$$$

Conrad International
Pacific Place, 88 Queensway, Central
Tél. 2521 3838
Fax 2521 3888
Situé près du centre commercial
Pacific Place, de la station de MTR
Admiralty et des lignes de tram,
un établissement de style européen,
à l'élégance sobre. Chambres
spacieuses. **$$$$$**

Cosmic Guesthouse
Mirador Mansions (12e niveau)
Appartements A1, A2, F1, F4
54-64 Nathan Road, Tsim Sha Tsui
Tél. 2739 4952
Fort apprécié des voyageurs pour ses
grandes chambres, son ambiance
chaleureuse et son professionalisme.
Téléphone et télévision dans toutes
les chambres. **$**

Eaton Hotel
380 Nathan Road, Yau Ma Tei
Tél. 2782 1818
Fax 2782 5563
Chambres confortables, restaurants
de qualité et prix intéressants
attirant une clientèle d'habitués.
Proche du marché de nuit, des
boutiques, des cinémas et de la
station de MTR Jordan. **$$**

Evergreen Hotel
48 Woo Sung St, Yau Ma Tei
Tél. 2780 4222
Fax 2385 8584
Chambres propres. Les petits
groupes apprécieront celles à 3 et
4 lits. Près du marché de nuit, du
grand magasin Hue Hwa et de la
station de MTR Jordan. **$$**

The Excelsior
281 Gloucester Road, Causeway Bay
Tél. 2894 8888
Fax 2895 6459
Tout près des centres d'affaires,
des boutiques de Causeway Bay, du
MTR, et face au pittoresque Typhoon
Shelter de Causeway. Un service
efficace dans un environnement
agréable. **$$$**

Furama
1 Connaught Road, Central
Tél. 2525 5111
Fax 2845 9339
Proche de la station de MTR Central,
du Star Ferry, d'Admiralty et de
Central. Une bonne adresse pour
les voyages d'affaires. **$$$$**

Grand Hyatt
1 Harbour Road, Wan Chai
Tél. 2588 1234
Fax 2802 0677
À quelques pas du Hong Kong
Convention & Exhibition Centre et
du Hong Kong Arts Centre, l'hôtel le
plus chic – et le plus cher – de tout
Hong Kong. Vue fabuleuse sur
le port. **$$$$$**

Grand Plaza
2 Kornhill Road, Quarry Bay
Tél. 2886 0011
Fax 2886 1738
Proche de la station de MTR Tai Koo,
un hôtel moderne idéal pour
les voyages d'affaires. Nombreux
équipements sportifs : practice
de golf, cours de tennis, piscine
couverte et salle de sport. **$$$$**

Harbour View International House
4 Harbour Road, Wan Chai
Tél. 2802 0111
Fax 2802 9063
Une YMCA haut de gamme proche
du Honk Kong Arts Centre.
Vue imprenable sur le port.
Réservation indispensable. **$$$**

Hotel New Harbour
41-49 Hennessy Road, Wan Chai
Tél. 2861 1166
Fax 2865 6111
Doté d'un excellent rapport qualité-
prix, cet hôtel est situé au centre de
l'île de Hong Kong, à proximité du
Hong Kong Convention & Exhibition
Centre, du quartier animé de Wan
Chai, des stations du MTR et du
tram. **$$$**

Hotel Nikko Hong Kong
72 Mody Road, Tsim Sha Tsui East
Tél. 2739 1111
Fax 2311 3122
Bien placé de l'autre côté du front
de mer à Tsim Sha Tsui East, un
hôtel japonais au service
impeccable. Piscine découverte et

bonnes tables cantonaise, française et japonaise. Vue sur le port. **$$$$**

Imperial Hotel
30-34 Nathan Road, Tsim Sha Tsui
Tél. 2366 2201
Fax 2311 2360
Situé dans le "Golden Mile" de Tsim Sha Tsui, près des boutiques, des restaurants et du MTR. Bon rapport qualité-prix et chambres agréables. **$$$**

Inter-Continental Hong Kong
18 Salisbury Road, Tsim Sha Tsui
Tél. 2721 1211
Fax 2739 4546
Une situation exceptionnelle sur le front de mer, près du Star Ferry et au cœur de l'animation de Kowloon. Vue superbe sur le port de Victoria. Le confort au superlatif : piscine, jacuzzi, boîte de nuit et restaurants réputés. **$$$$$**

Gamme des prix

Les prix s'entendent pour une chambre double en haute saison.

$	moins de 50 $US
$$	de 50 $US à 100 $US
$$$	de 100 $US à 150 $US
$$$$	de 150 $US à 200 $US
$$$$$	plus de 200 $US

Island Shangri-La
Pacific Place, Supreme Court Road Central
Tél. 2877 3838
Fax 2521 8742
Tout près du Hong Kong Park, du centre commercial Pacific Place, de la station de MTR Admiralty et des lignes de tram. Hôtel au décor élégant, au personnel attentif et aux chambres superbes et spacieuses avec vue sur le port ou sur le Pic. **$$$$$**

Kowloon Shangri-La
64 Mody Road, Tsim Sha Tsui East
Tél. 2721 2111
Fax 2723 8686
De l'autre côté du front de mer de Tsim Sha Tsoi Est. Piscine couverte et restaurants très réputés. Belle vue. Accès facile à Central par le Star Ferry. **$$$$$**

The Kowloon Hotel
19-21 Nathan Road, Tsim Sha Tsui
Tél. 2929 2888
Fax 2739 9811

Derrière le Peninsula, au cœur de Kowloon, un hôtel élégant proche du MTR. **$$$$**

Majestic
348 Nathan Road, Yau Ma Tei
Tél. 2781 1333
Fax 2781 1773
Cet hôtel prisé des voyageurs d'affaires, bien desservi par les bus, loge près du marché de nuit de Temple Street, des cinémas, des boutiques et du MTR Jordan. **$$$$**

Mandarin Oriental
5 Connaught Road, Central
Tél. 2522 0111
Fax 2810 6190
Un établissement chic classé parmi les meilleurs du monde depuis sa construction en 1963. Service impeccable. Toutes sortes de prestations. Piscine couverte. Très bien placé. **$$$$$**

Marco Polo Gateway
Harbour City, Canton Road Tsim Sha Tsui
Tél. 2113 0888
Fax 2113 0022
Au cœur de Harbour City, un hôtel un peu moins cher que son grand-frère, le *Marco Polo Hong Kong Hotel*, mais sans vue ni piscine. **$$$$**

Marco Polo Hong Kong Hotel
3 Canton Road, Tsim Sha Tsui
Tél. 2113 0088
Fax 2113 0011
Nombreuses chambres à la vue superbe, piscine découverte et 5 restaurants. Une adresse idéale pour les amateurs de shopping : l'hôtel est niché à l'intérieur d'un immense centre commercial. **$$$$$**

Marco Polo Prince
Canton Road, Harbour City Tsim Sha Tsui
Tél. 2113 1888
Fax 2113 0066
Près du terminal du China Ferry et Kowloon Park, un hôtel du même standing que le *Marco Polo Gateway*. Piscine découverte. **$$$$**

Nathan Hotel
378 Nathan Road, Yau Ma Tei
Tél. 2388 5141
Fax 2770 4262
Proche du marché de nuit de Temple Street, du grand magasin chinois Yue Hwa, des boutiques, des restaurants, des cinémas et de la station de MTR Jordan. **$$$**

New Cathay Hotel
17 Tung Lo Wan Rd, Causeway Bay
Tél. 2577 8211
Fax 2576 9365
Une adresse idéale pour les voyageurs individuels : proche du tram, du Hong Kong Stadium, de Victoria Park, des quartiers d'affaires, des boutiques, et des restaurants de Causeway Bay. **$$$**

Novotel Century Hong Kong
238 Jaffe Road, Wan Chai
Tél. 2598 8888
Fax 2598 8866
Bien placé à côté du HK Exhibition & Convention Centre et des magasins de Wan Chai, cet hôtel moderne et bien équipé dispose d'une piscine découverte, d'une salle de sport et de l'un des meilleurs et plus anciens restaurants de cuisine shanghaienne de la ville, le Lao Ching Hing. **$$$$**

The Peninsula
Salisbury Road, Tsim Sha Tsui
Tél. 2920 2888
Fax 2722 4170
Depuis son ouverture en 1928, l'hôtel le plus ancien et le plus prestigieux de Hong Kong est synonyme de service parfait. Il dispose de 8 restaurants haut de gamme et d'un emplacement de choix au cœur du quartier des restaurants, des spectacles et des boutiques de Kowloon. Près de la station de MTR Tsim Sha Tsui. **$$$$$**

Regal Airport
9 Cheong Tat Road
Chek Lap Kok, Lantau
Tél. 2286 8888
Fax 2286 8686
Un hôtel au design épuré, situé à 5 min de l'aéroport international, auquel il est relié par une passerelle couverte. **$$$$**

Ritz-Carlton
3 Connaught Road, Central
Tél. 2877 6666
Fax 2877 6778
L'architecture ultramoderne de la façade cache un décor intérieur classique orné d'objets anciens. Piscine découverte et de bons restaurants (italien et japonais). Situé à côté du Star Ferry et des quartiers d'affaires d'Admiralty et de Central. **$$$$$**

The Salisbury (YMCA)
41 Salisbury Road, Tsim Sha Tsui
Tél. 2268 7888
Fax 2739 9315
Aussi bien situé que le *Peninsula*,
mais offrant des prix bien plus
raisonnables, une YMCA de luxe où il
faut réserver longtemps à l'avance.
Grande piscine couverte et salle de
sport, vue sur le port. **$$$**

Sheraton Hong Kong
20 Nathan Road, Tsim Sha Tsui
Tél. 2369 1111
Fax 2739 8707
Ce luxueux hôtel suisse est tout près
des musées, du MTR et du centre
animé de Kowloon. Piscine et
5 restaurants excellents. **$$$$$**

South China Hotel
67-75 Java Road, North Point
Tél. 2503 1168
Fax 2512 8698
Un hôtel aux chambres confortables,
proche du MTR et des quais des
ferries. Restaurant cantonais. **$$**

Travellers Hostel
Chungking Mansions (19ᵉ niveau)
Appartements A1-A4
36-44 Nathan Road, Tsim Sha Tsui
Tél. 2368 7710
L'adresse préférée des backpackers.
Bon rapport qualité-prix. Vastes
dortoirs, TV/sat, accès Internet. **$**

Wharney Hotel
57-73 Lockhart Road, Wan Chai
Tél. 2861 1000
Fax 2865 6023
Un hôtel moderne et bien équipé
au cœur de Wan Chai, de ses
boutiques et de sa vie nocturne.
Près du Honk Kong Convention
Centre, du MTR et des trams.
Piscine sur le toit agréable. **$$$$**

Mongolie-Intérieure

HOHHOT

Xincheng Hotel (Xincheng Binguan)
40 Hulun Nan Lu
Tél. 629 2288
Fax 693 1141
Dans les quartiers est de la ville,
l'hôtel le plus chic de Hohhot se
niche dans un ravissant parc. Il offre
un choix de restaurants chinois et
occidental, ainsi qu'un bowling, des
courts de tennis et une piscine. **$$**

Jiangsu

NANJING

Jingli Hotel
7 Beijing Xilu
Tél. 8331 0818
Fax 8663 6636
Un hôtel chic bien placé. Excellent
rapport qualité-prix. **$**

Gamme des prix

Les prix s'entendent pour une
chambre double en haute saison.
$ moins de 50 $US
$$ de 50 $US à 100 $US
$$$ de 100 $US à 150 $US
$$$$ de 150 $US à 200 $US
$$$$$ plus de 200 $US

Jinling Hotel
2 Hanzhong Lu
Tél. 8471 1888
Fax 8471 1666
Admirablement situé au centre, le
seul hôtel 5 étoiles sous direction
chinoise du pays. Piscine et
brasserie allemande. **$$$$**

Nanjing Grand Hotel
208 Guangzhou Lu
Tél. 8331 1999
Fax 8331 9498
Piscine et jardin sur le toit,
offrant une vue magnifique
sur la ville. **$$$**

SUZHOU

Sheraton Suzhou Hotel
388 Xinshi Lu
Tél. 510 3388
Fax 510 0888
Au sud-est de la ville, près de
la zone touristique de Panmen,
le plus bel hôtel de Suzhou. **$$$$**

Jiangxi

LU SHAN

Lushan Villas (Lushan Bieshu Cun)
182 Hedong Lu
Tél. 828 2927
Au sud de Guling (Kuling), des
petites villas dans un paysage calme
et pittoresque. **$$**

Macau

Hotel Royal
2-4 Estrada de Vitoria
Tél. 552 222
Fax 563 008
Bien situé au centre. Bon rapport
qualité-prix. Piscine. **$$$**

Hyatt Regency Macau
*2 Estrada Almirante Marques
Esparteiro, Taipa Island*
Tél. 831 234
Fax 830 195
Tout le confort moderne au bord
d'une jolie piscine. Restaurant de
cuisine macanaise, cours de tennis.
$$$$

Mandarin Oriental Macau
956-1110 Avenida de Amizade
Tél. 567888
Fax 594589
Cet hôtel 5 étoiles dispose de
nombreux équipements, dont
l'excellent restaurant *Mezzaluna*
et un casino. **$$$$**

Pousada de São Tiago
Avenida de Republica
Tél. 378 111
Fax 552 170
Impossible de trouver plus charmant
à Macau : de style portugais, cet
hôtel s'élève dans l'enceinte du fort
Barra (xviiᵉ siècle). Réservez
longtemps à l'avance (23 chambres
seulement). **$$$$**

Westin Resort
*1918 Entrada de Hac Sá,
Coloane Island*
Tél. 871 111
Fax 871 122
Un havre de paix au sud-est de l'île
de Coloane. Sur 8 étages,
208 chambres spacieuses avec
terrasse privative donnant sur la
mer. Juste à côté, se trouve un golf
de 18 trous. **$$$$$**

Shaanxi

XI'AN

ANA Grand Castle Hotel
12 Xi Duan Huan Cheng Nan Lu
Tél. 8723 1800
Fax 8723 1500
À l'extérieur de la porte Sud de
la vieille ville, un hôtel 5 étoiles
spacieux et moderne dont le toit

reproduit celui de la grande pagode de l'Oie sauvage. Tables occidentale, chinoise et japonaise. **$$$$$**

Bell Tower Hotel
110 Nan Dajie
(au coint sud-ouest de Bell Tower)
Tél. 8727 9200
Fax 8727 1217
Géré par *Holiday Inn*, ce 3 étoiles agréable et fonctionnel jouit d'une situation exceptionnelle. Le service est parfait et l'hôtel dispose d'un Business centre, d'une supérette et d'un bureau du CITS. **$$$**

Grand New World Hotel
48 Lianhu Lu
Tél. 8721 6868
Fax 8721 9754
À l'intérieur de la muraille ouest, à quelques pas du marché de nuit et du quartier musulman, un établissement immense réputé pour son personnel aimable et efficace. Spectacles historiques. **$$$$**

Hyatt Regency Xian
158 Dong Dajie
Tél. 8723 1234
Fax 8721 6799
À l'intérieur de la vieille ville, au cœur du quartier commerçant Dong Dajie. Chambres grand confort, business centre, salle de sport, restaurants occidental et asiatique. **$$$$$**

Jiefang Hotel
321 Jiefang Lu
Tél. 8769 8881
Fax 8742 2617
En face de la gare et près de l'entrée nord-est de l'ancienne enceinte de la ville, chambres standard ou à 3 ou 4 lits. Réservation de billets et bureau de change. Prix très raisonnables. **$**

May First Hotel (WuYi Hotel)
351 Dong Dajie
Tél. 8721 2212
Fax 8721 3824
Hôtel tout confort de moyenne gamme. Chambres propres et emplacement idéal en centre-ville. **$**

Shangri-La Golden Flower
8 Changle Xilu
Tél. 8323 2981
Fax 8323 5477
Un hôtel 5 étoiles à 3 km du centre historique, dans un quartier sans grand intérêt. Locations d'appartements avec cuisine (courts et longs séjours). **$$$$$**

Xi'an Garden (Tang Hua) Hotel
4 Yanyin Lu
Dayan Ta
Tél. 8526 1111
Fax 8526 1998
À 6 km de la vieille ville, juste à côté de Dayan Ta, un hôtel 4 étoiles niché dans un jardin chinois agrémenté de lacs, de saules pleureurs et de pavillons. Restaurants occidental et asiatique. **$$$$**

Gamme des prix

Les prix s'entendent pour une chambre double en haute saison.

$	moins de 50 $US
$$	de 50 $US à 100 $US
$$$	de 100 $US à 150 $US
$$$$	de 150 $US à 200 $US
$$$$$	plus de 200 $US

Shandong

QINGDAO

Haitian Hotel
48 Xianggang Xilu
Tél. 387 1888
Face à la plage n° 3, un hôtel charmant et calme. **$$**

Shangri-La Hotel
9 Xianggang Zhonglu
Tél. 388 3838
Fax 388 6868
À l'est de la ville, excellent service et confort absolu. Vivement recommandé. **$$$$**

QUFU

Gold Mansion Hotel
1 Beimen Dajie
Tél. 441 3469
Fax 441 3209
Établissement construit avec des fonds taiwanais, près de la porte nord de la ville. **$**

Queli Hotel
1 Queli Jie
Tél. 441 1300
Fax 441 2022
Près des principaux sites de Qufu, un hôtel qui a su agréablement allier architecture traditionnelle – avec cour intérieure – au confort moderne. **$$**

Shanghai

City Hotel
5-7 Shaanxi Road (S)
Tél. 6255 1133
Fax 6255 0744
Un hôtel bien situé et bien équipé : business centre, restaurants chinois et occidental et boîte de nuit. **$$**

Crowne Plaza Shanghai
400 Panyu Road
Tél. 6280 8888
Fax 6280 3353
hicpsha@uninet.com.cn
À l'ouest de la concession française, un hôtel 4 étoiles de 496 chambres. Réputé pour son service chaleureux, la qualité de ses équipements et de ses restaurants. **$$$$$**

Grand Hyatt Shanghai
Jinmao Dasha
177 Lujiazui Lu
Pudong
Tél. 5049 1234
Fax 5049 1111
L'hôtel le plus haut du monde propose 550 chambres luxueuses et une vue panoramique superbe depuis le bar du 87e étage. Plusieurs excellents restaurants. **$$$$$**

Hengshan Hotel
534 Hengshan Road
Tél. 6437 7050
Fax 6433 5732
Anciennement *Picardie Mansions*, cet établissement de style Art déco est situé dans la très chic Hengshan Rd. Chambres correctes, restaurants chinois et occidental, business centre et club de sport. **$$**

Hotel Sofitel Hyland
505 Nanjing Road (E)
Tél. 6351 5888
Fax 6351 4088
En plein centre-ville, cet hôtel 4 étoiles propose des chambres tout confort joliment décorées. Idéalement placé près de Nanjing Road et du Bund. **$$$$**

Jinjiang Hotel
59 Maoming Road (S)
Tél. 6258 2582
Fax 6472 5588
Construit dans les années 1930, le *Jinjiang* était l'une des adresses les plus courues de l'ancienne concession française. Les chambres sont confortables sans être luxueuses, à l'exception de Governor

House, qui offre de somptueuses suites Art déco. **$$$$**

Longhua Hotel
2787 Longhua Road
Tél. 6439 9399
Fax 6439 2964
Associé au temple Longhua, cet hôtel moderne a surtout une clientèle de moines bouddhistes mais accepte aussi les laïques. **$$**

Metropole Hotel
180 Jiangxi Road (C)
Tél. 6321 3030
Fax 6321 7365
Près du Bund, un hôtel plus que sexagénaire qui a connu des jours meilleurs. Restaurant chinois, salle de sport et bar. Prix raisonnables. **$**

Ocean Hotel
1171 Dongdaming Road
Tél. 6545 8888
Fax 6545 8993
Dans Hongkou, cet hôtel 4 étoiles moderne possède un restaurant tournant donnant sur la ville. **$$**

Okura Garden Hotel
58 Maoming Road (S)
Tél. 6415 1111
Fax 6415 8866
Luxueux hôtel de 33 étages dans l'ancienne concession française. Géré par le groupe japonais Okura et construit sur les lieux de l'ancien club français de Shanghai, il est très bien aménagé mais sans âme. **$$$$$**

Pacific Hotel
104 Nanjing Road
Tél. 6327 6226
Fax 6326 9620
Cet hôtel, l'un des plus anciens de Shanghai, se reconnaît à son dôme doré et à sa tour d'horloge. Aujourd'hui quelque peu décrépit, il a conservé un superbe hall de style Art déco. **$$**

Park Hotel
170 Nanjing Road (W)
Tél. 6327 5225
Fax 6327 6958
Installé dans Renmin Park, il a été l'hôtel le plus élevé de la ville avant d'être détrôné par le *Grand Hyatt*. Ses chambres ont été récemment rénovées avec goût. **$$$**

Peace Hotel
20 Nanjing Road (E)
Tél. 6321 6888
Fax 6329 0300

L'hôtel le plus célèbre de Shanghai (ex-*Cathay Hotel*) a retrouvé sa splendeur d'antan. Ne manquez pas l'orchestre de jazz (le soir), ni le bar sur le toit : une vue magique sur Shanghai vous y attend. **$$$$**

Portman Ritz-Carlton
Shanghai Centre,
1376 Nanjing Road (W)
Tél. 6279 8888
Fax 6279 8800
C'est, depuis 1989, l'un des hôtels les plus courus de Shanghai pour la qualité de ses prestations et ses 600 chambres confortables. En plein Shanghai Centre, il est installé au cœur d'un complexe de bureaux et d'appartements, avec boutiques, bureaux de compagnies aériennes, restaurants et théâtres. Il possède la salle de sport la mieux équipée de la ville. **$$$$$**

Pudong Shangri-La
33 Fucheng Road
Tél. 6882 8888
Fax 6882 6688
En face du Bund, à Pudong, un hôtel élégant et confortable. Personnel accueillant. **$$$**

Pujiang Hotel
15 Huangpu Road
Tél. 6324 6388
Fax 6324 3179
Au nord du Bund, le vénérable *Pujiang Hotel* mérite la palme des meilleurs tarifs. **$**

Ruijin Guesthouse
118 Ruijin N°2 Road
Tél. 6472 5222
Fax 6473 2277
Dans l'ancienne concession française, l'ex-*Morris Estate* a été construit par un magnat de la presse. De nos jours, ses 4 pavillons gérés par l'État, entourés de pelouses et d'arbres, abritent 47 chambres. Cuisine chinoise et occidentale. **$$**

Shanghai Hilton
250 Huashan Road
Tél. 6248 0000
Fax 6248 3848
En plein centre, cet hôtel 5 étoiles de 43 étages superbement aménagé propose des restaurants parmi les plus raffinés de Shanghai et un hébergement luxueux. **$$$$$**

Shanghai JC Mandarin
1225 Nanjing Road (W)
Tél. 6279 1888
Fax 6279 1822
Un hôtel 5 étoiles idéalement situé. Géré par des Singapouriens, il propose plusieurs bons restaurants spécialisés dans la cuisine du Sud-Est asiatique. **$$$$$**

Shanghai Mansions
20 Suzhou Road (N)
Tél. 6324 6260
Fax 6399 9778
Un édifice Art déco, situé sur le Bund dans Suzhou Creek. Chambres simples mais confortables et vue splendide sur le fleuve. **$$$**

Westin Shanghai
88 Henan Road
Tél. 6335 1888
Fax 6355 2888
Édifié dans le quartier du Bund, ce nouveau né illumine la scène hôtelière de luxe de Shanghaï. Les chambres et les salles de bains sont absolument somptueuses, les restaurants servent une excellente cuisine. **$$$$$**

Xingguo Guesthouse
72 Xingguo Road
Tél. 6212 9070
Fax 6251 2145
Dans la concession française, cet établissement regroupe un ensemble d'anciennes villas shanghaiennes disséminées dans un vaste parc. Chambres simples et meublées de façon traditionnelle. **$$**

Yangtze New World Hotel
2099 Yan'an Road (W)
Tél. 6275 0000
Fax 6275 0750
Un hôtel 4 étoiles réputé pour la qualité de ses restaurants chinois, aux 553 chambres confortables. **$$$$**

Sichuan

CHENGDU

Holiday Inn-Crowne Plaza
31 Zong Fu Lu
Tél. 8678 6666
Fax 8678 6599
Hôtel moderne, bien équipé et très bien situé. **$$$$–$$$**

Pensions

Certaines pensions et certains hôtels modestes refusent les clients étrangers. Ils se plient en cela aux instructions des agences de voyages chinoises ou de la police qui déterminent les lieux où les étrangers sont autorisés à descendre. Dans les villes de moindre importance à l'écart des sites touristiques, certaines pensions acceptent les étrangers voyageant à titre individuel.
En général, on y dort dans des chambres à 2 ou 3 lits, voire plus, ou dans des dortoirs.

Sheraton Chengdu Lido
15 Section 1, Renmin Zhonlu
Tél. 8676 8999
Fax 8676 8888
Tout impressionne : du luxe au services en passant par les prestations, les chambres, les restaurants et la piscine. **$$$$-$$$**
Traffic Hotel
6 Linjiang Zhong Lu
Tél. 8545 1017
Fax 8558 2777
Situé sur le Jin Jiang (fleuve Doré), près de la gare des bus Xinnanmen. Les 170 chambres sont appréciées des touristes pour leur propreté et leur rapport qualité-prix. Personnel aimable. Dortoirs. **$**

LESHAN

Jiazhou Hotel (Jiazhou Binguan)
19 Baita Jie
Tél. 213 9888
Fax 213 3233
Sur la rivière Dadu, à l'ouest de Dafo, un hôtel 3 étoiles offrant des chambres avec télévision par satellite. Superbe vue sur le fleuve. Les rues adjacentes fourmillent de bons restaurants. **$-$$**

Xinjiang

KASHI (KASHGAR)

Kashgar Hotel
57 Tawuguzi Lu
Tél. 265 2367
Fax 265 4679
Situé à la périphérie de la ville. Surtout fréquenté par des groupes. Son environnement est calme et plaisant : cours, jardins et fontaines. **$$$**
Qinibagh Hotel
93 Seman Lu
Tél. 298 2103
Fax 298 2299
Ce complexe abrite 2 hôtels gérés par des équipes différentes. L'ancienne aile, qui abritait autrefois le consulat britannique, attire une clientèle de commerçants pakistanais. Les chambres y sont correctes et bon marché.La nouvelle aile dispose de chambres et de suites standard. **$$$**
Seman Hotel
170 Seman Lu
Tél. 258 2129
Fax 258 2861
Installé dans l'ancienne ambassade russe, cet hôtel 2 étoiles propose des chambres simples et des dortoirs propres. Personnel attentif et piscine agréable. **$$$**

ÜRÜMQI

Holiday Inn
168 Xinhua Beilu
Tél. 281 8788
Fax 281 7422
En plein centre, le premier hôtel 4 étoiles international de la ville offre tout le confort habituel de la chaîne. Cuisines occidentale, chinoise et moyen-orientale, business centre, agence de voyages, salon de beauté, presse. **$$$$**
Islam Grand Hotel
22 Zhongshan Lu
Tél. 281 1017
Fax 281 1513
Dans un quartier animé (accès facile aux moyens de transport et aux magasins), un hôtel 3 étoiles un peu décrépit mais plébiscité par les touristes occidentaux. L'architecture tout comme la tenue des serveurs et la cuisine (mouton entier rôti le soir) sont inspirés des traditions musulmanes. Chambres confortables, business centre, piscine couverte, salle de sport, dancing. **$$$$**
Xinjiang Hotel
107 Changjiang Lu

Tél. 585 2511
Fax 581 1354
On ne s'installe dans cet hôtel excentré que si l'on veut être prêt de la gare. Dortoirs, chambres et suites pour voyageurs à petit budget. **$**

Yunnan

DALI

Dali Hotel
245 Fuxing Lu
Tél. 267 0386
Fax 267 0551
Près de la vieille ville, un havre de calme à l'architecture et à l'ameublement bai traditionnels. **$**
Xizhou Tianzhuang Hotel
Shiping Lu, Xizhou (17 km de Dali)
Tél. 245 1515
Dans le joli village bai de Xizhou – une étape importante pour le commerce du thé et des chevaux vers le Tibet –, une ancienne demeure aménagée autour d'une cour. **$**

Gamme des prix

Les prix s'entendent pour une chambre double en haute saison.
$ moins de 50 $US
$$ de 50 $US à 100 $US
$$$ de 100 $US à 150 $US
$$$$ de 150 $US à 200 $US
$$$$$ plus de 200 $US

KUNMING

Camellia Hotel
96 Dongfeng Donglu
Tél. 316 3000
Fax 314 7033
Près du centre, un hôtel moderne et confortable. Réservations pour les excursions, buffet petit déjeuner, restaurant avec spectacles. Héberge les consulats du Laos et du Myanmar. **$**
Harbour Plaza Kunming
20 Hong Hua Qiao
Tél. 538 6688
Fax 538 1189
Ce nouvel hôtel de 20 étages installé à proximité du Green Lake Park mérite une visite, sinon pour

l'un de ses 3 restaurants ou son traiteur. Ses chambres sont simples et lumineuses. **$$$-$$$$**

Kunming Hotel
52 Dongfeng Donglu
Tél. 316 2063
En face du Holiday Inn et du grand magasin Dakura, près des boutiques mode de Kunming. **$$**

Gamme des prix

Les prix s'entendent pour une chambre double en haute saison.

$	moins de 50 $US
$$	de 50 $US à 100 $US
$$$	de 100 $US à 150 $US
$$$$	de 150 $US à 200 $US
$$$$$	plus de 200 $US

LIJIANG

First Bend Inn
43 Mishi Xiang, Xinyi Jie
Tél. 518 1688/518 1073
Fax 518 1688
Un hôtel de charme pour petits budgets au centre de la vieille ville de Lijiang. Chambres confortables, jolie cour, personnel attentif. Très bon rapport qualité-prix. **$**

Lijiang Grand Hotel
Xinyi Street, Dayan
Tél. 512 8888
Fax 512 7878
Hôtel à gestion thaïe, au bout de la vieille ville. Excellents restaurants (cuisines chinoise, européenne et thaïe), buffet petit déjeuner. **$**

Sanhe Binguan
Xinyi Street, Dayan
Tél. 512 0891
Fax 522 8797
À l'intérieur de la vieille ville, un ensemble naxi restauré. Salles de bains et toilettes communes. Décoration naxi dans les chambres. Très bonne table naxi et chinoise. Concerts et spectacles de danse. **$**

XISHUANGBANNA

Dai Garden Hotel
8 Nonglin Nanlu, Jinghong
Tél. 212 3888
Fax 212 6060
Un hôtel 3 étoiles de style dai. Piscine, lac et parc tout proches.

Restaurants cantonais et occidental, cuisine yunnannaise et dai au restaurant *Peacok Flavor*, où sont organisés des spectacles. **$$$**

Xishuangbanna Hotel
11 Galan Zhonglu, Jinghong
Tél. 212 3679
Fax 212 6501
Un hôtel très tranquille sur la rive ouest du Lancang Jiang. Architecture, décor et tenues dai. Au restaurant, spectacles dai. **$**

Zhejiang

PUTUO SHAN

Putuoshan Hotel
93 Meicen Lu
Tél. 609 2828
Fax 609 1818
htpts@mail.zsptt.zj.cn
Dans un parc agréable, à quelques pas au sud-ouest de Puji Chansi. Un 4-étoiles offrant des chambres climatisées avec télévision par satellite. Clinique et boutiques. **$$**

Se loger autrement

Les étrangers ont souvent du mal à trouver un hébergement autre que les hôtels et les pensions qui leur sont réservés. Sachez pourtant que quelques universités et autres institutions culturelles proposent les chambres de qualité à des prix bon marché.

Si vous partez longtemps, ou si vous faites une randonnée en pleine campagne, surtout au Tibet ou dans les régions des montagnes sacrées de Chine, sachez également que des hébergements sont proposés aux *"long distance travellers"* (voyageurs effectuant de longs voyages). Dans ce cas, n'oubliez pas d'emporter votre sac de couchage, qui peut s'avérer utile.

Dans certaines provinces comme le Yunnan, les restrictions sur les lieux d'hébergement imposées aux étrangers ont été éliminées. Il faut espérer que ces mesures vont se généraliser dans toute la Chine, afin que les touristes ne soient plus cantonnés aux hôtels onéreux qui leur sont réservés.

Se restaurer

Cuisines

Les pénuries de combustible ont conduit les Chinois à élaborer, au fil des siècles, un type de cuisine limitant au maximum le temps de cuisson, qui impose notamment de couper la nourriture en tout petits morceaux. Les saisir ensuite avec des baguettes est un jeu d'enfant.

En outre, le pays ne comptant qu'une faible part de terres arables, la culture intensive est un impératif, et l'élevage – très gourmand en espace – ne se pratique qu'aux confins nord et nord-est du pays. Le bœuf, le lait et les laitages ne sont donc pas des éléments essentiels de l'alimentation. Le soja a remplacé les protéines animales.

Traditionnellement, la nourriture doit aussi prendre soin du corps. Le repas chinois est donc équilibré, même lors d'un banquet.

On définit généralement 4 types de cuisine chinoise, non incluses les traditions gastronomiques parfois radicalement différentes des minorités nationales.

La cuisine du **Nord** se concentre autour de Beijing. La pauvreté du sol limite la variété des produits. À la différence du Sud rizicole, les nouilles ont la part belle. Le principal légume est le chou, qui se décline bouilli, cuit à la vapeur, frit, en conserve, et assaisonné de toutes sortes d'épices. À Beijing, le canard laqué et la fondue mongole sont des spécialités incontournables.

La cuisine du **Haiyang** (du littoral à la région de Shanghai) privilégie le poisson (surtout d'eau douce). Les fruits de mer et les légumes sont plus variés que dans le Nord.

La cuisine de **Canton** est connue dans le monde entier, car c'est celle

qui est la plus représentée
à l'étranger par les restaurants
de la diapora chinoise.

Le **Sichuanais** élabore des repas
avec force épices, pour lutter, dit-on,
contre les hivers froids et humides.

Macau, au fil des siècles,
a su inventer une cuisine unique
en mêlant des influences
afro-portugaises et indiennes.
Ne manquez pas de déguster
les spécialités de poulet africain et
les crevettes épicées. En général,
les portions sont copieuses
et les prix bas.

Au restaurant

Un repas chinois s'apprécie mieux
en groupe. En partageant les plats
on peut ainsi goûter un plus grand
nombre de spécialités. D'ailleurs,
la plupart des restaurants chinois
sont en règle générale peu adaptés
aux personnes seules.

Les Chinois prennent leur repas
très tôt : au restaurant, le service
du déjeuner commence à 11h
(sauf dans les établissements plus
touristiques). Le soir, il vous sera
difficile de dîner après 20h, sauf
dans le Sud. L'hiver, les restaurants
sont rarement chauffés (pas plus
que ne le sont les théâtres et les
salles de spectacle), aussi prévoyez
des vêtements chauds.

Si vous achetez de la nourriture
auprès d'un étal de rue, assurez-
vous de la propreté des lieux et de
la fraîcheur de la nourriture, qui doit
toujours être servie bien chaude.

Beijing

CANARD LAQUÉ

Bianyifang
2a Chongwenmenwai Dajie
Tél. 6712 0505
Ce vénérable et réputé restaurant
prépare le canard laqué de mille
et une façons. **$$**
Qianmen Quanjude
Roast Duck Restaurant
32 Qianmen Dajie
Tél. 6511 2418
Le plus célèbre restaurant de
canard laqué de Beijing. Tout en

dégustant le vôtre, vous assisterez
à l'élaboration de ce met de choix.
$$
Quanjude Roast Duck Restaurant
9 Shuaifuyuan Hutong
Tél. 6525 3310
Située dans une ruelle donnant dans
Wangfujing Dajie : une halte idéale à
la fin d'une après-midi de shopping.
$$

SPÉCIALITÉS DE BEIJING

Le canard laqué – savoureux mais
un peu riche – n'est pas la seule
spécialité de Beijing. Essayez
d'autres plats typiques.
Xiao Wang's Home Restaurant
2 Guanghua Dongli
Chaoyang District
Tél. 6594 3602
Autre adresse :
4 Gongti Beilu
Tél. 6592 5555
Dans le centre-ville, un restaurant
très fréquenté où règne une
ambiance chaleureuse. Cuisine
familiale de qualité. **$$**

Gamme des prix

Les prix s'entendent pour un
repas complet par personne,
boissons non comprises.
$ moins de 12 $US
$$ de 12 $US à 25 $US
$$$ plus de 25 $US

CUISINE DU SICHUAN

Baguo Buyl
89-3 Dianmen Dongdajie
Tél. 6400 8888
Une annexe de la fameuse cantine
Chengdu qui, ici, vous préparera
exclusivement une cuisine du
Sichuan. **$**
Berena's Bistro
6 Gongti Donglu
Tél. 6592 2628
Le personnel parle anglais
et les menus sont traduits. **$**
Sichuan Restaurant
14 Liuyin Jie
Tél. 6615 6924
Cette ancienne demeure d'un prince
Qing a été reconvertie en un élégant
restaurant très sélect. **$**

CUISINE CANTONAISE

Four Seasons
Jianguo Hotel (1ᵉʳ niveau)
Jianguomenwai Dajie
Tél. 6500 2233 (poste 8041)
Une nourriture raffinée dans un
cadre traditionnel. **$$$**
Hong Kong Food City
18 Dong'anmen Dajie
Tél. 6513 6668
Spécialités de fruits de mer servies
dans une ambiance animée. **$$**
Huang Ting
The Peninsula Palace
8 Jinyu Hutong
Tél. 8516 2888 (poste 6707)
Des mets cantonais raffinés servis
dans un décor élaboré de cour
intérieure de maison. **$$$**

AUTRES SPÉCIALITÉS
CHINOISES

A Fun Ti Hometown Music
Restaurant
2 Houguaibang Hutong
Tél. 6527 2288
L'ambiance est festive : on danse
sur les tables et des rythmes
endiablés. La cuisine ouïgour
(à base d'agneau) n'est pas
excellente, mais vous êtes certain
de passer une bonne soirée. **$$**
Bamboo Garden Hotel Restaurant
24 Xiaoshiqiao Hutong
Tél. 6403 2229
Une cuisine chinoise roborative
servie dans une maison
traditionnelle, l'ancienne demeure
de Kang Sheng, un ex-directeur
de la Sécurité publique. **$**
Duyichu Dumplings
36 Qianmen Dajie
Tél. 6702 1555
Une institution de Beijing. **$**
Fangshan Canting
Qiong Dao Beihai Park
Tél. 6401 1889
Une cuisine impériale servie au cœur
du parc Beihai. **$$$**
Gold Peacock Dai Restaurant
2 Minzu Daxue Beilu
Tél. 6893 2030
Cuisine des minorités du sud-ouest
de la Chine.
Kaorouji Restaurant
14 Qianhai Dongyan
Tél. 6404 2554

Grillades et spécialités des musulmans du lac Qianhai. **$**

Li Family Restaurant
11 Yangfang Hutong, Denei Dajie
Tél. 6618 0107
Il est prudent de réserver pour ce restaurant de 2 tables de 12 personnes (ouvert midi et soir). Le chef raconte mille anecdotes à propos de chaque plat. **$$$**

AUTRES CUISINES ORIENTALES

The Taj Pavilion
China World Trade Centre
Tél. 6505 2288 (poste 8116)
Restaurant indien au menu varié et appétissant. **$$**

Serve the People
1 Sanlitun Xiwujie
Tél. 8454 4580
Dans le quartier des ambassades, excellente cuisine thaïe. **$$**

1001 Nights
21 Gongrentiyuchang Beilu
Tél. 6532 4050
Spécialités du Moyen-Orient, délicieux jus de fruits et danseuse du ventre. **$$**

CUISINE OCCIDENTALE

Adria 1
16 Xinyuan Jie
Tél. 6460 0896
Large choix de pâtes et pizzas. **$$**

Ashanti
168 Xinzhong Jie
Tél. 6416 6231
Tapas, paella et sangria. **$$$**

Frank's Place
Gongrentiyuguan Donglu
(jouxte le Chains City Hotel)
Tél. 6507 2617
Hamburgers et soupes au chili. **$**

Morel's
1-2 Xinzhong Jie
Tél. 6416 8802
Un petit restaurant belge où la bière coule à flots. Bonnes gaufres. **$**

Paulaner Brauhaus
Beijing Lufthansa Center
50 Liangmaqiao Lu
Tél. 6465 3388 (poste 5734)
Cette sympathique brasserie au décor bavarois sert des bières maison et des spécialités allemandes. **$$**

Guangzhou

CUISINE CANTONAISE

Banxi
151 Longjin Xilu
Tél. 8181 5718/ 8181 5955
Sur les bords du lac Liwan, ce restaurant centenaire est l'un des plus vieux de la ville. La salle à manger est couverte de boiseries et décorée de porcelaines anciennes. Spectacle d'opéra de Pékin et musique classique chinoise. **$$**

Gamme des prix

Les prix s'entendent pour un repas complet par personne, boissons non comprises.

$	moins de 12 $US
$$	de 12 $US à 25 $US
$$$	plus de 25 $US

Black Swan Dumpling Restaurant
Gaoerfu Dasha (2ᵉ niveau)
486 Huanshi Dong Lu
Tél. 8767 5687
Le must des *jiaozi* (raviolis chinois) aux farces succulentes (nombreuses succursales). **$**

Caigenxiang
167 Zhongshan Liulu
Tél. 8334 4363
Restaurant végétarien fondé par des moines bouddhistes. Menu varié. **$$**

Dasanyuan
260 Changdi Lu
Tél. 8188 3277
Depuis 30 ans, ce restaurant cuisine avec beaucoup de savoir-faire ses spécialités : soupe aux ailerons de requin, pattes de poulet et poulet au thé. Très bruyant et animé. **$$**

Datong Restaurant
63 Yanjiang Xilu
Tél. 8188 8988
Une carte de 1 000 plats, dont des incontournables comme le poulet à la peau craquante, le cochon de lait, le canard Xishi ou le cactus aux ailes de poulet. Huit étages au-dessus de la rivière des Perles. **$$**

Dongjiang Restaurant
337 Zhongshan Wu Lu
Tél. 8333 5343
Un autre restaurant animé avec une carte à 1 000 plats.

Spécialités : poulet rôti au sel, chausson de pâte de soja, porc vapeur au chou macéré, canard aux 8 trésors. **$$**

Fo Shi Jie
Niunai Changjie
(après Tongfu Zhonglu)
Tél. 8424 3590
Restaurant végétarien au sud de la rivière des Perles, près du temple Hai Tong Si. **$**

Food Street
Marriott China Hotel (rdc), Liuhua Lu
Tél. 8666 3888/ 8666 6888
Dim sum, fondues et plats cantonais. **$**

Guangzhou Restaurant
2 Wenchang Lu
Tél. 8188 8388
Ce restaurant sert quelque 10 000 repas par jour ! Il est réputé pour sa soupe aux ailerons de requin ou son abalone parsemé d'éclats d'or à 24 carats. **$$$**

Imperial Garden
Guangdong International Hotel
339 Huanshi Lu
Tél. 8331 1888
Fruits de mer et plats cantonais servis au bord d'un étang. **$$$**

Jade River
White Swan Hotel, Shamian Island
Tél. 8188 6968
Un restaurant de luxe qui fait la part belle aux spécialités cantonaises et aux fruits de mer. Excellent poisson cuit à la vapeur. **$$$**

Ming Ji Seafood City
171 Xingang Xi Lu
Tél. 8445 6189
Au sud de la rivière des Perles, près de l'université Zhongshan, un grand restaurant prolongé par une jolie terrasse. Choisissez vous-même vos fruits de mer ou laissez-vous tenter par l'une des spécialités du lieu : serpents, insectes et autres curiosités. Très grand choix et prix raisonnables. **$$**

Ocean Palace
330 Zhong Shan Silu
Tél. 8183 3877
Le dernier endroit à la mode. Fruits de mer et karaoké. **$$**

She Can Guan
43 Jianglan Lu
Tél. 8188 3811/8188 2317
Cela fait 80 ans que *She Can Guan* accommode le serpent. Les plus

téméraires essayeront la soupe longhufen, à base de serpent, de chat et de poulet. **$**

AUTRES CUISINES ASIATIQUES

Banana Leaf
8 Luhu Lu
Tél. 8359 7499
Restaurant thaï apprécié. Portions gargantuesques à petits prix. **$**
Hirata
White Swan Hotel (Mezzanine)
1 Shamian Nan Jie
Tél. 8188 6968 (poste 3009)
Le seul restaurant authentiquement japonais de la ville. **$$$**

Hong Kong

CUISINE CHINOISE

Carrianna Chiu Chow
151 Gloucester Road, Wan Chai
Tél. 2511 1282
La cuisine chiu chow au meilleur rapport qualité-prix (sauf pour des plats de luxe comme les ailerons de requin). Goûtez les nouilles e-fu et l'aileron argenté, un poisson délicieux. **$$-$$$**
Dim Sum
63 Sing Woo Road, Happy Valley
Tél. 2834 8893
Dans une ambiance surannée, dégustez des *dim sum* succulents. **$-$$**
Great Shanghai
26 Prat Ave, Tsim Sha Tsui
Tél. 2366 8158
Un immense restaurant à la carte appétissante (400 plats). Cuisine de la région de Shanghai et du Yangzi. **$-$$**
Han Lok Yuen Restaurant
16-17 Hung Shing Ye
Yung Shue Wan, Lamma Island
Tél. 2982 0680
Restaurant familial donnant sur la place Hung Shing Ye. Goûtez l'émincé de caille cuit dans des feuilles de laitue, le pigeon rôti et les fruits de mer. **$**
Kung Tak Lam Shanghai Vegetarian Restaurant
31 Yee Wo St, Causeway Bay
Tél. 2890 3127

Ce restaurant centenaire élabore une cuisine créative, et, à la demande, des plats végétariens sans glutamate de sodium. **$-$$**
Lao Ching Hing
Novotel Century Hong Kong
238 Jaffe Road, Wan Chai
Tél. 2598 6080
Un restaurant réputé pour sa cuisine shanghaienne. **$$**
Luk Yu Tea House
24-26 Stanley St, Central
Tél. 2523 5464
Une maison de thé des années 1930 où vous dégusterez les meilleurs *dim sum* de Hong Kong dans des box en bois sombre, assis sur des chaises à dossier incrusté de marbre. **$$**
Man Wah
Mandarin Oriental Hotel (25e niveau)
5 Connaught Road, Central
Tél. 2522 0111 (poste 4025)
La vue sur le port et le décor placent *Man Wah* au-dessus du lot. Cuisine cantonaise succulente, vins excellents et service attentif. Réservez et habillez-vous chic. **$$$$**
One Harbour Road
8th Fl, Grand Hyatt Hotel
1 Harbour Road, Wan Chai
Tél. 2588 1234
Attablez-vous face au port, près de l'étang aux nénuphars. Menu cantonais classique, vins et services parfaits. Réservez et soignez votre tenue. **$$$$**
Red Pepper
7 Lan Fong Road, Causeway Bay
Tél. 2577 3811
Un restaurant plébiscité par les expatriés et les touristes pour sa cuisine sichuanaise épicée. **$$-$$$**
Steam & Stew Inn
21-23 Tai Wong St E, Wan Chai
Tél. 2529 3913
Ce restaurant très couru sert de savoureux ragoûts cantonais et des plats shanghaiens sans glutamate de sodium, accompagnés de riz rouge. **$-$$**
Tai Woo
27 Percival Street, Causeway Bay
(et autres adresses)
Tél. 2893 0822
Les fruits de mer font la réputation de ce restaurant cantonais. **$$**

Yung Kee
32-40 Wellington St, Central
Tél. 2522 1624
Depuis 50 ans, l'oie rôtie tient la vedette dans cet immense restaurant pouvant contenir jusqu'à 1 000 clients (4 étages). **$$**

AUTRES CUISINES ASIATIQUES

Ashoka Restaurant
57-59 Wyndham St, Central
Tél. 2524 9623
Excellente cuisine indienne. **$$**
Banana Leaf Curry House
440 Jaffe Road, Wan Chai
Tél. 2573 8187
Un restaurant de cuisine malaise qui sert, dans des feuilles de bananier, de savoureux plats malais, indiens et chinois du détroit de Malacca. **$-$$**
Cafe Deco Bar & Grill
Peak Galleria, 118 Peak Road
The Peak
Tél. 2849 5111
Pizza, tandoori et cuisine thaïe. Orchestre de jazz tous les soirs. Réservation conseillée, surtout pour bénéficier de la vue. **$$-$$$**
Gaylord
Ashley Centre (1er niveau)
23-25 Ashley Road, Tsim Sha Tsui
Tél. 2376 1001/1991
L'un des restaurants indiens les plus anciens de Hong Kong. **$$**
Gu Gu Jang Korean Barbecue
Caroline Center (3e niveau)
28 Yun Ping Road, Causeway Bay
Tél. 2577 2021
On se régale de crêpes aux oignons de printemps en attendant la viande ou le poisson mariné qui grillent devant soi. **$$**
Indochine 1929
California Tower, 30-32 D'Aguilar St
Lan Kwai Fong, Central
Tél. 2869 7399
Une excellente cuisine à déguster dans une élégante véranda au style colonial. **$$$**
Koh-I-Noor
California Entertainment Bldg
34 D'Aguilar St, Central
Tél. 2877 9706
Currys et tandooris typiques de la cuisine mughlai du nord de l'Inde. **$-$$**

Kublai's
One Capital Place (3ᵉ niveau)
19 Luard Road, Wan Chai
(autres adresses en ville)
Tél. 2529 9117
Barbecue mongol à volonté.
Excellent rapport qualité-prix. **$**
Nadaman
Island Shangri-La Hotel (7ᵉ niveau)
Pacific Place, 88 Queensway
Admiralty
Tél. 2820 8570
Cuisine japonaise raffinée,
décor élégant. Service attentif.
$$$–$$$$
The Peak Lookout
121 Peak Road, The Peak
Tél. 2849 1000
Plats méditerranéens et asiatiques
servis dans une bâtisse coloniale,
agrémentée d'une terrasse
ombragée. Réservez. **$$–$$$**
Rangoon Restaurant
Hoi Kung Building
265 Gloucester Rd, Causeway Bay
Tél. 2893 2281
Un petit restaurant agréable
et rare, offrant une cuisine birmane
authentique. **$$**
Tokio Joe
16 Lan Kwai Fong, Central
Tél. 2525 1889
Une cuisine japonaise que l'on
déguste dans un décor branché.
Menus à prix raisonnables. **$$**
Woodlands International
Mirror Tower
61 Mody Rd, Tsim Sha Tsui East
Tél. 2366 1945
Délicieuse cuisine indienne
végétarienne. Essayez les *dosai*
(crêpes croustillantes) et le *thali*
(plateau rond) de hors-d'œuvre. **$**
Wyndham Street Thai
38 Wyndham St, Central
Tél. 2869 6216
Cuisine thaïe et australienne dans
un décor chic. Belle carte des vins.
Réservation conseillée. **$$$**

Gamme des prix

Les prix s'entendent pour un
repas complet par personne,
boissons non comprises.
$ moins de 12$US
$$ de 12 $US à 25 $US
$$$ plus de 25 $US

CUISINE OCCIDENTALE

Casa Lisboa
21 Elgin St, Central
Tél. 2869 9631
Plats portugais traditionnels servis
dans une ambiance chaleureuse.
$$
Gaddi's
The Peninsula Hotel (1ᵉʳ niveau)
Salisbury Road, Tsim Sha Tsui
Tél. 2366 6251 (poste 3171)
Cuisine française impeccable,
excellente carte des vins, service
attentif et cadre élégant. Réservez.
Tenue correcte exigée. **$$$$**
Grissini
The Grand Hyatt Hotel (2ᵉ niveau)
1 Harbour Road, Wan Chai
Tél. 2588 1234 (poste 7313)
Cadre élégant, ambiance "chic-
décontracté", vue sur le port, cuisine
milanaise succulente. **$$$+**
Jimmy's Kitchen
1 Wyndham St, Central
Tél. 2526 5293
L'une des plus anciennes
institutions de Hong Kong sert
depuis 1928 une excellente cuisine
européenne. Réservations
recommandées pour le déjeuner.
$$
M at the Fringe
South Block 2 (1ᵉʳ niveau)
Lower Albert Road, Central
Tél. 2877 4000
Dans un cadre intimiste, des mets
continentaux élaborés, arrosés
d'excellents vins. Service attentif.
$$$+
Post 97
9-11 Lan Kwai Fong (1ᵉʳ niveau)
Central
Tél. 2810 9333
Un café-restaurant à la mode
et aux menus imaginatifs. **$$**

Macau

CUISINE CHINOISE

456
Lisboa Hotel, New Wing
Avenida do Infante D. Henrique
Tél. 388 474
L'une des meilleures cuisines
shanghaiennes de la région. Ouvert
jusqu'à 1h. **$$$**

L'heure du thé

Depuis plus de 50 ans, le salon
de thé du *Peninsula Hotel*,
aménagé entre les colonnes du
vaste hall, est le meilleur endroit
pour prendre le thé à Hong Kong.
 *Luk Yu Tea House (24-26
Stanley St, Central, Hong Kong,
tél. 2523 5464)* offre quant à
elle un cadre purement cantonais
à cette récréation essentielle.

Canton Tea House
Hyatt Regency Hotel, Taipa Island
Tél. 831 234 (poste 1930 ou 1937)
Spécialités cantonaises. *Dim sum* au
déjeuner. **$$**
Dynasty
Mandarin Oriental Hotel
Avenida de Amizade, 2F
Tél. 567 888 (poste 3821 ou 3876)
Restaurant cantonais haut
de gamme. *Dim sum* au déjeuner.
$$$
Federal
19-21 Av. do Dr. Rodrigo Rodrigues
(5ᵉ niveau)
Tél. 313 313
L'une des bonnes adresses de
Macau. **$$**
Jade Garden
35-39 Rua do Dr. Pedro Jose Lobo
Tél. 710 203
Ce restaurant cantonais sert
des *dim sum* au déjeuner. **$$**
Long Kei
7B Largo do Senado
Tél. 573 970
Sur la grand-place, l'une des
meilleures tables chinoises en ville.
$$$
New Ocean
1-3 Rua do Dr. Pedro Jose Lobo
(4ᵉ et 5ᵉ niveau)
Tél. 371 533
Un must pour les fruits de mer.
$$$
Pep'n Chilli
9-13 Rua Gago Coutinho
Tél. 515 151
Excellent restaurant sichuanais.
$$–$$$
Tak Heng Hoi Sin Fo Vo
10E Rua de Ribeira do Patane
Tél. 517 970
Autre adresse : *16 Rua
das Lorchas*
Tél. 572 092

Ces 2 établissements jumeaux sont considérés comme les meilleurs restaurants chinois de Macau. Ouverts jusqu'à 3-4h du matin. **$$$**

SPÉCIALITÉS DE MACAU

A Lorcha
289A Rua Almirante Sergio (rdc)
Tél. 313 193
Sur le port intérieur, ce petit restaurant sans prétention sert des plats chinois inspirés de la cuisine portugaise. **$$**
Barra Nova
287A Rua do Almirante Sergio (rdc)
Tél. 512 287
Sur le port intérieur, près du temple A-Ma. Cuisine portugaise et locale. **$$**
Bee Vee
Rotunda de Leonel da Sousa,
Praca da Portagem, Taipa Island
Tél. 812 398
Spécialités portugaises et locales. **$$**
Bolo de Arroz
11 Travessa de Santo Domingos
Tél. 339 089
Pour déguster une pâtisserie ou prendre un café près du Largo do Senado. **$**
Cacarola
8 Rua das Gaivotas, Coloane Village
Coloane Island
Tél. 882 226
Un lieu très prisé des autochtones pour sa cuisine portugaise aux portions généreuses, servie dans une vieille maison de style méditerranéen. **$$**
Fernando's
9 Praia Hac Sa, Hac Sa Beach
Coloane Island
Tél. 882 531
Excellente halte culinaire sur la plage. Un menu varié où se mêlent de délicieux plats portugais et chinois. Spécialités de fruits de mer. **$$**
Flamingo
Hyatt Regency, Taipa Island
Tél. 831 234 (poste 1834 ou 1874)
Restaurant de cuisine portugaise et chinoise servie dans un pavillon donnant sur un lac. **$$**
Galo
45 Rua dos Clerigos
(rdc et 1er niveau), Taipa Island
Tél. 827 423

Parmi les spécialités portugaises et locales du menu, le meilleur poulet africain de la ville ! **$$**
Miss Macau
102 Rua Fernao Mendes Pinto
Taipa Village
Tél. 827 957
Cuisine macanaise. Parmi les spécialités de la maison : croquettes de morue, crabe au curry et bœuf "Miss Macao". **$$**
O-Manel
90 Rua Fernao Mendes Pinto
Taipa Island
Tél. 827 571
Un restaurant au cadre vieillot, très fréquenté par les locaux. **$$**
O Santos
20 Rua do Cunha, Taipa Island
Tél. 825 594
Un petit restaurant à l'ambiance authentique, peu fréquenté par les touristes, et servant d'excellentes . spécialités de poissons. **$$**
Panda
4-8 Rua Carlos Eugenio (rdc)
Taipa Village, Taipa Island
Tél. 827 338
L'une des nombreuses adresses portugaise des environs de Taipa. Derrière la façade étroite, se cache une vaste salle intérieure. **$$**
Pinocchio
4 Rua do Sol, Taipa Island
Tél. 827 128
Du poisson et des volailles épicés à déguster dans une jolie cour ombragée. **$$**
Praia Grande
10A Praca de Lobo de Avila (rdc)
Tél. 973 022
L'un des restaurants les meilleurs et les plus anciens de Macau. **$$$**
Solmar
11 Rua da Praia Grande, Macau
Tél. 574 391
Fréquenté par la clientèle locale, Somar pratique des prix raisonnables. **$$**

AUTRES CUISINES

Mezzaluna
Mandarin Oriental
956-1110 Avenida da Amizade
Tél. 793 3861
Un restaurant italien au décor chic offrant une cuisine mémorable. Réservation recommandée. **$$$**

Thai
27E Rua Abureu Nunes
Tél. 573 288
Papilles fragiles, méfiez-vous : on sert ici une cuisine thaïe très relevée. Goûtez la soupe *tom yam*. **$$$**
Rasa Sayang
Estrada Noroeste da Taipa,
Ocean Garden, B1.12, D, E & F,
Taipa Island
Tél. 810 187
Le seul restaurant malais de la ville. **$$**

Shanghai

CUISINE CHINOISE

Chang An Dumpling Restaurant
2 Yunnan Road
Tél. 6328 5156/0695
Autre adresse : 1588 Pudong Da Dao, Pudong
Tél. 5885 8416/4917
Plus de 100 sortes de raviolis chinois au menu. Ouvert 24h/24. **$**
Dragon and Phoenix Room
Peace Hotel, 20 Nanjing Road (E)
Tél. 6321 6888
On se presse à ce restaurant situé au 8e étage du *Peace Hotel* pour apprécier la vue sur la ville. **$$$**
Quan Ju De
786 Huaihai Road (C)
Tél. 6433 7286
Autre adresse : 547 Tianmu Xi Lu
Tél. 6353 8558
Spécialités de canard laqué. **$$**
Meilongzhen
1081 Nanjing Road (W)
Tél. 6253 5353
L'un des plus anciens restaurants (1938) de la ville et peut-être le plus célèbre. Spécialités shanghaiennes et sichuanaises. **$$**
Revolving 28
Ocean Hotel, 1171 Daming Road (E)
Tél. 6545 8888
Sur la rive orientale du Huangpu, au 28e étage, un restaurant tournant avec vue sur le Bund et les environs. **$$$**
Tian Tian Wang Hotpot Restaurant
975 Huaihai Road (C)
Tél. 6415 7559
Les noctambules s'y donnent rendez-vous pour festoyer. Ambiance chaleureuse mais décor fade. **$**

Yunnan Lu Food Street
Yunnan Road et Ya'an Road
Deux rangées de bons restaurants
à des prix inégalables.
Très animé le soir. **$**

CUISINE CANTONAISE

The Dynasty
Renaissance Yangtze Shanghai Hotel
2099 Yan'an Road (W)
Tél. 6275 0000 (poste 2230)
L'une des meilleures tables
cantonaises de Shanghai. **$$$**

The Forum Palace
188 Huaihai Road (C)
Tél. 6386 2608
Design très hongkongien
et *dim sum*. **$$$**

Fu Lin Xuan
37 Sinan Road
Tél. 6358 3699
Spécialités de fruits de mer à la
cantonaise. Le week-end, brunch
dim sum incontournable. **$$**

Xian Yue Hien
Ding Huayuan, 849 Huashan Road
Tél. 6251 1166
Plats cantonais et shanghaiens
servis dans un charmant jardin. **$$**

SPÉCIALITÉS DE CHAOZHOU

Chaozhou Garden
Yangtze New World Hotel
2099 Yan'an Road (W)
Tél. 6275 0000
Décor élégant. Service impeccable.
$$$

Chaozhou Restaurant
New Asia Tomson Hotel
777 Zhangyang Road, Pudong
Tél. 5835 6666
Une cuisine succulente à savourer
au-dessus de Pudong. **$$$**

CUISINE SHANGHAIENNE

Henry's
8 Xinle Road
Tél. 5403 3448
L'ambiance jazzy fait oublier la
qualité inégale de la cuisine. **$$**

Lubolang Restaurant
115 Yuyuan Road
Tél. 6328 0602
Un restaurant d'habitués réputé pour
ses *dim sum* de Shanghai et ses

ailerons de requin. **$$**

Lulu
161 Liujiazui Donglu (2e niveau)
Tél. 5882 6679
Le rendez-vous nocturne des jeunes
branchés de la ville. Fruits de mer
et ambiance joyeuse. **$$**

Nanxiang Dumpling Restaurant
87 Yuyuan Old St
Tél. 6355 5156 4206
Les meilleurs *xiaolongbao* (raviolis
de Shanghai). **$**

The Big Fan
1440 Hongqiao Road
Tél. 6219 7514
Spécialités locales proposées dans
un cadre traditionnel et élégant
meublé. **$$**

The Gap Salon
127 Maoming Road (S)
Tél. 6433 9028
(plusieurs restaurants)
Une cuisine shanghaienne honnête.
Orchestre et boîte de nuit. **$$**

The Grape
55 Xinle Road
Tél. 6472 0486
Autre adresse : Yan'an Road
Tél. 6295 2518
Une adresse gourmande où se
pressent touristes et Chinois.
Menu de qualité à prix doux.
Service attentif. **$**

Yang's Kitchen
3 Hengshan Road, Hongshou Rd
Tél. 6445 8418
Dans une ancienne demeure
coloniale, utilisée jadis par les
troupes de Jiang Jeshi, une table
shanghaienne à découvrir. **$$**

1221
1221 Yan'an Road (W)
Tél. 6213 2441

The Village
137 Tianping Road
Tél. 6282 8018
Deux restaurants shanghaiens qui
offrent une excellente cuisine et un
service irréprochable. Selon vos
envies du moment, *The Village*
est le plus accueillant, le *1221*
étant un peu plus chic. **$$**

CUISINE DU SICHUAN

Sichuan Court
250 Huashan Road
Tél. 6248 0000
Une adresse élégante au sommet du

Hilton. Vue sur toute la ville. **$$$**

Sichuan Restaurant
1733 Yan'an Road (W)
Tél. 6259 4583
Au bord du parc de Tianshan, une
excellente table sichuanaise. **$$**

Gamme des prix

Les prix s'entendent pour un
repas complet par personne,
boissons non comprises.
$ moins de 12 $US
$$ de 12 $US à 25 $US
$$$ plus de 25 $US

CUISINE VÉGÉTARIENNE

Gongdelin
445 Nanjing Road (W)
Tél. 6327 0218
Depuis 50 ans sont servis ici
des plats végétariens comme le
"canard" et le "bœuf" en tofu. **$**

Jue Lin Shu Shi Chu
250 Jinling Road (E)
Tél. 6326 0115
Une table végétarienne dans un
cadre d'inspiration bouddhique. **$**

CUISINE OCCIDENTALE

Cucina
Grand Hyatt Hotel (56e niveau)
2 Century Boulevard, Pudong
Tél. 5047 1234
Cuisine toscane et vue magnifique
sur Shanghai. **$$$**

Dublin Exchange
Senmao Building
101 Yincheng Road (E), Pudong
Tél. 6841 2052
Dans un décor de club, ragoûts et
fruits de mer cuisinés à l'irlandaise.
La Guiness (pression) coule à flots.
$$

M on the Bund
20 Guangdong Road (7e niveau)
Tél. 6350 9988
L'un des meilleurs restaurants du
monde et sans doute la plus belle
terrasse dominant le Bund. **$$$**

Malone's
255 Tongren Road
Tél. 6247 2400
Un bar américain sympathique.
Au menu, ailes de poulet marinées,
hamburgers et pizzas. **$$**

CUISINE INDIENNE

Punjabi Restaurant
Peace Square, 18 Shuicheng Road
Tél. 6278 8626
Un établissement familial fréquenté
par la communauté indienne locale.
Bon rapport qualité-prix. **$$**
The Tandoor
Jinjiang Hotel, 58 Maoming Rd (S)
Tél. 6472 5494
Un décor superbe et une nourriture
de très bonne qualité justifient son
label de meilleur restaurant indien
de Shanghai. Tout est parfait. **$$$**

CUISINE JAPONAISE

Da Jiang Hu
30 Donghu Road
Tél. 6467 3332
Buffet à volonté, sushi, nouilles
et saké. **$$**
Sumo Sushi
29 Dongping Road
Tél. 6466 9419
Autres adresses : 688 Huaihai
Zhong Lu
Tél. 5306 9136
969 Nanjing Xi Lu
Tél. 6271 4739
Chaîne de restaurants spécialisés
dans les sushi. Prix doux. **$**

CUISINE CORÉENNE

Arirang
28 Jiangsu Road (N)
Tél. 6252 7146
Barbecue et plats froids. **$$**
Gao Li
181 Wuyuan Road
Tél. 6431 5236
Une très bonne table coréenne qui
calme les fringales les plus tardives.
$$

SPÉCIALITÉS D'ASIE DU SUD-EST

Frankie's Place
118 Changde Road
Tél. 6247 0886
Excellente table singapourienne. **$**
Irene's Thai
263 Tongren Road
Tél. 6247 3579
Une adresse à ne pas manquer pour
découvrir la vraie cuisine thaïe. **$$**

Boissons

Dans la plupart des chambres
d'hôtel, vous trouverez une thermos
d'eau chaude et d'eau froide ainsi
que des sachets de thé vert ou noir.
Une règle d'or : ne jamais boire l'eau
du robinet, qui n'est potable nulle
part en Chine. Une tasse d'eau
chaude, le thé "blanc" des Chinois,
demeure la meilleure solution pour
étancher sa soif.
　　Au repas, outre l'omniprésent
thé vert, on vous proposera de la
bière chinoise, moins alcoolisée
que ses rivales européennes,
de l'eau minérale ou de la limonade,
très sucrée.
　　En Chine, l'ivresse publique reste
inacceptable, ce qui n'empêche pas
les fabricants de mettre sur le
marché un nombre incroyable
d'alcools. Les plus connus sont
le *maotai*, un alcool blanc (55 %
d'alcool) à base de blé et de sorgho,
produit depuis des siècles à Maotai,
au Guizhou, et le *wuliangye*, une
fermentation de 5 céréales.
Les vins chinois, rouges ou blancs,
sont très doux, avec un léger goût de
sherry. Essayez le *huang jiu* chambré
avec une tranche de gingembre.
　　Plusieurs vignobles regroupés en
joint-venture produisent tout un panel
de vins de table rouges et blancs
très honnêtes. Des dizaines de
brasseries réparties dans tout
le pays fabriquent des bières locales
et étrangères. On trouve aussi des
vins et des alcools importés dans
les grandes villes.

Culture

Concerts

Des concerts de musique classique,
chinoise ou occidentale, ainsi
que des spectacles de danse
se donnent régulièrement dans
diverses villes. Dans de nombreuses
régions, surtout celles où vivent les
minorités, ont lieu des spectacles
de danse et de chant. Des concerts
pop sont également organisés
régulièrement. Pour obtenir les
horaires et les adresses des salles,
renseignez-vous auprès des hôtels
et des agences de voyages.
Les journaux locaux publient des
informations sur les spectacles.

Musées

Les musées abondent et portent sur
tous les sujets, de la Révolution à
l'histoire naturelle. Mais ils restent
mal gérés et désarçonnent parfois le
visiteur. Les explications en anglais
sont rares. En général, ils ouvrent de
9h à 17h (entrée payante) en
semaine, mais observent un jour de
fermeture. Chaque musée est décrit
dans les itinéraires.

Acrobatie

L'acrobatie est un sport très
populaire en Chine. Presque toutes
les grandes villes possèdent leur
troupe, qui effectue des tournées à
travers tout le pays. À Beijing,
à Shanghai et à Guangzhou,
vous pourrez facilement assister
à des spectacles mêlant numéros
d'acrobatie, de magie, de
dressage d'animaux et de clowns.
Renseignez-vous sur place auprès
de votre hôtel pour savoir
où et quand se déroulent
les représentations.

Chaoyang Theatre, Beijing
36 Dongsanhuan Bei Lu
Tél. 6507 2421
Tlj. à 19h15
Wan Sheng Theatre, Beijing
Tianqiao (à l'ouest de Tiantan)
Tél. 6303 7449
Tlj. à 19h15
Shanghai Acrobatic Troupe
1376 Nanjing Rd (W)
Tél. 6279 8600 (poste 6744)
La meilleure troupe basée à
Shanghai se produit tlj. à 19h30 au
Shanghai Centre Theatre.

Opéra chinois

Il existe plus de 300 sortes d'opéras chinois et il est possible d'assister à un spectacle d'opéra traditionnel dans quasiment chaque ville. Le plus célèbre est l'opéra de Pékin. Votre hôtel ou les agences de voyages vous communiqueront adresses et horaires des spectacles.

BEIJING

Guanghe Theatre
46 Qianmenroushi Jie, Qianmen Dajie
Tél. 6701 8216
Pièces de théâtre, films et opéras. Téléphonez afin de connaître le programme.
Lao She Teahouse
3 Qianmen Xidajie (3ᵉ niveau)
Tél. 6303 6830
Fax 6301 7529
En alternance : opéra de Pékin et arts populaires (acrobatie, magie ou comédie). Tous les soirs.
Liyuan Theatre
Qianmen Hotel, 175 Yongan Lu
Tél. 8315 7297
L'opéra de Pékin le plus prisé des touristes. Tous les soirs.
Zheng Yi Ci Theatre
220 Xiheyan Dajie, Xuanwu District
Tél. 6318 9454 ou 6303 3104
La seule salle d'opéra de Pékin

Jours fériés à Hong Kong

À Hong Kong, on fête le **vendredi saint**, le **lundi de Pâques**, **Noël** et le lendemain de Noël (**Boxing Day**). On célèbre également **Qingming** en avril, **Chung Yeung** en octobre, ainsi que l'**anniversaire de Bouddha** en mai, et la **rétrocession** le 1ᵉʳ juillet.

entièrement en bois encore debout. Elle vient d'être restaurée. Le prix du billet inclut une tasse de thé ainsi qu'une collation. Vous pouvez ainsi déguster du canard laqué pendant le spectacle. À 19h30 tous les soirs.

SHANGHAI

Shanghai Grand Theatre
Renmin (People's) Square
Tél. 6372 8701
Un complexe de premier ordre. La grande salle accueille les opéras et les concerts de musique classique. L'opéra de Pékin et la musique de chambre se donnent dans les petites salles. Visites guidées proposées tous les jours. Les dates de la **fête nationale** et la **fête du Travail**, de création récente, sont fixées sur le calendrier grégorien. Les dates des fêtes traditionnelles varient en revanche

Fêtes et festivals

selon les années car elles suivent le calendrier lunaire (*voir p. 64*).
Yifu Theatre
701 Fuzhou Road
Tél. 6351 4668
Opéra de Pékin et opéras régionaux (Huju, Kunju et Shaoxing).

Calendrier

JANVIER / FÉVRIER

Le **nouvel an chinois**, ou **fête du Printemps** (fin janvier ou début février), est la fête la plus importante de l'année. Les Chinois voyagent alors dans tout le pays pour festoyer avec leurs familles et amis. Des démonstrations d'arts martiaux et des comédies ont lieu dans les temples, où l'on peut acheter des jouets artisanaux et déguster une myriade de spécialités.

Les habitants des provinces du Nord rivalisent de talent (et d'endurance au froid) lors de concours de sculpture sur glace, dont les plus connus sont ceux de Beijing et de Harbin. La date et la durée de ces manifestations dépendent de la météo.

AVRIL

La fête de **Qingming**, ou fête des Morts, se déroule le 12ᵉ jour du troisième mois lunaire, en général début avril. Elle est l'occasion d'honorer les ancêtres.

Autrefois, les familles se rendaient sur leurs tombes pour les nettoyer. Mais la pratique devient moins courante car, de nos jours, de plus en plus de Chinois se font incinérer.

Jours fériés en République populaire de Chine

Cette liste ne concerne ni Hong Kong (*voir encadré ci-dessus*), ni Macau.
1ᵉʳ janvier Nouvel an.
Janvier-février Nouvel an chinois (date variable, 3 jours fériés).
8 mars Journée internationale de la Femme.
1ᵉʳ mai Journée internationale du travail.
4 mai Journée de la Jeunesse (Mouvement du 4 mai).
1ᵉʳ juin Jour des enfants.
1ᵉʳ juillet anniversaire de la fondation du Parti communiste.
1ᵉʳ août anniversaire de la fondation de l'Armée de libération.
1ᵉʳ octobre Fête nationale (3 jours fériés).

La grande majorité des Chinois prennent des vacances entre le 1ᵉʳ et le 7 mai, et le 1ᵉʳ et le 7 octobre. Évitez de programmer votre voyage en Chine pendant ces périodes car les grands sites touristiques sont souvent saturés.

Sauf réservations confirmées longtemps à l'avance, évitez également de visiter le pays lors du nouvel an, époque à laquelle les Chinois voyagent dans tout le pays.

La plupart des boutiques restent ouvertes durant les jours fériés, sauf pendant les 3 jours de la fête du nouvel an.

Les écoles et les universités ferment entre 1ᵉʳ août et le 30 septembre.

MAI / JUIN

La **fête du Travail** donne lieu à
1 semaine fériée, suivis par le **jour
de la Jeunesse**, qui commémore le
Mouvement du 4 mai 1919.
Le **jour des Enfants** est célébré
le 1er juin : les classes se terminent
plus tôt.

JUILLET / AOÛT

Le 1er juillet marque l'**anniversaire
du Parti communiste chinois**, fondé
à Shanghai en 1921.
Le 5e jour du mois lunaire
(fin juillet), le **festival des Bateaux-
Dragons** se déroule dans de
nombreuses villes chinoises.
Le 1er août, on célèbre l'**Armée
populaire de libération**, créée
en 1927.

SEPTEMBRE / OCTOBRE

La **fête de la Mi-automne**, ou fête
de la Lune, se déroule au moment
de la pleine lune, en général à la mi-
septembre. Les magasins vendent
des gâteaux de lune, des *tang yuan*,
des boulettes de riz fourrées au
sirop de sucre et des *yue bing*,
un gâteau spécialement préparé
pour l'occasion.
Si vous êtes en Chine à cette
époque, imitez les poètes : buvez
un verre de vin, faites un vœu et
demandez à la lune de l'exaucer.
À la fin du mois de septembre,
on honore la mémoire de **Confucius**.
Le 1er octobre, jour de la **fête
nationale**, est célébré l'anniversaire
de la République populaire de Chine,
qui donne lieu à 1 semaine fériée.
À Beijing, le portrait de Sun Yat Sen
trône sur la place Tiananmen, où se
rassemblent des dizaines de milliers
de personnes.

NOVEMBRE / DÉCEMBRE

Noël est de plus en plus célébré.
Les églises des grandes villes voient
affluer des milliers de fidèles.
À Beijing, il est désormais de bon
ton d'échanger des cartes de vœux
et des cadeaux à cette période. Le
père Noël fait même des apparitions
dans les grands magasins.

Sortir

Bars et boîtes de nuit

Traditionnellement, les villes du
Sud sont plus animées le soir que
celles du Nord, et leurs restaurants
restent ouverts jusqu'à minuit et
même plus tard, alors que dans le
reste du pays ils ferment assez tôt.
Dans l'ensemble toutefois, la vie
nocturne se développe beaucoup
en Chine, en particulier dans les
grandes villes comme Beijing,
Shanghai et Guangzhou, où les
bars et les pubs se sont multipliés.
Les boîtes de nuit sont
également de plus en plus
nombreuses. Ouvertes souvent
jusqu'aux petites heures du matin,
notamment celles qui se trouvent
dans les hôtels, elles sont
fréquentées par la jeunesse dorée.
Vous trouverez la liste
des derniers bars, pubs et
discothèques en vogue dans les
mensuels pour expatriés qui sont
distribués gratuitement à Beijing,
Shanghai, Guangzhou et dans
les autres grandes villes.

Bars à karaoké

Les karaokés ont également envahi
la Chine dans les années 1990,
mais la mode est en train de
s'essouffler. On reconnaît les bars
qui organisent des soirées karaoké
aux lettres "OK" figurant en général
dans leur nom.
Ce sont souvent des
établissements chers, dont la
clientèle est principalement
constituée de riches entrepreneurs.
Ils servent parfois de couverture
à des activités de prostitution.
Sachez que les bars à hôtesses
sont illégaux et que les fréquenter
expose à des risques.

Shopping

À rapporter

Les produits traditionnels chinois
comme les soieries, les jades et les
porcelaines restent meilleur marché
à Hong Kong que dans le reste du
pays. Selon les stocks, vous pourrez
trouver un large choix de soieries
de bonne qualité à des prix défiant
toute concurrence. Mais il arrive qu'il
ne reste plus que quelques maigres
stocks d'invendus, y compris à
Hangzhou, le centre national
de la production de soieries.
Les *Youyi Shangdian* (les
"magasins de l'Amitié") ainsi que
les boutiques d'hôtel vendent, en
général, des produits d'exportation.
Les objets locaux se dénichent
dans les petites villes ou dans
les villages des minorités. Les plus
faciles à trouver sont les objets
artisanaux ainsi que les textiles
brodés.

Import-export

Tout objet antérieur à 1795 ne peut
être exporté, sauf s'il porte un petit
sceau rouge apposé par le Bureau
des reliques culturelles.
Les objets anciens restent la
propriété du pays et, sans
estampille, seront confisqués sans
compensation. Attention aux faux :
la production d'antiquités flambant
neuves est une activité florissante.
Il n'y a pas de restriction à
l'importation et à l'exportation de
devises, mais il est interdit d'en
exporter plus que l'on en a importé,
sauf autorisation spéciale.
Tout ce qui provient de parties
d'animaux sauvages (l'ivoire par
exemple) est interdit à l'exportation.
N'en achetez pas, on vous les
confisquera sans vous dédommager.

Marchandage

La Chine paradis austère pour travailleurs modèles, est un cliché qui a vécu. De nos jours, le consumérisme fait loi et le nombre de *dakuan* – riches capitalistes – ne cesse d'augmenter, tout comme le nombre de commerces.

Commencez par vérifier le prix des marchandises dans les magasins d'État et les magasins de l'Amitié avant d'acheter l'équivalent dans une boutique d'hôtel ou sur le marché libre, où vous pouvez marchander. Évitez toutefois de discuter les prix uniquement par plaisir.

La négociation démarre en général par une proposition du vendeur à laquelle répond une offre inférieure du client. À Beijing, on obtient souvent entre 30 et 50 % du montant de départ. Si vous achetez un vêtement, vérifiez attentivement qu'il n'est pas tâché ou qu'il ne lui manque pas de boutons. N'ayez pas peur de refuser la transaction si les prix restent trop élevés.

Le marchandage est un phénomène récent. Il n'est toujours pas de règle dans les magasins d'État, mais les prix gonflés peuvent se discuter dans les boutiques de souvenirs. Il s'avère utile de savoir ce que paient les autochtones dans les marchés libres (encore faut-il pouvoir lire les prix).

Où acheter ?

Grands magasins Il en existe dans toutes les villes. Vous y trouverez tous les articles du quotidien mais la qualité des tissus (synthétiques) et les coupes des vêtements laissent souvent à désirer.

Si certains grands magasins appartiennent à l'État, ils accueillent aussi des boutiques privées vendant des produits fabriqués à Hong Kong, notamment des vêtements de bonne qualité. Les centres commerciaux de luxe comme l'Oriental Plaza de Beijing se multiplient et offrent un choix pléthorique de marques.

Magasins de l'Amitié Ils offrent en général un choix honnête de produits d'exportation, mais la plupart des touristes se cantonnent aux rayons soieries, objets artisanaux, souvenirs ou encore livres et magazines. Comparez les prix des antiquités à ceux pratiqués sur les marchés locaux, où vous dénicherez parfois des objets plus originaux. Le rayon antiquités du magasin de l'Amitié à Shanghai vaut toutefois le détour.

Tous les magasins de l'Amitié ouvrent à 9h et ferment entre 18h et 19h. Les plus grands d'entre eux peuvent faire expédier vos achats dans votre pays d'origine.

Marchés On y vend les denrées alimentaires. Sur les marchés libres – où les prix sont plus élevés mais où il est plus facile de marchander – vous trouverez aussi de la vannerie, de la ferronnerie, des vêtements et même des tailleurs. N'hésitez pas à chiner dans les marchés aux antiquités ou dans les brocantes.

Beijing

MARCHÉS ET MAGASINS SPÉCIALISÉS

À Silk Alley (Xiushui Shichang), dans Xiushui Jie, au carrefour avec Chang'an Jie (à environ 800 m du magasin de l'Amitié), se vendent toutes sortes d'articles en soie de Hong Kong (cravates, caleçons, robes, chemises de nuit affriolantes...), pour environ la moitié de leur prix d'origine. C'est aussi une bonne adresse pour acheter des objets d'exportation, ainsi que des vêtements de marques occidentales connues et des chaussures à tout petits prix.

Au sud-est de la ville, près de Dongsanhuan Nanlu, se tient le **marché Panjiayuan**, un enchevêtrement d'étals proposant antiquités, bricoles et articles originaux. Il est ouvert le week-end, de l'aube au milieu de l'après-midi. À 500 m au nord de Panjiayuan, le **marché Chaowai** (*ouv. tlj. 10h-18h*) expose, sur 4 étages, des meubles classiques et des objets de brocante. Les prix sont raisonnables mais attention aux faux.

Le **marché Hongqiao**, dans Hongqiao Lu (*ouv. tlj. 8h30-19h*), est spécialisé dans les horloges anciennes, statuettes de Mao et perles de culture d'eau douce. Fouinez du côté de **Liulichang** (*ouv. tlj. 9h-17h30, à l'ouest de Qianmen*) si vous aimez les peintures chinoises traditionnelles, les instruments de calligraphie ou les livres rares. Un peu plus loin, le **marché Jingson** (*ouv. tlj. 9h-18h*) regorge de porcelaines anciennes (*3e périphérique Est, carrefour Jingson East*).

Rues commerçantes La rue la plus commerçante de Beijing, **Wangfujing Dajie**, est partiellement piétonne. Elle est bordée de centres commerciaux de luxe, de boutiques, de restaurants et de gargotes. Son navire amiral, l'*Oriental Plaza*, est le plus grand centre commercial de Beijing. Au 200 Wangfujing Dajie, allez jeter un coup d'œil à la **Beijing Arts & Crafts Central Store** pour ses jades, ses bijoux, ses laques et ses soies. Dongdan Beidajie et Xidan Dajie, perpendiculaires à Chang'an Jie, sont également des rues très commerçantes. Un peu plus loin vers le nord, dans Wangfujing, côté ouest, se trouve la **Foreign Languages Bookstore**, gérée par la China News Agency. En bas, elle présente un large choix de livres en anglais sur la Chine. Les étages supérieurs vendent de tout : des livres d'art chinois, des cassettes d'apprentissage des langues, des ordinateurs et des disques.

Dans ces 3 rues, les boutiques se multiplient, et les vieux étals côtoient les enseignes de marques.

Fleurs et oiseaux

Lors de votre visite à Tiantan, ne manquez pas de passer quelque temps au **marché aux fleurs et aux oiseaux de Yuting**. C'est une occasion unique de voir toutes sortes d'animaux et d'oiseaux, ainsi que pléthore d'objets divers. Le marché se trouve au sud-est du temple du Ciel et est, en règle générale, ouvert tlj. de 7h à 18h.

CENTRES COMMERCIAUX ET MAGASINS DE L'AMITIÉ

Les centres commerciaux de luxe attirent une clientèle de Chinois aisés et de touristes. Situé dans Wangfujing Dajie, **Oriental Plaza** en est un excellent exemple. Si vous disposez de temps, vous pourrez passer la journée à musarder au hasard de ses boutiques, et même y déjeuner ou y dîner.

Youyi Shopping City se trouve dans Lufthansa Centre (*52 Liangmaqiao Lu, Chaoyang; ouv. tlj. 9h-21h*). On y vend toutes sortes de produits à tous les prix. C'est ici que vous trouverez le plus grand choix de soies – au mètre – à des prix raisonnables.

Faites provision d'articles typiquement chinois (papiers découpés – bon marché et faciles à emporter –, jades, cerfs-volants, baguettes, etc) au **magasin de l'Amitié** (*17 Jianguomenwai Dajie; ouv. tlj. 9h-21h*). Une bonne adresse pour vous faire une idée des prix ou effectuer vos achats de dernière minute.

Guangzhou

Guangzhou offre un grand choix à l'amateur de shopping, qui peut s'y procurer quantités d'objets fabriqués dans d'autres régions de Chine. Les principales rues commerçantes sont Zhongshan Wulu, Beijing Lu, Renmin Nanlu, Zhongshan Silu et Xiajiu Lu-Shangjiu Lu. Le plus grand marché découvert est celui de Qingping Lu, près de l'île de Shamian.

OÙ ACHETER ?

En ville, plusieurs grands magasins présentent une belle gamme de produits étrangers à des prix inférieurs à ceux pratiqués à Hong Kong. Nanfang Dasha (*49 Yanjiang Xilu*) propose beaucoup d'articles locaux. Xihu Lu Baihuo Dasha, dans Xihu Lu, regorge de produits étrangers, vendus à des prix incroyables.

Xin Da Xin, au coin de Beijing Lu et de Zhongshan Wulu, est riche en artisanat chinois, notamment en précieuse soie gommée noire du Guangdong (*voir p. 396*) et dispose d'un vaste rayon d'instruments de musique. Dans l'immeuble des expositions de Guangzhou Fair Building, dans Renmin Beilu, le Guangzhou Foreign Trade Centre est aussi une excellente adresse pour l'artisanat : son choix de soieries est impressionnant.

Le magasin de l'Amitié, propriété de l'État, situé au rez-de-chaussée du *Marriott China Hotel*, et le magasin de l'Amitié *Kwanchow* (*369 Huanshi Donglu*), situé en face du *Garden Hotel*, sont très bien approvisionnés.

À RAPPORTER

Antiquités

Le **marché Daihe Lu**, qui s'étend sur plusieurs ruelles, est le plus grand marché privé d'antiquités. Prenez Daihe Lu à partir de Changshou Xilu, puis la première venelle à droite. Des marchés d'antiquaires plus petits se tiennent non loin de là, notamment dans la rue centrale du **marché de Qingping**, et dans le **marché aux jades**.

N'achetez pas d'antiquités dont on vous assure qu'elles ont plus de 100 ans : ce sont probablement des faux. Et rappelez-vous que les objets datant d'avant 1795 ne peuvent être exportés (*voir p. 393*).

Nonobstant ces restrictions, vous trouverez un vaste choix d'objets anciens, par exemple des *kam muk* (panneaux de bois sculpté doré), des montres, de minuscules chaussures de femmes aux pieds bandés, ou de superbes porcelaines Shiwan.

Les collectionneurs professionnels peuvent acquérir dans les magasins d'État des objets anciens estampillés du sceau rouge autorisant leur exportation. Le **Gangzhou Antique Shop** (*146/162/170 Wende Beilu, tél. 8333 0175, fax 8335 0085*) est réputé pour les *kam muk*, la calligraphie, les boîtes à bijoux, les peintures, les porcelaines et les objets en argent.

Cages à oiseaux

Les Chinois raffolent d'oiseaux chanteurs qu'ils exhibent dans des cages superbement décorées. Les plus anciennes coûtent entre 100 et 700 yuan. On peut en acheter de plus récentes au **marché aux Oiseaux**, à l'entrée Dongfeng Lu du parc Linhua.

Jades

Aucune pierre ne fascine davantage les Chinois que le jade. On le porte traditionnellement pour se protéger des maladies et des accidents lorsque l'on est en voyage. Il existe plusieurs types de jades : la néphrite, la jadéite et une variété locale, le jade *nanyu*. Évitez les marchés à ciel ouvert, pleins de faux jades et préférez les boutiques établies comme **Jade Shop** (*12-14 Zhongshan Wulu*), **Baoli Yuqi Hang** (*220 Zhongshan Silu*), **Guangzhou Antique Shop** (*696 Wende Lu*), ainsi que les bijouteries qui bordent les hôtels *China*, *Garden* et *White Swan*.

Papiers découpés

Le **temple Renshou** de Foshan – le plus gros centre de production – est réputé pour ses papiers découpés représentant des scènes révolutionnaires et champêtres.

Perles

Elles ont toujours été la parure indispensable de la noblesse, particulièrement des empereurs. Le plus souvent, les perles de Guangzhou – des *hepu*, cultivées dans des huîtres à lèvres argentées – proviennent des mers du Sud. Les plus grosses de ces perles lustrées peuvent mesurer de 1,2 à 1,6 cm de diamètre. Les meilleures boutiques sont **Guangzhou Gold and Silver Jewellery Centre** (*109 Dade Lu*) et **Sun Moon Hall** (*Equatorial Hotel, Renmin Beilu*).

Sceaux

Vous pouvez faire graver votre nom sur un sceau au sous-sol de l'hôtel **White Swan** (*voir p. 377*). Quand vous choisirez votre nom en chinois, limitez-vous à 2 ou 3 idéogrammes ; les vendeurs vous aideront à choisir la bonne combinaison. Vous pouvez opter pour du bois dur, de la stéatite, du cristal ou de l'agate. On vous vendra aussi l'encre rouge spéciale (*hong yau*). Ne faites pas appel à un graveur de rue : leurs sceaux sont des imitations de la pierre en bakélite ou en résine.

Souvenirs de Mao

L'industrie de souvenirs de Mao continue de fournir un marché très enthousiaste en montres, médailles, badges, briquets jouant quelques notes d'airs révolutionnaires, et autres objets des plus kitschs. Le **marché Daihe Lu** dispose d'une grande quantité de ces objets, et le magasin de l'Amitié vend des médailles serties de petits brillants. Dans le marché aux timbres du parc du Peuple, vous dénicherez les plus beaux badges. Attention cependant aux prix parfois élevés.

Vêtements et tissus

Le Guangdong produit de très grandes quantités de prêt-à-porter et de chaussures de toutes sortes vendues dans les **magasins de l'Amitié**. C'est dans cette province que vous pourrez acheter anoraks en duvet (pour un cinquième du prix courant), pulls et écharpes en cachemire. Les meilleures affaires se font au **marché aux vêtements Bingfen** sur la place Haizhu, au **marché Gonglu** dans Zhongshan Erlu dans le quartier Dongshan, au marché de nuit qui se tient sous la **passerelle Quzhuang**, ainsi qu'au **marché de nuit Xihu Lu**.

La soie gommée noire est le fruit d'un long processus : le tissu est teint à la main jusqu'à 30 fois, en utilisant l'extrait rouge du tubercule de gambier et la boue de la rivière des Perles. Cette soie a l'avantage de rester fraîche et sèche dans la moiteur de l'été. Vous en trouverez au magasin **Xin Da Xin**, au coin de Beijing Lu et Zhongshan Wulu.

Les Hong-Kongais sont de fervents adeptes du shopping et les tentations locales ne manquent pas : marchés de nuit pittoresques, centres commerciaux ultrachic,

grands magasins, ruelles animées envahies de stands d'antiquités et de bric-à-brac. Aujourd'hui, Hong Kong a cessé de se spécialiser dans les produits de luxe comme c'était le cas dans le passé, et, du fait de la récession, les prix ont retrouvé une certaine décence.

Si vous rencontrez un problème avec un commerçant, n'hésitez pas à appeler le Bureau du tourisme – HKTB – (tél. *2807 6177*), où l'on parle plusieurs langues. Si le magasin est affilié au HKTB, celui-ci essaiera de résoudre le problème. Sinon, appelez le Bureau des consommateurs (*Hong Kong Consumer Council* ; tél. *2929 2222*).

OÙ ACHETER ?

Les principales zones commerçantes se trouvent à Central, Admiralty et à Causeway Bay, sur l'île de Hong Kong, à Tsim Sha Tsui et Mong Kok à Kowloon. En dehors du Nouvel an chinois (janv. ou fév.), les magasins restent ouverts tard 7 jours/7. En règle générale, les commerces ferment vers 18h à Central, et à 21h30 (parfois plus tard) dans les autres quartiers.

CENTRES COMMERCIAUX

Hong Kong abrite certains des centres commerciaux les plus chic du monde. S'ils ne sont pas aussi pittoresques que les marchés, déambuler dans la fraîcheur climatisée peut se révéler bien agréable pendant l'été, en général très chaud et humide.

Sur l'île de Hong Kong, les plus renommés de ces centres sont le **Landmark** à Central, le **Pacific Place** à Admiralty, le **Times Square** à Causeway Bay et le **City Plaza** à Taikoo Shing. À Kowloon, **Ocean Terminal** et **Harbour Centre** – reliés entre eux – ont également très bonne réputation.

GRANDS MAGASINS

Le plus ancien d'entre eux, **Lane Crawford** (70 Queen's Road, Central), et le très élégant grand magasin japonais **Seibu**, dans Pacific

Avant de partir en chasse, procurez-vous un exemplaire du guide du shopping du Hong Kong Tourism Bureau (HKTB), que vous trouverez au bureau d'information du HKTB de Central et Tsim Sha Tsui.

Place, sont les équivalents locaux de *Harrod's* à Londres : très chic et très chers. Si vous souhaitez ménager votre portefeuille, privilégiez des institutions locales comme **Sincere** et **Wing On** (211 Des Vœux Road, Central).

À Causeway Bay, *Mitsukoshi* et *Sogo* attirent aussi les foules. *Marks & Spencer* possède plusieurs succursales à Central, Kowloon et Causeway Bay.

Même sans intention d'acheter, vous aurez plaisir à fouiner dans les grands magasins chinois. Le **Chinese Arts & Crafts**, le plus haut de gamme, vend des objets artisanaux de qualité, des antiquités, des vêtements et des bijoux. **Yue Hwa** (301-9 Nathan Road, Central) et **Chung Kiu Chinese Products** proposent des objets d'art et d'artisanat, ainsi que des produits de consommation made in China. Dans les **magasins PRC**, vous trouverez de l'alimentation, des objets ménagers, des porcelaines et des produits artisanaux bon marché. Ne manquez pas **Shanghai Tang** (*Pedder Building, Central*), pour son ambiance années 1930 : beaux vêtements rétro et cadeaux.

À RAPPORTER

Objets d'art et artisanat

Hong Kong est une plaque tournante du commerce d'objets d'art et d'artisanat asiatique, de meubles de tout premier ordre, de céramiques, de sculptures, de textiles et de peintures traditionnelles provenant de Chine, du Tibet, du Japon et d'Asie du Sud-Est. Les plus abordables parmi ces objets sont les peintures récentes, chinoises et vietnamiennes, les tapis chinois, les copies de coffres coréens, les porcelaines et les meubles chinois "anciens", les statuettes de Bouddha thaïs, les objets de bois balinais, les peintures populaires et autres objets d'artisanat ethnique.

À Central, **Hollywood Road** et **Wyndham Street** regorgent d'antiquaires et de boutiques de tapis. Vous pourrez aussi faire des affaires à **Pacific Place**, à **Harbour City** et au **New World Centre**, à Kowloon. Vous trouverez des galeries d'art un peu partout. Les listes des expositions sont publiées dans les journaux, dont les gratuits *HK* et *BC*, ou encore dans les pages commerciales du HKTB.

Vous pourrez aussi acheter des meubles et des objets asiatiques dans des magasins comme **Amazing Grace Elephant Co.** (*Harbour City, Tsim Sha Tsui*), **The Banyan Tree** (*Prince's Building, Central et Harbour City*), **Tequila Kola** (*Prince's Building et United Centre, Admiralty*), **Vincent Sum Collection** (*Lyndhurst Terrace, Central*) et **Mountain Folkcraft** (*12 Wo On Lane, Central*). **Welfare Handicrafts**, dans Jardine House, et la boutique du **HK Museum of Art** recèlent de jolies cartes et autres petits articles de souvenir.

Si vous aimez le mobilier en rotin et les meubles en bois de rose, rendez-vous en priorité à **Wan Chai**, mais **Luk's Furniture Warehouse**, à Aberdeen, vend aussi de très belles copies de meubles anciens et des coffres coréens.

Pour la porcelaine chinoise, préférez une **usine locale** comme **Wah Tung China** à Aberdeen (également une petite boutique dans Hollywood Rd) ou **Overjoy Porcelain Factory** à Kwai Chung, dans les Nouveaux Territoires.

Photo, CD, DVD et jeux vidéo

Il est encore possible de faire des affaires dans ce domaine à Hong Kong. Il existe une myriade de magasins de télévisions, caméras vidéo, lecteurs de DVD et CD à **Causeway Bay** et **Tsim Sha Tsui** (*Nathan Rd, Peking Rd, Mody Rd et Carnavon Rd*). Méfiez-vous toutefois des arnaques. N'hésitez pas à

marchander, ou bien achetez dans des chaînes de magasins à prix fixes comme **Broadway Photo Supply** ou encore **Fortress**.

Nathan Rd possède quantités de boutiques de photos. La plupart des expatriés achètent leurs pellicules et leurs appareils dans **Stanley Street**, à Central. Les magasins de photo et d'électronique sont concentrés à **Causeway Bay**, **Tsim Sha Tsui** et **Mong Kok**. Les produits sont rarement étiquetés : comparez les prix et marchandez.

Pour l'électronique, faites attention au voltage, et prévoyez des adaptateurs. Avis aux amateurs : Hong Kong vend les derniers jeux électroniques à la mode. Il est également possible d'y acheter les CD les moins chers du monde.

Ordinateurs

Hong Kong exporte beaucoup d'ordinateurs, de pièces et d'accessoires. Vous pourrez y trouver les derniers modèles vendus à prix intéressants. Les meilleurs points de vente sont **Star House**, à Tsim Sha Tsui, près du Star Ferry, **Windsor House** à Causeway Bay, et **Whampoa Gardens** à Hung Hom, du côté de Kowloon.

On peut également se fournir à **Computer Mall** dans Windsor House, à Causeway Bay, à **Star Computer City** dans Star House et à **Silvercord Centre** à Tsim Sha Tsui, au **Mong Kok Computer Centre**, **New Capital Computer Plaza** et **Golden Shopping Centre** à Sham Shui Po (réputé pour ses ventes de logiciels piratés). Les prix des ordinateurs et logiciels originaux sont les mêmes qu'en Europe et en Amérique du Nord.

Mode

Les tailleurs de Hong Kong (*voir encadré ci-contre*) sont renommés. Les prix varient selon le travail, la qualité et la quantité du tissu et le nombre de parements. Une belle chemise coûte environ 27 € et un costume 250 €. Le costume confectionné en 24h à un prix défiant toute concurrence n'est pas forcément l'affaire du siècle. **Tailor Kwan** (*314, Worldwide Plaza,*

Central), **Sam's Tailor** (*Burlington Arcade K, 92-94 Nathan Rd, Tsim Sha Tsui, tél. 2367 9423*), **Yuen's Tailors** (*233, Escalator Link Alley, Central Market*) et **William Cheng & Son** (*38 Hankow Rd, 8e niveau, Tsim Sha Tsui*) comptent parmi les bonnes adresses de tailleurs.

Pendant les années 1980, sous l'effet d'une forte demande émanant à la fois des Hong-Kongais et des touristes japonais, les enseignes étrangères de prêt-à-porter ont afflué à Hong Kong. Tous les grands noms – Armani, Chanel, DKNY, Issey Miyake, etc. – sont regroupés au **Landmark**, à **Pacific Place**, dans **Prince's Building** et à **Times Square** Galleria, côté Hong Kong. Les boutiques d'hôtels – les complexes **New World Centre** et **Harbour City** – sont dans Canton Rd, à Tsim Sha Tsui. Les prix sont les mêmes qu'en Europe ou en Amérique du Nord.

TDC's Design Gallery (*Convention Plaza, 1er niveau, Harbour Rd, Wan Chai*) accueille les dernières collections des jeunes créateurs hongkongais. Si vous voulez vous offrir un vêtement chinois traditionnel comme le *cheongsam* ou

Sur mesure

Les messieurs auraient tort de bouder leur plaisir et de ne pas profiter de leur passage à Hong Kong pour s'offrir la confection d'un costume sur mesure. Les tailleurs légendaires du vieux Shanghai ont élu domicile sur le territoire et ont légué leur savoir-faire à la génération suivante. La qualité de la façon et le choix des tissus sont excellents.

Quelques tailleurs proposent un service en 24h, mais ce ne sont pas forcément les meilleurs. Pour un vêtement de qualité, comptez une semaine. Les boutiques de tailleurs pullulent à Tsim Sha Tsui, et vous en trouverez quelques-uns dans Wan Chai et à Causeway Bay. À Central, les tailleurs shanghaiens de Shanghai Tan peuvent confectionner des vêtements à l'occidentale ou à la chinoise.

encore une veste à col Mao (prêt-à-porter ou sur mesure), allez chez **Shanghai Tang** (*Pedder Building*, *tél. 2525 7333*).

Vous ferez de vraies affaires sur les marchés et dans les **magasins d'usine** de Wan Chai, Tsim Sha Tsui et Mong Kok. C'est là que vous dénicherez, à des prix dérisoires, des vêtements démarqués produits localement pour l'exportation. Vous trouverez des tee-shirts et des jeans dans les magasins d'usine situés dans Haiphong Rd et Grandville Rd à Tsim Sha Tsui, dans **Spring Garden Lane** et **Johnston Rd** à Wan Chai, au **marché de Stanley** sur la côte sud de l'île de Hong Kong, à **Jardin's Bazaar** à Causeway Bay, ainsi qu'aux **marchés de Tung Choi Street** et **Fa Yuen Street** à Mong Kong. Les magasins de **Pedder Building**, à Central, vendent des vêtements féminins de qualité, et le **marché de nuit** de **Temple Street** se cantonne aux tenues bon marché. Les grands magasins chinois comme **CRC Department Stores** regorgent de soieries à bon prix.

Bijoux, montres et pierres précieuses

Hong Kong est le quatrième exportateur de bijoux du monde. C'est aussi le premier marché de jade, la troisième place de négoce de diamants (après New York et Anvers) et l'un des principaux courtiers en or. Hong Kong reste un pôle d'attraction pour les pierres précieuses en provenance de toute l'Asie et les perles de la région du

Marchander à Hong Kong

Cette pratique tend à disparaître à Hong Kong, sauf pour les articles non étiquetés comme les appareils photo et les produits électroniques. Les réductions obtenues sont tellement minimes que cela ne vaut probablement pas la peine de marchander. Dans les bijouteries, également, il est encore possible de demander au vendeur de faire un "geste commercial".

Pacifique. Un grand nombre de bijoux sont fabriqués sur place, des simples joncs en or aux colliers sophistiqués sertis de brillants. Son statut de port franc (pas de taxes à l'importation et à l'exportation des métaux précieux) rend les prix intéressants.

Il est toujours conseillé de faire certifier les diamants et autres pierres précieuses que l'on achète. Pour cela, vous pouvez contacter la HK Gemological Society (*tél. 2366 6006*).

Les **magasins d'usine de Hung Hom** offraient auparavant de bons prix sur l'or et les bijoux, mais ils ont fortement augmenté leurs tarifs au cours de la période récente. Vous ferez de meilleures affaires dans les bijouteries de **Queen's Rd Central**. Les **Chinese Arts & Crafts** et autres **PRC** pratiquent des remises sur l'or et sur le jade. PRC fournit une garantie d'authenticité.

Sachez en outre que certains bons joailliers sont installés dans les **galeries des hôtels**.

À Kowloon, en bas de **Nathan Rd**, sont regroupées les boutiques de montres de marque. C'est aussi le lieu de rendez-vous des vendeurs à la sauvette (copies de montres). **City Chain** (40 magasins à Hong Kong) propose des montres à des prix raisonnables. Au marché de Temple Street, vous trouverez aussi tout ce que vous voulez... en version illégale bien entendu.

Les touristes achètent en général du jade (évitez de le payer cher sans consulter un expert) et de l'or 24 carats d'un jaune lumineux que l'on nomme *chuk kam* en cantonais. Les bijouteries spécialisées en *chuk kam* sont souvent bondées, et l'animation qui y règne tient plus de la criée que de la boutique chic. Les bijoux s'y vendent au poids.

De nombreux joailliers proposent toutes sortes de bijoux sertis de pierres précieuses, pour lesquels vous paierez cette fois le travail de création comme la matière première. N'hésitez pas à acheter des perles : leurs formes, leurs tailles et leurs couleurs sont extrêmement variées.

Articles en cuir

Chaussures, sacs, portefeuilles, bagages en cuir abondent. Les boutiques bon marché se trouvent à **Tsim Sha Tsui** et à **Causeway**.

Macau

Macau est réputée pour ses antiquités et ses objets d'artisanat. Des antiquaires bordent la rue principale, **Avenida Almeida Ribeiro**.

Macau propose également une sélection intéressante de vins, de cognacs et de portos (qui vous causeront des difficultés à votre entrée à Hong Kong). La ville partage avec Hong Kong le statut de port franc, mais le choix de produits y est plus limité et les prix y restent plus élevés (ventes plus réduites).

Shanghai

Shanghai est l'une des capitales du commerce mondial. Au cours des dernières années, l'offre des produits étrangers et locaux a augmenté considérablement. Nanjing Rd et Haihai Rd sont les principales rues commerçantes. La première est envahie le week-end par les Shanghaiens des classes moyennes et les provinciaux, alors que la seconde attire plutôt les étrangers et les habitants les plus aisés de la ville.

CENTRES COMMERCIAUX ET GRANDS MAGASINS

Shanghai compte une foison de centres commerciaux à l'occidentale et de grands magasins qui vendent produits locaux et marques étrangères.

Le **Shanghai N° 1 Department Store** (*800-830 Nanjing Rd (E), tél. 6322 4466/3344*) est le plus grand magasin d'État de la ville et le plus réputé. **Plaza 66** (*1266 Nanjing Road, tél. 3210 4566*) propose les plus grandes marques, tandis que le centre commercial **Westgate Mall** (*1038 Nanjing Road, tél. 6272 1111*) abritent une bonne sélection de magasins. Dans Xujiahui, **Grand Gateway** (*tél. 6407 0111*) est un grand magasin qui dispose d'un excellent choix de vêtements et d'articles de sport, et d'un grand nombre de restaurants.

Légèrement plus haut de gamme, le **Hongqiao Parkson** (*Zunyi Road*) et l'immense **Nextage** (*501 Zhangyang Road, Pudong, tél. 5830 1111*) – probablement le plus grand magasin d'Asie – vendent de tout, de l'épicerie aux meubles en passant par les vêtements de fabrication locale ou importés. Sinon, vous trouverez tout ce dont vous avez besoin, des chaussures aux jouets en passant par l'alimentation, dans le supermarché **Carrefour** (*Shuisheng Road, Gubei*).

Situé dans Xujiahui, **Orient Shopping Centre** (*8 Caoxi Road, tél. 6407 1947*), situé près de Grand gateway dans le fourmillant quarter de Xujiahui, est surnommé "le New York de Shanghai".

À RAPPORTER

Objets d'art et d'artisanat

Le **magasin de l'Amitié** (*40 Beijing Rd (E), tél. 5308 0600*) vend des biens étrangers et locaux, en particuliers des objets d'art et d'artisanat et des soieries chinoises.

À l'**Institut de recherche sur l'art et l'artisanat** (*79 Fenyang Road, tél. 6437 0509*), vous pourrez observer des artisans au travail.

Les amateurs de porcelaine peuvent se rendre au **Shanghai Jingdezhen Porcelain Store** (*1175 Nanjing Road (W), tél. 6253 0885*), mais pour acheter des théières ou des poteries Yixing, la **Shanghai Huangshan Tea Company** (*853 Huaihai Road (C), tél. 6437 7627*) se révèle une meilleure adresse.

Vêtements et tissus

Les tailleurs ne manquent pas à Shanghai : **Taylor Lee** (*2018 Huaihai Road, ouv. seulement le mer. et le sam.*), **Hansheng**, Shanghai Centre (*1376 Nanjing Road (W), tél. 6279 8600*), **Wing's** et **Sakurai Yofuku**, Friendship Shopping Centre (*6 Zunyi Rd, tél. 6270 0000*), et **Ascot Chang**, Dickson Centre (*400 Changle Road, Room 211, tél. 6472 6888*). Certains fabriquent des *qipaos* (ou *cheongsam*, robes fendues

chinoises), celles de la boutique située **258 Shimen N°1 Road** étant particulièrement intéressantes. Les tailleurs bon marché sont regroupés dans **Tailor Lane**, une ruelle allant à Hunan Lodge, dans Wuyuan Rd, près du grand magasin *Maison Mode*. Il est préférable de faire faire une copie de vêtement plutôt qu'une création.

Golden Dragon Silk and Wool Company (*816 Huaihai Rd (C), tél. 6473 6691*) possède la plus belle sélection de soieries de la ville, mais vous pouvez aussi acheter des tissus de qualité à la **Shanghai Silk and Wool Company** (*816 Huaihai Road (C)*). Le **magasin de l'Amitié** est une bonne adresse pour l'achat de vêtements de soie.

Le **marché de Huating Road**, qui donne dans Huaihai Road, à l'est de Changshu Road, vend parfois de belles copies ou des vêtements démarqués. Négociez les prix.

Les marchés, boutiques, dépôts d'antiquités et de meubles ne manquent pas à Shanghai. Malheureusement, au cours des dernières années, les prix ont beaucoup augmenté.

Le **marché de Fuyou Lu** est une bonne adresse dans Henan Lu (*457 Fangdong Road [C]; tlj. 8h-crépuscule*). Les brocanteurs s'installent dans la ruelle aux petites heures du matin ; il vous faudra arriver avant 9h pour faire des trouvailles.

Le **marché de Dongtai Lu**, (*ouv. 8h-tombée du jour*) installé dans Xizang Road, présente un bon choix d'antiquités.

Au jardin Yuyuan, le **Huabao Building** (*265 Fangbang Road, tél. 6355 9999*), possède un étage entier d'antiquités.

Plusieurs dépôts assurent en ville la vente et la restauration de meubles anciens. Ils sont situés 1970 Hongqiao Road (*tél. 6242 8734*), 1220 Hongmei Road (*tél. 6436 1500, poste 195*), 307 Shunchang Rd (*tél. 6320 3812*), et 1430 Hongqiao Road.

Langue

Généralités

Même si l'anglais est de plus en plus utilisé en Chine, il reste difficile, en dehors des grands hôtels et des zones touristiques et commerciales, de trouver des habitants qui ne parlent. Si vous vous déplacez en groupe, vous bénéficierez probablement d'un interprète. Si vous voyagez seul, emportez un dictionnaire et apprenez quelques mots de mandarin, que les Chinois appellent *putonghua*, c'est-à-dire la "langue commune".

Le **mandarin** est parlé par plus d'un milliard de personnes vivant en Chine ou dans le reste du monde. Dans de nombreuses régions chinoises – surtout au sud –, les dialectes parlés diffèrent radicalement du mandarin. Le **cantonais** est utilisé à Hong Kong et à Guangzhou.

Pékinois, Cantonais et Hong-Kongais sont incapables de dialoguer entre eux, pourtant, tous les différents langages emploient la même grammaire et le même vocabulaire ; seule la prononciation et le ton changent (*voir p. 400*). En fait, tous les mots sont constitués des mêmes idéogrammes, connus de tous les Chinois sachant lire. Les Chinois peuvent donc communiquer entre eux *via* l'écriture.

Parmi les langues des minorités, figurent le tibétain, le mongol et l'ouïgour. Au sein de ces minorités, vivant en général aux confins du pays, bon nombre d'individus possèdent des notions de mandarin.

La "langue commune" se base sur la prononciation du dialecte du Nord, et surtout sur celui de Beijing. La translittération officielle du chinois est le *hanyu pinyin* (qui signifie "transcription phonétique de la langue des Han"). Ce système est employé dans toute la Chine.

La plupart des dictionnaires utilisent le pinyin (sauf ceux de Taiwan, qui s'en tient à l'ancien système Wade-Giles). Familiarisez-vous avec ce système de translittération et sa prononciation (voir ci-dessous) si vous voulez avoir des chances d'être compris. La ville de Qindao, par exemple, se prononce tchingdao!). Ce guide utilise exclusivement le pinyin.

Écriture

L'écriture chinoise mêle symboles et images : chaque idéogramme représente une syllabe indiquant une unité lexicale et un concept spécifique. S'il existe plus de 47 000 caractères, le chinois moderne n'en utilise que très peu (entre 3 000 et 4 000 pour un journal quotidien). Les érudits en connaissent eux entre 5 000 et 6 000. Un grand nombre de ces idéogrammes ont été simplifiés à partir de 1949. Cette nouvelle forme d'écriture a cours dans toute la Chine, sauf à Hong Kong et à Taiwan, où l'on utilise encore les anciens caractères.

On qualifie parfois le chinois de langue monosyllabique. Certes, les noms monosyllabiques abondent, mais quantité de noms sont composés de 2 idéogrammes ou plus : les concepts se combinent pour exprimer un sens. Par exemple, cinéma se dit dianying, dian étant l'électricité et ying l'ombre ; téléphone, dianhua, vient de dian et hua, parole. Pour faciliter la lecture, le pinyin colle les syllabes en un seul mot.

Calligraphie

Tout au long de son histoire, la calligraphie chinoise a vu naître 4 styles différents (voir "La calligraphie", p. 90) : le xiaozhuan, le lishu, le caoshu et le kaishu. Ce dernier style, qui est une combinaison du lishu, plus formel, et du caoshu, plus expressif, constitue la base de la calligraphie contemporaine.

Noms et politesse

Chaque nom de personne est composé de 2 ou 3 syllabes qui ont chacune une signification. La première syllabe désigne le nom de famille, la ou les syllabes suivantes, le prénom. Par exemple, dans Hu Jintao, Hu est le nom de famille et Jintao le prénom. Jusqu'aux années 1980, on s'adressait à une personne en l'appelant tongzhi (camarade). De nos jours, on emploie xiansheng (monsieur) et furen (madame). On appelle xiaoje (mademoiselle) les jeunes femmes employées dans les hôtels et les restaurants. Pour les hommes plus âgés, il est de bon ton d'employer xiansheng ou shifu (maître), surtout s'ils occupent une fonction importante.

Prononciation

Le tableau ci-dessous présente uniquement les lettres dont la prononciation diffère de celle du français. Le i, après le ch, c, r, sh, s, z, zh ne se prononce pas et indique que le son précédent est plus long.

Pinyin	phonétique	comme dans...
ai	aï	ail
c	ts	tzigane
ch	tch	match
e (après i, u, y)	é	école
ei	eille	veille
e	(tel le "r" anglais)	
h	(telle la jota espagnole)	
i	i	i long
ian	ien	chienne
j	entre dj et dzl	
ou	au	eau
q	tch mouillé	ciao
r	j	je
sh	ch	Chine
u	ou	roue
u (après j, q, x, y)	u	rue
uo	ouo	
ui	oé	Noémi
w	oué	Watt
x	s	salon
z	dz	tzigane
zh	dj	gin

Tons

Les 420 syllabes de la langue chinoise se différencient par leurs tons. Le mandarin utilise 4 tons, auxquels s'ajoute un cinquième ton, qualifié de "neutre".

Le premier correspond à un ton aigu et plat, le deuxième monte, le troisième descend puis remonte, et le quatrième descend. La confusion est aisée : par exemple, ma (premier ton) signifie mère, má (deuxième ton), chanvre, mˇa (troisième ton), cheval et mà (quatrième ton), se plaindre. Autre exemple : la syllabe mai prononcée au quatrième ton – celui qui tombe (mài) – signifie vendre, tandis que prononcé au troisième ton – celui qui monte (mái) –, il veut dire acheter. Les traders de Hong Kong ont donc préféré utiliser leur équivalent en anglais (buy et sell) !

L'idéogramme-symbole donnant le sens du mot, mais pas son ton, apprendre à lire demande donc un long apprentissage, car il faut non seulement mémoriser le sens du signe mais aussi sa prononciation. Enfin, sachez que le cantonais possède 7 tons !

Grammaire

La syntaxe chinoise est simple : la phrase contient le sujet, le prédicat, et l'objet. Pour formuler une question, il suffit d'ajouter la particule interrogative ma à la fin de la phrase affirmative.

De façon générale, seul le contexte permet de savoir si un mot est un nom, un adjectif, un verbe ou autre chose, ou encore si l'on emploie le singulier ou le pluriel.

Expressions usuelles

Vous trouverez dans les pages suivantes une liste des mots et des expressions usuelles qui devraient vous servir pendant votre voyage. En face des expressions françaises, figurent leur transcription en pinyin et leur idéogramme.

Français	Pinyin	Idéogrammes
Bonjour	Nǐ hǎo	你好
Comment allez-vous ?	NNǐ hǎo ma ?	你好吗?
Merci	Xièxie	谢谢
Au revoir	Zài jiàn	再见
Je m'appelle (prénom)...	Wǒ jiào	我叫...
Je m'appelle (nom)...	Wǒ xìng...	我姓...
Quel est votre prénom ?	Nín jiào shénme míngzi ?	您叫什么名字?
Quel est votre nom de famille ?	Nín guìxìng ?	您贵姓?
Je suis très heureux...	Wǒ hěn gāoxìng...	我很高兴...
D'accord	Hǎo	好
Pas d'accord	Bù hǎo	不好
Est-ce que vous parlez anglais ?	Nín huì shuō Yīngyǔ ma ?	您会说英语吗?
Est-ce que vous parlez chinois ?	Nín huì shuō Hànyǔ ma ?	您会说汉语吗?
Je ne parle pas chinois	Wǒ bù huì Hànyǔ	我不会汉语
Je ne comprends pas	Wǒ bù dǒng	我不懂
Est-ce que vous comprenez ?	Nín dǒng ma ?	您懂吗?
Veuillez parler plus lentement	Qǐng nín shuō màn yìdiǎnr	请您说慢一点儿
Comment ça s'appelle ?	Zhège jiào shénme ?	这个叫什么?
Comment dites-vous... ?	... zěnme shuō ?	...怎么说?
S'il vous plaît	Qǐng	请/谢谢
Ce n'est pas grave	Méi guānxì	没关系
Excusez-moi	Duìbùqǐ	对不起

Pronoms

Français	Pinyin	Idéogrammes
Qui/qui est-ce ?	Shéi?	谁?
Je/mon	Wǒ/wǒde	我/我的
Tu/ton	Nǐ/nǐde	你/你的
Il/son	Tā/tāde	他/他的
Elle/sa	Tā/tāde	她/她的
Nous/notre	Wǒmen/wǒmende	我们/我们的
Vous/vôtre (pluriel)	Nǐmen/nǐmende	你们/你们的
Ils/elles/leur	Tāmen/tāmende	他们/他们的
Vous/votre (de politesse)	Nín/nínde	您/您的

Voyager

Français	Pinyin	Idéogrammes
Où est-ce ?	zài nǎr ?	...在哪儿?
Est-ce que vous en avez ici ?	Zhèr... yǒu ma ?	这儿有... 吗?
Non, il n'y en a pas	Méi yǒu	没有
Hôtel	Fàndiàn/bīnguǎn	饭店/宾馆
Restaurant	Fànguǎnr	饭馆
Banque	Yínháng	银行
Poste	Yóujú	邮局
Toilettes	Cèsuǒ	厕所
Gare ferroviaire	Huǒchē zhàn	火车站
Gare routière	Qìchē zhàn	汽车站
Ambassade	Dàshǐguǎn	大使馆
Consulat	Lǐngshìguǎn	领事馆
Passeport	Hùzhào	护照
Visa	Qiānzhèng	签证
Pharmacie	Yàodiàn	药店
Hôpital	Yīyuàn	医院
Médecin	Dàifu/yīshēng	大夫/医生
Traduire	Fānyì	翻译
Bar	Jiǔbā	酒吧
Est-ce que vous avez... ?	Nín yǒu... ma ?	您有... 吗?
Je veux/je voudrais	Wǒ yào/wǒ xiǎng yào...	我要/我想要
Je veux acheter...	Wǒ xiǎng mǎi...	我想买
Où puis-je acheter... ?	Nǎr néng mǎi... ma ?	哪儿能买吗?

Ceci/cela	Zhège/nèige	这个/那个
Thé vert/thé noir	Lúchá/hóngchá	绿茶/红茶
Café	Kāfēi	咖啡
Cigarette	Xiāngyān	香烟
Pellicule photo	Jiāojuǎnr	胶卷儿
Billet	Piào	票
Carte postale	Míngxìnpiàn	明信片
Lettre	Yì fēng xìn	一封信
Par avion	Hángkōng xìn	航空信
Timbre	Yóupiào	邮票

Shopping

Combien ?	Duōshǎo ?	多少
Combien cela coûte-t-il ?	Zhège duōshǎo qián ?	这个多少钱?
C'est trop cher, merci	Tài guì le, xièxie	太贵了，谢谢
Très cher	Hěn guì	很贵
Un peu	Yìdiǎnr	一点儿
Trop	Tài duō le	太多了
Beaucoup	Duō	多
Peu	Shǎo	少

Argent, hôtel, transports, communication

Espèces/argent	Qián	钱
Devise chinoise	Rénmínbì	人民币
Un yuan/un kwai (10 jiao)	Yì yuán/yì kuài	一元/一块
Un jiao/un mao (10 fen)	Yì jiǎo/yì mǎo	一角/一毛
Un fen	Yì fēn	一分
Traveller's cheque	Lǚxíng zhīpiào	旅行支票
Carte de crédit	Xìnyòngkǎ	信用卡
Monnaie étrangère	Wàihuìquàn	外汇券
Où puis-je changer de l'argent ?	Zài nǎr kěyǐ huàn qián ?	在哪儿可以换钱?
Je voudrais changer de l'argent	Wǒ xiǎng huàn qián	我想换钱
Quel est le taux de change ?	Bǐjià shì duōshǎo?	比价是多少?
Nous voulons passer une (deux/trois) nuits	Wǒmen xiǎng zhù yì (liǎng/sān) tiān	我们想住一（两，三）天
Combien coûte une nuit ?	Fángjiān duōshǎo qián yì tiān ?	房间多少钱一天?
Numéro de chambre	Fángjiān hàomǎ	房间号码
Chambre simple	Dānrén fángjiān	单人房间
Chambre double	Shuangrén fángjiān	双人房间
Réception	Qiántai/fúwùtai	前台/服务台
Clé	Yàoshì	钥匙
Vêtements	Yīfu	衣服
Bagages	Xíngly	行李
Aéroport	Fēijīchǎng	飞机场
Bus	Gōnggòng qìchē	公共汽车
Taxi	Chūzū qìchē	出租汽车
Vélo	Zìxíngchē	自行车
Téléphone	Diànhuà	电话
Appel national	Chángtú diànhuà	长途电话
Appel international	Guójì diànhuà	国际电话
Numéro de téléphone	Diànhuà hàomǎ	电话号码
Télégramme	Diànbào	电报
Ordinateur	Diàn nǎo/jìsuànjī	电脑/计算机
Relever le courriel	Chá diànxìn	查电信
Utiliser Internet	Shàng wǎng	上网

L'heure

À quelle heure ?	Shénme shíhou ?	什么时候?
Quelle heure est-il ?	Xiànzài jídiǎn zhōng ?	现在几点种?
Combien de temps ?	Duōcháng shíjiān?	多长时间?

Une heure/ deux/trois heures	Yī diǎn/liǎng diǎn/sān diǎn zhōng...	一点/两点/三点种
Tôt le matin/matin	Zǎoshang/shàngwǔ	早上/上午
Midi/après-midi/soir	Zhōngwǔ/xiàwǔ/wǎnshang	中午/下午/晚上
Lundi	Xīngqīyī	星期一
Mardi	Xīngqīèr	星期二
Mercredi	Xīngqīsān	星期三
Jeudi	Xīngqvsì	星期四
Vendredi	Xīngqīwǔ	星期五
Samedi	Xīngqīliù	星期六
Dimanche	Xīngqītiān/xīngqīrì	星期天/星期日
Week-end	Zhōumò	周末
Hier/aujourd'hui/demain	Zuótiān/jīntiān/míngtiān	昨天/今天/明天
Cette semaine/la semaine dernière	Zhègexīngqī/shàngxīngqī/	这个星期/上星期/
La semaine prochaine	xiàxīngqī	下星期
Heure/jour/semaine/mois	Xiǎoshí/tiān/xīngqī/yuè	小时/天/星期/月
Janvier/février/mars	Yīyuè/èryuè/sānyuè	一月/二月/三月
Avril/mai/juin	Sìyuè/wǔyuè/liùyuè	四月/五月/六月
Juillet/août/septembre	Qīyuè/bāyuè/jiǔyuè	七月/八月/九月
Octobre/novembre/décembre	Shíyuè/shíyīyuè/shíèryuè	十月/十一月/十二月

Au restaurant

Restaurant	Cāntīng/fànguǎn'r	餐厅/饭馆儿
Serveur	Fúwúyuán	服务员
Serveuse	Xiǎojiě	小姐
Manger	Chī fàn	吃饭
Petit déjeuner	Zǎofàn	早饭
Déjeuner	Wǔfàn	午饭
Dîner	Wǎnfàn	晚饭
Menu	Càidān	菜单
Baguettes	Kuàizi	筷子
Couteau	Dāozi	刀子
Fourchette	Chāzi	叉子
Cuiller	Sháozi	勺子
Tasse/verre	Bēizi/bōlíbēi	杯子/玻璃杯
Bol	Wǎn	碗
Assiette	Pán	盘
Serviette en papier	Cānjīn zhǐ	餐巾纸
Je veux	Wǒ yào	我要
Je ne veux pas	Wǒ bú yào	我不要
Je n'ai pas commandé ceci	Zhège wǒ méi diǎn	这个我没点
Je suis végétarien	Wǒ shì chī sù de rén	我是吃素的人
Je ne mange pas de viande	Wǒ suǒyǒude ròu dōu bù chī	我所有的肉都不
Je ne mange ni viande ni poisson	Wǒ suǒyǒude ròu hé yú, dōu bù chī	我所有的肉和鱼都不吃
Veuillez le faire frire	Qǐng yòng zhíwù yóu chǎo chǎo	请用植物油炒炒吃
Bière	Píjiǔ	啤酒
Vin rouge/blanc	Hóng/bái pútaojiǔ	红/白葡萄酒
Alcool blanc	Bái jiǔ	白酒
Eau minérale	Kuàngquánshuǐ	矿泉水
Boisson pétillante	Yǐnliào	饮料
Coca-cola	Kělè	可乐
Thé	Cháshuǐ	茶水
Fruit	Shuǐguǒ	水果
Pain	Miànbāo	面包
Pain grillé	Kǎomiànbāo	烤面包
Yaourt	Suān nǎi	酸奶
Œuf au plat/coque	Chǎo/zhǔ jīdàn	炒/煮鸡蛋
Riz	Mǐfàn	米饭
Soupe	Tāng	汤
Plats cuits à feu vif au wok	Chǎo cài	炒菜

Bœuf/porc/agneau/poulet . . . . Niú/zhū/yáng/jī ròu . . . . 牛肉/猪肉/羊肉/鸡肉
Poisson . . . . Yú . . . . 鱼
Légumes . . . . Shūcài . . . . 蔬菜
Épicé/doux/aigre/salé . . . . Là/tián/suān/xián . . . . 辣/甜/酸/咸
Froid/chaud . . . . Rè/liáng . . . . 热/凉
Nous voudrions l'addition, s'il vous plaît . . . . Qǐng jié zhàng/mǎidān . . . . 请结帐/买单

Les spécialités
Canard laqué . . . . Běijīng kǎoyā . . . . 北京烤鸭
Ragoût . . . . Huǒ guō . . . . 火锅
Phénix au nid . . . . Fèng zài wōlǐ . . . . 凤在窝里
Poisson mandarin . . . . Tángcù guìyú . . . . 糖醋鳜鱼
Gâteaux aux mille feuilles . . . . Qiān céng bǐng . . . . 千层饼
Bouquets aux graines de lotus . . . . Ôu piànn'r xiārén . . . . 藕片儿虾仁
Cuisine familiale . . . . Jiā cháng cài . . . . 家常菜

Les amuse-gueules
Cacahuètes frites . . . . Zhá huāshēngmǐ . . . . 炸花生米
Cacahuètes bouillies . . . . Zhǔ huāshēngmǐ . . . . 煮花生米
Tofu mou . . . . Bàn dòufu . . . . 拌豆腐
Haricots vers "poilus" . . . . Máo dòu . . . . 毛豆
Concombre rapé . . . . Pái huángguā . . . . 排黄瓜
Tofu éminc é . . . . Dòufu sī . . . . 豆腐丝
Œufs de cent ans . . . . Sōnghuā dàn . . . . 松花蛋
Tofu fumé au céleri . . . . Qíncài dòufu gān'r . . . . 芹菜豆腐干儿

Plats à base de viande
Beignets d'aubergine fourrés à l'émincé de porc . . . . Qié hé . . . . 茄盒
Poulet au piment . . . . Làzi jīdīng . . . . 辣子鸡丁
Poulet épicé aux cacahuètes . . . . Gōngbào jīdīng . . . . 宫爆鸡丁
Porc à l'œuf et aux champignons shiitake . . . . Mùxū ròu . . . . 木须肉
Émincé de porc aux pousses de bambou . . . . Dōngsǔn ròusī . . . . 冬笋肉丝
Bœuf à la sauce brune . . . . Hóngshāo niúròu . . . . 红烧牛肉
Bœuf grésillant . . . . Tiěbǎn niúròu . . . . 铁板牛肉
Bœuf aux pommes de terre . . . . Tǔdòu niúròu . . . . 土豆牛肉

Poissons et fruits de mer
Crevettes aux noix de cajou . . . . Yāoguǒ xiārén . . . . 腰果虾仁
Carpe à la sauce brune . . . . Hóngshāo lǐyú . . . . 红烧鲤鱼
Crevettes bouillies . . . . Shuǐzhǔ xiārén . . . . 水煮虾仁
Crevettes sautées . . . . Qīngchǎo xiārén . . . . 清炒虾仁
Poisson-mandarin aigre-doux . . . . Tángcù guìyú . . . . 糖醋鳜鱼
Calmar aigre-doux . . . . Suānlà yóuyú juàn . . . . 酸辣鱿鱼卷

Les légumes
Maïs aux pignons de pin . . . . Sōngrén yùmǐ . . . . 松仁玉米
Mangetouts . . . . Hélán dòu . . . . 荷兰豆
Haricots verts épicés . . . . Gānbiān biāndòu . . . . 干煸扁豆
Aubergine épicée à saveur de poisson . . . . Yúxiāng qiézi . . . . 鱼香茄子
Haricots aux champignons secs . . . . Xiānggū yóucài . . . . 香菇油菜
Tofu épicé au piment . . . . Málà dòufu . . . . 麻辣豆腐
Œuf frit à la tomate . . . . Xīhóngshì chǎo jīdàn . . . . 西红柿炒鸡蛋
Pomme de terre râpée au wok . . . . Tǔdòu sī . . . . 土豆丝
Marmite de soupe de tofu . . . . Shāguō dòufu . . . . 沙锅豆腐
Chou amer aux vermicelles de riz . . . . Suāncài fěnsī . . . . 酸菜粉丝
Pomme de terre, aubergine et poivron vert . . . . Dì sān xiān . . . . 地三鲜

Les accompagnements

Pain cuit à la vapeur	Mántou	馒头
Pain de mais	Wōtou	窝头
Riz cantonais	Dàn chǎo fàn	蛋炒饭
Riz	Bái fàn	白饭
Galette de riz croustillante	Guōbā	锅巴
Nouilles	Miàntiáo	面条
Pancakes	Bǐng	饼

Les soupes

Soupe pékinoise	Suānlà tāng	酸辣汤
Soupe à la tomate et à l'œuf	Xīhóngshì jīdàn tāng	西红柿鸡蛋汤
Soupe au tofu	Dòufu tāng	豆腐汤
Soupe à l'agneau et à la moelle	Yángròu dōngguā tāng	羊肉冬瓜汤
Soupe de poisson	Yútóu tāng	鱼头汤

Avaler un morceau

Nouilles	Miàntiáo	面条
Raviolis fourrés	Jiǎozi	饺子
fourrés à la viande/aux légumes	ròu xiàn/sù xiàn	肉馅/素馅
Chaussons à la viande cuits à la vapeur	Bāozi	包子
Raviolis frits	Guōtiē	锅贴
Pancake à l'œuf	Jiān bǐng	煎饼
Soupe aux raviolis	Húndùn	混沌
Lait de soja	Dòu jiāng	豆浆
Beignets de farine	Yóutiáo	油条

Nombres

Un	Yī	一
Deux	Èr	二
Trois	Sān	三
Quatre	Sì	四
Cinq	Wǔ	五
Six	Liù	六
Sept	Qī	七
Huit	Bā	八
Neuf	Jiǔ	九
Dix	Shí	十
Onze	Shíyī	十一
Douze	Shíèr	十二
Treize	Èrshí	二十
Trente	Sānshí	三十
Quarante	Sìshí	四十
Cinquante	Wǔshí	五十
Soixante	Liùshí	六十
Soixante-dix	Qīshí	七十
Quatre-vingt	Bāshí	八十
Quatre-vingt-dix	Jiǔshí	九十
Cent	Yìbǎi	一百
Cent un	Yìbǎi língyī	一百零一
Deux cents	Liǎng bǎi	两百
Trois cents	Sān bǎi	三百
Quatre cents	Sì bǎi	四百
Cinq cents	Wǔ bǎi	五百
Mille	Yìqiān	一千

À lire

Art

Billeter, Jean-François, *L'Art chinois de l'écriture*, Skira, 1989. La structure de l'écriture chinoise, ses exigences esthétiques et son apprentissage.
Cheng, François, *Vide et plein, Le langage pictural chinois*, Le Seuil, 1991. Introduction à l'art et à la peinture chinoise.
Lesbre, Emmanuelle et Lin Jianlong, *La Peinture chinoise*, Hazan, 2004. À travers une approche thématique et historique, une présentation des genres picturaux et de l'apport des différentes dynasties.
Yang Xin, M. Barnhart, Richard, et Chongzheng, Nie *Trois mille ans de peinture chinoise*, trad. par Nadine Perront, P. Picquier, 1997.

Biographies

Johnston, Reginald F., *Au cœur de la Cité interdite*, trad. par Christian Thimonier, Coll. "Le Temps retrouvé", Mercure de France, 1995. Tuteur de Puyi, Johnston retrace son expérience auprès du dernier empereur de la dynastie des Qing.
Joyaux, François, *Mao Tse-Toung*, Coll. "Cahiers de l'Herne", Fayard, 1999. Le parcours du fondateur de la République populaire de Chine, de sa naissance dans le Hunan en 1893 à la Révolution culturelle.
Jicai, Feng, *L'Empire de l'absurde : 10 ans dans la vie des gens ordinaires*, trad. par Marie-France de Mirbeck, Étienne Nodot, Bleu de Chine, 2001. Huit témoignages de Chinois emportés dans la tourmente de la Révolution culturelle.
Jung, Chang, *Les Cygnes sauvages : les mémoires d'une*

famille chinoise de l'Empire céleste à Tiananmen, trad. par Sabine Boulongne, Pocket, 2001. Les souvenirs de 3 générations de femmes, et un témoignage sur la Chine d'hier et d'aujourd'hui.
Kunchap, Tenzin et Amory, Patrick, *Le Moine rebelle : carnets de lutte de ma vie au Tibet*, Plon, 2000. L'histoire du jeune moine Tenzin Kunchap témoigne de celle du Tibet moderne.
Shi, Dan, *Mémoires d'un eunuque dans la Cité interdite*, trad. par Nadine Perront, Picquier, 1995. Des mémoires riches en intrigues et portraits acerbes de la cour impériale au début du xxᵉ siècle.
Soulié de Morant, George, *T'seu-Hsi : impératrice des Boxers*, Librairie You-Feng, 1997. La Chine à la veille de grands bouleversements.

Essais

Chen, Yan, *L'Éveil de la Chine : les bouleversements intellectuels après Mao, 1976-2002*, Éditions de l'Aube, 2003. La vie intellectuelle chinoise depuis 1976.
Domenach, Jean-Luc, *Où va la Chine ?*, Fayard, 2002. Les réformes sociales et économiques récemment engagées par la Chine.
Dufour, Jean-François, *La Chine au xxiᵉ siècle : entre promesses et défis*, Coll. "Les Essentiels Milan", Milan, 2003. Les enjeux du pays entre développement anarchique, oppression politique, inégalités sociales et tensions internationales.
Fabre, Guilhem, *Chine : crise et mutations*, Coll. "Recherches asiatiques", L'Harmattan, 2002. La mutation spectaculaire de la Chine depuis deux décennies.
Leys, Simon, *Essais sur la Chine*, Robert Laffont, 1998. Portraits critiques et iconoclastes de la Chine contemporaine.

Histoire

Bianco, Lucien, *Les Origines de la révolution chinoise*, Gallimard, 1987. Les facteurs historiques et culturels de la révolution de 1949.

Bourgerie, Raymond et Lesoueff, Pierre, *La Guerre des Boxers (1900-1901) : Tseu-Hi évite le pire*, Coll. "Campagnes et stratégies", Éditions Economica, 1998. Une analyse de l'ensemble du conflit et de sa complexité.
Elisseeff, Danielle et Vadime, *La Civilisation de la Chine classique*, Arthaud, 1988. Du Ⅲᵉ siècle av. J.-C. au ⅩⅢᵉ siècle.
Fairbank, John K., *La Grande Révolution chinoise : 1800-1989*, trad. par Sylvie Dreyfus, Coll. "Champs", Flammarion, 1997. Une analyse des multiples convulsions qui ont conduit à la révolution de 1949 et aux évolutions récentes.
Gernet, Jacques, *Le Monde chinois*, Armand Colin, 1999. Un ouvrage de référence sur la Chine du néolithique à nos jours.
Lombard, Denys, *La Chine impériale*, Coll. "Que sais-je ?", PUF, 2001. Vingt-deux siècles de l'histoire de l'Empire chinois.

Philosophie

Cheng, Anne, *Histoire de la pensée chinoise*, Coll Points Essais, Le Seuil, 2002. De l'antiquité à l'époque moderne.
Laozi, *Dao de jing : le livre de la voie et de la vertu*, Desclée De Brouwer, 2002. Traduction et commentaire spirituel de ce livre majeur du taoïsme composé d'aphorismes et de poèmes ésotériques.

Romans, littérature

Anthologie de la poésie chinoise classique, Coll. "Connaissance de l'Orient", Gallimard, 1962.
Ba Jin, *Famille*, Coll. LGF, Flammarion, 1979. Un classique de la littérature chinoise du xxᵉ siècle, qui fait revivre les conflits de générations dans la période de transition des années 1920.
Nuit glacée, Gallimard, 2000. Saga familiale durant la guerre sino-japonaise.
Cao Xueqin, *Le Rêve dans le pavillon rouge*, Coll. "La Pléiade", Gallimard, 1985. Roman en prose

et en vers écrit au XVIIIe siècle mettant en scène les jeunes filles d'une grande famille mandchoue.

Cheng, François, *Le Dit de Tianyi*, Albin Michel, 2001. Tianyi, un vieux peintre vivant dans un hospice, raconte sa vie. François Cheng est membre de l'Académie française et l'auteur de nombreuses traductions et essais sur la pensée et l'esthétique chinoises.

Contes de la montagne sereine, Coll. "Connaissance de l'Orient", Gallimard, 1987. Tableaux de la Chine des Song et des Yuan.

En mouchant la chandelle : nouvelles chinoises des Ming, coll. "L'Imaginaire", Gallimard, 1986.

Lao, She, *Gens de Pékin*, Gallimard, 1993, *Le Pousse-pousse*, Picquier, 1995. À travers des personnages très divers, toute la vie pékinoise à la fin de l'Empire et dans les premières années de la République.

Luo Guan-zhong, *Les Trois Royaumes*, Flammarion, 1987-1991. Grand roman de stratégie militaire et d'histoire chinoise écrit au XIVe siècle.

Lu Xun, *Le Journal d'un fou*, suivi de *La Véritable Histoire d'Ah Q*, Stock, 1996. Deux nouvelles de l'un des plus grands écrivains de la Chine contemporaine.

Pimpanneau, Jacques, *Histoire de la littérature chinoise*, Picquier, 1997. Un ouvrage de référence, illustré de nombreuses gravures.

Le Poisson de jade et l'épingle au phénix, coll. "Connaissance de l'Orient", Gallimard, 2004. Texte libertin et poétique du XVIIe siècle. Les aventures picaresques de personnages aux mœurs légères.

P'ou Song Lin, *Contes étranges du cabinet Leao*, P. Picquier, 1994. Assis au bord des routes, P'ou Song Lin (1640-1715) invitait les passants à raconter des histoires, matière brute des 431 contes qu'il écrivit.

Shi Nai-an, Luo Guan-zhong, *Au bord de l'eau*, Coll. "Folio", Gallimard, 1997. Un roman

d'aventures populaire mêlant farce et poésie.

Récits de voyage

Chandra Das, Sarat, *Voyage à Lhassa et au Tibet*, Coll. "Objectif terre", Olizane, 1994. En 1881, le jeune ingénieur indien Chandra Das, déguisé en moine, parcourt le Tibet : il s'initie au bouddhisme et prend des notes topographiques, ethnologiques et culturelles qui formeront la base des connaissances occidentales sur ce pays au début du XXe siècle.

David-Neel, Alexandra, *Grand Tibet et Vaste Chine*, Plon, 1999. Récits d'une grande exploratrice, de 1920 à 1946, aux confins de la Chine.

Guéguéniat, Jean-Yves, *Sur la route de la soie en Chine : du fleuve Jaune aux monts Pamir, 3 600 km à la tête d'une caravane de chameaux*, Coll. "Carnets de bord", Georama, 2001. Journal de route de Jean-Yves Guéguéniat, qui a parcouru à pied la légendaire route de la Soie à la tête d'une caravane de chameaux.

Leviol, Jean, *Circumambulation tibétaine : à la source des grands fleuves chinois, sur les traces d'Alexandra David Neel*, Librairie You-Feng, 1999. Ce carnet de route révèle le haut plateau tibétain, dans la province chinoise du Qinghai, à la source des 3 grands fleuves chinois : le fleuve Jaune ou Houang-Ho, le Yangzi et le Mekong.

Thubron, Colin, *Derrière la Grande Muraille : un voyage en Chine*, trad. par Isabelle Py-Balibar, Payot, 2001. Voyage à pied, en train, à bicyclette, depuis la frontière birmane jusqu'au désert de Gobi, depuis la mer Jaune jusqu'au toit du Tibet.

Tao, Zhou, *L'Épopée du fleuve Jaune*, trad. par Shi Bo, Coll. "L'Aventure continue", R. Laffont, 1995. Un exploit inouï : la descente, en 1987, du fleuve Jaune, l'un des plus longs et des plus dangereux au monde. Par-delà la performance sportive, ce document est aussi une exploration au cœur de ce pays de légendes.

À voir

Zhang Shichuan, *Le Roman d'un marchand ambulant*, 1922.
Fei Mu, *Le Printemps d'une petite ville*, 1948.
King Hu, *L'Hirondelle d'or*, 1966.
Evens, Joris et Loridan, Marceline, *Comment Yu-Kong déplaça les montagnes*, 1975.
Huang Jianzhong, *Le Talisman*, 1982.
Wu Tianmin, *La Rivière sans balise*, 1983.
Tian Zhuanghuang, *Septembre*, 1983.
Xie Jin, *Le Gardien de chevaux*, 1983.
Cen Fan, *Par monts et par vaux*, 1984.
Chen Kaige, *La Terre jaune*, 1984.
Tian Zhuangzhuang, *Le Voleur de chevaux*, 1986.
Zhang Yimou, *Le Sorgho rouge*, 1988.
Dai Sijie, *Chine ma douleur*, 1989.
Zhang Yimou, *Judou*, 1990.
Woo, John, *À toute épreuve*, 1991.
Zhang Yimou, *Épouses et concubines*, 1992.
Chen Kaige, *Adieu ma concubine*, 1993.
Tian Zhuangzhuang, *Le Cerf-volant bleu*, 1993.
Hou Hsiao-hsien, *Le Maître des marionnettes*, 1993.
Zang Yimou, Qiu Ju, *Une femme chinoise*, 1993.
Wong Kar-wai, *Chunking express*, 1994.
Zhang Yimou, *Vivre*, 1994.
Wu Tianmin, *Le Roi des masques*, 1995.
Yu Lik wai, *L'amour nous déchire*, 1999.
Chen Bo-lin, *Blue Gate Crossing*, 2001
Jia Zhang-Ke, *Plaisirs inconnus*, 2001.
Wang Xiaoshuri, *Beijing Bicycle*, 2001.
Toe Yuen, *Mc Ddull dans les nuages*, 2002.
Li Xi-Xiang, *Bling Shaft*, 2003.

CRÉDITS PHOTOGRAPHIQUES

Couverture

W. Louvet/Diaporama
(Fleur de lotus à Huanzhu, Yunnan)

Apa 75, 239, 344
G. Azumendi 126-127
Bondzio, Bodo 10-11, 105, 212, 216, 335
Bowden, David 113, 290, 352
CPA/D. Henley 199, 204, 215, 220(h), 222
CPA/Cao Jingjian 298-299, 307
CPA/J. Goodman 314(h)
Cummings, Ian/Axiom 320-321
Dobson, Richard 282-283
Donnet, Pierre-Antoine 176, 325, 347
Dorel, Rene 85
Evrard, Alain 12, 43, 278
Gertrud & Helmut Denzau 81
Goodman, Jim 316, 317, 318
Gottschalk, Manfred 301
Harper, Damian 214, 241(h)
Heaton, D. J. 80, 256-257
Hemphill, Mary Anne 221, 238(h), 242, 245
Hessel, Peter 21, 23, 79, 103(d), 112, 225, 219, 220, 286, 314, 315
Höfer, Hans 132, 150, 351
Hollingsworth, Jack 15, 66, 87, 106-107, 120, 268, 269(g, d), 271, 272, 273, 276, 277, 285, 340, 343, 348
Image Bank 135
Imaginechina 8-9, 41, 42, 44, 45, 62, 124, 139(h), 160, 162, 163, 164, 165, 165(h), 170, 173(h), 180, 183, 192-193, 213(h), 217, 228, 228(h), 229, 233, 234(h), 243, 254, 293, 294, 294(h), 295, 296(h), 303, 306, 308, 308(h), 309, 311, 313(h), 319, 322, 333, 334
Karnow, Catherine 56, 60, 61, 110, 262, 266, 267, 281
Kowall, Earl 274
Laude, Olivier 291
Le Bas, Tom 73, 330, 332
Lloyd, Ian 68
Lucero, Pat 188, 258, 284, 288
McGregor, Keith 54-55
Morgenstern, Manfred 16, 18, 20,

22, 24, 26, 28, 29, 30, 31, 32, 33, 34, 35, 36, 39, 49, 69, 70(d), 72, 93, 94(g, d), 95, 104, 133, 139, 140, 142, 145(g), 179, 182, 211, 252, 346, 350
Nakayama, Ben 224, 300, 302
Oey, Eric 241
Panos 4-5, 38, 59, 74, 109, 118-119, 136, 152, 166-167, 169, 173, 177, 181, 184, 198, 244, 292, 293(h), 296, 297, 310
Pansegrau, Erhard 70(g), 97, 103(g), 148-149, 154-155, 168, 174, 175, 230-231, 240, 249, 253, 304, 305, 312, 320-321, 326, 331, 345
Photobank/Singapore 2, 114-115, 6-7, 37, 48, 50, 51, 52, 53(g, d), 57, 58, 82-83, 84, 100, 108, 111, 113, 116-117, 144, 153, 158, 172, 178, 184(h), 186-187, 200, 201, 202, 203, 205, 207, 208, 209, 232, 324, 328, 338-339
Reichelt, G. P. 275
Smith, Hilary Adele 138, 141
Strange, Rick 263
Theiler, Mike 5, 76, 156, 157, 223, 329
Trip/T. Bognar 194, 210, 214(h), 227, 248
Trip/M. Watson 235
Trip/B. Atwell 255(h)
Trip/J. Sweeney 255, 342(h)
Van Riel, Paul 206
Wandel, Elke 63, 92, 161, 250
Wassman, Bill 25(d)
Weber-Lui, Kosima 25(g), 46-47, 145(d), 238
Wilkins, David 77, 226
Wilson-Smith, Marcus 102, 137
Yogerst, Joseph 280
Leo Haks Collection 67

Cartographie
Polyglott Kartographie
© 2004 Apa Publications GmbH
& Co. Verlag (Singapour)
Édition : Zoe Goodwin
Iconographie Hilary Genin
Conception artistique Klaus
Geisler, Graham Mitchener

National Palace Museum 78, 86, 89
Tainan Historical Museum 88

Zoom sur...

64-65 (gauche, de haut en bas) :
The Image Bank/Run Xiu Zhang ;
The Image Bank/Steve Dunwell.
(centre, de haut en bas) :
Impact Photos/Alain Evrard ;
The Hutchison Library ;
The Image Bank/Grant V Faint ;
The Hutchison Library. (droite) :
The Image Bank/Grant V Faint.
90-91 (sens horaire) :
ffotograff/Patricia Aithie ;
Werner Forman Archive ;
Impact Photos/Christophe Bluntzer ;
Werner Forman Archive ; ffotograff/
Patricia Aithie ; ffotograff/Patricia
Aithie ; ffotograff/Patricia Aithie ;
Impact Photos/Alain Le Garsmeur.
98-99 (de gauche à droite en
partant du haut) :
Panos Pictures/Chris Stowers ;
Bodo Bondzio ; Impact/Cosmos/
Dagnino ; Impact/Alain Evrard ;
ffotograff/Patricia Aithie ;
Eye Ubiquitous/A Carroll ;
The Image Bank/Wendy Chan ;
Bodo Bondzio.
146-147 (de gauche à droite en
partant du haut) :
Bodo Bondzio ; Apa/Marcus Wilson
Smith ; OBodo Bondzio ;
Apa/Marcus Wilson Smith ;
Apa/Marcus Wilson Smith ;
Apa/Marcus Wilson Smith ;
Bodo Bondzio.
190-191 :
Mainstream Photography/Roy Main.
246-247 :
Imaginechina
336-337 (de gauche à droite en
partant du haut) :
The Image Bank/N. Wier ;
The Image Bank/Miao Wang ;
Axiom/Gordon D. R. Clements ;
Eye Ubiquitous/Julia Waterlow ;
Axiom/Gordon D. R. Clements ;
The Image Bank/Tom Owen
Edmunds.